L'Ère de survie
Tome 1

Le 9ᵉ jour

Écrit par
Nataly Jacques

© Nathalie Jacques 2008
Les éditions Viscéral
www.leseditionsvisceral.com
ISBN 978-2-9811469-0-8
Tous droits réservés
Dépôt légal – Bibliothèque et Archives nationales du Québec, 2009
Dépôt légal – Bibliothèque et Archives Canada, 2009
Révision linguistique: Véronique Boily
Mise en page et graphisme : Julie Larocque
Illustration : Sophie Rozenn Boucher

Dédicace

Je dédie ce roman à mon mari, Luc, pour sa patience, et à mes enfants, qui sont source intarissable d'inspiration et de fierté.

Préface

À la lecture de ce roman, une personne m'a un jour demandé pourquoi je l'ai écrit. J'ai alors réalisé qu'une réponse, une justification s'imposait, afin d'aider à la compréhension du récit. En toute candeur, je vous dévoile donc ici les motivations intimes qui me poussent à le partager avec vous.

Ma volonté vient, d'une part, du besoin d'exprimer un malaise profond que je ressens concernant notre réalité d'aujourd'hui. Je nourris le désir de voir l'humanité comprendre enfin l'importance de son propre rôle dans sa survie sur cette terre. La planète se détériore à un rythme effréné, et nous savons tous fort bien que ces bouleversements climatiques accélérés par l'activité humaine et le problème de surpopulation s'en vont en s'accentuant. Il est évident que les efforts et les initiatives déjà entrepris pour tenter de freiner cette descente aux enfers sont largement insuffisants pour contrer les effets néfastes à court et moyen terme sur l'écosystème, sur les ressources naturelles, la faune, sur notre qualité de vie et, bien sûr, sur notre survie même. L'extinction de la race humaine ne se produira pas de notre vivant, certes, mais sans aucun doute de celui de nos enfants, nos petits-enfants et ceux à venir.

À mon avis, seul un événement majeur, à l'échelle planétaire, permettrait un réel revirement dans cette escalade déchaînée qui nous mène irrévocablement à notre perte. Et cet événement crucial doit se produire avant qu'il ne soit trop tard. Avant que l'homme, trop aveugle et inconscient, s'éteigne de lui-même à petit feu, étouffé par sa propre inertie.

Et, d'autre part, l'écriture de ce roman vient aussi de ma fascination pour l'instinct de survie. Cet instinct inné, viscéral et enfoui en nous depuis toujours, devenu presque inutile par la force des choses dans ce monde contemporain. Ce même instinct qui nous a permis de survivre pendant des millénaires sur cette terre autrefois hostile.

La combinaison de cette fascination et du désir profond de trouver une solution à la survie de notre race a fait émerger un scénario époustouflant dans ma tête, où les deux éléments se rejoignent en symbiose, créant la trilogie de *L'Ère de survie*.

L'Ère de survie

Qu'est-ce que *l'Ère de survie* ? C'est une période de transition entre l'ère de consommation actuelle qui nous emprisonne dans un cercle vicieux pernicieux de valeurs artificielles et vides de sens à une ère de grande spiritualité, cette ère que l'humanité cherche tant à atteindre depuis des siècles sans pouvoir y parvenir réellement. Mais c'est grâce à *l'Ère de survie* que l'homme, par la force des choses, reviendra à des valeurs plus vraies, plus proches de la terre et de ses pairs, délaissant les valeurs superficielles engendrées par les ères précédentes. *L'Ère de survie* sera donc un tournant bref, mais majeur dans l'évolution humaine, où l'homme, acculé au bord du gouffre, réapprendra à vivre en parfaite harmonie avec les siens et la nature sur notre chère planète.

Mais un changement d'Ère ne se fait pas sans heurts ni bouleversements. En fait, pour que se produise ce changement majeur et fondamental, l'homme doit nécessairement être confronté à ses plus grandes peurs, aux pires catastrophes, échappant de justesse à l'extinction de sa race avant qu'enfin il réalise l'urgence de la situation et se prenne en main. Pour de bon.

Ces tragiques mais nécessaires épreuves amèneront l'homme, du moins celui qui aura la capacité de survivre, à utiliser cette faculté spéciale qui le distingue des autres êtres vivants : son intelligence supérieure. Utilisée par les années passées à des fins moins essentielles, cette dernière permettra à l'homme de survivre et de parvenir au réel épanouissement, tout en vivant en symbiose avec son environnement. Son intelligence supérieure sera dorénavant mise à profit pour ce pour quoi elle a été créée.

La trilogie de *L'Ère de survie* souligne donc le difficile et douloureux passage de l'ère de consommation, qui englobe les sous-ères industrielles et technologiques, à l'ère de spiritualité. Et ce premier tome, *Le 9e jour*, présente l'effroyable élément déclencheur de ce changement fondamental. Le scénario fort possible et déjà abondamment documenté, dépeint des cataclysmes mondiaux sans précédents vécus à travers des personnages courageux.

À l'aube du 9e jour, l'énergie pure universelle sera à son paroxysme dans ce marasme mondial, insufflant un éclair de lucidité sans pareil à ces personnages uniques qui poseront ces gestes démesurés, mais essentiels à la survie de leurs descendants. Ces gestes fous, qui leur permettront d'évoluer dans leur cheminement personnel et façonneront leurs comportements futurs avec l'avènement de cette nouvelle ère. Une leçon de vie essentielle pour chacun…

Le décompte des jours vous mènera, tout comme Lucy, Julie et Serena, à deux doigts de la folie. Au point de non-retour…

Mais vous, en pareille situation, que seriez-vous prêt à faire pour la survie de vos enfants… de vos descendants ?

Chapitre 1

Centre américain de surveillance sismique—Maui, Hawaii

Josh

Josh Fisher est plongé dans un rêve. Il s'est endormi sur le sofa de son petit appartement, devant la télé, qui diffuse une émission spéciale sur l'ouragan Léona. L'ouragan de catégorie cinq déferle sur la côte est de la Floride et se déplace avec force, ravageant tout sur son passage. Le président américain a décrété l'état d'urgence sur toute la côte est, du nord de la Georgie jusqu'aux Keys, et a dépêché sur place une partie de ses troupes pour venir en aide à la population en détresse. Josh sombre dans les bras de Morphée alors que le président américain entame un de ses fameux discours de réconfort envers la nation…

Dans son rêve, où règne une douce félicité, il se trouve dans un parc verdoyant par une journée douce et légèrement voilée. Il est étendu avec une jeune femme aux cheveux d'or qui lui tourne le dos. Ils roulent dans l'herbe fraîche, le cœur léger. Il croise le regard de la jeune femme et remarque qu'elle a les mêmes yeux que sa fille… Il réalise alors qu'il s'agit bien de sa fille, mais en plus âgée. Ils sont seuls dans le parc et roulent encore et encore sur l'herbe verte, heureux et riant aux éclats. Mais la température augmente soudainement, et il a chaud… trop chaud. La sueur perle à son front. Sa fille s'inquiète aussi lorsque le sol tremble légèrement. Puis la secousse s'intensifie, faisant vibrer la terre de plus en plus violemment.

Ils se relèvent juste à temps pour voir une ville au loin être séparée en deux par une gigantesque crevasse d'où s'élèvent des gaz blanchâtres. Océane se jette dans ses bras et lève son visage angélique vers lui. Il y discerne une émotion qui lui va droit au cœur. Les yeux d'un bleu foncé de sa fille sont profonds, immenses. Comme l'océan. Et il comprend alors la poignante signification de ce regard déchirant : c'est la résignation totale. L'abandon ultime face à une mort inévitable, alors que la terre s'effondre sous leurs pieds…

Trempé de sueur, Josh se réveille en sursaut. Le sentiment désagréable ressenti à la fin du rêve persiste quelques instants encore, et il s'efforce de s'en débarrasser lorsqu'une sonnerie aiguë retentit. C'est son téléphone, et ça l'agace royalement. Il refuse de répondre et place son oreiller sur sa tête. Mais la personne au bout du fil insiste, encore et encore. Il persévère et enfonce plus profondément l'oreiller sur sa tête.

Il désire dormir au moins jusqu'à midi. Ensuite, comme prévu, il ira chercher sa fille Océane, âgée de neuf ans, pour passer le long week-end en sa compagnie. « Mmm… » Il se rendort dès que la sonnerie cesse. Mais la personne à l'autre bout du fil rappelle, et la sonnerie persiste. Il soupire d'agacement et étire le cou. L'afficheur du combiné indique « Centre américain de surveillance »… « Merde, que se passe-t-il encore ? »

Il consulte sa montre : 1 h 52. Résigné, il prend finalement le combiné :
— Dites-moi que vous êtes une belle amazone à la recherche de pur sexe. Autrement, je promets que je pars avec ce que j'ai sur le dos et ma cuillère de bois, et je vous assomme jusqu'à ce que mort s'ensuive ! dit-il d'un ton mi-amusé, mi-agacé.
— Viens comme tu veux, mais viens tout de suite ! Ça va mal. Ça va très mal !

C'est Elena au bout du fil, son adjointe, et elle n'a rien d'une belle amazone. En fait, elle est plutôt du genre joueuse de handball pour l'équipe féminine russe… Mais au ton de sa voix, Josh comprend qu'il n'y a pas de quoi rire.
— D'accord, j'arrive tout de suite.

Il raccroche. Il sent que la situation est grave et constate en regardant autour de lui qu'il y a eu un tremblement de terre pendant son sommeil. Il est soudainement angoissé. Il enfile rapidement un jeans, un t-shirt sale et ses sandales préférées. Sa barbe de trois jours lui pique le menton, et il la frotte frénétiquement. La nervosité le gagne rapidement, car ce n'est pas l'habitude d'Elena d'être si sérieuse. Elle a parlé sur un ton qu'il ne lui connaît pas.

Le centre de sismologie du département de la sécurité américaine est situé à deux minutes de chez lui, sur l'île de Maui. Il enfourche sa moto et, en route, son téléavertisseur sonne déjà. Il regarde le numéro de l'appelant : c'est son patron, M. MacPherson. Il a ajouté le code 911 à la suite de son numéro de rappel. « Décidément, c'est alarmant », songe-t-il.

Tout en roulant, il allume la radio dans l'espoir d'obtenir des informations sur la situation. Le commentateur du poste local des îles annonce fièrement qu'il s'agit de la huit centième journée sans tremblement de terre majeur dans les îles. Il y a plus d'un an, une journaliste avait réalisé un reportage concernant l'inactivité sismique inhabituelle sur le territoire des îles et de la ceinture de feu du Pacifique, incluant la côte ouest américaine. Et depuis ce temps, un décompte officiel a été instauré par les médias dans différentes régions du Pacifique. Les jours sont comptés comme s'il s'agissait d'une bénédiction. Les gens se sont enthousiasmés et ont développé une attitude légèrement euphorique, imprudente même. Ils ne sont plus sur leurs gardes, et cela inquiète passablement Josh. Les Américains, en particulier, semblent tout à fait inconscients de la réelle menace que représente ce calme inhabituel. Ils sont si concentrés a redévelopper l'économie du pays après cette longue et pénible récession qu'ils considèrent cette tranquillité d'un œil optimiste au lieu de s'en préoccuper. D'un geste impatient, Josh éteint le poste de radio et accélère.

Josh est devenu un sismologue réputé gradué de l'université de Californie voilà déjà dix ans. Il a toujours l'apparence d'un beach boy. Ce surfeur au teint bronzé et aux cheveux blonds mi-longs a longtemps fréquenté les plages californiennes, alors qu'il étudiait à l'université. Aujourd'hui, il surfe de temps à autre sur les vagues des différentes plages de l'archipel hawaïen. Âgé de la mi-trentaine, Josh est désormais dans la force de l'âge, beau et mature à souhait, et particulièrement sensible au charme féminin… ce qui lui a causé quelques soucis d'ailleurs, dont sa séparation d'avec sa femme, Sue.

Depuis maintenant quatre ans, il est second en charge de la surveillance des activités sismiques de la zone Pacifique Est et Centre. Sa thèse universitaire, basée sur le développement de l'application d'un logiciel censé prévoir les activités sismiques, a connu un succès remarquable. Le logiciel utilise des données fournies par différentes sources et analyse le tout en fournissant des prévisions sismiques qui se sont révélées exactes à maintes reprises.

Josh aspire au poste de directeur du centre. M. MacPherson, le directeur actuel, devrait prendre sa retraite dans trois ans, et pave la voie au jeune homme ambitieux et talentueux qu'il considère un peu comme son fils.

La veille, MacPherson avait convoqué le conseil des mesures d'urgence des états de la côte ouest américaine et d'Hawaii par conférence satellite. Le conseil, composé de différents intervenants chargés de la sécurité civile de ces états, était réuni par voie satellite en temps réel. MacPherson avait insisté pour tenir cette réunion, afin de les prévenir d'un possible tremblement de terre important, évalué au moins à huit sur l'échelle de Richter, dans toute la zone du Pacifique Est et Centre.

Après l'exposé de Josh et MacPherson, seulement six des treize membres avaient voté en faveur de l'adoption immédiate des mesures d'urgence de niveau trois, prévues au code de sécurité. Les sept autres s'étaient fiés à l'opinion de M. Pontiac, professeur sismologue à l'université de la Californie, lequel pensait plutôt que les signes ou indices précurseurs obtenus des lectures des sismographes n'étaient pas concluants. Il affirmait qu'ils pouvaient être en fait les restes de l'activité sismique de la dernière semaine, dont les manifestations avaient été notables, quoique limitées.

Josh, alors en colère, était sorti du bureau de MacPherson en claquant la porte. «Non seulement je n'ai pas réussi à faire valoir mon point de vue, mais Pontiac s'est aussi comporté comme un con, déjouant les membres du conseil en cherchant à se faire valoir, probablement dans l'intention d'obtenir le poste de directeur, qu'il convoite aussi ardemment que moi.»

Mais en cherchant à minimiser les probabilités d'une activité sismique d'importance, Pontiac avait enlevé de la crédibilité et de la pertinence au système conçu par Josh, en affirmant «qu'il est préférable de s'en remettre aux principaux indices habituellement observables…» «Quel con!» tempêta ce dernier.

Pontiac avait aussi éclaté de rire lorsque Josh avait mentionné que cette prochaine activité sismique pourrait bien être « The big one», ce monstrueux tremblement de terre inévitable tant craint des Californiens. Pontiac, et même MacPherson, s'étaient alors manifestés, imposant un bémol à cette déclaration. Finalement, le président du conseil, M. Emery, chef de la sécurité de la Californie, avait conclu :
— Tout ceci est intéressant, M. Fisher, mais vous avez tenu sensiblement les mêmes propos il y a huit mois. Et rien ne s'est produit à ce moment-là. Dans les deux dernières années, seulement de légers tremblements de terre ont secoué la Californie. Tout semble calme. Il n'y a pas de nouvelles données aujourd'hui qui nous laissent croire que la côte ouest se prépare à un choc majeur dans les prochains jours, avait-il conclu en mettant fin à la réunion.

Plus tard, MacPherson avait rejoint Josh dans son bureau et tenté de le raisonner :
— Josh, il ne faut pas précipiter les choses! Il y a d'énormes enjeux économiques, et tu le sais. Déclencher les mesures d'urgence de niveau cinq représente une catastrophe en soi. La dégringolade de plusieurs industries et commerces sur toute la côte, l'invasion massive des montagnes par la population, sans compter les pillages, les vols et le chaos qui s'installe… Et si rien ne se produit, ce sera encore pire !
— Je sais tout ça! Mais il n'y a plus que les lectures sismiques des failles qui entrent en jeu cette fois-ci. Ça vient de partout !

Se penchant sur les cartes et les papiers barbouillés de lignes rectilignes sur la grande table, il avait désigné des endroits spécifiques sur la carte océanique.
— La plaque tectonique ne réagit pas comme à l'habitude ; des secousses et des tensions énergétiques sont également ressenties dans différentes régions du Pacifique. Toutes en même temps ! C'est anormal. Quelque chose se prépare. Quelque chose de gros ! J'ai la nette impression que la plaque se

prépare à faire un gros saut ; tous les signes convergent vers cette hypothèse. Regarde par toi-même !

Intrigué, M. MacPherson avait demandé à Josh :
— À quand remonte ta dernière lecture des zones aléoutiennes et des Philippines ?
— À peine une heure. Ils ont décrété l'alerte de niveau trois. Ils ont prévenu les autorités compétentes des pays concernés d'Asie. Des alertes aux tsunamis ont également été transmises. Et c'est sans dire que les volcans de notre archipel dégagent une tension cent fois plus élevée que la normale. Il semble imminent qu'il y ait une éruption de niveau quatre, voire de niveau cinq, très bientôt. Les villages avoisinants les monts Mauna et Kilauea ont reçu l'ordre d'évacuation.
— Tu as déjà envoyé un ordre d'évacuation ?
— Bien sûr !
— Mmm… j'ai peur que tu précipites les choses. Et le mont St-Helens ?
— Des vapeurs sulfuriques majeures et une activité sismique de niveau trois, régulière depuis avant-hier. Le parc a été fermé au public. Comportement animal anormal signalé par les gardes-chasses de toute la région depuis trois jours.
— Et l'Australie ?
— Ils sont au niveau deux pour l'instant. Ils attendent nos prochaines prévisions.
— Bien, dit MacPherson en se frottant le front plusieurs fois. C'est inquiétant, en effet. Je vais parler à Emery seul à seul et lui suggérer de décréter le niveau d'alerte trois.

Avant de quitter la pièce, il s'était tourné vers Josh et lui avait dit :
— Tu as les traits tirés. Depuis quand n'as-tu pas dormi ?
— Ce n'est pas important…
— Si, ça l'est. Va dormir ; Corey et moi prendrons la relève. Mais reste au centre ; utilise le sofa de mon bureau.

Josh avait acquiescé et s'était étendu sur le sofa de cuir noir dix minutes plus tard. Il avait dormi cinq heures d'affilée et s'était relevé, reposé et calme. Il avait travaillé ensuite vingt heures d'affilée et pris à nouveau congé sous l'ordre de MacPherson, malgré les indices d'activités sismiques et volcaniques élevés un peu partout dans la zone du Pacifique. Il avait quitté le bureau, laissant son poste aux soins d'Elena et de Corey, s'était allongé sur le sofa aussitôt arrivé chez lui et dormait depuis moins d'une heure lorsque Elena l'avait appelé sur ce ton paniqué.

Une pluie fine tombe alors qu'il roule en direction du centre. MacPherson, Elena et Corey l'interceptent aussitôt arrivé dans le couloir. Ils parlent tous en même temps. Corey, d'ordinaire pas très loquace, gesticule et débite son histoire sans égard aux autres. Comme sa voix est plus forte et qu'il a la bouche collée à l'oreille de Josh, ce dernier n'entend véritablement que les paroles de celui-là.

— À 1 h 40, j'ai reçu un appel de Frank, tu sais, le gars basé à l'observatoire près du Kilauea… Il m'informe que la montagne a grogné comme jamais et que le tremblement ressenti voilà quelques minutes découlent de ce dernier. Il dit que la pression est à son maximum, et que les données sont foutrement alarmantes. Il affirme que le volcan est sur le point d'exploser! Tu imagines? Exploser!

— Calme-toi, Corey.

Corey, son stagiaire depuis huit mois, est d'origine hawaïenne et mesure tout juste un mètre cinquante-cinq. Le jeune homme s'arrête un instant, essoufflé et à bout de mots… Son expression en dit long sur sa détresse et sa nervosité.

Ses trois collègues lui lancent de nouvelles informations à la tête, et il s'empresse d'entrer dans son bureau pour ouvrir son système de prévision sismique, qu'il appelle le SPS.

— C'est bon! Corey, transfère les données reçues de Franck à mon PC immédiatement!

— C'est comme si c'était fait!

Les données sont transférées en quelques secondes, et Josh met à jour les autres informations provenant de ses huit équipements sismiques répartis dans tout le Pacifique. De plus, son réseau est connecté en temps réel, et les treize centres sismiques des différents intervenants mondiaux se transmettent leurs données en mode continu.

Puis, il se tourne vers MacPherson et Elena, qui entrent dans son bureau, où tous les murs sont remplis d'écrans fournissant des informations sous forme de tableaux et de graphiques. MacPherson tend le bras et jette un coup d'œil sur une feuille qui sort du télécopieur. Il lit à voix haute les nouvelles données recueillies des stations sismiques situées dans l'océan Pacifique.

— Ça bouge sous l'eau au large de la Californie. Ça ne regarde pas bien non plus du côté des Aléoutiennes… Et ça frisonne chez nous…

Une fébrilité palpable règne dans la pièce.

— Avez-vous prévenu le comité d'urgence? s'enquiert soudain Josh.

MacPherson ne répond pas, mais enchaîne aussitôt:

— OK, Elena, Corey, contactez immédiatement tous les membres de la liste d'urgence, et suivez le protocole. Immédiatement. Je m'occupe d'Emery.

MacPherson sort du bureau de Josh et entre dans le sien pour contacter le président du conseil, afin de le convaincre de passer à l'alerte cinq et de procéder aux pleines mesures d'urgence.
— Pour ma part, je vais sortir une simulation avec les données préliminaires, afin d'estimer le temps avant l'explosion du Kilauea, si explosion il y a. Allons-y, le temps joue contre nous, termine Josh dont la voix trahit la nervosité.

Il jette un coup d'œil à la photo posée contre le petit paravent : Océane… Elle est assise dans l'herbe dans le parc près de chez lui. C'était l'été dernier. Elle a cette couleur de yeux d'un bleu profond, rare, et les cheveux dorés, longs et fins. Ses taches de rousseur et sa jolie frimousse font déjà craindre le pire à son père, qui redoute le temps où les jeunes hommes se presseront à sa porte.

Son esprit vagabonde un court moment, songeant à son étrange rêve, alors qu'il attend que les données soient digérées par son logiciel de simulation. Sa fille lui manque ; il ne l'a pas vue beaucoup ces dernières semaines à cause de la tourmente dans laquelle il était plongé. Océane habite avec sa mère sur l'île d'Oahu à plus de cent kilomètres de chez lui par la voie des airs, à Honolulu. Son ex-femme s'est remariée l'an dernier, et le nouveau couple a aménagé dans une maison construite à flanc de colline, donnant sur la baie.

Josh a dû admettre que Georges, le nouveau mari de Sue, est réellement un type bien. Quoique sa tête dégarnie et son absence de style vestimentaire ne lui donnent pas de prime abord un charme particulier, il dégage un calme et une assurance réconfortante, et Océane démontre un réel attachement pour lui…

Il reporte son attention sur son écran d'ordinateur, où plusieurs alertes s'inscrivent aussitôt, identifiées par des rectangles rouges clignotant sans cesse, dans lesquels est inscrit le nom des endroits où des activités sismiques importantes sont susceptibles de se produire dans les douze prochaines heures. Il est abasourdi. Il y a vingt-deux régions où un tremblement de neuf et plus sur l'échelle de Richter est attendu dans la zone Pacifique !
— C'est pas possible… murmure Josh.

Il n'a jamais été témoin de prévisions sismiques si importantes dans une même région du globe, simultanément. Et les archives qui remontent à plus de quatre-vingts ans ne font pas état d'un tel scénario. Cela sème aussitôt un doute dans son esprit : s'agit-il d'une erreur ?

N'hésitant pas, il ferme le logiciel complètement. Il l'ouvre à nouveau et télécharge les données une fois de plus. Le puissant micro-ordinateur met quelques secondes à intégrer les informations, et expose finalement le scénario. Josh regarde les informations d'un air hébété. Le schéma illustré présente non seulement le même scénario que précédemment, mais il a aussi calculé la vitesse du possible tsunami provoqué par l'effondrement imminent du Kilauea dans l'océan Pacifique.

Le monstrueux volcan de type bouclier se détachera en deux parties distinctes, qui s'effondreront dans l'océan sous la forte explosion volcanique. Le scénario confirme qu'un mégatsunami haut de plus de vingt mètres à certains endroits s'abattra sur les rives du Canada, de l'Alaska, de l'Oregon, de la Californie, du Mexique et, finalement, de l'Amérique centrale, ainsi que sur les côtes des pays d'Asie et de l'Australie. Les côtes des îles hawaïennes seront aussi complètement ravagées… tuant du même coup près de la totalité de ses habitants.

Le terrible schéma fait état également de trente villes d'importance situées sur les côtes des continents touchés par le mégatsunami, avec les heures approximatives où la première vague déferlera… La sueur perle au front de Josh, et sa bouche devient subitement sèche. La terre tremble à nouveau sous ses pieds. Il se lève nerveusement et sort son téléphone mobile pour appeler son ex-femme.
— Mmm…Allo ?
— Georges ? C'est Josh.
— Bonjour Josh. Tu es matinal…
— Ah oui… il est tôt.
— Qu'y a-t-il ?
— C'est très important.
— D'accord…
— Voilà… Un tremblement de terre important va se produire, et le Kilauea pourrait bien exploser, créant du même coup un mégatsunami à cause de l'effondrement de son flanc nord-est dans l'océan. Si cela se produit, les côtes seront submergées et les villes détruites. Ensuite, les gaz brûlants et toxiques du Mauna se déplaceront au niveau du sol à une vitesse ahurissante jusque chez vous. Vous devez vous mettre à l'abri dans les grottes de Kaelai immédiatement ! Tu m'entends ?

Josh hurle dans le téléphone. Il est hystérique.
— J'ai bien entendu, Josh. Tu en es sûr ?

— Absolument. La probabilité est de 97 %. Dépêchez-vous, vous n'avez pas de temps à perdre.

— D'accord, nous partons à l'instant. Veux-tu parler à ta fille ?

— Nous n'avons pas le temps… Mais Georges, fais en sorte de la mettre en lieu sûr, d'accord ? Et appelle-moi lorsque tu seras rendu là-bas. Et, Georges… dis-lui bien que je l'aime, finit-il dans un murmure.

Georges reste silencieux un moment, puis répond :

— Compte sur moi. On part tout de suite.

Georges raccroche aussitôt, et Josh est soudain profondément malheureux. Il aurait préféré être auprès de sa fille dans un moment pareil, et ses yeux s'emplissent de larmes… Mais Elena hurle son nom et il sort aussitôt de sa triste torpeur.

— Nom de Dieu, Josh, à quoi tu joues ?

— Rien… Je… je voulais parler à Océane.

— QUOI ? fait-elle, soudain inquiète. QUE TE DIT TON PUTAIN D'ORDINATEUR ? hurle-t-elle.

Josh lève lentement les yeux vers Corey et Elena, et dit simplement, les yeux humides et les mains dans les poches :

— Que si le SPS est correct, c'est… C'est la fin du monde pour la moitié de la planète.

Ses collègues échangent un regard incrédule. Puis Corey enchaîne nerveusement, comme s'il n'avait rien entendu :

— Oh oui, on vient tout juste de recevoir un appel du centre sismique de Tapei. Ils ont subi un séisme de sept virgule trois voilà dix minutes…

— Tu as été parfait Corey. C'est du bon travail, lui dit Josh en délaissant ses instruments et en s'éloignant de son ordinateur. Corey devient soudain muet et blanchit à vue d'œil. Elena repose le combiné qu'elle a à la main. Ils échangent un regard terrifié, pendant que les machines de lecture s'emballent ; les télécopieurs ne dérougissent pas, les téléphones sonnent de toutes parts, les signaux d'alarme clignotent sur les écrans et le sol recommence à trembler…

Le gigantesque volcan Kilauea explose alors, de même que deux autres volcans actifs des îles, le Mauna Loa et le Hualalai. Plusieurs déflagrations assourdissantes se produisent et sont entendues dans toutes les îles de l'archipel. Des centaines de tonnes de roc sont projetées dans les airs sur des kilomètres, et la partie nord-est du flanc du gigantesque Kilauea, l'un des plus gros volcans du monde, se détache et glisse dans l'océan en créant un remous d'une ampleur inimaginable.

L'onde de choc des explosions des volcans-boucliers est telle que les arbres et les bâtiments sur plus de soixante kilomètres sont littéralement soufflés par l'explosion. Josh ajoute, sur un ton grave, devant ses collègues aux yeux exorbités :

— Et le pire, c'est qu'à la vitesse de déplacement de l'eau, les rives de l'archipel seront ensevelies d'ici quelques minutes. Mais on a peut-être le temps d'avertir nos voisins américains et asiatiques… fait-il tristement. Elena ?

Alors qu'elle reprend le combiné d'une main tremblante, une seconde explosion fait tomber une autre partie du flanc du Kilauea, côté sud-est cette fois-ci, créant une onde de choc phénoménale. Une incroyable secousse sismique fait violemment trembler le sol, et les collègues du centre sont jetés par terre. Toute l'île de Maui vibre intensément, faisant s'effondrer sur ses occupants, comme un vulgaire château de cartes, le lourd bâtiment du centre solidement construit…

Les minutes passent, et les éruptions volcaniques des îles se succèdent sans relâche. Les cratères crachent des tonnes de lave issues des profondeurs et laissent échapper des gaz toxiques sur tout le territoire de l'archipel, toujours violemment secoué. Les habitants, encore endormis à cette heure de la nuit, n'ont pas le temps de réaliser ce qui se passe, lorsque le sombre tsunami déferle dans les villes et villages des rives nord et est des îles, engloutissant les habitations sous plusieurs mètres d'eau salée, et tuant sur le coup des centaines de milliers d'innocents.

Sous les décombres de l'immeuble effondré, Josh est inconscient. Il revient à lui lorsque la sonnerie de son téléphone retentit. Il bouge et hurle de douleur en s'arrêtant net, constatant que sa jambe est littéralement écrasée sous une lourde poutre. Il tousse à cause des vapeurs empoisonnées, et ses yeux brûlent douloureusement. Il réalise qu'il a perdu conscience pendant plusieurs minutes. Il dégage une main et tire le combiné de son pantalon. Il souhaite de tout cœur que ce soit Georges qui l'appelle pour lui confirmer qu'ils sont parvenus à temps dans les grottes. Il répond en grimaçant :
— Grrmm…
— Papa ! Papa ! Aide-moi ! Papaaaaaa !
— Océane ! Ma chérie, je suis là… Calme-toi, fait Josh en gémissant.

Océane est terrifiée au bout du fil.
— Je suis coincée dans la voiture… sous un viaduc qui s'est effondré… Papaaa… j'ai tellement mal…
— Ma chérie, où est Georges ?

— Je crois qu'il est mort…

Elle pleure et devient hystérique.
— Oh non… ma chérie, je suis tellement désolé !

Josh pleure à son tour, une main sur les yeux.
— Papa ! Viens me chercher ! Je t'en prie…
— Crohgggg…

Josh vomit.
— Papa !
— Ma puce… y a plus rien à faire… Ferme les yeux ma puce… Ferme les yeux ma chérie… Je t'aime tant…
— Papa ! Papa ! Aaaahhh…

Sa fille hurle dans le combiné alors que le tsunami déferle sur la ville. La vague meurtrière s'infiltre dans les quartiers et inonde la voiture en noyant sa jeune prisonnière en quelques secondes… La tonalité est subitement coupée, et Josh pleure désespérément sans pouvoir s'arrêter. Il hurle sa détresse, atterré d'être témoin de la mort affreuse de sa petite fille… Il a si mal ! Son estomac se tord affreusement. Il vomit de nouveau et les larmes envahissent son visage poussiéreux.
— Ahhgr… Océane… noooon…ahhgr…

Il pleure sans pouvoir s'arrêter, son cœur de père à jamais déchiré par la perte tragique d'Océane, qui était toute sa vie. Son rêve lui revient alors à l'esprit, et il réalise qu'il s'agissait d'un rêve prémonitoire. Le premier de sa vie.

Puis, à travers la poussière et les gaz blanchâtres, il distingue des morceaux de verre éclatés sur le sol tout autour de lui. Il se saisit d'un morceau sans hésiter et se tranche les veines des poignets en serrant les dents. Il ferme ensuite les yeux en sanglotant bruyamment, cherchant à retrouver dans son cœur la douce félicité de ce rêve où ils roulaient, lui et Océane, dans l'herbe en riant aux éclats…

Les yeux ouverts, mais l'esprit ailleurs, Josh s'imagine rejoindre enfin sa fille dans le parc où elle accourt vers lui en souriant… Quelques minutes plus tard, il s'éteint lentement au milieu des décombres, tandis que la moitié de l'humanité s'apprête à vivre à son tour de longs et terribles moments d'agonie…

Chapitre 2

Loleta—Nord-ouest de la Californie

Lucy

Assise dans le car menant à l'aéroport de Loleta, Lucy songe à ces derniers jours, passés dans cette magnifique région du nord-ouest de la Californie. Ici, l'automne s'installe lentement. Elle admire les magnifiques jardins colorés, les collines recouvertes de vignes alignées et parsemées de bosquets d'arbres géants, uniques à la côte ouest.

Elle avance le nez vers la mince ouverture de la fenêtre coulissante et inspire l'air vivifiant de cette matinée ensoleillée, dont la fraîcheur lui procure une douce sensation de bien-être. Elle sourit légèrement en se remémorant sa visite au réputé parc national Redwood, qui, a-t-elle appris, a été nommé ainsi en raison de son immense forêt d'arbres géants, les Redwood Trees. Elle a été étonnée d'apprendre que certains de ces géants atteignent jusqu'à cent mètres de haut et sont âgés de plus de deux mille ans, et que seule la forêt pluviale qui s'étend du nord de la Californie jusqu'au sud de la Colombie-Britannique abrite ces arbres légendaires. Elle baisse les yeux et feuillette le dépliant promotionnel ouvert sur ses genoux :

« (…) c'est dans cette région de Humboldt County, plus précisément à Smith River, que le film Le retour du Jedi, de la célèbre série La guerre des étoiles, fut tourné. »

Elle y voit une photo du petit village haut perché dans les arbres, où ces mignons petits oursons (Ewoks) avaient accueilli les héros au retour de leur dangereux périple. Une autre photo montre un arbre si grand qu'une voiture passe à travers, comme dans un tunnel.

« À Loleta, mignonne petite municipalité de quelques milliers d'habitants, on retrouve les vignobles producteurs du cépage californien unique et très apprécié des palais féminins. Et il ne faut pas passer sous silence, également, la réputée fromagerie proposant de savoureux produits du terroir. Ici, les amateurs de bon vin, de soleil et d'agrotourisme sont choyés. »

« Chaque vignoble de la région possède plusieurs dizaines d'acres de vignes à travers les collines verdoyantes qui ceinturent la rivière Eel et ses embranchements. La région vinicole est bordée au nord par la municipalité d'Eureka, au sud par Ferndale et à l'est par la chaîne des Cascades. Les premiers vignerons sont venus s'installer ici vers 1993, et les vignes sont parvenues à maturité en 2000. Les premiers crus ont été embouteillés dès

2001 et mis en marché la même année. La saveur particulière du cépage a vite été reconnue, et depuis la région s'est taillé une place enviable sur le marché des vins légers et des apéros. »

« L'impressionnante rivière Eel, longue de cent quatre-vingts kilomètres, se déverse dans un large delta sur le Pacifique et puise ses sources de l'eau de pluie qui se déverse des montagnes avoisinantes et de ses affluents. Le cours d'eau offre différents plaisirs à l'œil ; tantôt de douces cascades, des rapides tumultueux, quelques larges bassins tranquilles et plusieurs canyons étroits. À certains endroits privilégiés, la rivière permet la baignade dans de petits bassins naturels où l'eau est limpide et fraîche, comme à Black River Canyon. »

Lucy regrette tout à coup de ne pas avoir feuilleté ce dépliant plus tôt. « Avoir su, j'aurais pris le temps de faire un petit détour pour me tremper les pieds dans ces invitants petits bassins… »

« La Eel River Valley profite d'un phénomène naturel nommé " brume stagnante ". Il s'agit d'une vapeur qui se dégage de la rivière et des cours d'eau avoisinants et qui remonte ensuite lentement vers le ciel. Cette vapeur est captée à grandes distances par les arbres géants qui relâchent ensuite cette humidité naturellement vers les sols avoisinants. Ce phénomène humidifie abondamment les vignes et donne un raisin plus doux et un cépage plus léger en alcool. De la mi-septembre à la fin octobre, c'est le temps des récoltes du précieux fruit. »

Lucy referme le dépliant et regarde au-dehors. Le car traverse une zone de pâturages où des bovins et des moutons broutent l'herbe encore verte. Sur les collines des alentours, elle observe les ouvriers s'affairer à la préparation des équipements roulants servant à la récolte du raisin.

La veille en après-midi, Lucy avait eu le loisir de visiter le vignoble Loleta Green Valley Winery, tout près de Catfish Lake, lequel produit les vins si appréciés de son palais ; le rosé Miss Loleta et le rouge Loleta Red. Mme Curby, vinicole propriétaire de ce magnifique domaine l'avait accueillie, ainsi que trois autres visiteurs, cet après-midi-là. La visite guidée lui avait permis d'avoir une bonne idée du processus de croissance de la vigne, des sortes de plants utilisés, des défis à relever pour cultiver et protéger la vigne, des méthodes de récoltes et, enfin, des méthodes de dormance et de mise en bouteille.

Les invités avaient eu droit à plusieurs dégustations ainsi qu'à de nombreuses anecdotes, et des récits, au plus grand plaisir de Lucy, d'ailleurs. « Le temps passe vite en si bonne compagnie», avait-elle songé par-devers elle-même alors qu'elle repartait, enchantée de son après-midi et légèrement étourdie par toutes ses délicieuses dégustations...

Toujours perdue dans ses pensées, elle sent sur sa nuque le regard insistant d'un homme, qui ne cesse de la reluquer depuis qu'elle est entrée dans le car. Mais elle a l'habitude d'être ainsi observée, car Lucy est vraiment une belle femme. Elle fêtera son trente-sixième anniversaire de naissance le mois prochain, mais en paraît à peine trente. Il faut dire qu'elle s'emploie à rester en forme : trois sessions d'entraînement par semaine au gym, le yoga, la natation quand elle peut et une alimentation saine et équilibrée. «Ouf! Une vraie superfemme», se dit-elle parfois, essoufflée.

Mais l'âge la rattrapant tout de même, elle avait dû se résoudre à colorer ses longs cheveux noirs, qui se teintaient de gris l'été dernier. La vue de ceux-ci lui avait fait réaliser qu'elle vieillissait, et cela l'avait troublée un peu. Même si elle ne veut pas l'admettre ouvertement, Lucy recherche inconsciemment l'admiration des autres et répugne à voir son corps vieillir. Elle aime discerner dans le regard des autres femmes l'envie, et dans celui des hommes, le désir. C'est en grande partie ce qui lui donne confiance en elle. Ce qui la rassure.
Hélas, ce désir inconscient de vouloir se démarquer des autres par sa beauté l'avait parfois conduite, par le passé, à faire des choix qui ne lui convenaient pas, comme fréquenter des hommes mariés. Ces hommes indisponibles, mais si attrayants à ses yeux, justement à cause de leur inaccessibilité... Inconsciemment, cela représentait pour elle un défi à relever, quelque chose à prouver. Une façon de s'élever au-dessus des femmes mariées, déjà acquises...

Pourtant, Lucy n'a jamais manqué de prétendants. Son corps parfait, légèrement athlétique, et ses longs cheveux noirs tombant au milieu de son dos font tourner bien des têtes. Son joli visage aux yeux noisette monté sur un long cou féminin lui donne un air distingué, alors que ses pommettes rondes contribuent à lui donner un air légèrement enfantin. Ses petites dents blanches immaculées illuminent son sourire et contrastent avec le teint légèrement bronzé de sa peau. Ce mélange harmonieux plaît fortement aux hommes, et elle en est bien consciente. Pour elle, l'apparence et l'esthétique représentent des valeurs importantes, puisqu'elles contribuent à maintenir son image. Sans s'en rendre compte, Lucy s'est enfoncée dans le cercle vicieux de l'apparence, cherchant inconsciemment et à tout moment à être en tout point parfaite. Et pourtant, au plus profond d'elle-même, elle a toujours aspiré à autre chose, à quelque chose de plus vrai, sans jamais pour autant avoir pu identifier ce quelque chose en question.

Puis Hugo était entré dans sa vie. Ce bel homme marié était tombé follement amoureux de Lucy et avait quitté sa femme pour elle après quelques mois de fréquentation illicite. Lucy s'était également éprise de ce dernier, et ils avaient rapidement emménagé ensemble. De leur union était né Logan. Ce petit garçon si cher à ses yeux, qui apporte la seule vraie joie de vivre dans son cœur, maintenant que son mari est mort…

Ils s'étaient rencontrés alors qu'ils travaillaient tous deux au sein d'une entreprise de fabrication d'aéronefs. Ils avaient échangé leur premier regard lors d'une fête de Noël organisée par la compagnie et leur dernier, voilà bientôt deux ans…

Lucy aperçoit Loleta par la fenêtre du car. C'est une charmante petite ville nichée au creux d'une vallée s'étendant en largeur sur une quinzaine de kilomètres. Cette dernière est entourée au nord et au sud par des collines verdoyantes, à l'est par la rivière Eel, qui serpente à travers les montagnes, et à l'ouest par l'océan Pacifique. La rivière Eel se déverse dans un large delta aux abords de Loleta avant de se jeter dans l'océan. À marée basse, les habitants et les touristes s'y baladent allègrement, pieds nus et pantalon replié au-dessus de la cheville, à la recherche de coquillages et de moules.

Lucy admire le delta alors que l'autocar parvient au sommet d'une colline donnant sur la vallée. Elle distingue le bleu scintillant de l'océan par-dessus l'épaule de l'homme assis sur le banc voisin. L'eau miroite sous les rayons du soleil matinal, promesse d'une autre magnifique journée. Elle lâche un soupir… Son envie d'uriner l'incommode sérieusement. « Quelle idiote! » se dit-elle en songeant aux deux grands verres de jus tropical qu'elle a bu au petit déjeuner. Elle se sentait légèrement déshydratée ce matin, et maintenant…

Elle estime devoir attendre encore une quinzaine de minutes avant de pouvoir se soulager. Elle laisse échapper un nouveau soupir. L'homme assis à sa droite lui décoche un regard amusé et elle lui sourit timidement, réalisant avec gêne qu'elle a soupiré bruyamment. Son attention revient se porter sur la vue de la petite agglomération en plein développement économique. Plusieurs chantiers en périphérie de la municipalité s'étendent çà et là. Elle y voit des grues gigantesques, des bétonnières, des structures de métal en partie complétées, toutes sortes de machineries et une centaine d'ouvriers qui s'activent déjà à cette heure matinale.

En face de l'aéroport, un nouveau tronçon d'autoroute est en construction. C'est la route 101 qui rejoint le pont, enjambant l'Eel, jusqu'à Ferndale, située de l'autre côté. Une seconde route traverse Loleta et s'éloigne vers l'est. Cette route panoramique suit la rivière sur une centaine de kilomètres à travers les sommets de la chaîne montagneuse des Cascades. Lucy distingue le minuscule centre-ville de Loleta, ses quartiers résidentiels et le grand marché public où les produits locaux sont mis en évidence pour les touristes raffolant de ces denrées de qualité.

De larges affiches publicitaires installées sur le bord de la route annoncent les luxueux spas de la région. La plupart sont récents et situés sur le bord de la rivière Eel ou en pleine forêt, entourés des majestueux arbres géants. Chaque spa se vantant de posséder l'eau de source la plus pure et bienfaisante pour le corps…

Et ce matin-là, Lucy est de bonne humeur. Elle est satisfaite des idées recueillies de son voyage d'affaires. Elle repart la tête pleine d'idées et l'appareil photo chargé d'images. Elle est encore plus convaincue maintenant de vouloir reproduire certains des aménagements remarqués ici dans son propre établissement dès son retour…. à son terrain de camping.

Nommé Old Forest Campground, son établissement est situé dans les montagnes avoisinant Richmond, tout près de la frontière canadienne. Elle en a hérité de son conjoint, Hugo, il y a bientôt deux ans. Ce site magnifique, laissé à l'abandon par ses anciens propriétaires et visité par hasard par les tourtereaux en vacances, avait été un vrai coup de cœur! Ils s'étaient alors empressés de vider leurs comptes d'épargne-retraite pour acheter ce lopin de terre presque vierge. C'était il y a quatre ans déjà.

Le vaste domaine s'étendant sur cent vingt acres est composé d'une grande vallée verdoyante entourée d'une vieille forêt, remplie de vieux arbres centenaires, principalement des érables, des ormes et de quelques sombres pinèdes de pins blancs. Les chemins, les pelouses, les arbres, les jardins sont entretenus minutieusement et les installations ont été rénovées. Lucy en est très fière, et la réputation du site n'est déjà plus à faire. Mais elle a le désir constant de vouloir améliorer le site. Elle veut le rendre encore plus attrayant pour la clientèle, et plus vert, également. Des idées innovatrices fourmillent dans sa tête. Dans ce domaine, où elle travaille à la fois à l'extérieur et dans le bureau, elle se sent vraiment dans son élément et ne compte pas les heures, particulièrement au printemps et pendant la saison estivale.

À la mort de son mari, plusieurs campeurs et proches avaient exprimé leur scepticisme quant à sa capacité à assurer, seule, la gestion de l'entreprise.

Toutefois, avec l'aide de plusieurs bénévoles, amis et parents elle avait réussi non seulement à poursuivre le travail entamé par son défunt mari, mais également à surpasser toutes les attentes des campeurs, et à démentir les prévisions des sceptiques.

À sa grande satisfaction, elle s'est découvert des qualités qu'elle ne se connaissait pas. Et si l'on ajoute à cela son souci de la perfection et sa capacité à gérer le stress relié au travail en public, elle peut affirmer sans gêne qu'elle s'est rapidement adaptée à la tâche et a fait un travail remarquable en un temps record. Mais Lucy a l'esprit soudain préoccupé, alors qu'elle ressasse un douloureux souvenir, assise dans le car. Celui de l'accident. Le jour où Hugo est mort. Son esprit vagabonde une fois encore vers ce jour fatidique… Mais elle chasse rapidement ce fugace souvenir, alors que le car avance dans la petite municipalité…

Lucy soupire à nouveau. Elle réalise qu'elle a été perdue dans ses pensées plus longtemps qu'elle ne l'aurait souhaité. Elle a hâte de retourner à la maison, afin de pouvoir enfin serrer son petit Logan dans ses bras. Il lui manque déjà tant… Elle lève la tête et aperçoit enfin l'aéroport. L'arrivée massive de tous ces touristes et l'approvisionnement nécessaire en marchandises a obligé les autorités régionales à se pencher sur la question de l'agrandissement de ce dernier. En effet, l'aéroport est minuscule et compte deux pistes âgées de plus de trente ans. Les installations y sont carrément désuètes, et sa capacité insuffisante pour les besoins d'aujourd'hui. Les deux seules pistes sont trop courtes pour accueillir des appareils gros porteurs. Ce qui a pour effet d'augmenter le nombre de petits appareils commerciaux et de garder l'aéroport occupé vingt-quatre heures sur vingt-quatre. Le trafic sur les pistes est important ; les appareils attendent à la file indienne pour décoller ou se garer. De nombreux pilotes de petits appareils non commerciaux utilisent encore cet aéroport et contribuent à congestionner les pistes. La petite compagnie aérienne locale, la Redwood AirWays, a également dû tripler sa flotte afin de répondre à la demande sans cesse grandissante des touristes fortunés.

De loin, elle distingue la nouvelle tour de contrôle, haute et droite, qui constitue le plus haut édifice de la petite ville, avec ses sept étages. L'aérogare est également en rénovation pour agrandissement, et le stationnement avant est encombré de machinerie. Il est sept heures vingt et un ce dimanche matin, et le bus s'est joint à la file derrière deux autres cars pour accéder au débarcadère. Le moteur gronde doucement, et les passagers s'agitent sur leurs sièges. Ils ont hâte de descendre, et Lucy aussi. Son envie d'uriner se fait de plus en plus pressante…

Néanmoins, elle patiente et observe les rues avoisinantes. Plusieurs font également l'objet de réparations majeures et d'agrandissements. Quoiqu'elle ne puisse la voir, elle devine que de la machinerie lourde martèle le sol, car il vibre soudain vigoureusement. Mais elle n'y prête pas vraiment attention, étant surtout préoccupée par sa vessie qui va déborder !

Le bus avance enfin au débarcadère, et elle désespère en attendant son tour. Lucy sort finalement du car et s'élance vers les toilettes après avoir récupéré son bagage. L'air froid climatisé la surprend en entrant dans la petite aérogare. Elle enfile sa veste angora couleur bleu nuit et se dirige rapidement vers les toilettes. Elle en ressort quelques minutes plus tard, souriante et grandement soulagée. Elle prend place dans la file au comptoir de la compagnie aérienne locale avec désinvolture.

Son bagage enregistré, elle se promène tranquillement du côté des passagers. L'aérogare compte quatre petites salles d'embarquement, meublées de vieux bancs en rangées, faits de plastique moulé gris et orange. De vastes affiches publicitaires ornent les murs orientés côté nord et sud, et de larges baies vitrées offrent une vue vers l'est sur les pistes, et vers l'ouest sur Loleta et l'océan. Son vol est prévu pour neuf heures cinq pour San Francisco, où une correspondance l'attend pour Chicago et, finalement, une dernière correspondance en direction de Burlington. Plus elle y pense, plus elle a hâte. Son cœur se serre un peu dans sa poitrine en pensant à Logan. Il lui manque tant, et une fois de plus, elle se sent un peu coupable d'être partie sans lui. Mais elle n'aurait pu se concentrer autant s'il avait été présent. Sans compter qu'il lui aurait été impossible de bénéficier de son délicieux après-midi au vignoble…

À six ans et demi, Logan est déjà très débrouillard et indépendant. Il a bon caractère, et Lucy est sans crainte qu'il prendra sa place dans ce monde. Malgré tout, il a toujours été très proche d'elle ; elle peut même affirmer, hélas, qu'il est un peu dans ses jupes. Et depuis la mort de son père, le petit est légèrement perturbé.

Lucy observe les aéronefs qui circulent sur les pistes et le va-et-vient des passagers à l'extérieur. Elle vérifie sa carte d'embarquement, qui indique qu'elle doit se rendre à la salle n° 1. Tous les bancs de cette salle sont déjà occupés, et elle reste donc debout à observer. Les salles sont séparées par le couloir principal, au bout duquel se trouve une pancarte montée sur un chevalet, indiquant : «Nous sommes désolés des inconvénients. Nous rénovons pour votre confort.» Derrière le chevalet se trouvent de gros plastiques semi-transparents, pareils à de larges rideaux, séparant ce couloir d'un autre menant à la nouvelle tour de contrôle, dont l'ouverture officielle est prévue pour le 1er décembre.

Une légère odeur de peinture fraîche flotte dans l'air. Le soleil matinal inonde les salles d'une lumière aveuglante. Un agent de la sécurité passe tout près de Lucy, déambulant dans le couloir en passant d'une salle à l'autre. Elle consulte sa montre : 7 h 40. Il lui reste un peu plus d'une heure avant le décollage. Puisqu'elle devra rester en position assise pour les huit prochaines heures, elle décide de se promener, histoire de se dégourdir les jambes…

Elle arpente le couloir d'un bout à l'autre et revient à l'avant pour observer la tour de contrôle. Elle est imposante. Le dernier étage est tout rond et entièrement vitré. Le dessus est surmonté d'un haut toit carré comptant plusieurs antennes et coupoles. Lucy devine un escalier qui serpente dans la tour à la présence d'une série de petites fenêtres alignées de bas en haut. Un petit garçon la bouscule alors qu'elle observe. Il colle son nez sur la vitre et regarde au travers, créant de la buée par son souffle. Lucy cède volontiers sa place et retourne dans le couloir.

Une voix nasillarde appelle les passagers d'un vol. Elle retourne se poster à l'endroit où elle se trouvait quelques minutes plus tôt. Elle sent alors un regard posé sur elle et lève la tête dans cette direction. Un homme a les yeux fixés sur elle. Lorsqu'elle croise son regard, il détourne les yeux, apparemment intimidé. Elle l'observe alors à son tour sans gêne. Il s'agit d'un homme dans la mi-quarantaine, les cheveux courts châtains et légèrement grisonnants. Il porte une chemise bleu ciel, de la même couleur que ses yeux, qui détonnent avec son teint bronzé. Sa chemise légèrement entrouverte à l'encolure laisse échapper une discrète toison de poils châtains. Il est costaud, et Lucy a immédiatement remarqué ses larges mains. Elle a deviné à son allure qu'il travaille sûrement au grand air. Il semble timide aussi. «Charmant», songe-t-elle, tout en étant persuadée qu'il s'agit d'un homme marié.

Tout près de ce dernier se tient un jeune homme également costaud et légèrement plus grand, âgé d'environ dix-sept ans. Il porte un t-shirt jaune pâle avec des écritures qu'elle n'arrive pas à déchiffrer. Il écoute de la musique sur son lecteur miniature. Il a les cheveux mi-longs d'un blond couleur de paille et tapote sur son petit instrument. À nouveau, l'homme à la chemise bleue la regarde intensément. Lucy croise son regard, mais une fois de plus, il détourne rapidement le sien. Elle remarque alors des traits similaires entre les deux hommes.

— Je parie que c'est son fils, marmonne-t-elle pour elle-même.

Une jeune maman passe devant elle en tirant une poussette. De mignonnes jumelles aux cheveux blonds, âgées d'environ un an, y sont assises docilement. Les petites sont vêtues de robes vertes et mauves, assorties à leurs bandeaux de tête. La mère est visiblement fière de sa progéniture et sourit allègrement aux passagers démontrant un intérêt envers elles.

Lucy croise à nouveau le regard de l'homme à la chemise bleue. Cette fois-ci, il le soutient un moment, puis tourne la tête.

DRIIIIING! Elle sursaute! La sonnerie de son téléphone portable retentit. Elle le cherche frénétiquement dans son sac à main, puis répond :
— Oui?
— Lucy?
— Ah! Salut Den, comment vas-tu?

D'une voix forte et posée, il lui demande :
— Où es-tu présentement?
— Je suis à l'aéroport de Loleta, j'attends mon avion…

Il lui coupe durement la parole et lance :
— ÉCOUTE-MOI BIEN…

Chapitre 3

Puerto Vallarta—Côte ouest du Mexique

Danielle

Danielle s'est levée tôt ce matin et attend, seule, à la table du restaurant au bord de la plage. C'est à son tour de réserver la meilleure table, car ici, c'est premier arrivé, premier servi. Elle en profite donc pour admirer la baie devant elle, tout en étant perdue dans ses pensées…

«La ville de Puerto Vallarta est beaucoup plus belle que je ne pensais. Je m'attendais à voir des montagnes sèches et arides. Mais je me suis trompée ! C'est une station balnéaire entourée d'une chaîne de montagnes verdoyantes, et qui n'a rien à envier aux autres destinations exotiques. Et la baie de Banderas est vraiment impressionnante. J'ai adoré ma visite du centre-ville hier. Ces petites ruelles qui serpentent à travers les collines lui donnent un charme particulier, unique même. La prochaine fois, je porterai des souliers de marche, car les ruelles pavées de pierres inégales et les escaliers étroits et glissants m'ont donné du fil à retordre… Mais l'architecture des vieux bâtiments et des églises en valait le coup; l'influence de la colonisation espagnole y est très présente et donne un cachet chaleureux au vieux quartier. Et ces somptueuses villas fleuries, juchées à flanc de montagne, sont tout simplement magnifiques.»

L'hôtel où séjourne Danielle est légèrement isolé, et situé à Nuevo Vallarta, une nouvelle zone hôtelière située au nord de Puerto Vallarta, tout près de Bucerias. Cette section de la baie possède, contrairement au secteur centre-ville, une superbe longue plage de sable fin, où les vagues sont sécuritaires pour les tout-petits.

Danielle se rappelle aussi sa visite de l'imposante marina, qui accueille de nombreux yachts et de luxueux paquebots de croisière à longueur d'année. Mais ce matin, les paquebots ont quitté très tôt la marina et sont à peine visibles au large. Elle distingue au loin, sur le bord de mer, des dizaines de tours à condos près de la marina. Danielle a appris par le représentant de son voyagiste qu'il s'agit d'une destination privilégiée des Mexicains bien nantis qui habitent Guadalajara, ville d'importance située dans les montagnes, à moins de deux cents kilomètres à l'est. Et justement, des milliers de Mexicains en congé étaient arrivés vendredi pour le long week-end et avaient envahi les hôtels et les condos. Ce dimanche matin toutefois, les Mexicains, la plupart très pratiquants, avaient quitté l'hôtel tôt pour se rendre dans les églises catholiques afin de célébrer l'Action de grâce. « Le restaurant sera donc moins achalandé que d'habitude », songe Danielle avec un sourire.

Elle apprécie le petit vent de mer qui souffle sur son visage. Le soleil est de retour, après une brève, mais intense averse de dix minutes, toute juste avant qu'elle ne rejoigne le restaurant. « C'est la saison des pluies, paraît-il. Mais c'est quand même très bien ; la température est douce le matin, chaude l'après-midi et fraîche le soir. Avec mon asthme et mes chaleurs, j'adore ces soirées fraîches… »

Elle aime être près de la mer et humer l'air salin, accompagnée par le bruit exotique des vagues qui lèchent la plage. Danielle savoure son premier café de la matinée, toujours perdue dans ses pensées…

« C'est bien de profiter de ce matin un peu spécial. Les ados s'occuperont des petits alors que nous, les adultes, déjeunerons en paix pour une fois cette semaine. Et puis les petits ne seront pas malheureux ; ils se prélassent dans les lits de la grande suite en déjeunant…Un petit deux heures de répit, ça se prend bien. Pas de cris, de pleurs ou de bousculades à la table… Mmm… Vive ces vacances tombées du ciel ! Je n'aurais jamais eu les moyens de me payer ça, c'est sûr. Merci à toi, Julie ! »

En effet, Julie et Benoît avaient été généreux. Benoît, souvent chanceux au jeu, avait gagné un gros lot de deux millions de dollars à la loterie populaire du Québec. Même s'il s'agissait en fait d'un « petit » gros lot, la nouvelle avait eu l'effet d'une bombe sur la famille. Les chanceux conjoints avait généreusement partagé leurs gains de loterie avec leurs parents, frères et sœurs respectifs. Puis, à trois semaines d'avis, ils avaient lancé une invitation à la ronde à qui désirait se joindre à eux pour des vacances d'une semaine à Puerto Vallarta. Inutile de préciser qu'ils avaient payé le voyage à tous ceux qui avaient répondu à l'invitation… Et le groupe s'était formé, composé de Julie et Benoît, accompagnés de leur enfant Émanuel et de Jonathan, fils de Julie. Lydia et Peter, accompagnés de leurs enfants Sam, Rick et Angy. Bélynda et Trish, accompagnés de leurs fils Jordan et Joey. François, neveu de Julie. Franck accompagné de son fils Léo, amis de la famille et, finalement, Danielle, tante de Julie. Dix-sept personnes en tout.

Danielle regarde la mer… « J'avais grandement besoin de repos. Le chaud soleil du Mexique me fait le plus grand bien. » Elle consulte sa montre. « À 11 h, je savourerai un massage, prodigué par une employée, à l'ombre du chapiteau intime érigé sous les palmiers. Je suis impatiente d'y retourner… Mais je saurai contenir mes émotions cette fois-ci. »

Avec un peu de gêne, elle se remémore le débordement d'émotions qu'elle a eu alors qu'elle recevait un premier massage voilà deux jours. Les soins étaient parfaits, sublimes même. Mais elle avait alors douloureusement réalisé qu'il y avait trop longtemps que quelqu'un ne l'avait touchée. Ce contact humain prolongé avait fait ressortir une triste réalité : elle était seule depuis longtemps et la chaleur humaine, surtout la chaleur masculine, lui manquait atrocement. «Je ne me rappelle même pas la sensation enivrante de l'intimité, du plaisir partagé…» avait-elle alors songé avec une extrême tristesse.

Depuis son divorce, elle n'a pas eu la chance de rencontrer un autre homme. Elle sait sans vouloir l'avouer que ses nombreuses maladies ont surgi alors que son mariage battait de l'aile. Inconsciemment, elle souhaitait recevoir plus d'amour, d'attention et d'affection de la part de l'homme qui, peu à peu, la délaissait. Elle doit s'avouer que, depuis leur douloureuse séparation, elle s'est laissée aller et en subit aujourd'hui les conséquences, car sa santé est précaire, et la solitude lui pèse parfois.

«Mes maladies et mes kilos en trop ne font pas de moi une top-modèle, et j'en suis consciente. Et je n'ai plus vingt ans… mais cinquante-trois.» Un brin de jalousie lui pince le cœur en regardant passer une jolie femme blonde, début trentaine, mince et jolie dans sa robe d'été. «Pssst… J'ai déjà été comme ça : belle, mince, jeune et naïve. Très naïve. Mais je ne regrette rien. J'ai une grande fille que j'adore, et je suis aujourd'hui grand-mère d'une toute petite fille, Maya, qui a tout juste trois mois. Dodue et rose, elle a les cheveux et les yeux noirs comme son père, d'origine indienne. Elle est mignonne comme tout. J'ai déjà hâte de la retrouver et de voir si les petites robes que je lui ai achetées lui iront.»

Danielle recule doucement sa chaise pour dégager son ventre du rebord de la table. Un bruit de vaisselle entrechoquée lui fait tourner la tête. Un serveur prépare une table voisine, la recouvrant d'une nappe blanche et de coutellerie. Un mouvement au loin attire son attention, et elle voit sa jeune sœur Lydia et son mari Peter s'approcher par le sentier. La céramique détrempée est glissante et Peter, qui regarde en l'air, pose le pied dans une flaque d'eau et glisse en s'étalant de tout son long sur le dos ! SMACK !

Inquiète, Danielle se lève d'un bond, mais ses fesses restent coincées dans la chaise, qui se soulève du même coup. Peter demeure étendu dans la flaque un moment, l'abdomen se soulevant par petits soubresauts… Il rit ! «Ouf!» Elle respire à nouveau et se libère de sa chaise tandis que Peter s'assoit les fesses dans l'eau. Elle éclate de rire à son tour en le voyant se relever maladroitement. Lydia rit également de la glissade, mais surtout de la belle attitude de Peter, qui rit de sa propre fouille. Danielle constate avec agacement qu'elle a laissé échapper un peu d'urine dans sa petite culotte en éclatant de rire…

— ZUT ! Cette fichue descente de vessie m'incommode encore…

Elle va à la rencontre du couple, et Peter l'assure qu'il ne s'est pas fait mal.

— Bah… peut-être un peu à mon orgueil, dit-il en souriant d'un air embarrassé.

Peter est un homme sympathique, de petite taille, avec quelques kilos en trop. Il aura quarante ans cette année, et ses cheveux noirs frisés grisonnent sur les tempes, contrastant avec le vert pâle de ses yeux. Lydia et lui forment un couple uni, indissociable. Ils sont amoureux depuis l'adolescence et partagent absolument tout depuis ce temps. Danielle les envie, un peu.

Elle leur confie que son fou rire a causé un léger incident de parcours et qu'elle doit se changer. C'est au tour de Peter d'éclater de rire et ils échangent un regard entendu, la condition médicale de Danielle étant connue de tous. Lydia et Peter s'installent à la table, tandis que Danielle retourne vers l'hôtel, en arpentant prudemment le petit sentier glissant. En revenant au hall d'entrée de leur immeuble, elle croise sa nièce Bélynda et son mari Trish, qui se dirigent vers l'infirmerie avec Jordan, leur aîné, qui a fêté son dixième anniversaire de naissance la veille. Apparemment, le gamin s'est fait une petite entaille au coude gauche qui ne semble pas vouloir guérir.

— Après ce petit détour, on vous rejoint pour le petit déjeuner, confirme Bélynda.

Danielle ne peut s'empêcher d'admirer sa nièce. Son teint basané typiquement mexicain, sa longue chevelure noire et son regard profond lui rappellent une amazone. Son père, d'origine mexicaine, avait un jour séduit sa mère québécoise et s'en était retourné quelques mois après la naissance de leur enfant dans son pays natal pour toujours, souffrant du mal du pays, paraît-il. Néanmoins, Bélynda a toujours le sourire fendu jusqu'aux oreilles et est aimée profondément de tous. Le petit mouton noir enfantin s'est transformé en femme merveilleusement intelligente et chaleureuse. Son mari, Trish, un homme athlétique et vrai, était tombé amoureux fou d'elle et ils s'étaient mariés rapidement. Danielle considère que cet homme est l'un des meilleurs pères et maris qui soient, car il est d'abord et avant tout dévoué à sa famille, tissée serré d'ailleurs.

Ils se quittent et Danielle se dirige vers les ascenseurs. Arrivée devant les larges portes, elle aperçoit du coin de l'œil Franck, le père de Jonathan et de Léo, qui revient de sa session au gym. Il porte un short beige, des souliers de course et un t-shirt bleu pâle où l'on distingue aisément des cernes de transpiration sous les aisselles, sur le devant de la poitrine et dans le dos. Il s'éponge le front et le cou avec une serviette tout en marchant en direction des toilettes, avalant de grandes gorgées d'eau de sa bouteille.

«Décidément, pour un homme de quarante-deux ans, il est sacrément en forme.» Elle avait appris qu'il court cinq kilomètres tous les matins et se rend au travail en vélo, parfois. Auparavant, il avait une carrure imposante, bedonnante même, mais aujourd'hui, il a atteint son poids santé et en est très fier. Il est visiblement bien dans sa peau, assumant son âge avec maturité. Franck est toujours souriant et aime bien plaisanter. Et fêter. Surtout fêter... «Il sera en retard pour le petit déjeuner, c'est sûr», se dit Danielle en consultant sa montre. «Il est déjà neuf heures, l'heure du rendez-vous a sonné!»

Franck l'aperçoit à son tour et lui fait un petit signe de la main. Elle le trouve bel homme, malgré tout. «C'est son charisme... Et ses yeux perçants, signe d'un esprit vif.» Elle n'arrive toujours pas à comprendre pourquoi sa deuxième femme l'a quitté pour un autre homme l'an dernier... «Ça doit être dur à prendre, même si sa première séparation remonte à il y a très longtemps, avec Julie. Il a l'air d'un bon gars, pourtant.» Elle hausse les sourcils en signe d'incompréhension. «Les femmes sont-elles devenues à ce point capricieuses?»

«C'est quand même exceptionnel que, pour le bien-être de leur fils Jonathan, Julie et Franck soient toujours restés en contact et aient su entretenir une entente de camaraderie pendant toutes ces années, au grand bénéfice du petit. Franck a aussi conservé une place de choix dans notre cœur, et je suis heureuse de le voir aux activités familiales des Jacobs, où sa bonne humeur est toujours appréciée.»

Danielle attend patiemment son tour devant les ascenseurs bondés. Le premier étage des immeubles regorge de touristes quittant l'hôtel en direction de l'aéroport. Également, des Mexicains s'engouffrent dans les bus en direction des églises de la ville.

Julie et Benoît apparaissent soudain sur sa gauche. Ils ont emprunté l'escalier...
— Soyez prudents sur le chemin de céramique. Il est glissant, et Peter est tombé...
— OK. Merci! À tantôt! répond Julie, souriante.

« Ils forment un beau couple… » se dit-elle pour elle-même, alors que les tourtereaux marchent bras dessus, bras dessous, en s'éloignant. Après deux minutes d'attente qui lui paraissent interminables, la porte de l'ascenseur s'ouvre enfin, laissant passer une quinzaine de Mexicains retardataires. Danielle y entre et appuie rapidement sur le bouton pour refermer la porte. Elle est seule à monter.

Julie

Après avoir croisé Danielle, Julie et Benoît s'avancent dans les jardins. Ce matin-là, Julie porte une jolie robe soleil de couleur crème imprimée de grandes fleurs rouges aux fines bretelles sur les épaules. L'ourlet tournoie au-dessus de ses genoux sous le vent salin, et ses sandales de toile tissée lui permettent de se grandir un peu. Julie a les cheveux d'un blond châtain, parsemé de quelques cheveux gris retombant en larges boucles ondulées sur ses épaules. Et ses yeux couleur caramel sont étincelants par cette lumière matinale. Elle serre le bras de Benoît et lui offre un large et tendre sourire. Elle se sent bien à ses côtés lorsqu'il est ainsi, confiant et reposé.

À trente-neuf ans, Julie en paraît quelques années de moins. Pour elle, la santé physique et mentale sont indissociables. Elle s'entraîne intensément trois ou quatre fois par semaine et pratique plusieurs activités sportives, dont sa préférée : l'escalade d'intérieur. Un corps léger et finement musclé lui permet de pratiquer ce sport avec agilité et facilité. Julie est une femme positive, pleine d'entrain, mature et ayant un esprit de discernement et d'analyse hors du commun. Elle aime les plaisirs simples, les choses vraies. Elle sait comment s'exprimer et travaille fort pour transmettre à ses enfants les valeurs et les outils nécessaires à leur bon développement et à leur évolution dans ce monde.

Femme de carrière, elle travaille à son compte à titre de consultante en recherche de cadres depuis des années. Néanmoins, Julie est une femme discrète, sérieuse et un peu mystérieuse aux yeux des autres. Mais qui la connaît vraiment sait qu'elle est habitée par une énergie vitale constante et qu'elle vit selon une spiritualité épanouie qui la rend simplement un peu… différente.

Elle possède en effet un esprit d'analyse hors pair, qu'elle utilise naturellement tant au niveau personnel, relationnel qu'au niveau pratique. Devant une situation donnée, par exemple, elle parvient facilement à cerner le problème, les solutions se présentant aussitôt à son esprit, que ce soit pour la construction d'un cabanon, un plan marketing, un malentendu entre deux personnes, une problématique d'horaire, un engrenage mécanique, etc. Depuis son plus jeune âge, cet esprit d'analyse et sa maturité spirituelle lui ont permis de tout apprendre par elle-même. Ou presque. C'est une vraie autodidacte.

Son sens de l'observation lui fait comprendre les malentendus et les comportements des gens facilement. Elle ressent et lit les émotions, déchiffre aisément le langage non verbal. Elle anticipe les réactions et les gestes des gens sans que des paroles ne soient prononcées. Elle arrive même à saisir rapidement le niveau de conscience des personnes après une simple conversation. Elle sait donc instinctivement avec qui et quand elle peut aborder certains sujets ou entretenir ou non une conversation. C'est un don, croit-elle, mais elle évite justement d'aborder ce sujet souvent mal compris, ou mal perçu.

En plus de son formidable esprit de discernement, Julie possède une aptitude particulière, qui consiste en un exercice qu'elle a développé avec le temps et qui lui permet d'obtenir des réponses à ses questions, à ses peurs, à ses besoins. Elle utilise « les mains de la vie ». C'est le nom qu'elle a donné à l'exercice. Bien qu'elle ne le pratique pas régulièrement, lorsqu'elle en ressent le besoin, elle s'y prête. Elle avance alors simplement les mains, paumes tournées vers le haut au-devant d'elle, et y place virtuellement la question ou le besoin ressenti. L'énergie pure, telle une douce décharge bleutée (c'est ainsi qu'elle se l'imagine), part de son abdomen, plus précisément du plexus solaire, et se déverse dans ses mains, pour ensuite s'envoler autour. Sa compréhension du phénomène est que l'énergie ainsi envoyée part à la recherche d'une réponse.

Elle ressent alors aussitôt que, le moment venu, la réponse se présentera à elle. Bien qu'elle est consciente que la magie n'existe pas, elle sait pertinemment que l'exercice se résume en fait à ceci : elle prédispose son être et son esprit à voir et à comprendre ce qu'elle n'est pas en mesure de voir et de comprendre sur le moment, à cause de limites qu'elle s'impose inconsciemment elle-même. Comme ses préjugés, la peur, une crainte quelconque, un manque d'ouverture d'esprit, etc. Chaque fois qu'elle utilise « les mains de la vie », elle a le sentiment intérieur que tout est déjà réglé. Elle se retrouve alors avec le cœur léger et poursuit ses activités normalement. À tous les coups, les réponses viennent lorsqu'elle ne s'y attend pas, ou encore, pas du tout de la façon dont elle l'aurait cru…

Sur une base quotidienne, elle s'efforce aussi de pratiquer le principe de « la loi du retour ». Cette loi spirituelle non écrite, mais bien réelle, qui confirme qu'une bonne action en amène une autre et vice-versa. Julie a elle-même expérimenté la chose à maintes reprises et a dû se rendre à l'évidence qu'elle est bien réelle et qu'elle a un rapport direct avec l'énergie pure qui entoure chaque être humain. Maintenant, elle s'efforce de transmettre ce savoir à ses enfants.

À cause de ce «don», Julie est consciente qu'elle… dérange. Qu'elle est différente. De plus, sa grande confiance en elle, son charisme, son intelligence, son caractère positif et sa grande force mentale suscitent parfois de la jalousie autour d'elle. Surtout chez les personnes mal dans leur peau, souffrant d'un complexe d'infériorité ou ayant peu confiance en elles. Parfois même, cela suscite des réactions désagréables, comme de la rivalité.

Mais dans le cheminement privé de Julie, une question la tourmente depuis longtemps. Un doute persiste dans son esprit. Pourquoi? Pourquoi a-t-elle ce «don» qui parfois lui semble être une punition? Est-ce une anomalie? De la folie? Au plus profond d'elle-même, dans son cœur, elle sent qu'il n'en est rien. Mais elle ne comprend toujours pas pourquoi elle est ainsi. Pourquoi elle sait et perçoit toutes ces choses. Elle espère grandement que la réponse se présentera à elle prochainement…

Chapitre 4

Vancouver—Côte ouest du Canada

Serena

Serena s'observe devant le large miroir de sa superbe penderie et fait la moue. L'image que renvoie la glace l'agace un peu. Avec les années, sa taille et ses seins se sont arrondis, et elle doit porter un bas-culotte pour cacher ses varices. Sa chevelure épaisse et noire est désormais parsemée de centaines de cheveux blancs. La peau de son visage a perdu de son élasticité naturelle, et de petites taches de vieillesse apparaissent sur ses joues et ses mains. À cinquante et un ans, Serena se trouve moche. Même dans ce magnifique tailleur. «Au moins, ça me donne l'air d'une femme d'affaires», se dit-elle.

Pourtant, Serena est une grande femme fort élégante. Et malgré sa taille imposante, ses gestes sont toujours empreints de douceur. Elle penche la tête de côté pour s'observer sous un autre angle dans ce nouveau tailleur gris perle à la coupe impeccable.
— Tu es parfaite. Cesse de t'en faire pour rien.

Claude, son mari, s'habille à ses côtés. Il enfile un jeans confortable, un simple t-shirt blanc et ses espadrilles. Mesurant deux mètres et pesant près de cent vingt-trois kilos, Claude a aussi un gabarit impressionnant. Son ventre s'est arrondi au fil des années, et son crâne s'est irrévocablement dégarni. Néanmoins, il a toujours un large sourire et des yeux bleus pétillants, dénotant une finesse d'esprit particulière.

Serena soupire à nouveau en se regardant de plus près dans la glace. Claude s'approche d'elle et l'étreint longuement en lui murmurant :
— Tu as toujours les plus beaux yeux bleus du monde…

Elle lui rend son étreinte, et ils s'embrassent tendrement. Ils ont fait l'amour ce matin, et Claude flotte sur un nuage. Ils se sont à peine vus ces dernières semaines, et ce rapprochement imprévu leur a fait le plus grand bien. Et tant pis ; ils arriveront en retard au boulot ce matin…

Les deux tourtereaux forment un couple uni et ils se témoignent autant de tendresse qu'à leurs premiers jours de vie commune. Après vingt-six années de mariage et trois enfants, ils sont toujours aussi amoureux l'un de l'autre et se vouent un respect et une confiance mutuelle sans limites. Ce matin-là, en roulant en direction de la boutique, Serena demande à Claude :
— Es-tu d'accord pour prendre quelques jours de vacances ?

Il lui sourit et répond simplement sur un ton enjoué :

— On part quand?

Elle éclate de rire et ils s'embrassent à nouveau lorsque leur véhicule, une rutilante Mustang noire flambant neuve, s'arrête à un feu rouge. Serena est une vraie passionnée de voitures, et c'est souvent elle qui conduit. Elle dépose son mari à la boutique et se rend à son bureau du centre-ville de Chicago. Depuis quatre ans, elle occupe le poste de v.-p. développement de nouvelles technologies d'une grande entreprise pétrolière, USPetrolix.

Serena a rapidement acquis une solide réputation dans son domaine et bénéficie d'un prestige indéniable qui lui confère une position confortable, enviable même. De toute l'histoire du capitalisme américain, c'est la première fois qu'une femme, ingénieure de surcroît, accède à un poste d'une telle importance dans cette industrie. Sa volonté de fer et son leadership l'y ont conduite en ligne droite. L'actuel p.-d. g., M. Brian Nash, est hospitalisé depuis maintenant trois mois en raison d'un traumatisme crânien causé par une chute dans un escalier. Serena assure l'intérim de ce poste depuis, et doit occuper cette double fonction jusqu'à nouvel ordre.

Depuis ce temps, elle travaille près de soixante-dix heures par semaine. Et elle fait face à un stress supplémentaire, car elle ressent le besoin de prouver qu'elle peut gérer une entreprise de cette envergure aussi bien qu'un homme… Et c'est sans compter la pression du lobbyisme et du gouvernement sur cette industrie lucrative fort controversée, où le coût du baril de pétrole ne cesse de subir des écarts considérables, et dont le prix à la pompe paraît continuellement injustifié aux yeux des consommateurs.

Serena rentre donc exténuée tous les soirs à la maison. Néanmoins, ses efforts sont reconnus et donnent des résultats intéressants, appréciables même, dirait-elle. Même si elle se sent limitée dans ses actions et ses décisions, car elle doit rendre des comptes au conseil d'administration, elle a le sentiment de contribuer à l'avancement de la compagnie. Et plus particulièrement à l'avancement du mégaprojet de développement des technologies pour les nouvelles énergies, appelé le DTNE. Ambitieux projet issu de son initiative il y a de cela quatre ans et auquel elle tient énormément, sur le point de prendre enfin son envol.

Mais devant la glace ce matin-là, elle a remarqué ses traits tirés et a aussitôt compris qu'il est temps pour elle de se reposer un peu. Et de se changer les idées… Le lendemain au petit déjeuner, elle feuillette les offres de voyage d'un cahier spécial sur les croisières en Alaska, datant du mois de mai dernier. Claude a délibérément déposé le journal sur la table le matin avant de partir.

Serena a trouvé l'idée formidable ! Il y a longtemps qu'ils songent à faire ce genre de croisière. Il lui reste deux semaines de vacances à prendre avant la fin de l'année. Elle contacte aussitôt son agent de voyage, qui lui confirme que le seul et dernier départ pour une croisière en Alaska se fait à partir de Vancouver le sept octobre.

Serena est enthousiasmée par l'itinéraire, qui semble des plus intéressants. Il se compose de quatre escales populaires jusqu'à Anchorage. La première est Ketchikan, reconnue pour son histoire autochtone avec son fabuleux Totem Bight State Park, incluant danse et musique traditionnelle. La seconde est Juneau, la capitale officielle de l'Alaska, avec son magnifique glacier Mendenhall et le majestueux Turquoise Sawyer Glacier. La troisième escale est prévue à Skagway, où a eu lieu le fameux gold rush de 1890 et, finalement, Glacier Bay, avant de se rendre à la destination finale d'Anchorage. Le départ est dans cinq jours. Serena réserve deux places sur le yacht de luxe, et le vol aller-retour pour Vancouver. Le soir venu, elle place les billets sous l'oreiller de Claude, qui s'exclame de joie en les trouvant. Ils s'endorment collés l'un à l'autre, excités comme des enfants à l'idée de ce voyage de dernière minute.

Le lendemain, Claude annonce la bonne nouvelle à ses employés et révise l'horaire de travail en conséquence. Il possède une boucherie fine dans la banlieue riche de Chicago depuis dix-huit ans. Il doit sa réussite à l'originalité du décor de sa boutique, à son charisme, à son savoir-faire et à son service à la clientèle hors pair. Il s'est taillé une réputation enviable dans la région, et sa clientèle fortunée lui est très fidèle, ce qui lui permet de prendre congé sans s'inquiéter pour son commerce. Et il entend bien profiter de la vie avec sa femme, maintenant qu'il peut se le permettre.

Ils atterrissent à l'aéroport de Vancouver à 17 h le soir du cinq octobre, après une journée mouvementée. Ils se rendent à leur hôtel du centre-ville et dînent aux chandelles dans un charmant restaurant français au coin de la rue. Le lendemain, ils profitent d'une journée de temps libre pour explorer les rues de Vancouver, les principaux attraits de la ville, et pour déguster de nombreux mets asiatiques. Tout en se promenant dans le populaire quartier chinois, ils réalisent à quel point ils sont grands parmi ces petites gens, et combien ce peuple est attachant. Serena est vraiment conquise par ces mignons petits enfants chinois aux visages angéliques et ces femmes féminines et discrètes.

Le guide touristique local les informe que la ville de Vancouver a accueilli des centaines de milliers de Chinois provenant de Chine et de Hong-Kong depuis ces vingt dernières années. Le Chinatown de Vancouver est devenu, depuis, l'un des plus grands en Amérique du Nord, et sa superficie est presque aussi vaste que le centre-ville même de Vancouver. La deuxième langue parlée en ville est, bien entendu, le mandarin...

N'ayant aucun talent pour les langues, sauf pour goûter, Claude demeure silencieux tout en admirant sa femme échanger quelques mots avec le jeune guide qui les promènent à travers le dédale des rues du quartier animé. La soirée se termine dans un restaurant typiquement mandarin, où ils savourent un délicieux repas arrosé de vin.

Le sept octobre au matin, vers 5 h 30, Claude et Serena se dirigent vers le superbe yacht de croisière, d'une capacité de trois cents passagers et membres d'équipage. Pour cette dernière croisière, seuls deux cent soixante et un passagers et membres d'équipage prennent placent à bord du bateau. Le navire de la compagnie NorthWestern Cruise Line, le Alaska Sun, arbore un énorme soleil jaune peint sur le côté tribord. Mesurant soixante-dix mètres de long par vingt-huit mètres de large, et d'une hauteur de vingt-deux mètres au-dessus de l'eau, ce yacht de luxe est un navire de grosseur moyenne. Il dispose de sept étages, dont quatre où l'on retrouve les cabines des passagers.

Un large drapeau à l'effigie du logo monté à la poupe virevolte au vent, et de longues cordelettes ornées de petites lumières colorées se balancent et cliquètent sur les poteaux métalliques blancs de la rampe du pont principal.

Accoudé à une rambarde au quai d'embarquement, Claude tente de scruter l'horizon lointain de la baie. Mais la brume est si épaisse qu'il parvient à peine à voir à plus de cinquante mètres. Serena lui tapote l'épaule et ils se mettent en ligne pour l'embarquement. L'enregistrement se passe dans un délai raisonnable, malgré le fait que tous les passagers doivent se soumettre à une fouille légère des bagages et à la vérification d'identité. Car depuis l'attentat terroriste perpétré au port de Miami en février, sur un bateau de croisière arrimé, les procédures d'enregistrement et de vérification des bagages sont devenues plus minutieuses, mais aussi plus longues.

Ils empoignent finalement leurs valises, empruntent la passerelle suspendue et se présentent sur le deuxième pont. De là, ils suivent les indications pour rejoindre leur luxueuse cabine n° 326, située à l'étage inférieur. Tout en déambulant dans les couloirs, ils remarquent un détail frappant : il y a peu d'enfants, et beaucoup de têtes blanches. En y réfléchissant bien, ils réalisent que les enfants sont à l'école et que les personnes retraitées raffolent de ce genre d'excursions...

Les haut-parleurs diffusent une musique douce et agréable. Quelques minutes plus tard, ils pénètrent dans leur suite, avec balcon privé. La vaste porte vitrée offre une vue superbe sur la mer. Enfin habituellement, car pour le moment, une brume épaisse bloque la lumière timide du soleil d'automne. Ils sont toutefois enchantés de leur cabine.

Ils en ressortent aussitôt pour partir à la découverte du luxueux navire. Une petite piscine chauffée en forme d'arachide attenante à un large bain tourbillon occupe une partie du pont supérieur. Celui-ci est également recouvert d'un gigantesque gazébo de vinyle bleu azur, offrant une protection contre le soleil ardent et les intempéries. Ils trouvent également à l'intérieur du yacht un petit casino, une salle d'exercices tout équipée, deux restaurants, dont un à la carte le soir, un salon de massage et de beauté, et toutes les facilités imaginables. Le divertissement est aussi à l'honneur : jeux d'animateurs, spectacles tous les soirs, jeux extérieurs, etc.

Des parquets de bois cirés recouvrent tous les ponts extérieurs, et les rampes adjacentes sont recouvertes d'un bois dur lisse et verni. Un tapis rouge vin et or décore la plupart des salles, et des tissus soyeux et de la tapisserie ornent les murs des pièces et des couloirs. Une superbe salle de banquet accueille les passagers pour les repas et les spectacles du soir, avec une scène où se produit un orchestre en permanence. Les rambardes intérieures sont faites de bronze antique, surmontées de globes ronds diffusant une lumière discrète. La pièce centrale intérieure, très haute, regroupe au quatrième niveau des boutiques, la réception, deux petits ascenseurs vitrés, de majestueuses colonnes bleu nuit scintillantes et une décoration somptueuse dans les tons de bleu et argent. Le luxe est omniprésent, jusque dans les moindres détails.

Alors que Serena admire les magnifiques tapisseries de la salle ronde, une petite main douce et tiède se glisse dans la sienne. Surprise, elle baisse les yeux, pour découvrir le visage angélique d'un petit garçon chinois âgé d'environ cinq ans. Sans broncher, il fixe Serena d'un regard doux et profond. Sa petite main serre la sienne, et elle devient étrangement émue par cette marque d'affection. Elle se penche à sa hauteur et lui demande :
— Où est ta maman mon petit ?

Sans répondre, il sourit à Serena. Puis il dit :
— C'est toi que je choisis.

Légèrement intriguée et ne comprenant pas ce qu'il veut dire, elle se redresse et scrute la salle à la recherche des parents du gamin. Une jeune femme asiatique non loin d'eux semble chercher quelqu'un à travers la foule qui se disperse. Elle aperçoit alors le garçon, qui tient toujours la main de Serena, et s'avance vers eux.
— Ah… Je suis désolée, madame. Viens Yhéo.

— Aucun problème. Bonne journée madame. Au revoir Yhéo.

D'un air soucieux, la jeune femme agrippe la main du petit garçon, qui se laisse entraîner sans résistance. Il se retourne en s'éloignant pour regarder une fois de plus Serena, qui trouve ce comportement touchant, quoique un peu étrange. Claude, qui s'est éloigné pendant ce temps pour visiter le petit salon de cigares, la rejoint, et ils poursuivent leur exploration. Ils sont enthousiasmés en découvrant les superbes caractéristiques du yacht. Habitués au luxe, ils se sentent fort à l'aise dans cet environnement.

Ils retournent tranquillement à leur cabine, qu'ils ont délibérément choisie pour son grand lit. Comme tout homme qui se respecte, Claude tâte le matelas et s'y laisse tomber lourdement. Puisque les tourtereaux ne sont pas de format « standard », un lit aux dimensions traditionnelles représente pour eux un réel inconfort. Au long soupir de satisfaction qu'émet son mari, Serena comprend qu'il est comblé.

Excités comme des enfants, ils prennent plus de temps que nécessaire pour défaire leurs bagages, prenant grand soin de placer les vêtements chauds, les tenues de soirée et de tous les jours dans les placards, tout en argumentant pour se partager l'espace restreint.

Depuis déjà vingt minutes, le bateau s'est mis en route, tout doucement. Il glisse sur une eau tranquille, et aucune sensation de roulement n'est perceptible. Toutefois, Serena n'a pas couru la chance, et s'est fait une provision de comprimés contre la nausée, au cas où son mari et elle seraient victimes du mal de mer... Serena est une femme prévoyante. Elle porte toujours sur elle une petite bourse sport, en bandouilère, dans laquelle elle conserve plusieurs articles utiles.

Claude et elle passent le reste de la journée à visiter les différentes pièces, et participent à un jeu animé de galets avec un autre couple rencontré pendant le lunch; les femmes remportent la joute, au grand dam des messieurs. La brume épaisse tarde à se dissiper, et ils ne peuvent jouir de la vue de la mer ce premier jour. La sirène du yacht retentit régulièrement, avertissant les autres bateaux circulant dans l'immense baie de sa position et de ses déplacements.

Le soir venu, ils revêtent une tenue de soirée et dînent en compagnie de trois autres couples âgés dont ils ont fait la connaissance en fin d'après-midi, au bar. Ils festoient gaiement et terminent la soirée au casino, où Claude remporte quatre cents dollars au Black Jack. Serena, quant à elle, perd les cent dollars alloués dans les machines à sous. Ils adorent boire, manger et danser en bonne compagnie. Ils rentrent donc au petit matin et ronflent allègrement jusqu'à 6 h 30, réveillés en sursaut par la sonnerie du réveille-matin. Ils sont peu reposés, mais se hâtent tout de même de sortir, désirant profiter de cette belle journée qui s'annonce ensoleillée.

Vers 7 h 05, après avoir soigneusement préparé leurs appareils photo, ils quittent la cabine. Serena souhaite par-dessus tout avoir la chance d'observer les mammifères marins et les centaines d'îles inhabitées densément recouvertes de conifères, dépeintes sur les dépliants promotionnels. Claude désire quant à lui débuter la journée avec un bon petit déjeuner, et Serena cède devant son insistance. Après avoir déjeuné copieusement, ils marchent main dans la main jusqu'à l'escalier extérieur, puis montent jusqu'au deuxième pont. Serena se poste à la proue, tandis que Claude poursuit son exploration des ponts.

La brume s'est levée pendant la nuit, et un soleil éblouissant réchauffe la température; le mercure grimpe déjà à douze degrés. Un vent tiède souffle sur le pont et fait virevolter les cheveux bouclés de Serena. Elle est enchantée de la vue. L'océan, quoique beaucoup plus agité que la veille, est d'un bleu intense parsemé de moutons blancs. Contrairement à ce qu'elle croyait, ils sont en pleine mer. Pas d'îles en vue pour le moment... Elle sort sa carte du Inside passage, canal naturel protégé, utilisé par les navires de croisières, les bateaux de pêche et les traversiers dans leur itinéraire pour se rendre à Anchorage. Elle lit :

« Ce passage emprunte une voie à l'intérieur des îles côtières longeant la Colombie-Britannique et l'Alaska, mis à part une section exposée au Pacifique, dans un bassin nommé le Queen Charlotte Sound, entre les immenses îles de Vancouver et les îles de la Reine-Charlotte. Cette section, située entre deux détroits, est exposée aux forts vents et courants de surface, tout en étant peu profonde. Une moyenne de trente-cinq mètres de profondeur sur une distance d'environ deux cent soixante-sept kilomètres de long. » Serena constate que le navire se trouve justement au centre de cette grande étendue peu profonde et agitée.

Elle poursuit sa lecture du dépliant :
« On compte pas moins de mille îles, des milliers de baies et plusieurs fjords profonds dans l'archipel. Les îles regroupent également trois sanctuaires marins d'où l'on peut observer les loups marins, les marsouins et plusieurs sortes de baleines, le tout s'étendant sur plus de vingt-cinq mille kilomètres. » Elle soupire en réalisant que les îles seront pour plus tard...

Humant l'air en passant sur le pont du second niveau, Claude reconnaît la familière et attirante odeur du bacon bien cuit et des rôties... Mais il résiste

41

à l'envie de savourer un second petit déjeuner. Il regarde machinalement sa montre, afin d'estimer le temps restant avant le prochain repas.

— Mmm… fait-il en soupirant.

Il a souvent entendu dire qu'il est possible de manger du matin au soir en croisière. Et jusqu'à maintenant, il est d'accord avec cette affirmation. En fait, c'est la principale raison pour laquelle il tenait à faire une croisière… Et la deuxième, c'est qu'il supporte mal la chaleur ; l'Alaska lui semblait une alternative intéressante. Cet homme enjoué de cinquante-deux ans possède une philosophie fort simple : profiter de la vie. Sans excès, mais autant que possible, car il se dit qu'il n'a qu'une seule vie à vivre, alors autant en profiter !

Serena, l'âme romantique, tient à voir les vagues se briser sur la coque avant du bateau, et elle se penche le plus possible en s'étirant le cou. Satisfaite, elle se redresse et se retourne pour photographier le navire. Ce faisant, un détail attire son attention. Elle aperçoit la cabine de pilotage située juste en face d'elle, à environ quinze mètres. Et un officier, accompagné du capitaine, revient à la cabine. Les deux hommes marchent d'un pas rapide sur le pont, et elle remarque une expression inquiète sur leurs visages. « Mais que diable se passe-t-il ? » se demande-t-elle, soucieuse à son tour… Elle agite les bras en direction de Claude pour attirer son attention. Au bout d'un moment, il la remarque et descend la rejoindre.

Elle lui fait part de ses observations et lui demande de patienter avec elle un moment, car elle veut connaître la suite des événements. Ils montent alors un petit escalier et se retrouvent au même niveau que la cabine de pilotage, sur le premier pont. Ils s'accoudent à la rambarde et observent les hommes dans la cabine, au nombre de six. Deux d'entre eux semblent discuter avec émotion et scrutent l'océan à bâbord à l'aide de jumelles.

Possédant un sixième sens hors du commun, Serena murmure à l'oreille de son mari :

— Quelque chose ne va pas. Ils ont vraiment l'air anxieux. Peut-être qu'une tempête approche ?

Elle scrute le ciel bleu azur et l'océan dans la même direction que les officiers. Mais elle ne distingue rien à l'horizon. L'incident a piqué la curiosité de Claude, qui entre dans le jeu d'observation. Il connaît bien sa femme, et il sait que si elle croit qu'il y a une raison de s'inquiéter, eh bien, il a raison de s'inquiéter aussi. Serena étudie les hommes présents dans la cabine de pilotage et remarque qu'ils sont maintenant trois à scruter l'océan avec des jumelles…

Elle aurait aimé pouvoir se rapprocher, mais un étroit couloir extérieur sépare la section des passagers de la cabine de pilotage. Une chaînette blanche limite l'accès à ce couloir, sur laquelle une petite pancarte indique «Employés seulement». Elle se résigne et observe intensément ce qui se passe à l'intérieur, cherchant à déchiffrer leurs expressions. Le capitaine parle au CB. Évidemment, elle ne peut entendre un seul mot de ce qu'il dit, mais leurs mouvements et la fébrilité qui règne dans la pièce trahissent un haut niveau de tension. Un membre d'équipage est penché sur des cartes marines étendues sur une grande table et secoue la tête.

De plus en plus nerveuse, Serena étudie à nouveau l'horizon à la recherche d'un navire peut-être, d'une tempête, de baleines? Elle se demande ce qui peut bien constituer un danger en plein océan… Tout à coup, ils sursautent. Une sirène d'urgence retentit sur le bateau. Les passagers s'arrêtent net, surpris et effrayés. Puis, une voix claire et distincte se fait entendre à travers les haut-parleurs dispersés un peu partout sur le bateau.

— Ici le capitaine Norrington. Ceci n'est pas un exercice. Tous les officiers et membres d'équipage doivent appliquer le code rouge. Je répète : tous les officiers et membres d'équipage doivent appliquer le code rouge. Tous les passagers sont tenus d'enfiler une veste de sauvetage et de se diriger dans la salle de banquet immédiatement. Je répète : les passagers doivent enfiler une veste de sauvetage et se diriger immédiatement à la salle de banquet. Terminé.

Les vieux tourtereaux échangent un regard angoissé. L'estomac de Claude se noue, et Serena devient toute blanche. Soudain, ils ressentent une vibration accrue et progressive provenant des moteurs. Le navire prend de la vitesse, tout en changeant carrément de cap. Serena reste figée sur place et ne peut s'empêcher de fixer à nouveau l'océan, les sourcils froncés.

La panique gagne les passagers, qui courent dans toutes les directions autour d'eux et sur les ponts inférieurs. D'autres ne semblent pas comprendre ce qui se passe et sont complètement désemparés. Claude tire sa femme par le bras en criant par-dessus le vacarme de la sirène hurlante.
— Nous devons trouver des gilets de sauvetage ! Tout de suite !

Elle résiste et lui dit :
— Vas-y. Je reste ici. Je veux savoir ce qui se passe !

Au même instant, elle aperçoit des gilets de sauvetage accrochés sur le mur en face d'eux, dans le couloir des employés. Elle désigne les gilets et, sans hésiter, Claude enjambe la chaînette pour s'en emparer. Il revient prestement

43

avec deux gilets. Claude est nerveux et n'arrive pas remonter la fermeture éclair de la veste… Elle est trop petite.

— Merde !

Il réussit néanmoins à attacher les sangles ensemble. Serena a enfilé son gilet depuis une bonne minute et est retournée à son poste d'observation. Claude essaie à nouveau de l'entraîner à l'intérieur, comme le capitaine l'a ordonné. Elle refuse d'y aller et hurle quelque chose qu'il n'arrive pas à comprendre. La sirène s'arrête tout à coup, et ils figent à nouveau sur place, les oreilles bourdonnantes. Le capitaine répète le même message, et la sirène retentit de plus belle.

— NON ! NON ! Viens ! crie Claude.

Mais elle ne veut rien entendre et se débat farouchement. Il finit par céder devant son entêtement et demeure à ses côtés, non sans démontrer son désaccord. Serena observe à nouveau la cabine de pilotage, espérant trouver réponses à ses questions. Un officier semble en grande discussion avec le capitaine, haussant les bras et s'agitant, visiblement en colère. Ce dernier fait un signe négatif de la tête et pose ensuite la main sur son front, semblant réfléchir… Il relève lentement la tête et regarde l'autre homme en lui disant fermement quelque chose. Il reporte ensuite son attention vers l'océan au-devant de lui. L'officier rabroué est furieux, mais retient sa colère au prix d'un effort visible.

L'instant d'après, un jeune officier passe tout près de Serena pour rejoindre la cabine. On peut voir à son visage qu'il écoute attentivement les instructions qui lui sont données. Il ressort une minute plus tard d'un pas rapide.

Serena l'apostrophe sans gêne :

— Que se passe-t-il ? S'il vous plaît, dites-nous ce qui se passe !

Elle est vigoureusement accrochée à son manteau. Il refuse d'abord de répondre, mais devant son insistance, il lâche en hurlant :

— Vous devez vous mettre à l'abri immédiatement. Un grand danger approche à toute vitesse et nous n'avons pas le temps de placer le navire à l'abri. C'est tout ce que je peux vous dire pour l'instant !

Puis il se défait de son étreinte et s'enfuit dans le couloir. Serena et Claude échangent à nouveau un regard effrayé. La chair de poule envahit les bras de Serena, et ses cheveux se dressent littéralement sur l'arrière de sa tête. C'est la première fois que cette affreuse sensation l'assaille. Ses jambes deviennent soudain molles, et elle s'accroche à la rambarde.

«Un grand danger… Quel danger?» Elle réfléchit à toute vitesse. Puis, tout à coup, elle croit deviner la réponse : «Une vague! Ils s'attendent à recevoir une vague de front!» Elle se tourne vers Claude et lui crie à l'oreille :
— Je crois qu'il s'agit d'une vague scélérate ou d'un tsunami!

Il la regarde, éberlué, puis rétorque :
— Ça ne se peut pas, on est en mer, voyons! Les tsunamis, c'est sur les côtes.

Mais elle ne l'écoute pas. Elle regarde droit devant, les yeux scrutant intensément l'horizon. Le navire vogue maintenant à une vitesse impressionnante.

Puis son expression change soudainement. Elle marmonne pour elle-même :
— Oh non. Mon Dieu. Non…

Le 1er jour

Lucy

— ÉCOUTE-MOI BIEN… dit-il d'un ton si sérieux qu'elle comprend tout de suite que quelque chose ne va pas…

Une vague de frissons lui parcourt le dos. Elle écoute attentivement, craignant une mauvaise nouvelle à propos de son fils qui séjourne chez lui.

— …un tsunami énorme fonce droit sur les côtes de la Californie au moment où je te parle. C'est un volcan à Hawaii qui s'est écroulé dans l'eau. Ils ont émis un avertissement à la télé. Les vagues vont déferler directement où tu es et atteindront vingt mètres de haut. M'entends-tu? Es-tu loin de la mer?

Lucy hésite un moment avant de répondre. Elle est bouche bée. Ses mains deviennent moites.

— Je ne sais pas trop… Je… je dirais environ deux kilomètres, peut-être moins. Tu me fais peur…

Il l'interrompt une nouvelle fois.

— Lucy, tu dois trouver un abri en hauteur. Le plus haut possible, et tout de suite! Tu n'as que quelques minutes avant que le tsunami déferle sur les rives. C'est prévu pour 7 h 50!

Lucy consulte sa montre.

— Il est 7 h 45… fait-elle d'une petite voix.

— Alors, magne-toi! Trouve un immeuble en hauteur et vas-y tout de suite!

— Mais y a rien ici en hauteur! Je… je suis dans l'aérogare, qui compte deux étages seulement!

Elle regarde désespérément autour d'elle. Elle s'élance vers la baie vitrée donnant sur la ville.

— Je regarde par la fenêtre pour voir… Y a le viaduc de l'autoroute qui est surélevé et qui n'est pas très loin. Il doit faire environ… six mètres?

— C'est pas assez haut! Ils prévoient des vagues de vingt mètres, je te dis!

— Vingt mètres? C'est impossible, Den. Voyons! Y a pas d'immeuble assez haut ici! fait-elle d'une voix angoissée.

Lucy a le nez rivé sur la vitre, à la recherche d'immeubles.

— La tour! s'écrie-t-elle soudain. Il y a une nouvelle tour de contrôle qui est en construction. Elle est presque terminée et elle est juste à côté!

— Vas-y tout de suite, ordonne-t-il.

Il n'a pas l'habitude d'être si autoritaire, et elle réalise à quel point l'heure est grave. Une intense vague de frissons parcourt une fois de plus son épine dorsale. Son cœur bat de plus en plus fort, et elle sent la chaleur monter dans ses veines…

— D'accord! Je cherche un moyen d'y aller. Mais il faut au moins que je prévienne les autres!

— Tu n'as pas le temps! Fais ce que je te dis immédiatement! hurle son frère au bout du fil.

Mais elle ne l'écoute pas. D'un pas rapide, elle se dirige vers le comptoir des enregistrements et s'adresse à la préposée :

— Écoutez mademoiselle. Mon frère m'informe qu'un important tsunami arrive sur les côtes de la Californie! Il dit qu'une alerte est présentement diffusée sur les chaînes de télévision et à la radio. Nous devons nous mettre à l'abri! Il faut prévenir tous ces gens! lance-t-elle à moitié hystérique en désignant la foule autour d'elle.

Devant son air affolé, la demoiselle au comptoir réagit aussitôt. Elle fait alors un appel à ses supérieurs, expliquant le tout et attendant des instructions au bout du fil. Lucy s'efforce de rester calme, mais elle tempête d'impatience. Ses joues rosissent. Elle observe anxieusement l'océan à travers la baie vitrée donnant sur Loleta et dit à son frère :

— Une préposée s'informe. Les gens doivent être alertés. Et je vais lui demander par où passer pour se rendre à cette tour.

— C'est risqué d'attendre! Pense à Logan… fait-il d'une voix grave.

Sur ces mots, Lucy se fige. Sans s'en rendre compte, elle lève un regard déchiré sur la foule, la bouche entrouverte. Son regard croise celui de l'homme à la chemise bleue. Il l'observe depuis un moment déjà, cherchant à comprendre pourquoi elle affiche cet air terrifié. Au même moment, la préposée dépose le combiné de téléphone et s'adresse à Lucy :

— Madame, les autorités aéroportuaires viennent de l'apprendre. J'attends leurs instructions d'un moment à l'autre, dit-elle d'un ton qui se veut rassurant.

Puis, d'un geste de la main, elle invite Lucy à s'asseoir sur un banc près du comptoir. Mais cette dernière éclate :

— Ça ne va pas? Il faut réagir maintenant! Le tsunami sera sur nous d'une minute à l'autre!

Mais la préposée de bronche pas. De toute évidence, elle ne sait pas quoi faire… Lucy s'adresse à nouveau à son frère sur un ton désespéré :

— Den, tu as entendu?

— OUI ! Mais Lucy, va te mettre à l'abri tout de suite ! Laisse faire les autres !

L'homme à la chemise bleue s'avance vers elle, la questionnant du regard. Paniquée, elle s'adresse à lui et débite rapidement :
— Un gigantesque tsunami fonce sur les côtes ! D'une vingtaine de mètres de haut ! Il sera sur nous d'une minute à l'autre, et nous devons nous mettre à l'abri… termine-t-elle en geignant presque.
— Un tsunami !
— Oui !

Puis elle aperçoit l'agent de sécurité venant dans sa direction. Elle s'élance vers lui en bousculant son interlocuteur et l'interpelle sur un ton affolé :
— Monsieur, s'il vous plaît ! Monsieur ! Un tsunami fonce droit sur nous ! Nous devons nous placer à l'abri en hauteur tout de suite !

Sans même écouter ce qu'elle dit, l'agent de sécurité lève les bras pour tenter de la calmer. Mais au même moment, une vague de manifestations inhabituelles se produit autour d'eux. Plusieurs téléphones mobiles sonnent simultanément, de même que le talkie-walkie du gardien. Il répond, et pendant que son supérieur l'informe de l'imminence du danger, une horde d'oiseaux marins s'écrasent contre la baie vitrée des salles avant. Puis la horde désorientée reprend sa course folle et contourne le terminal en direction de l'est. Un chien dans une cage, attendant de monter à bord, hurle dramatiquement.

Lucy sursaute lorsque Den lâche un cri de mort dans le téléphone :
— Lucyyyy ! T'as plus de temps ! Vite Lucy ! Le tsunami sera sur vous dans deux minutes ! Va dans la tour ! Va dans la tour ! Tout de suite !

Leurs regards se croisent l'espace d'un vif instant, et celui de l'agent de sécurité s'éclaire. Il s'élance aussitôt dans le couloir, Lucy sur les talons. Il déverrouille la porte de l'escalier menant à la passerelle qui passe au-dessus du terminal. L'homme à la chemise bleue s'élance vers son fils et l'empoigne sans ménagement par le bras. Celui-ci proteste, d'abord surpris. Mais devant l'expression angoissée de son père, il s'empresse de le suivre sans un mot.
— Montez et empruntez la passerelle qui mène à la tour. Prenez ensuite la porte sur la droite, qui donne sur l'escalier ; il vous mènera au sixième étage de la tour, lance le gardien soudain en sueur.

Puis il repart dans les salles rejoindre les préposés, qui s'énervent. Sans attendre, Lucy grimpe les marches de l'escalier menant à l'étage supérieur de la vieille aérogare, suivie de près par l'homme à la chemise bleue et son fils.

Aussitôt arrivés en haut, ils empruntent la passerelle vitrée et s'arrêtent pour regarder la ville et la mer au loin.

À cette hauteur, ils distinguent aisément l'autoroute et, plus loin, les quartiers résidentiels, de même que le delta. Lucy concentre son regard sur l'océan, le cœur battant. Elle ne remarque rien de suspect à l'horizon. Son frère crie toujours au bout du fil.
— Fiche le camp de là ! Va dans la tour, et monte le plus haut possible ! Vite ! Dépêche-toi Lucy !
— Je ne vois rien d'ici ! Y a rien ! Y a rien !

Tout en avançant, elle scrute l'océan au loin. Et c'est là qu'elle le voit. Le tsunami. Au loin, une gigantesque vague avance sur le delta. Lucy fige un moment, le téléphone à l'oreille. Puis lentement, inconsciemment, elle baisse le téléphone et recule de quelques pas, laissant tomber son sac à main. Le sang se glace dans ses veines et toute la chaleur de son corps la quitte instantanément. Un spectacle effroyable se déroule devant ses yeux, et elle réalise que cette vague est monstrueuse. Inimaginable.

Elle tourne la tête vers les deux hommes, qui ont la même expression horrifiée qu'elle. Soudain, son frère hurle dans l'appareil, et ils sursautent. Le jeune homme s'élance le premier dans la passerelle et atteint la porte de droite donnant sur l'escalier de la tour, suivi de près par son père et Lucy. Une superbe montée d'adrénaline envahit le corps de Lucy, provoquant une chaleur intense et une rougeur aux joues. Les muscles gonflés à bloc, elle court à une telle vitesse qu'elle a l'impression de frôler le plancher ; comme si elle volait.

Du coin de l'œil, elle aperçoit le tsunami démesuré atteindre la rive et avancer rapidement, avalant les maisons, les arbres, les voitures, les gens. Tout. Le tsunami gobe la vallée entière sans même ralentir. Cette terrible image s'imprègne dans sa tête alors qu'ils empruntent prestement la cage d'escalier de la tour. Le jeune homme grimpe les marches deux à deux et initie la cadence pour les deux autres. Den hurle toujours dans le téléphone qu'elle tient à la main. Elle n'a pas le temps de le porter à son oreille, mais lui parle tout de même d'un ton saccadé :
— On est dans la tour… Je serai en haut dans une minute ! … L'eau arrive Den, l'eau arrive vite… Oh mon Dieu ! Je l'ai vu ; c'est énorme ! C'est un monstre. Den, je ne pense pas survivre à ça !

Les larmes aux yeux, elle hurle sur un ton terrifié :
— Tu restes avec moi ! Lâche-moi pas ! Lâche-moi pas !
— C'est sûr que je ne te lâche pas ! Monte ! Monte !

Ils atteignent rapidement le sixième étage de la tour, à peine essoufflés. C'est l'étage de la salle ronde, la salle de contrôle. Le jeune homme essaie d'enfoncer la porte donnant à l'étage tout en criant. Elle est verrouillée.

— Oh non, murmure Lucy. On est coincés comme des rats, fait-elle, inquiète.

Mais le jeune homme redouble d'ardeur tout en regardant à travers une petite vitre dans le haut de la porte. Il s'adresse à quelqu'un de l'autre côté. Après de longues secondes d'attente, il recule et, à leur grand soulagement, la porte s'ouvre. Un travailleur de race noire vêtu d'une combinaison beige apparaît dans l'embrasure de la porte. Il tient un rouleau de peinture à la main et paraît surpris.

— Que se passe-t-il? demande ce dernier.

Personne ne répond. Le jeune homme le bouscule et ils se ruent dans la salle ronde. Ils cherchent frénétiquement l'escalier menant au toit, sachant pertinemment que cet étage n'est pas suffisamment haut. La salle de contrôle est presque vide; seuls quelques meubles encore emballés sont entassés au centre de la pièce. D'énormes poutres d'acier non recouvertes supportant la structure de la tour traversent la salle sur toute sa hauteur. Lucy jette un coup d'œil par la baie vitrée et se rend compte que le monstre est presque sur eux, transportant avec lui toutes sortes de gros débris, surtout des véhicules et des arbres. Le tsunami atteint le viaduc et le surplombe d'une douzaine de mètres! Et Lucy discerne avec effroi une seconde vague juste derrière, encore plus haute.

— Non… non… non!

Elle recule instantanément.

Au même instant, l'homme à la chemise bleue l'empoigne par le bras et l'entraîne dans une étroite cage d'escalier. Le peintre mécontent s'adresse à eux, mais ils l'ignorent. Ils aboutissent à un étage dont le plancher est grillagé et peint en gris. Ce grillage couvre le tiers de la superficie de la pièce, et les deux tiers sont occupés par de longues antennes métalliques, droites et tubulaires, solidement fixées à l'armature du bâtiment deux mètres plus bas.

Lucy détaille la pièce du regard, l'espace d'un instant : les poteaux métalliques traversent toute la salle de bas en haut et sortent par le toit. De petites échelles métalliques accrochées à ceux-ci permettent d'y grimper. Une petite rampe de sécurité longe la section des antennes, et une porte grillagée permet l'accès à ces dernières.

Le groupe hésite un instant, ne sachant que faire. Soudain, le tsunami frappe violemment la tour, qui vibre intensément. Un bruit sourd ainsi qu'un immense fracas de verre brisé leur parviennent de la salle de contrôle en dessous. Ils se cramponnent instinctivement à la rampe métallique et Lucy hurle à s'époumoner. Elle est complètement terrorisée. L'eau s'engouffre en trombe dans la petite cage d'escalier derrière eux, et un tourbillon d'écume jaillit à leurs pieds.

Le jeune homme s'élance vers une porte menant au toit, mais au même moment, la deuxième vague atteint la tour. Plusieurs carreaux vitrés d'une haute fenêtre volent en éclats sous la pression énorme, tout près d'eux. Une gigantesque gerbe d'eau s'infiltre et se déverse à l'intérieur avec une force phénoménale. Ils cherchent instinctivement à grimper. Lucy hurle toujours. Le jeune homme saute par-dessus la rampe et s'agrippe à la petite échelle métallique fixée à l'un des poteaux. Son père et Lucy l'imitent aussitôt en grimpant à deux autres antennes. Lucy place rapidement son téléphone entre ses dents, libérant ses mains.

Elle se hisse rapidement, jusqu'à ce que sa tête frôle le plafond rugueux. Mais l'eau continue d'entrer et tourbillonne dans la pièce. Le niveau monte rapidement. Elle se sent piégée, et la peur cisaille ses entrailles… Elle s'accroche désespérément à la petite échelle, le mobile toujours coincé entre les dents. À l'autre bout du fil, son frère entend la respiration saccadée et paniquée de sa sœur et, en bruit de fond, l'eau qui se déverse. Alors, il patiente, la main sur le front, bouleversé d'être témoin de la lutte pour sa survie…

Le jeune homme est accroché à une antenne à la même hauteur que Lucy, et leurs regards paniqués se croisent l'espace d'un instant. Puis soudain, de nouveaux carreaux vitrés cèdent sous la forte pression. L'eau salée monte de plus en plus dans la pièce et atteint déjà deux mètres et demi. Elle tourbillonne en les éclaboussant. Le père du jeune homme glisse soudainement sur le métal mouillé et tombe lourdement dans l'eau brune et glacée. Son fils hurle :
— Papa ! Papa !

Ils scrutent anxieusement le tourbillon à l'endroit où il est tombé. Il apparaît tout à coup à quelques mètres de là, puis disparaît à nouveau sous l'eau.
— Papaaaa !

Lucy se sent impuissante. Son corps tremble furieusement, et elle respire bruyamment, les yeux toujours écarquillés. L'eau s'engouffre encore et encore par les vitraux éclatés. L'instant d'après, l'homme à la chemise bleue réapparaît tout près de l'antenne où elle est agrippée. Il s'accroche à celle-ci et grimpe la petite échelle derrière elle. Il monte à sa hauteur ; l'espace restreint les oblige à être fermement collés l'un à l'autre, se partageant les petits barreaux devenus glissants. Il est essoufflé, et elle sent sur sa nuque son souffle haletant. Son fils est visiblement soulagé et appuie son front sur le métal froid, tandis que des bruits sourds inquiétants, semblables à des craquements métalliques, retentissent dans la tour, qui subit l'assaut de l'impitoyable raz de marée.

Le niveau de l'eau se stabilise enfin pendant un moment. Ils constatent en regardant à travers les vitraux que le tsunami est à la même hauteur à l'intérieur qu'à l'extérieur. Lucy a du mal à assimiler cette terrible vision…
« Sept étages de haut. C'est inimaginable… » songe-t-elle.

Les vibrations s'amenuisent, quoique le tsunami progresse toujours de part et d'autre de la tour. Plusieurs débris viennent s'abattre contre les murs extérieurs, et certains entrent par l'ouverture. Les trois sont témoins de l'anéantissement total de Loleta.

Puis, une fourgonnette rouge à demi submergée avance vers l'ouverture. Le véhicule flotte presque à la verticale, le moteur vers le bas. Le capot frotte contre les carreaux de verre et bloque l'ouverture pendant quelques secondes. Puis, la fourgonnette tourne sur elle-même, lentement, et les survivants distinguent par une fenêtre latérale une tête qui dépasse légèrement du rebord. C'est une fillette âgée de sept ou huit ans, aux longs cheveux bruns. Elle pleure en grimaçant de peur. « Quelle horreur… » éprouve Lucy, dont le cœur se serre douloureusement dans sa poitrine. La fillette est terrorisée. Les petites mains agrippent le rebord de la fenêtre désespérément et elle hurle et hurle, seule dans la tourmente. La scène est terriblement déchirante, et Lucy rage intérieurement de se sentir si impuissante. Elle détourne la tête et ferme les yeux, incapable d'en supporter davantage. Elle pleure et gémit, blessée au plus profond d'elle-même d'être témoin de cette scène cruelle.

Ses larmes font couler son maquillage sur ses joues. Elle pense à l'affreuse fin vécue par cette petite fille ; à l'affreuse fin que vivent tous ces gens présents dans l'aérogare et les habitants de Loleta. Lorsqu'elle ouvre enfin les yeux, le minivan a disparu, emporté par les flots. Elle libère alors prudemment l'une de ses mains pour essuyer ses larmes, et replace le téléphone dans la poche de son pantalon. Elle s'efforce de se calmer en prenant de grandes inspirations. Au bout d'une minute, la poignante émotion s'amenuise, et elle appuie son front contre le métal froid en soupirant.

L'intensité du tourbillon se réduit progressivement, et l'étonnante avancée de la mer se stabilise dans la vallée submergée. Les trois survivants demeurent accrochés ainsi, immobiles, affichant le même regard terrifié de bête piégée. De longues mèches de cheveux collent au front de Lucy et obstruent sa vue. Il lui semble entendre une voix venir de loin. Quelqu'un hurle son nom…

Elle réalise que c'est son frère qui hurle dans l'appareil placé dans sa poche. Mais elle n'ose pas bouger, de peur de glisser et de tomber dans l'eau brune tourbillonnante à son tour. Elle se rappelle la présence de l'homme collé à elle. Il la regarde intensément. Elle réalise que les bras de l'inconnu l'entourent, et cela la rassure légèrement. Néanmoins, elle voit à son expression qu'il est en proie à la même détresse qu'elle.

Trois ou quatre minutes se sont écoulées depuis l'arrivée du tsunami. Ou seraient-ce quatre, ou cinq? Elle ne saurait le dire… Le niveau de l'eau baisse graduellement. Lucy n'y comprend rien. «Comment le tsunami peut-il avancer pendant si longtemps? Seule une force phénoménale peut déplacer une si grande quantité d'eau sur une aussi longue période», se dit-elle.

L'eau remonte soudainement pendant quelques secondes, pour redescendre aussitôt d'un mètre, puis de deux. La passerelle apparaît à nouveau sous leurs pieds. L'eau n'entre plus par l'ouverture, et de gros bouillons se font entendre dans la cage d'escalier donnant sur l'étage inférieur. Sans hésiter, le jeune homme descend l'échelle et saute sur la passerelle. Il s'élance en direction de la porte extérieure, trébuchant sur les débris jonchant le sol. Il ouvre toute grande la porte d'acier et disparaît dehors, sur le toit. La porte se referme derrière lui et Lucy ainsi que son père échangent un regard anxieux.

L'homme imite aussitôt son fils en retenant la porte. Ils discutent un moment, mais Lucy n'entend pas ce qu'ils disent. Puis, il réapparaît dans l'encadrement de la porte. Tout en lui faisant signe de la main, il hurle :
— Venez!

Elle hésite. Elle n'est pas convaincue que c'est une bonne idée. Et s'il se trompait? Si de nouvelles vagues arrivaient? Elle secoue la tête, refusant de quitter la petite échelle. Devant son hésitation, il entre dans la pièce et dit simplement, d'une voix forte et rassurante :
— Faites-moi confiance. Venez.

Il lui tend à nouveau la main. Le ton de sa voix la rassure instantanément. Elle descend de la petite échelle, enjambe la passerelle, puis les débris, et le rejoint. Elle glisse sa main dans la sienne et avance prudemment sur le petit toit. Ce dernier est d'une superficie de douze mètres carrés et donne sur l'arrière de la tour, vers les pistes et les montagnes.
— C'est inimaginable, murmure-t-elle, complètement sidérée.

— Oui… c'est épouvantable, ajoute doucement l'inconnu.

Leurs regards se croisent. Elle peut y lire la même incrédulité… La vallée est entièrement recouverte d'eau… à perte de vue. C'est la dévastation totale.

Le jeune homme apparaît soudainement au-dessus d'eux. Il est monté sur le deuxième toit. Une petite échelle métallique fixée à la brique permet d'y accéder, et Lucy s'avance avec quelques précautions. Le jeune homme lui tend gentiment la main. Mais il omet d'aider son père lorsque vient son tour, l'ignorant même. Lucy remarque bien cette étrange attitude, mais n'y porte guère attention.

L'idée de monter encore plus haut la rassure beaucoup, et elle soupire de soulagement. Le tsunami déferle dans la vallée et progresse à une hauteur d'environ cinq mètres sous leurs pieds. Tout autour d'elle s'étend désormais l'océan Pacifique. L'ampleur du désastre lui échappe encore, mais elle est immensément impressionnée par la force brutale et incontestable de l'océan. Réalisant soudain l'angoissante précarité de sa propre situation, son estomac se tord et elle s'effondre à genoux en fermant les yeux. Elle se sent si minuscule, si insignifiante devant cette menace démesurée ! Elle a l'impression d'être sur le point de perdre le contrôle d'elle-même pendant un court moment tant sa peur est immense. Elle gémit de désespoir et vomi douloureusement, incapable de contrôler ses émotions, qui lui déchirent le ventre.

Elle se ressaisit enfin quelques instants plus tard, réussissant à se débarrasser de ces poignantes émotions rongeant ses tripes. Elle inspire bruyamment à plusieurs reprises, et retrouve enfin son calme. Elle se remet péniblement debout, en observant cette effroyable image de fin du monde…

Danielle

Heureuse d'être seule dans l'ascenseur, Danielle appuie sur le bouton du cinquième étage. Cette descente de vessie la place parfois dans des situations embarrassantes… Mais son état de santé actuel ne lui permet pas de subir une nouvelle intervention chirurgicale, selon l'avis du médecin. Du moins, pas pour le moment.

Les chambres et la suite louées par la famille Jacobs sont situées côte à côte au cinquième étage de l'immeuble n° 1, qui fait face à la mer. Des chambres de choix avec une vue imprenable sur l'océan, d'ailleurs. Lorsqu'elle est parvenue à l'étage, la lumière verte de l'ascenseur s'illumine. L'ascenseur s'immobilise et Danielle s'apprête à sortir, lorsqu'elle entend un bruit assourdissant. Une importante secousse ébranle l'ascenseur pendant plusieurs secondes. Elle lâche un cri de frayeur et s'accroche à la rampe. La porte double de l'ascenseur s'entrouvre à peine et s'arrête net. Les lumières s'éteignent, et tout devient noir comme dans un four. Prise de panique, Danielle hurle de frayeur. «Mais qu'est-ce qui se passe?» Elle n'arrive pas à identifier ce fort bruit, semblable à un vrombissement de moteur, provenant de sous la cage d'ascenseur. Le bruit perdure, et elle angoisse en s'imaginant que les câbles sont sur le point de lâcher et que l'ascenseur s'écrasera cinq étages plus bas.

Elle tâte la porte dans le noir et tente de l'écarter. Elle parvient à passer ses doigts dans l'ouverture de la première porte, mais pas plus. L'ascenseur est bloqué. Sa respiration s'accélère, et une chaleur monte à ses joues. Elle transpire aussitôt abondamment…
— Oh non, je suis coincée ici… murmure-t-elle.

Elle tente de se ressaisir en inspirant profondément plusieurs fois. «Ce n'est qu'une simple panne», se dit-elle pour se convaincre. Puis, elle se souvient qu'il existe un bouton d'urgence dans les ascenseurs. À tâtons dans le noir, elle atteint le panneau. Elle enfonce plusieurs fois les nombreux boutons, jusqu'à ce qu'une sonnerie retentisse. «Enfin», se dit-elle à demi soulagée.

Elle appuie son doigt sur le bouton un bon moment, et la sonnerie stridente résonne à nouveau. Elle arrête quelques secondes et prête l'oreille. Rien. Mis à part ce bruit assourdissant de moteur. Découragée, elle pose son front sur le métal froid et laisse échapper un long soupir. Deux minutes plus tard, l'ascenseur est une fois de plus violemment secoué. Elle perd l'équilibre et tombe sur les fesses.
— Aïe!

Le bruit venant de la cage d'ascenseur s'intensifie. Elle se déplace à genoux, car avec ses kilos en trop, il lui est difficile de se remettre debout sans l'aide de quelqu'un. Elle colle son oreille sur la mince ouverture des portes et perçoit des cris provenant du couloir. Elle appelle à l'aide à travers la fente, espérant qu'un passant l'entende.
— À l'aide! À l'aide! Aidez-moi!

Elle hurle de toutes ses forces. Mais personne ne lui répond, sa voix étant surpassée par le bruit vrombissant. Elle retrouve rapidement le bouton d'urgence et appuie à nouveau. Frénétiquement. Mais les personnes présentes dans le couloir sont déjà reparties…

Effrayée, elle se recroqueville sur elle-même. Sa respiration est à nouveau saccadée, et des larmes roulent sur ses joues rosées. Elle perd le souffle et farfouille vivement dans son sac à main à la recherche de sa pompe. Elle inhale quelques bouffées et demeure assise, les yeux fermés, tout en s'efforçant de retrouver son calme. D'interminables minutes passent. Soudain, elle entend des voix s'élever, puis des pas. Des gens courent et crient à nouveau dans le couloir. Elle se redresse et hurle de toutes ses forces, la bouche collée à la fente dans l'espoir qu'un passant lui vienne enfin en aide…

Julie

Julie et Benoît marchent prudemment en arpentant le sentier glissant. Arrivés au restaurant du bord de plage, ils aperçoivent Peter et Lydia assis à une table, et s'empressent de les rejoindre. Aussitôt, Peter raconte sa mésaventure et ils l'écoutent, mi-amusés et mi-désolés pour lui. Ils ont tous très faim et Lydia décide de se servir au buffet sans plus attendre. Julie l'accompagne.
De deux ans sa cadette, Lydia est comme sa sœur. Mais dans les faits, c'est sa tante. Issue d'une famille de sept enfants, Lydia est la plus jeune de cette famille nombreuse, et le père de Julie, Michael, est le plus vieux. Michael était déjà père de deux enfants lorsque sa propre mère avait accouché de Lydia…

Physiquement, Julie et Lydia sont très différentes. Lydia, également de petite taille, a les cheveux d'un noir ébène et un teint basané. Ses trois grossesses ont déformé son corps, et elle n'a jamais réussi à perdre les kilos en trop… Malgré tout, Lydia est bien dans sa peau. Et la combinaison explosive de sa joie de vivre et de son humour fortement contagieux en fait une des personnes les plus colorées de la famille. Julie, habituellement sage et sérieuse, se laisse parfois influencer par ses «cousines» lors des fêtes de famille, et elles en conservent de joyeux souvenirs …

Le restaurant est à moitié bondé par cette douce matinée. Lydia et Julie se placent derrière la file de clients qui attendent leur tour à l'une des tables de buffet. Lydia tend une assiette à Julie, tandis que cette dernière fixe l'océan au-devant d'elle. Étant la dernière de la longue file, elle a le loisir d'admirer l'océan, et savoure cet instant de paix sans les enfants. Elle aperçoit la mer et la plage, le terrain de volley-ball et, sur sa droite, les jardins et les piscines.

Dernier-né de la luxueuse chaîne hôtelière VIA, ce complexe hôtelier de grosseur moyenne est aménagé sur un vaste domaine de quatre-vingts acres de jardins luxuriants. Les cinq immeubles de cinq étages du complexe sont disposés en forme de gigantesque V. Le restaurant La playa, où ils se trouvent, est situé au bout de la patte gauche du V. Les suites sont situées aux extrémités et bénéficient d'un vaste balcon et d'une vue imprenable sur la baie de Banderas ou sur les jardins. Le bâtiment central accueille le hall d'entrée au rez-de-chaussée, la réception et des boutiques. Au second étage, un délicieux restaurant italien avec une vue sur la mer et un bar luxueux est à la disposition des clients. Les étages supérieurs hébergent des chambres. L'architecture typiquement mexicaine des bâtiments blancs donne un cachet exotique au complexe hôtelier, qui innove en reliant chacun des bâtiments par une passerelle située au quatrième étage de ceux-ci.

En face du complexe, vers la rue principale, se trouvent le stationnement, les installations sportives et, plus loin, les bâtiments de maintenance et de rangement. De l'autre côté de la rue s'étend le réputé terrain de golf Green Vallarta Golf.

Le restaurant extérieur, où ils se trouvent, est entièrement ouvert et surmonté d'un toit de chaume et de feuilles de palmier. La structure est faite de billots de bois visibles, attachés entre eux par des cordes. Une architecture simple, robuste et appropriée dans ce décor enchanteur. Julie est bousculée par d'autres personnes qui se placent en file derrière elle. « C'est l'heure de pointe », se dit-elle. Son attention est détournée par les magnifiques tables de buffet soigneusement aménagées et regarnies régulièrement. L'odeur du bacon grillé et des toasts aiguise son appétit. Le brouhaha s'intensifie dans le restaurant alors que les clients affluent. La file avance lentement, chacun prenant son temps pour garnir judicieusement son assiette.

Julie n'a pas avancé d'un pouce. Elle soupire et lève à nouveau les yeux vers la mer. Une brise marine contenant un peu d'humidité soulève légèrement ses cheveux. Son regard se porte à l'horizon, croyant apercevoir un brouillard se lever au large.

« Un important vent de mer qui avance… Mmm. Ça va brasser sur l'eau aujourd'hui. Les gars ne pourront peut-être pas sortir, finalement », se dit-elle. Les gars, ce sont ses amours : François, son filleul de dix-huit ans, Rick, le fils de Lydia, et son fils Jonathan, tous deux âgés de seize ans. Ces trois cousins forment un trio dynamique, inventif et diversifié. Ils sont passionnés d'escalade et de voile. Et ils sortent en mer deux fois par jour depuis leur arrivée.

Julie a aussi l'habitude de la mer, ayant pratiqué pendant plusieurs années le kayak de mer à différents endroits avec des amis, dont plusieurs sorties sur le fleuve et l'estuaire du St-Laurent, au Québec. Ce dernier se déverse dans l'Atlantique, et on y retrouve une faune marine impressionnante, composée entre autres de bélugas, de rorquals et de loups de mer. Au cours de ces sorties en mer, elle a développé une certaine expérience des courants, des marées et des tempêtes. Julie hume l'air. «Il y a quelque chose de différent, quelque chose approche», remarque-t-elle. Les pigeons et les moineaux domestiques présents sur les terrasses du restaurant s'envolent soudain. «Quelque chose les a effrayés.» Elle remarque aussi les feuilles de palmiers qui bruissent fortement sous le vent salin, qui s'intensifie brusquement.

La file d'attente avance enfin devant elle. Elle tient toujours son assiette à deux mains. Elle observe distraitement Lydia penchée sur une énorme assiette contenant des melons d'eau. Julie lève à nouveau les yeux vers la mer, les sourcils froncés. Le brouillard de bas niveau avance à une vitesse incroyable, comme poussé par un vent de tempête.

— Pourtant, le ciel est bleu, murmure-t-elle.

Elle reporte son attention sur les vagues qui lèchent la plage. Car elle sait qu'un changement dans les vents marins a un impact direct sur la grosseur et l'intensité des vagues. Elle jette un regard furtif autour d'elle. «Y a-t-il quelqu'un d'autre qui ressent cet étrange sentiment que quelque chose est sur le point de se produire? Que quelque chose ne va pas?» se demande-t-elle en fronçant les sourcils.

Mais non. Les gens autour d'elle sont occupés à remplir leur assiette. Un client lui fait même signe d'avancer avec la file. Julie l'invite de la main à passer devant, et elle conserve sa place pour mieux observer… Elle regarde à nouveau l'horizon avec inquiétude. Le brouillard se dissipe au fur et à mesure qu'il avance. Julie distingue alors une ligne bleue située au-dessus du niveau de la mer, qui s'étend sur toute la largeur de la baie.

Tout à coup, elle saisit. «C'est une vague! Une importante vague, qui avance au-dessus du niveau de la mer! C'est pas bon signe.» Presque au même moment, la mer se retire soudainement de la plage sur une cinquantaine de mètres dans un bruit sifflant qui attire le regard de plusieurs curieux sur la plage et des clients du restaurant. Même Lydia lève les yeux du buffet et observe le curieux phénomène. Elle comprend aussitôt. Un important tsunami fonce sur eux à une vitesse folle! L'écume blanche surmonte maintenant l'énorme vague déjà engagée dans la baie qui s'apprête à s'abattre sur les plages. D'instinct, Julie réalise que la distance qui sépare le restaurant de la mer est insuffisante pour qu'ils soient à l'abri.

— Merde! s'exclame-t-elle.

La hauteur du tsunami augmente à vue d'œil, et ce dernier fonce à une vitesse ahurissante, alors que l'inquiétude s'empare des clients autour d'elle. Elle retient son souffle et se tourne vers Lydia, qui laisse aussitôt glisser son assiette sur le sol et s'élance à travers les tables en hurlant le nom de son mari :

— Peter ! Peter !

Ce dernier est attablé avec Benoît au premier niveau du restaurant. D'abord surpris par ses hurlements, les deux hommes l'observent d'un air interrogateur. Ils suivent le geste de Lydia, tout comme plusieurs clients attablés autour. Elle pointe la mer, les yeux écarquillés par la peur. C'est à ce moment-là que Julie comprend qu'elle doit fuir. Courir ! Maintenant ! Instinctivement, elle tourne son regard vers Benoît qui, visiblement, ne voit pas ce qui se passe et n'apprécie pas l'affolement bruyant de Lydia. Cette dernière tire déjà le bras de Peter et Benoît se lève à son tour, cherchant à comprendre.

Un employé au comptoir des jus frais laisse tomber subitement les bols par terre dans un bruit terrible de casseroles et prend ses jambes à son cou. Julie s'élance à son tour derrière lui et hurle à l'intention de son mari :

— Vite Benoît ! Cours ! Cours ! Benoooooît !

Son cœur bat à tout rompre, et un terrible sentiment d'égoïsme l'envahit. Elle dévale l'escalier de l'autre côté du restaurant et emprunte le chemin glissant menant à l'hôtel. Elle se défait de ses sandales dès les premières enjambées. À peine a-t-elle parcouru une vingtaine de mètres que le tsunami s'abat sur la plage dans un fracas assourdissant…

Elle jette un regard par-dessus son épaule et assiste à la destruction du restaurant. L'écume blanche atteint la hauteur du toit et gobe d'un trait les meubles et les clients, Benoît, Lydia, Peter… Elle constate avec effroi que la terrible vague mesure cinq mètres. L'instant d'après, le tsunami engloutit la partie avant des jardins et la première piscine. Les muscles gonflés à bloc, Julie court comme jamais. Une peur viscérale lui tord l'estomac et elle sent une bouffée de chaleur parcourir son corps et atteindre ses joues. Son corps se couvre de frissons alors qu'elle court pour sauver sa peau, poursuivie par la vague meurtrière. Du coin de l'œil, elle aperçoit François et Jonathan qui sont perchés sur le balcon de la suite du cinquième étage, sur sa droite. Ils sont témoins de l'horrible destruction…

Les gens n'ont pas le temps de s'enfuir devant le tsunami devenu silencieux. Julie réalise rapidement qu'elle ne réussira pas à conserver son avance. Mais elle refuse de céder à la panique et redouble d'efforts. Elle n'a pas souvenir d'avoir couru si vite de toute sa vie… Soudain, une sirène retentit au loin vers le sud. Son cœur bat à tout rompre et sa robe est remontée au niveau des hanches, dénudant son bas-ventre et ses fesses. Sans suivre les sentiers aménagés, elle file en ligne droite à travers les jardins, sautant par-dessus les aménagements paysagers, les petites clôtures, les chaises longues, les cactus, les fontaines, comme s'il s'agissait d'une course à obstacles. Elle vise la porte d'entrée la plus proche.

Elle entend derrière elle les cris des passants surpris par l'assaut fatal de la vague monstrueuse. Divers bruits se produisent tout juste derrière elle, et c'est alors qu'elle comprend que le tsunami est presque sur elle. Elle parvient à la pelouse au-devant de l'entrée de l'immeuble tout près. « Encore une vingtaine de mètres », se dit-elle. Elle risque un regard derrière, et ce qu'elle voit lui glace le sang. Une nouvelle bouffée de chaleur envahit instantanément ses veines et lui donne littéralement des ailes. Les yeux exorbités par la peur, elle court devant le tsunami impitoyable qui la poursuit.

Elle réalise qu'elle sera happée à son tour. Pas le temps de se mettre à l'abri dans le bâtiment pourtant tout près. Elle s'élance alors en direction d'un lampadaire tout blanc d'environ cinq mètres de haut situé aux abords du sentier. Elle sent l'humidité sur sa nuque… et l'imminence de sa fin. Quelques enjambées, et la voilà grimpant sur le lampadaire. La surface rugueuse facilite l'adhérence et ses pieds nus agrippent le métal, tel un singe. Elle empoigne le poteau de toutes ses forces et retient sa respiration en fermant les yeux. En une fraction de seconde, elle souhaite que le poteau tienne bon…

Le poteau tient bon. Mais pas elle. La vague frappe Julie par-derrière avec un impact semblable à celui d'un autobus fonçant sur elle à soixante-dix kilomètres à l'heure ! L'eau la transporte avec une force brutale, et une chaise de bois qui tournoie lui cogne la tête. Paniquée, elle ouvre les yeux sous l'eau. Elle regarde autour d'elle en retenant sa respiration, culbutant plusieurs fois sur elle-même. La vision lui paraît irréelle.

Une femme flotte sous l'eau, ainsi qu'une multitude d'objets qui tournoient dans l'eau brouillée. Julie a les yeux écarquillés par la peur. La mer transporte une grande quantité de verdure et de sable. Quelque chose touche son pied; instinctivement, elle relève la jambe et regarde en dessous : un garçon passe, puis disparaît plus loin … Julie a un violent coup de poignard au cœur, et une vive pensée lui traverse l'esprit : « Mes enfants ! » Elle revoit le visage paniqué de Jonathan sur le balcon.

Elle éprouve un besoin viscéral de rester en vie pour ses enfants. À grands coups de bras et de jambes, Julie remonte à la surface à temps pour réaliser qu'elle avance avec le tsunami, parmi les débris, vers les bâtiments, à une vitesse accélérée. Elle passe entre les cimes de palmiers et des arbres. Ses jambes se frottent aux divers objets flottants. Une vingtaine de personnes dérivent autour d'elle, la tête sortie de l'eau. Craignant de s'écraser avec le tsunami contre le mur d'un des bâtiments, Julie nage de toutes ses forces et se dirige vers l'ouverture entre eux. Des obstacles ralentissent sa course : des chaises, des tables, des plats de nourriture, de la verdure, des branches, des billots, des gens.

Se démenant avec l'énergie du désespoir, l'adrénaline aidant à nouveau, elle se déplace légèrement dans la vague. Elle avale malgré elle quelques gorgées d'eau salée. Au moment où le tsunami se fracasse avec force sur le bâtiment du fond, Julie passe entre deux bâtiments et lèche l'extrémité d'un mur sur sa droite. Ses cuisses et ses mains frottent douloureusement contre la pierre rugueuse en écorchant sa peau au passage, lui arrachant un cri de douleur. Le tsunami s'engouffre avec force dans l'interstice, et un puissant tourbillon se forme de chaque côté arrière. Julie est emportée par celui de droite et projetée contre le mur. Elle tourne et tourne avec la vague, qui se cogne contre l'immeuble. Au troisième passage, le tourbillon la projette contre la balustrade d'un balcon du deuxième étage.

Elle s'accroche désespérément aux barreaux, et lutte de toutes ses forces pour que le monstrueux tourbillon ne la reprenne pas. Elle enjambe la balustrade, où le puissant courant la malmène, l'envoyant cogner contre la baie vitrée du balcon. Elle aperçoit furtivement du coin de l'œil un homme mexicain d'environ cinquante ans s'accrocher désespérément aux barreaux du balcon du coin. Le courant est beaucoup plus fort à cet endroit, et il a l'air épuisé. Avec son bras droit, il s'agrippe fermement et soutient de l'autre le corps d'une femme portant une robe de soleil rose. Ses longs cheveux noirs retombent sur son visage. Elle est inerte. «Probablement noyée», songe Julie en fermant les yeux. Une nouvelle énergie inonde ses veines et lui redonne soudain des forces à la pensée de ses enfants. Elle tousse, recrache l'eau salée et se force à ouvrir grand les yeux. Le couple a disparu dans les flots…

Avec peine, elle atteint la porte vitrée et l'ouvre toute grande. Elle s'affale de tout son long sur le plancher, poussée par l'eau qui entre dans la chambre à hauteur du genou. De menus objets flottants se cognent sur ses jambes ensanglantées. Avec difficulté, elle referme la porte vitrée, qui subit l'assaut de l'eau tourbillonnante. Blessée et étourdie, Julie tente de reprendre son souffle. La peau écorchée de ses cuisses et de ses mains lui fait mal. Elle a avalé tant d'eau de mer qu'elle vomit dans l'eau. Sa tête tourne et ses oreilles bourdonnent… Le sang provenant de ses égratignures se répand dans l'eau.

Elle jette un regard autour d'elle : la chambre est inoccupée. Derrière son dos, la vague meurtrière s'avance dans la vallée, par-delà le domaine de l'hôtel et le golf. La couleur de l'eau passe progressivement du bleu au brun, et le monstre avale les gens, les voitures garées dans les stationnements et les bus qui circulent sur la route. La force de l'impact renverse un camion de livraison et un autobus, qui sont emportés avec leurs passagers. Le tsunami surprend aussi les golfeurs matinaux qui courent au-devant, cherchant refuge dans les arbres. Mais la vague meurtrière est plus rapide et les avale tous...

Julie tente de se ressaisir, tout en regardant d'un air horrifié le tsunami s'enfoncer dans la vallée. Elle se dirige péniblement vers la porte menant au couloir. Au moment où elle tente de l'ouvrir, elle entend un bruit sourd au loin. Sur ses gardes, elle demeure immobile, à l'affût... Tout à coup, l'impact d'un autre tsunami secoue l'immeuble dans un bruit fracassant et la prend par surprise. Une forte pression s'applique sur la porte devant elle, et Julie comprend que les gonds sont sur le point de céder... L'eau gicle par le cadrage à pleine hauteur. Elle s'en éloigne rapidement, prise au piège.
— Un autre tsunami... murmure-t-elle, terrorisée.

Ne sachant que faire pour se protéger, elle recule instinctivement en se préparant au pire. Au même moment, elle voit du coin de l'œil le deuxième tsunami s'engouffrer entre les immeubles et passer derrière, créant un gigantesque tourbillon atteignant le haut de la porte vitrée par où elle est entrée. Coincée de toutes parts, elle grimpe sur le petit meuble situé dans le coin gauche, face à la porte du couloir.

Les gonds cèdent soudainement et la lourde porte de bois traverse la chambre à une vitesse ahurissante, poussée par l'eau. Elle fracasse la porte vitrée à ses côtés, qui éclate en mille morceaux dans l'eau tourbillonnante, arrachant du même coup le cadrage de bois. Julie s'accroche désespérément à un luminaire de fer forgé solidement fixé au mur de pierre au-dessus de sa tête. La trombe d'eau s'engouffre à six pieds de hauteur dans la pièce et ressort par la baie vitrée arrachée. Julie lutte pour ne pas être emportée avec le courant, et réalise qu'elle doit à tout prix sortir de la chambre. Ou elle mourra noyée... La tête appuyée au plafond, les deux mains solidement agrippées au luminaire, les pieds calés dans le coin du mur rugueux, elle réfléchit à toute vitesse. Elle ne voit pas d'autre solution : «Je dois passer par l'ouverture de la porte vitrée tout en restant agrippée au mur du bâtiment. Une traversée verticale... C'est possible. C'est ma seule chance.»

Le puissant courant l'écrase au mur, et elle pousse avec ses jambes contre celui-ci pour se mouvoir. Tenant toujours le luminaire de sa main droite, elle se déplace lentement en longeant le mur, le visage, les seins, le ventre et les genoux frottant contre la pierre rugueuse. Avec des gestes calculés, elle déplace sa jambe gauche par l'ouverture de la baie vitrée et trouve un point d'appui de l'autre côté, sur un rebord de pierre. Le puissant courant tend à l'emporter dehors, mais elle résiste fermement. Sa main gauche trouve une prise au-dessus du cadrage extérieur. Elle serre si fort que cela lui fait mal. Elle descend son corps et passe l'ouverture de la baie vitrée en enfonçant sa tête sous l'eau un long moment. Elle sait que, si elle lâche prise, ça en est fini pour elle. Elle s'imagine être emportée par le tsunami à des kilomètres et mourir noyée.

Le fort courant parvient presque à l'arracher du mur. Mais Julie résiste toujours, la tête sous l'eau. Au prix d'un ultime effort, elle ressort de l'eau salée de l'autre côté de la baie vitrée. Elle escalade ensuite la brique murale dehors, ses efforts lui arrachant des cris. Une rage viscérale et pure lui insuffle l'énergie pour poursuivre la difficile ascension. Elle veut survivre. À tout prix. Pour ses enfants.

Sa main atteint finalement le dessous du balcon supérieur. Avec l'agilité d'un singe, elle grimpe sur le mur en s'aidant des barreaux de fer forgé et enjambe la rambarde du balcon du troisième étage. Et s'effondre. Du coin de l'œil, elle étudie la progression de ce tsunami, beaucoup plus puissant que le précédent.
— Oh mon Dieu... C'est terrible... murmure-t-elle.

Toute la vallée est ensevelie sous des mètres d'eau. Les tsunamis avancent avec une force constante, phénoménale. Seule la cime des arbres émerge de l'eau, ainsi que les plus hauts immeubles. « L'océan vient d'abattre une main cruelle, prouvant une fois de plus sa suprématie incontestée », réalise-t-elle avec effroi.

Instinctivement, Julie rampe vers la porte vitrée et cherche à tâtons la poignée en se relevant. Elle tente de l'ouvrir, mais elle est verrouillée.
— Merde !

Elle hurle et frappe la porte vitrée, surveillant craintivement les tsunamis qui déferlent sous ses pieds. Déçue de ne pas obtenir de réponse, elle tourne la tête vers le balcon voisin. « La porte sera peut-être ouverte... » Alors qu'elle s'apprête à s'éloigner, la porte s'ouvre subitement derrière elle, et Julie tombe à la renverse en lâchant un petit cri :
— Aaaah !

Un homme l'agrippe sans ménagement et la tire à l'intérieur, refermant la porte derrière elle. Stupéfaite, elle le dévisage. L'homme mexicain est debout devant elle, tandis que sa femme et ses deux enfants sont assis sur un grand lit au centre de la chambre. Julie remarque l'expression terrifiée sur leurs visages. Les enfants sont vêtus de leurs maillots de bain et portent des sandales de plage. Ils fixent les jambes de Julie, qui se retourne alors vers le grand miroir accroché au mur sur sa gauche. Elle est stupéfaite de se voir ainsi : ensanglantée de la tête aux pieds !

Julie ouvre la bouche et dit bêtement :
— Gracias.

Puis, elle se dirige d'un pas vacillant, mais déterminé, vers la porte de bois menant au couloir principal avec une seule idée en tête : retrouver ses enfants.

Serena

Claude suit le regard de sa femme et, pendant un moment, ne voit rien. Puis, il distingue une ligne horizontale au-dessus de la mer, qui s'épaissit au fur et à mesure que le yacht se rapproche. Ils observent le phénomène un moment, ne sachant comment réagir. Autour d'eux, des passagers courent en tous sens.

Claude se tourne vers Serena et lui prend fermement le bras en hurlant :
— Bon, là tu le sais ! On peut y aller maintenant ? Il faut se mettre à l'abri !

Elle lève un regard surpris devant sa réaction autoritaire. Elle hoche la tête et jette un dernier regard sur l'océan. Au même moment, le navire modifie légèrement sa course, pour faire face à la vague qui grossit à vue d'œil et s'étend sur toute la largeur de l'océan…

Son mari l'entraîne de force à l'intérieur du yacht. Ils marchent d'un pas rapide en direction de la salle de banquet, située à l'étage en dessous. La panique se lit dans le regard des passagers. Elle se laisse guider par Claude, en réfléchissant à toute allure. «Le navire est exposé et vulnérable, car il n'y a pas d'îles pour le protéger. Pire encore, il est en eaux peu profondes…» Elle ferme les yeux et murmure pour elle-même :
— On va y goûter…

Malgré sa grande force intérieure, la panique commence à la gagner. Elle transpire à grosses gouttes et ses mains deviennent moites, alors qu'une peur sombre s'infiltre sournoisement en elle, faisant ressurgir d'angoissantes émotions. Ils atteignent le couloir menant à la grande salle de banquet. C'est la panique générale. Pas moyen d'y entrer ; même Claude n'arrive pas à se frayer un passage à travers la foule. Ils rebroussent chemin en direction de la salle de gym, située à l'arrière du bateau sur le même niveau. «Nous y serons en sécurité», espère-t-il. Ils empruntent les couloirs intérieurs en suivant les directions.

Derrière eux, deux membres d'équipage s'affairent à fermer les épaisses portes cloisonnées entre les différentes sections du navire. Quelques secondes plus tard, le couple aboutit dans la salle de gym. Déjà, une dizaine de personnes s'y sont réfugiées. Aussitôt arrivé, un membre d'équipage referme la porte derrière eux en leur disant :
— Tenez-vous loin de la baie vitrée.

Claude entraîne sa femme dans le coin droit de la pièce. Ils s'assoient au sol et s'adossent au mur. Certains passagers encore debout les imitent anxieusement. D'où ils sont, la baie vitrée en face d'eux offre une vue sur l'arrière du navire et son sillage, où voguent trois bateaux plus petits. Claude devine aussitôt pourquoi ces petits navires naviguent dans le sillage du yacht. «Ils se planquent probablement derrière le gros navire pour mieux se protéger de la menace imprévue qui approche…»

Il détourne le regard et inspecte rapidement la pièce. Au total, treize personnes sont présentes, eux inclus. Aussi, une dizaine d'équipements cardio et elliptiques de pointe y sont disposés. Le mur de gauche est recouvert de miroirs, le long desquels sont alignées trois séries de poids libres dumbell, et le sol est recouvert d'un mince tapis de vinyle bleu-gris. Seul le mur du fond donne sur l'extérieur. À peine a-t-il terminé d'observer la pièce que la sirène s'interrompt, et le capitaine parle de nouveau. Son ton est haut, fort et autoritaire.
— Ici le capitaine Norrington. Ceci est une alerte rouge. Je répète, ceci est une alerte rouge. Tous les passagers et membres d'équipage doivent immédiatement se mettre à l'abri et passer un gilet de sauvetage. Nous serons frappés dans moins d'une minute par d'importantes vagues en provenance d'Hawaii. Ceci est le dernier appel. Que Dieu nous protège. Terminé.

Lorsqu'elle entend cette dernière phrase, Serena devient livide. Le ton du capitaine est sans équivoque ; la situation est grave… Claude remarque que le teint de sa femme a tourné au blanc et qu'elle fixe obstinément le plancher devant elle. Il ne l'a jamais vue ainsi, et cela le trouble un peu. Il passe un bras autour de ses épaules pour la réconforter, mais elle ne semble même pas le remarquer. Elle se balance doucement d'avant en arrière, ses cheveux épais retombant sur ses yeux.

Serena a peur de l'océan, mais elle ne l'a jamais dit. Non qu'elle ait peur de l'eau, bien au contraire. Mais elle a une peur profonde de cette immensité infinie. Une peur sans nom, qui est apparue il y a longtemps ; alors qu'elle avait à peine vingt ans. À l'époque, elle pratiquait la voile avec une amie alors qu'elles habitaient Boston. Elles avaient fait plusieurs sorties en mer, dont la dernière dans un bras de mer près de Long Island. C'était en juillet et, en l'espace de quelques minutes, un vent violent imprévu s'était levé, et elles avaient essuyé des vagues de deux mètres en un rien de temps. Elles avaient été ballottées par les flots comme des poupées de chiffon pendant plusieurs heures, et le fort courant de surface les avaient entraînées à une dizaine de kilomètres de leur trajet initial.

Elles avaient combattu les éléments déchaînés en évitant de justesse de chavirer dans les eaux tumultueuses à plusieurs reprises. Elles s'étaient finalement échouées sur une rive déserte et avaient été secourues à la tombée de la nuit par les gardes-côtes. Elles étaient vidées et anéanties. Malgré un important choc nerveux, elles s'en étaient heureusement sorties indemnes. Serena se souvient du fort sentiment d'impuissance et de terreur qu'elle avait ressenti alors qu'elle luttait contre l'océan impénétrable. Cette émotion, ce sentiment de terreur, refait maintenant surface après toutes ces années.

Claude resserre son étreinte autour des épaules de sa femme. Il n'aurait jamais pensé être ainsi témoin de sa vulnérabilité. « Elle est habituellement si forte ! » Contrairement à elle, Claude a toute sa tête et s'efforce de conserver son sang-froid. Il observe la pièce en tentant d'évaluer les dangers potentiels, comme les poids libres retenus par une simple sangle et l'équipement non fixé au sol. Si le bateau tangue fortement, il craint que le matériel lourd se détache et roule dans la pièce comme un bulldozer, ravageant tout sur son passage.

Il cherche autour de lui à quoi s'agripper et remarque au-dessus de sa tête une rampe de bois fixée au mur sur toute sa longueur. « Parfait, une rampe de ballerine », se dit-il innocemment. Il s'y agrippe et enjoint sa compagne à en faire autant. Elle s'exécute machinalement, le visage livide. Claude croise aussi le regard terrifié d'une jeune femme asiatique assise plus loin sur sa gauche, qui tient dans ses bras un petit garçon. La sueur perle au front du gaillard, alors qu'il redoute le moment fatidique. Le navire fonce à toute allure, et il remarque que les petits bateaux perdent du terrain derrière le yacht. Les passagers dans la salle de gym attendent, silencieux et terrifiés.

Un puissant vent chargé d'eau précédant les vagues assaille le yacht. Les passagers de la salle de gym sont témoins de la danse folle des cordelettes illuminées, suspendues au-dessus du pont arrière. Puis, le yacht s'écrase lourdement contre le premier tsunami, qui fonce à sa rencontre à une vitesse incalculable. Le bateau se soulève du devant vers l'arrière comme un vulgaire jouet, s'inclinant dans un angle de plus de soixante degrés, les moteurs à fond de train. Les passagers hurlent de terreur, tandis que le navire demeure dans cette position abrupte pendant de longues secondes, luttant pour ascensionner le gigantesque roulis.

La puissance de la vague est phénoménale. Du jamais vu. Les passagers regroupés dans la salle de banquet glissent au sol, roulent et s'écrasent contre le mur opposé parmi les instruments de musique sur la scène surélevée. Dans la salle de gym, trois passagers glissent et heurtent les équipements ancrés, avant de s'écraser sur la baie vitrée à l'autre bout de la pièce, tout de suite fracassée par un banc d'exercice. Un homme est emporté à l'extérieur et tombe sur le pont inférieur. Claude et Serena s'agrippent à deux mains pour soutenir leur poids sous cet angle quasi vertical. Il entend sa femme hurler de terreur d'une voix qu'il ne lui connaît pas. Une vive inquiétude lui traverse l'esprit : « Mon Dieu, faites que la rampe tienne le coup ! » Les deux costauds y sont suspendus, et elle s'arque dangereusement...

Tous les meubles et accessoires non ancrés sur les ponts extérieurs glissent et s'entassent sur la poupe, puis basculent par-dessus la balustrade jusque dans l'océan. Le navire atteint finalement le dessus du gigantesque roulis, mais pique ensuite vigoureusement du nez dans le creux, soutenant la même inclinaison en sens inverse. Les passagers roulent dans l'autre sens, pour s'écraser contre le mur où ils se tenaient l'instant d'avant dans toutes les pièces. Dans la salle de gym, un amas de personnes et de matériel libre roulent droit sur Claude et Serena, qu'ils évitent de justesse dans un fracas effrayant.

Dans la salle de banquet, les passagers s'empilent pêle-mêle les uns sur les autres, hormis les quelques chanceux qui ont réussi à s'accrocher aux tables fixées au sol et aux rideaux. La proue du navire redescend sur le gigantesque roulis et s'enfonce sur plusieurs mètres dans l'océan noir, poussée par les moteurs. Une masse d'eau phénoménale envahit l'avant du navire qui se redresse péniblement. Un long rugissement de métal tordu se fait aussitôt entendre, et l'eau saline écumeuse inonde tous les ponts et s'infiltre déjà par la coque fissurée.

Le yacht est aussitôt assailli par un nouveau roulis abrupt, puis un autre et un autre. Six gigantesques roulis se dressent contre le yacht. Les malheureux passagers sont ballottés comme des marionnettes parmi divers objets, roulant d'un bout à l'autre des salles sans pouvoir s'arrêter. Le tout dernier roulis fonce sur le yacht avec une force colossale. Le navire de croisière tangue dangereusement à la verticale, moteurs à fond. Il glisse même à reculons sur le roulis un court instant et remonte de justesse la crête écumeuse pour piquer une dernière fois du nez dans le creux de la vague. Un craquement sinistre provenant des entrailles du luxueux yacht se fait à nouveau entendre. Au même instant, la sirène se tait et les moteurs vrombissants s'arrêtent net.

La proue sort de l'eau comme propulsée par un ressort et remonte à la surface en faisant gicler une quantité impressionnante d'eau par les côtés. Les tsunamis sont passés et le navire gît maintenant avec la moitié avant, côté bâbord, enfoncé dans l'eau jusqu'au quatrième niveau. Il tangue dans tous les sens au gré des flots tourmentés du bassin. L'eau salée a envahi la cabine de pilotage, le restaurant avant, une trentaine de cabines et s'est infiltrée dans une section des étages inférieurs par la fissure, et ce, malgré les portes étanches.

Un silence de mort règne dans les salles, où les passagers sont empilés pêle-mêle. Mais il est rapidement entrecoupé de cris de douleur et des sanglots des survivants. Claude et Serena sont toujours assis au sol, agrippés à la rampe. Ils sont entourés de débris et de sept personnes inanimées. Plusieurs objets se sont déplacés pendant les roulis et ont frappé les passagers, dont Claude, qui a reçu une tablette de métal au front. Du sang coule sur son visage et le long de son nez, mais il ne s'en soucie guère. Serena est muette et se frotte vigoureusement la jambe. Claude soulève délicatement le pantalon de sa femme, pour apercevoir une énorme ecchymose juste au-dessous du genou droit. Entre eux, le mur a été défoncé par les poids libres, qui se trouvent maintenant dans le couloir derrière.

Malgré l'instabilité du navire qui tangue sur l'océan, Claude, aidé de deux autres personnes, porte secours aux blessés dans la salle de gym. Il s'occupe en premier de la jeune femme asiatique dont il a croisé le regard terrifié peu avant l'assaut des vagues. Cette dernière a roulé plusieurs fois d'un bout à l'autre de la pièce et gît inanimée tout près de lui. Il s'agenouille et retourne délicatement la jeune femme afin de vérifier son état. Des poids libres ont roulé sur son corps, et elle s'est frappé la tête sur le barreau métallique du tapis roulant. Claude soupçonne qu'elle a une jambe et des côtes brisées. Il déplace les matériaux gênants et cale le dos de la femme avec un matelas roulé. Le jeune fils vient se placer près de sa mère inconsciente. Il vérifie rapidement l'état du gamin, qui ne semble aucunement blessé. « Un vrai miracle », se dit-il en se souvenant avoir vu le petit quitter les bras de sa mère pour s'accrocher instinctivement à un exerciseur fixé au sol pendant l'assaut des vagues.

Après avoir fait le tour des passagers présents dans la salle de gym, il établit un constat peu reluisant : trois morts, quatre blessés graves. Puis il lève les yeux et jette un coup d'œil au fond de la salle. La baie vitrée a été fracassée à deux endroits. Claude se penche avec précaution devant l'un des trous béants un court moment. Il corrige son constat : quatre morts et quatre blessés graves ; l'homme qui est passé à travers la vitre avec le banc s'est empalé sur un poteau du gazébo sur le pont inférieur...

Claude remarque du même coup que le pont s'est vidé de son contenu. Seuls quelques tables rondes et des bancs de bois fixés au plancher y sont encore. Un canot de sauvetage à moitié détaché de son ancrage s'est renversé sur le côté dans la piscine, où l'eau du Pacifique a remplacé l'eau douce. Claude entend distinctement les cris des passagers de la salle de banquet. Il porte son regard au loin à la recherche des petits bateaux. Il distingue des objets luisant sur le dessus de la mer... Il en compte deux. Ce sont deux coques de bateau... Le troisième a disparu.

L'adrénaline quitte ses veines, et ses joues rougies reprennent une couleur normale. Il revient vers sa femme, qui le regarde droit dans les yeux, attendant de lui qu'il décide de la prochaine initiative. Il lit dans son regard pour la première fois le désespoir d'une petite fille, et cela lui chavire le cœur. Il s'empresse de la réconforter. Quelques minutes plus tard, ils sortent de la pièce en désordre, accompagnés de deux autres passagers. Les couloirs sont sombres, éclairés seulement par les pâles lumières d'urgence au plafond. Ils perçoivent les pleurs et les cris de douleur étouffés des passagers de la salle de banquet.

Serena est muette et s'agrippe à son mari. L'inclinaison du navire et son tangage les obligent à se déplacer en s'appuyant sur les murs. Claude arrive le premier à la porte extérieure donnant sur le pont intermédiaire et l'ouvre. Le plancher du pont est mouillé et vide. Le soleil étincelant fait miroiter les objets blancs détrempés, et plusieurs débris flottant dans l'océan, qui a retrouvé son calme. Des passagers de la salle de banquet sortent à leur tour. Ils sont ébranlés et désorientés. Plusieurs sont blessés.

Alors que Claude se penche par-dessus la rampe pour observer le pont inférieur et l'océan, Serena a retrouvé toute sa tête et s'empresse de rejoindre le pont supérieur, où se trouve la cabine de pilotage. Elle n'a qu'une idée en tête : retourner près de la cabine pour être au courant de ce qui se passe. Claude s'aperçoit aussitôt de sa disparition et s'élance à sa poursuite, alors qu'elle emprunte l'escalier. Ils arrivent en même temps à côté de la salle de pilotage, là même où ils se trouvaient lorsque la sirène a retenti pour la première fois. L'une des baies vitrées de la cabine a cédé sous la force de l'impact, et ils peuvent entendre des bruits de voix s'élever.

Poussant l'audace plus loin, Serena se dirige vers la porte de la cabine et entre, Claude sur les talons. Le capitaine scrute déjà l'horizon avec ses jumelles. Son habit est trempé, et le sol est jonché de cartes mouillées. Il fronce les sourcils en apercevant l'intruse, et s'avance vers elle :

— Vous ne devriez pas être ici. Retournez à l'intérieur.

— Va-t-il y avoir d'autres vagues ? demande-t-elle sans même écouter ce qu'il dit. Est-ce fini ? insiste-t-elle encore.

Le capitaine Norrington soupire et répond :

— Je ne sais pas. Peut-être. Retournez immédiatement à l'intérieur, et restez-y jusqu'à nouvel ordre.

Claude empoigne son épouse par le bras et sort de la pièce malgré ses protestations. Il la tire ainsi jusqu'en bas de l'escalier, puis sur le pont où ils se tenaient quelques instants plus tôt. Résignée, elle s'accoude pour observer anxieusement l'océan devant elle, craignant l'arrivée d'autres vagues. De nouveaux passagers se rassemblent sur les ponts. La plupart sont blessés et malades. Les planchers mouillés sont souillés de vomissures et de sang, le rendant dangereusement glissant. Les passagers sont totalement désemparés ; les vieilles dames pleurent et les vieillards s'efforcent de les consoler. Une femme d'une quarantaine d'années aux cheveux bruns bouclés apparaît soudain sur le pont derrière eux en hurlant à l'aide :

— Aidez-moi ! S'il vous plaît ! Venez m'aider !

Elle cherche parmi la foule une réponse à son appel à l'aide. Claude s'avance naturellement :

— Qu'y a-t-il ?

— Ah… Mon fils est coincé sous plusieurs personnes, et je n'arrive pas à le dégager. S'il vous plaît, aidez-moi. Je n'y arrive pas…

— D'accord. Montrez-le-moi.

Claude tire son épouse par le bras tout en suivant la femme affolée. Elle les conduit à la première pièce toute proche ; c'est la salle de jeu pour enfants. Elle est petite, et une trentaine de passagers s'y sont entassés à la toute dernière minute. Tout est sens dessus dessous. Un amoncellement de personnes inanimées gît au fond de la salle. Plusieurs autres sont étendues tout autour et se lamentent, visiblement blessées.

Claude entreprend de déplacer les corps, aidé de Serena, le plus rapidement possible. Mais avec mille précautions. La femme terrifiée pleure à chaudes larmes et s'agite, sans toutefois s'impliquer. Elle fixe la montagne de corps empilés avec désespoir et dégoût.

— Mon fils est handicapé. Il est en fauteuil roulant. Mais il a basculé et s'est retrouvé coincé en dessous…

Claude transpire à grosses gouttes. Un haut-le-cœur le prend à la gorge et il se force à ravaler. «Toutes ces personnes sont mortes?» se demande-t-il. Il ne prend pas la peine de vérifier et se contente de les déplacer un peu plus loin sur le sol, écœuré.

Il aperçoit finalement le fauteuil roulant et accélère le rythme. La mère du jeune homme se met enfin à la tâche, et ils extirpent le corps de l'adolescent. Hélas, il est mort. Ses lèvres sont bleues, et du sang à moitié séché s'écoule de sa bouche. Le jeune homme frêle a été étouffé sous le poids de toutes ces personnes. Épuisé, Claude s'essuie plusieurs fois le front avec sa manche et s'assoit à même le sol, parmi les victimes. Ses muscles sont douloureux. Le désespoir l'envahit l'espace d'un instant devant tous ces corps étendus autour de lui. Puis, tout à coup, une femme près de lui bouge un bras, et il sursaute. Il se penche alors, et elle ouvre lentement les yeux.
— Claude!

Serena porte secours à une autre femme, qui revient à elle également. Trente minutes plus tard, Claude calcule que seulement sept des vingt-huit personnes ont perdu la vie dans cette pièce. La plupart des passagers s'étaient évanouis à force de rouler sur eux-mêmes d'un bout à l'autre du bateau. Dans les autres salles du navire, le même scénario s'est produit. Plus de soixante personnes sont mortes.

Toutes les salles du navire sont sens dessus dessous. L'immense dôme vitré du hall où se trouvent les ascenseurs a éclaté sous le coup dur porté à la structure, et le verre brisé est tombé sur les passagers en dessous. Ces derniers ont roulé et roulé pendant de longues minutes parmi les morceaux coupants. Claude et Serena remarquent avec effroi le somptueux hall ensanglanté. La pénombre règne sur le navire, car les pièces ne sont éclairées que par les faibles globes jaunes du système d'urgence, mis à part le hall éclairé par la lumière du jour. Une cohue générale sévit sur le navire. Certains courent, pris de panique, tandis que d'autres cherchent leurs proches égarés ou disparus. Les passagers et membres d'équipage indemnes portent secours aux blessés et transportent les morts dans une même pièce : la salle de casino. Le spa se transforme en infirmerie improvisée, la vraie étant beaucoup trop étroite pour accueillir tous les blessés.

Les déplacements sur le navire sont ardus à cause de l'inclinaison prononcée et du léger tangage. Malgré cela, tous les passagers en détresse sont secourus et les victimes, déplacées. Malheureusement, près du tiers des compartiments des étages inférieurs du navire ont été inondés, tuant du même coup plusieurs membres d'équipage travaillant à ces niveaux, où l'on retrouve des cuisines, les salles de machines, la salle des moteurs, les entrepôts et les dortoirs des employés.

En dépit de la détresse omniprésente, Claude et Serena s'activent tout l'avant-midi; le grand gaillard participe au transport des victimes dans la salle de casino, tandis que Serena réconforte et soigne les blessés nécessiteux. Mais vers l'heure du lunch, le couple risque un retour à sa cabine, située au troisième niveau. Les époux sont épuisés et ont le moral à plat. Toute cette détresse, tous ces morts les troublent, et ils aimeraient se reposer un peu. Ils arpentent prudemment les couloirs mouillés et jonchés d'objets de toutes sortes jusqu'à leur cabine. Les beaux tapis suintent et une odeur d'eau salée mélangée à un parfum y règne. Un employé tente de les dissuader de descendre, mais devant leur insistance, il cède et les laisse passer.

Leur cabine est située au centre du yacht, côté bâbord. Ils y entrent et découvrent que tout est sens dessus dessous. Le tapis est mouillé. Le matelas est debout, contre le mur du fond, tandis que les tiroirs se sont vidés de leur contenu, et la penderie est entrouverte, laissant voir les vêtements éparpillés. Claude renverse le matelas sur le sol et se laisse choir dessus.

Les vagues lèchent le balcon de leur cabine, située du côté incliné. Au-dessus de la porte vitrée, un canot de sauvetage rouge et blanc est suspendu. Claude étire le cou et remarque la longue rangée de canots. Ces derniers ont été sérieusement secoués par les immenses vagues. Plusieurs sont décrochés et balancent, retenus par un seul crochet.

Claude se prend la tête entre les mains et frotte son crâne dégarni à plusieurs reprises en fermant les yeux. Serena s'empresse furtivement de remplir leurs sacs à dos d'articles essentiels. Lorsqu'elle termine, elle constate que Claude n'a pas bougé, et que ses larges épaules sautillent. Elle comprend avec désarroi que son mari pleure en silence, une main sur les yeux. Cela lui brise le cœur. C'est également la première fois qu'elle voit son mari dans un pareil état, et cela la bouleverse à son tour. Elle s'agenouille derrière lui et l'entoure de ses bras, puis murmure à son oreille :
— Je suis si fière de toi ! Tu es mon héros, tu sais. Sans toi, je serais sûrement morte…

Claude demeure silencieux. Il inspire profondément et s'essuie les yeux. Il s'éclaircit la gorge et dit simplement :
— On y va ?

Elle se lève et lui tend un sac à dos. Sans échanger une parole, ils quittent la cabine sans avoir pris le temps de se reposer.

La cabine de pilotage

M. Norrington, capitaine

M. Peterson, sous-capitaine

M. Graney, chef des communications

M. Sorrentos, navigateur

M. Anderson, opérateur de bord

M. Cutland, officier des opérations

M. Todds, chef de la sécurité

Le capitaine Norrington est un homme discipliné, honnête et fort discret. Âgé de 43 ans, il pourrait facilement passer pour un mannequin avec sa démarche élancée, ses manières un peu efféminées et ses tempes grisonnantes. Mais en réalité, Éloi Norrington est un vrai gentleman, comme il en reste peu de nos jours. D'origine écossaise et de nationalité américaine, il est venu au monde en Oregon, ses parents ayant émigré au début des années 60. Ils se sont installés à Seattle un peu avant sa naissance, et ce fils unique a grandi en fréquentant les meilleures écoles.

Norrington est un passionné de l'océan. Marié et père de deux fillettes, il est, hélas, plus souvent en mer qu'à la maison. Il navigue en tant que capitaine de cette croisière pour la deuxième fois, dans ces eaux protégées du passage. Le capitaine habituel, M. McDuff, est subitement tombé gravement malade. Il a donc confié cette importante responsabilité à Norrington à la dernière minute, afin qu'il effectue les deux dernières croisières ajoutées au calendrier de cette saison chargée, à la température exceptionnellement clémente.

Norrington a l'habitude de naviguer sur le Pacifique. Il compte déjà plus de sept années d'expérience à titre de lieutenant officier de navigation dans la marine américaine, posté à Pearl Harbor ; trois années sur le navire Destiny de la NorthWestern Cruise Line dans les Antilles ; et finalement, les deux dernières années en tant que capitaine sur le traversier parcourant la baie achalandée de Seattle. Il a choisi ce poste délibérément, qui lui permet d'être plus présent à la maison, maintenant qu'il désire assumer ses obligations parentales…

Norrington a fait la connaissance du capitaine McDuff justement alors qu'il effectuait l'une de ses traversées dans la baie de Seattle. McDuff utilise fréquemment ce service fluvial lorsqu'il visite sa fille pendant les vacances d'été et les congés. Les deux capitaines se sont immédiatement liés d'amitié et sont restés en contact régulier depuis près de deux ans déjà.

En juin dernier, Norrington a même pris congé pour accompagner le capitaine McDuff lors d'une de ses croisières en Alaska. Le vieux loup de mer a été généreux de commentaires, de trucs, transmettant son savoir-faire tout au long de la navigation et des accostages dans cette région particulière. Éloi Norrington s'est senti privilégié de cette démonstration de confiance et a énormément apprécié le voyage à ses côtés dans la cabine de pilotage. Il s'est également familiarisé avec les particularités de la navigation intracostale d'un yacht de ce tonnage dans le passage protégé. McDuff lui a permis de manœuvrer le navire à plusieurs reprises, et le vieux capitaine a été très satisfait des habiletés de son ami.

Lorsqu'il était tombé malade, il avait fortement recommandé le capitaine Norrington pour le remplacer pour les deux dernières croisières de la saison. Quoique ce dernier n'ait jamais navigué par lui-même dans le couloir protégé, les responsables de la compagnie avaient considéré son expérience antérieure fort adéquate et, exceptionnellement, lui avaient confié le poste en remplacement temporaire pour cette fin de saison.

Heureux et honoré de cette considération, il avait passé plus de trois jours penché sur les cartes de navigation marines de la région à étudier toutes les données disponibles sur le passage, l'itinéraire et le yacht. Il désirait maîtriser toute l'information pertinente afin de s'assurer du bon déroulement des deux sorties en mer. Il avait finalement pris congé temporaire de son propre poste de capitaine pour la compagnie de traversier et s'était embarqué sur le yacht, heureux et confiant.

La première croisière s'était déroulée à la perfection, au grand désespoir du sous-capitaine, Jeff Peterson. Ce dernier avait été furieux d'apprendre que le capitaine McDuff avait fortement recommandé un étranger au lieu de lui-même pour le poste intérimaire. Peterson s'était même rendu aux bureaux du siège social de la compagnie à Vancouver et avait piqué une crise de colère dans le bureau du directeur des opérations.

— Ce vieux fou de McDuff n'a plus toute sa tête! Pourquoi l'écoutez-vous? C'est insensé! Vous laissez les commandes du navire à un parfait inconnu, qui n'a aucune expérience de navigation dans le passage!

— Je comprends votre réaction, M. Peterson, mais les recommandations du capitaine McDuff et les références obtenues sur Éloi Norrington sont excellentes. Irréprochables, même. Nous maintenons notre décision. La situation sera révisée à nouveau pour la prochaine saison si le capitaine McDuff est toujours dans l'impossibilité de remplir ses fonctions. Nous aviserons à ce moment-là. Merci, M. Peterson.

Peterson fulminait. Il considère encore aujourd'hui que le poste temporaire lui revient de droit. Ses cinq années d'expérience sur le passage en tant que lieutenant de navigation, et la dernière année en tant que sous-capitaine du navire auraient dû lui valoir le poste de capitaine par intérim, selon lui. Il avait maugréé pendant plusieurs jours lorsqu'il avait appris la nouvelle et avait pris une cuite du tonnerre dans la brasserie qu'il fréquente habituellement, la veille même du départ de la première croisière aux côtés de Norrington. Les proprios de l'établissement avaient même dû faire appel aux flics afin de le calmer et de le ramener chez lui.

Le capitaine McDuff avait exprimé clairement les raisons qui l'avaient poussé à ne pas recommander Peterson comme successeur temporaire aux principaux dirigeants de la compagnie de croisière :
— J'ai navigué avec M. Peterson ces cinq dernières années et ai été à même de constater que cet homme agit souvent sous le coup de l'impulsivité et des émotions et, par conséquent, commet trop souvent des erreurs de jugement. Je crains qu'en cas de situation d'urgence ou problématique, son manque de jugement puisse causer du tort aux passagers et à la compagnie.

De plus, McDuff avait gardé pour lui-même une autre raison qui le poussait à ne pas recommander Peterson : ce dernier avait fait jouer en sa faveur ses relations dans l'administration de la compagnie afin d'obtenir le poste de sous-capitaine l'année précédente. Ce qui avait beaucoup irrité le capitaine McDuff, qui ne le considérait pas encore prêt pour assumer un tel rôle. Ce dernier avait accepté la décision de la direction, mais avait tout de même exprimé ses réticences quant aux capacités de Peterson à occuper ce poste stratégique. Il avait ajouté que Peterson est le genre d'homme qui a énormément besoin de valorisation et de reconnaissance, et qui recherche par-dessus tout le pouvoir.

Hélas, une fuite de la direction avait permis à Peterson d'apprendre les commentaires émis par McDuff à son sujet. Peterson avait par la suite amèrement reproché au capitaine les propos tenus à son égard. McDuff s'était contenté de demeurer silencieux lors de l'affrontement, et Peterson s'était donc persuadé que le vieux capitaine cherchait à lui nuire.

Compte tenu de cette délicate situation, le capitaine McDuff avait jugé nécessaire d'en informer Norrington, qui avait promis d'agir avec tact et professionnalisme envers Peterson, quoi qu'il advienne. Lors de la première croisière, Peterson s'était présenté comme prévu à son poste de sous-capitaine avec un air renfrogné, aux côtés du capitaine Norrington. Peterson espérait sincèrement que Norrington commette une ou des erreurs de débutant, ce qui lui aurait alors donné la chance de lui tomber dessus. Mais ce n'avait pas été le cas. Norrington avait été excellent. Frustré, Peterson avait passé son temps à faire certains commentaires désobligeants envers ce dernier. Norrington était resté impassible devant cette attitude immature et négative, en se disant qu'il n'aurait à l'endurer que pendant ces deux sorties en mer… Malgré tout, Norrington est conscient que Peterson joue un rôle important dans la navigation du navire, grâce à sa connaissance approfondie des eaux du passage. Il espérait simplement pouvoir travailler dans un respect mutuel pendant les trajets, ce qui ne s'était pas avéré être le cas lors de la première croisière. Et la seconde croisière s'annonçait pire encore.

À 7 h 41, une télécopie d'urgence émise par le poste de contrôle de Vancouver passe directement dans les mains de M. Graney. Ce dernier lit le communiqué :

«Avertissement. Possibles tsunamis dans tout le Pacifique est, en provenance des îles d'Hawaii. Hauteur estimée à vingt mètres, vitesse de déplacement de 800 km/h. Atteindront les côtes de l'Alaska et de la Colombie-Britannique vers 8 h 05. Confirmé par la garde côtière canadienne. Passez à l'alerte rouge. »

Le chef des communications, M. Graney, fronce instantanément les sourcils et remet le communiqué au sous-capitaine Peterson, en poste à ce moment-là. Ce dernier le lit rapidement et demande à M. Graney de confirmer avec le poste de contrôle de Vancouver.

— Poste de contrôle, ici le Alaska Sun.

— Alaska Sun, ici poste de contrôle. À l'écoute.

— Poste de contrôle, je désire une confirmation du communiqué d'urgence reçu à 7 h 41 concernant un tsunami en provenance des îles d'Hawaii. Veuillez confirmer cette information et fournissez-moi une estimation du temps avant l'impact.

— Bien compris, Alaska Sun. Confirmez votre position.

Le chef des communications s'exécute aussitôt. Une minute s'écoule avant la réponse du poste de contrôle.

— Alaska Sun, ici poste de contrôle. Il est prévu que le tsunami sera sur vous à 8 h 05 minutes. Plusieurs séries de vagues de plus de vingt mètres sont attendues sur les côtes, échelonnées sur plusieurs minutes. Ceci est un état d'urgence. Veuillez activer l'alerte rouge. Je répète : veuillez activer l'alerte rouge, et procédez immédiatement aux mesures d'urgence prévues par le code de sécurité de l'OMI. Confirmez.

— Poste de contrôle, ici le Alaska Sun. Confirmons l'état d'alerte rouge et les mesures d'urgence OMI. Bien reçu.

Le teint de Peterson passe du basané au jaune. Il tente de cacher son malaise en se frottant le menton, mais ne réussit pas. Il soumet ses ordres à l'opérateur de bord et ordonne également au chef des communications d'émettre un signal de détresse continu sur la fréquence pour tous les navires dans le secteur, et de transmettre leur position.

D'un pas rapide, il sort de la cabine de pilotage et s'empresse de quérir le capitaine, qui déjeune tranquillement en compagnie de passagers. Cela fait partie des fonctions du capitaine que de partager certains repas avec les convives, et Norrington apprécie d'ailleurs ces petits moments de détente.

Peterson arrive en trombe dans la salle à manger et se dirige prestement vers la table du capitaine. Il est momentanément agacé de voir Norrington apprécier un repas en compagnie de ses invités. Lorsque celui-ci aperçoit son sous-capitaine, il comprend immédiatement à son expression que quelque chose ne va pas. Il se lève aussitôt en s'excusant et se dirige à la rencontre de son subalterne. Ce dernier glisse rapidement à son oreille le contenu du message d'urgence. D'un pas rapide et l'air sérieux, les deux hommes rejoignent la cabine de pilotage.

Pendant leur absence, le navigateur, M. Sorrentos, étend les cartes marines sur les tables de travail. Il calcule la trajectoire prévue pour atteindre à nouveau le passage protégé, et il en déduit « que le navire l'atteindra seulement vers 10 h 15 ce matin-là. Soit beaucoup trop tard… Les premières vagues sont attendues dans vingt minutes… »

À l'arrivée des deux hommes, il trace un portrait global de la position du navire dans le bassin.

— Malheureusement, il n'y a pas d'îles à proximité où nous pourrions être à l'abri des vagues à temps.

Le capitaine se penche sur la carte marine et l'étudie rapidement. Après une bonne minute, il fixe un point sur la carte et donne des ordres au navigateur de bord. Puis, il se tourne vers le sous-capitaine et l'informe de sa stratégie.

— Je désire amener le navire dans une section plus profonde, située à quelques miles nautiques à l'ouest, près des Tuzo Wilson Seamounts. Ainsi, les vagues seront probablement moins vigoureuses, vu la profondeur accrue du fond marin. Si nous tentons de nous rapprocher des côtes, nous devrons essuyer des vagues encore plus brutales, gonflées par les hauts fonds.

Norrington compte plusieurs années d'expérience en haute mer dans le Pacifique et sait comment affronter les frasques de cet océan vigoureux. Il a essuyé au fil des ans plusieurs violentes tempêtes, et son expérience lui confirme que le bassin est un très mauvais endroit où se trouver dans pareille situation… Peterson est surpris que le capitaine opte pour une telle stratégie. Sans lui demander sa permission, il lui donne son opinion directement :

— Il serait beaucoup plus sage de se diriger plus rapidement au cap St-James. Nous pourrions y être dans environ quarante-cinq à cinquante minutes en forçant l'allure. Avec un peu de chance, nous pourrons mettre le navire à l'abri des vagues.

Norrington réfléchit. Il prend quelques instants avant de répéter :

— Je vous remercie de votre suggestion. Mais nous n'avons pas le temps de nous y rendre. Nous irons à Tuzo, là où la profondeur moyenne est de quatre cents mètres. En nous rapprochant suffisamment, nous pourrons bénéficier d'une profondeur accrue. Près des côtes, la profondeur est réduite à moins de trente mètres à plusieurs endroits, et le navire serait beaucoup trop vulnérable. Sans compter que les vagues augmenteront en force et en intensité en s'approchant des côtes, vous le savez bien.

S'adressant à M. Graney, il demande :

— Combien de temps reste-t-il avant l'impact ?

— Temps restant estimé avant impact : dix-sept minutes.

— Bien. Tenez un décompte aux minutes.

— Bien capitaine.

Norrington prend une grande inspiration et se tourne vers le navigateur, qui attend ses ordres.

— Dirigez-vous vers ces coordonnées à pleine vitesse. Nous allons à Tuzo Wilson Seamounts.

À peine a-t-il terminé sa phrase que Peterson pique une colère et l'interrompt vivement :

— Que faites-vous ? Vous n'y arriverez pas à temps ! La zone est à plus de quinze minutes d'ici ! Pire, vous risquez de briser le navire si vous faites face à des vagues de plus de vingt mètres ! Ceci n'est pas un navire de guerre, mais un yacht de croisière. Il ne peut supporter ces masses. Vous le savez bien !

Norrington l'interrompt à son tour.

— C'est un ordre, sous-capitaine Peterson. Exécution immédiate.

Norrington regarde Peterson droit dans les yeux. Ce dernier devient rouge de colère, mais obéit néanmoins à ses ordres, non sans manifester un désaccord

évident. Pendant ce temps, M. Graney se tourne vers le télécopieur émetteur et sort un nouveau communiqué. Il en prend connaissance et le remet directement au capitaine, sans un mot. Ce dernier le remercie d'un regard. Il se passe la main sur le front, puis s'adresse à tous les hommes présents dans la cabine et dit haut et fort :
— Navigateur, vitesse maximale immédiatement !

Le navigateur obéit. Peterson tempête silencieusement.
— Messieurs, le nouveau communiqué corrige le temps estimé avant impact à treize minutes. Nous devons préparer le navire à affronter une série de vagues successives qui atteindront possiblement vingt-deux mètres, en provenance d'une onde de choc de séisme important survenu aux îles d'Hawaii. La vitesse de déplacement estimée a été augmentée à 880 km/h. Nous n'avons pas de temps à perdre. Vous savez ce que vous avez à faire, ajoute-t-il d'un ton autoritaire.

Puis, en fixant Peterson, il ajoute avec véhémence :
— Faites ce que l'on attend de vous. Exécution !

Les officiers sont à leur poste. Leur nervosité est papable. Norrington scrute l'horizon avec le sous-capitaine. Il ordonne l'évacuation des passagers des niveaux inférieurs et la fermeture des portes étanches afin de les protéger. La sirène stridente retentit alors sur tout le navire.

Le capitaine scrute attentivement l'horizon à bâbord, à la recherche de ces vagues «qui formeront sûrement une ligne, un gonflement, se différenciant ainsi de l'infini plat de l'océan», croit-il. Le navigateur, M. Sorrentos, accompagne Norrington et Peterson à la recherche des vagues, tout en tenant la barre.

Des passagers courent en tous sens sur le pont de part et d'autre. Ils sont paniqués par le hurlement de la sirène, et Norrington décide de leur adresser un premier message. Les moteurs à fond de train, le navire file maintenant à toute allure sur les petits moutons blancs de l'océan peu profond. Norrington sent la peur s'emparer de son équipage. Peterson se penche vers lui et murmure à son oreille d'un ton méprisant :
— Vous faites une grosse erreur. Vous mettez en péril la vie de tous les passagers. Le capitaine McDuff n'aurait jamais dû vous recommander pour ce poste. Vous n'êtes visiblement pas à la hauteur.

Norrington se retourne et le regarde droit dans les yeux. Jamais il n'a été témoin d'une telle insubordination de la part d'un sous-officier, tant au civil que dans l'armée. «Quel insolent», pense-t-il en continuant de le foudroyer du regard. Puis il dit :

— Non, sous-capitaine. Vous faites erreur. C'est vous qui n'êtes pas à la hauteur de votre poste, dit-il en pesant ses mots.

Insulté, Peterson relève le menton. Il détourne le regard et plonge dans ses jumelles pour scruter la mer. Bien que le comportement singulier de Peterson le laisse perplexe, Norrington reporte son attention sur la situation urgente.

Il est persuadé d'avoir pris la meilleure décision pour assurer la survie des passagers devant cette menace inattendue et toujours invisible. Il se penche sur la carte marine indiquant les profondeurs océaniques et confirme les calculs du navigateur pour atteindre le point marqué d'un X. Il jette un coup d'œil par-dessus l'épaule de son navigateur, afin de vérifier la vitesse et l'orientation. «Tout est parfait...»

Il retourne au poste d'observation aux côtés de Peterson. Quelques instants plus tard, il remarque chez le sous-capitaine une légère réaction. Il oriente alors son regard dans la même direction que ce dernier. Il distingue un léger renflement de l'océan en provenance du sud-ouest. Plus le navire avance, plus le renflement s'épaissit. Il comprend qu'il s'agit de la première vague. Il ordonne :

— Maintenez direction et vitesse et redressez de huit degrés au sud.

Le navigateur à la barre consulte ses écrans et obéit aux ordres du capitaine en les confirmant. Norrington entend Peterson maugréer à côté de lui, mais n'y prête pas attention. Il lance un ordre au chef des communications sans détourner les yeux de l'océan, qui se gonfle au-devant d'eux.

— Signalez notre position et la nouvelle direction à tous les navires dans les environs. Maintenez le signal de détresse et transmettez les données aux bateaux qui nous suivent immédiatement.

Le chef des communications acquiesce et répète les ordres en les appliquant.

Finalement, Norrington donne un dernier ordre au sous-capitaine :

— Sous-capitaine Peterson, veuillez vous assurer que tous les passagers sont dans les salles avec leurs gilets de sauvetage. Faites fermer toutes les portes étanches et confirmez le statut de la situation dans la minute.

Peterson demeure sans réaction devant cet ordre, les yeux toujours rivés sur les renflements qui se rapprochent. Norrington insiste sur un ton ferme :

— Sous-capitaine Peterson! Deux minutes avant l'impact! Exécution! hurle-t-il.

Peterson baisse lentement ses jumelles et contacte le chef de la sécurité. Lentement, machinalement, il répète les ordres de Norrington. M. Todds confirme et raccroche. Peterson est livide. Il est figé sur place. D'un ton glacé et à haute voix pour que tout le monde entende, il crache avec mépris au visage du capitaine :

— Nous sommes foutus et c'est entièrement votre faute et celle du vieux McDuff. Nous allons tous mourir par votre incompétence. Vous n'auriez jamais dû obtenir ce poste ; McDuff est un vieux fou capricieux…

Mais Norrington l'interrompt d'un ton sec et autoritaire en l'empoignant des deux mains à l'encolure de sa veste.

— Silence ! Reprenez votre sang-froid, sous-capitaine Peterson. Le moment est mal choisi pour brailler !

La tension est à son maximum dans la cabine. Après quelques instants d'hésitation, Peterson se ressaisit. Norrington émet un dernier message à l'intention des passagers et membres d'équipage. Puis il reprend ses jumelles, et les deux hommes observent les vagues qui se dessinent au loin.

— À votre avis, sous-capitaine Peterson, à quelle hauteur estimez-vous la vague devant nous ?

— Au moins vingt-deux mètres, répond-t-il en marmonnant.

Norrington s'adresse une fois de plus au chef des communications et dit :

— Confirmez estimation hauteur des vagues à vingt-deux mètres au poste de contrôle de Vancouver. Maintenez la communication.

Le chef acquiesce et transmet aussitôt les infos. Observant de nouveau quelques passagers s'affoler sur les ponts, il reprend le micro et fait un dernier message destiné aux passagers. Une minute avant l'impact…

Le navire mesure vingt-deux mètres au-dessus de la mer. Il sait que le sort de celui-ci se jouera non seulement sur la hauteur des vagues, mais surtout sur la vitesse de déplacement, qui a un impact majeur sur l'intensité avec laquelle elles fonceront sur le yacht. Il est convaincu que les bas-fonds de Tuzo représentent leur meilleure chance, car la profondeur accrue de cette zone devrait réduire l'intensité et la hauteur des vagues… du moins l'espère-t-il.

Il sait aussi pertinemment qu'affronter la vague de front est la seule option valable, même si le risque est toujours présent que la coque du yacht se fende sous la force de l'impact. Mais ce qui l'inquiète davantage, c'est que le navire puisse dévier de sa trajectoire en luttant contre l'assaut et chavirer sur le côté, le faisant rouler sur lui-même, encore et encore…

Le chef des communications poursuit son décompte :
— Trente secondes avant l'impact.

Les hommes sont silencieux sous les alarmes électroniques, la sirène et le son de la radio émetteur qui grince derrière. Le navire file à toute allure en fendant l'eau. Un peu avant l'arrivée de la première vague, un vent violent inattendu s'abat sur le navire, comme une onde de choc aérienne. Cette forte bourrasque fait vibrer le navire pendant quelques instants et surprend des passagers encore à l'extérieur, faisant passer par-dessus bord un membre d'équipage qui s'empressait de pousser les retardataires à l'intérieur. Un puissant sifflement se fait entendre entre les cloisons pourtant étanches, et les parasols, tables et chaises longues sur le pont avant sont poussés contre les murs sous la violence du vent.
— Navigateur, maintenez la position ! hurle Norrington, qui s'élance aux côtés du navigateur pour l'aider à maintenir la barre dans le bon cap.

Le navire atteint la zone de Tuzo en même temps que la première vague monstrueuse. Elle est gigantesque, et sa pointe écumeuse annonce qu'elle s'apprête à s'écraser lourdement. Mais grâce à la zone profonde, le dessus de la vague se transforme légèrement en une gigantesque houle. Elle est si abrupte et d'une telle intensité que tous les officiers, même Norrington, n'ont jamais été témoins d'un tel mur d'eau s'élevant ainsi devant eux.

«L'impact sera brutal», anticipe alors Norrington. Peterson recule instinctivement de quelques pas et dit en déglutissant :
— Vingt-cinq mètres.

Au même instant, Norrington hurle :
— Cramponnez-vous !

Le majestueux yacht, moteurs à fond de train, affronte la gigantesque ombre noire qui se dresse devant lui. Les six officiers présents dans la cabine de pilotage sont fermement agrippés aux poignées métalliques. Une ambiance de fin du monde y règne. C'est le moment de vérité, où chacun songe à sa propre vie en la voyant défiler devant ses yeux. Peterson déglutit une nouvelle fois tandis que Norrington retient sa respiration, en songeant tristement à ses mignonnes petites filles…

Le monstre s'abat sur le navire alors que la proue s'enfonce dans la vague sous l'impact, avant de monter dessus. Le yacht prend une position presque verticale, le nez montant vers la cime menaçante du monstrueux roulis. Les puissants moteurs propulsent le navire, qui monte et monte. L'ascension dure de longues secondes, et certains officiers sont projetés contre le mur du fond, sous la forte inclinaison.

Lorsque le navire atteint enfin le haut du roulis, il se stabilise un court instant, puis pique vigoureusement du nez vers le creux avec la même inclinaison. Deux officiers, M. Anderson et M. Cutland, lâchent prise soudainement et passent par-dessus les bureaux, les panneaux et les comptoirs, pour s'écraser lourdement contre les baies vitrées à l'avant. L'une d'elles cède sous la force de l'eau lorsque le nez du navire s'enfonce dans le creux de la vague sur plusieurs mètres. La poussée phénoménale de l'eau les transporte dans la cabine parmi les instruments de navigation, les ordinateurs, les manettes et les écrans, en faisant jaillir des étincelles. Le vacarme est assourdissant et Norrington, aidé de Sorrentos, s'agrippe désespérément à la barre pour ne pas être emporté par les eaux et garder le cap.

Aussitôt, un nouveau roulis les assaille, malmenant les officiers qui peinent, alors que d'énormes gerbes d'eau entrent par le trou béant de la baie vitrée. Malgré cette puissante agitation, Norrington et Sorrentos parviennent à maintenir la barre dans l'angle requis.

Le yacht affronte six de ces monstres l'un à la suite de l'autre. À chaque creux de vague, une nouvelle gerbe d'eau entre dans la cabine, inondant encore et encore les instruments électroniques et malmenant les officiers. Le sous-capitaine ainsi que le chef des communications se tiennent fermement aux barres métalliques, tantôt écrasés contre le mur par l'inclinaison du navire et la force de l'eau, tantôt à bout de bras pour ne pas tomber directement dans l'océan par la vitre fracassée.

Lorsque les vagues passent enfin, le niveau de l'eau dans la cabine de pilotage est à plus d'un mètre. Les officiers trempés reprennent péniblement leurs esprits. Anderson ouvre la porte à bâbord pour laisser échapper l'eau, et est emporté en même temps contre la rambarde et glisse le long du pont sur plusieurs mètres. Norrington est vraiment surpris que le navire ait résisté. Il reprend rapidement son sang-froid et lance aussitôt des ordres aux officiers. « Il avait vu juste. La zone de Tuzo s'est révélée être le meilleur endroit pour se protéger », songe M. Graney.

Ce dernier rétablit la communication avec le poste de contrôle à Vancouver et informe ce dernier des détails de l'assaut des tsunamis. L'opérateur de bord Anderson revient dans la cabine tant bien que mal et inspecte les instruments de bord afin d'évaluer les dégâts. Peterson s'avance et scrute l'horizon océanique de longues minutes à l'aide de ses jumelles, les mains tremblantes.

Mais Norrington est surtout préoccupé par le bruit sourd qu'il a entendu lors de la première et de la dernière vague, lorsque le nez du navire a piqué dans les creux. Par l'inclinaison du navire à bâbord, il se doute que la coque a été endommagée et que l'eau s'infiltre. À son grand étonnement, Peterson s'acharne sur lui une nouvelle fois. Il invective Norrington :

— Votre manque de discernement a causé des dommages irréparables ! La compagnie ne vous laissera pas vous en tirer facilement, Norrington. J'y veillerai.

Peterson démontre une telle agressivité dans ses propos et dans le ton de sa voix que Norrington est stupéfait. Ce dernier est plutôt d'avis qu'ils s'en sont bien tirés dans les circonstances. « Le navire est à flot et n'a pas chaviré. C'est l'essentiel. »

Il parle d'un ton calme et posé :
— Sous-capitaine Peterson, je vous prie de garder vos impressions pour vous-même dorénavant. Je ne tolèrerais plus d'inconduite de votre part. Ceci est mon dernier avertissement, ajoute-t-il d'un ton autoritaire, se faisant violence pour se calmer.

Peterson le fusille du regard sans rien dire. Norrington poursuit :
— Contentez-vous de remplir vos fonctions et d'accomplir votre devoir, conformément à ce que l'on attend de vous. Me suis-je bien fait comprendre ? insiste-t-il.

Peterson prend une grande inspiration. Il ne dit mot, mais sort de la salle de pilotage, visiblement fou de rage.
— Officier Anderson, prenez la place du sous-capitaine Peterson.

Hélas, l'officier Anderson est un ami de longue date de Peterson, et son allégeance va irrémédiablement envers ce dernier. Il hésite donc un court instant, puis sort de la salle de pilotage à son tour, défiant ouvertement l'ordre donné par le capitaine. Norrington est estomaqué de ces comportements singuliers. Il baisse la tête un moment pour réfléchir et passe une main dans ses cheveux. « Je dois me concentrer sur le navire. » Il communique avec l'officier des opérations, M. Cutland. Celui-ci lui fait un bref résumé de la situation :
— Les parois étanches vont permettre au navire de rester à flot. Mais l'aviron semble avoir été lourdement endommagé, capitaine. Il ne répond plus aux commandes électroniques et manuelles. Nous ne contrôlons plus la direction du navire.
— Merci, M. Cutland.

— Par contre, mon capitaine, si je puis me permettre, même si la salle des machines a été inondée, les moteurs auxiliaires sont fonctionnels.

— Mmm… Bien. Mais sans aviron directionnel, les moteurs auxiliaires ne nous sont d'aucune utilité, murmure-t-il. Le navire ne fera que tourner en rond au gré des marées et du courant océanique.

Il se redresse et demande à M.Graney :
— Qu'en pensez-vous, M. Graney ?

Ce dernier hésite un moment puis répond :
— Je suis d'accord.
— Merci, M. Graney.
— Capitaine Norrington, le GPS d'urgence s'est déclenché automatiquement, et notre position a été signalée à tous les navires sur une distance de deux cents miles. Également, j'ai réussi à contacter la garde côtière canadienne et le poste de contrôle, mais je crains que la communication soit interrompue incessamment, lorsque les tsunamis déferleront sur les installations portuaires.
— Merci.

Les officiers, dégoulinant d'eau salée, sont étonnamment silencieux. Leurs pensées sont dirigées vers leurs proches, qui habitent la côte… Néanmoins, Norrington chasse ces pensées et fait poster trois officiers sur les ponts supérieurs du navire pour observer chacune des directions : bâbord, tribord et arrière. Le navire dérive maintenant vers le sud-est, s'éloignant lentement de la zone profonde de Tuzo. Il se dirige à nouveau dans le bassin des îles de la Reine-Charlotte.

Le capitaine se poste devant la baie vitrée et scrute l'horizon en réfléchissant à ce qui vient de se passer avec Peterson et Anderson. «Ce manquement majeur au code de conduite devra être signalé formellement, tant aux hauts dirigeants de la compagnie qu'aux instances de surveillance déontologique de l'institut maritime… Du moins, si tout ce beau monde est encore vivant après le passage des tsunamis», songe-t-il avec accablement. Puis il est momentanément dérangé dans ses pensées par une passagère survoltée et effrontée qui se présente dans la cabine de pilotage sans y être invitée…

Chapitre 6

Le 1er jour (suite)

Lucy

Les trois survivants observent anxieusement l'océan tout autour. Ici et là, quelques arbres géants tiennent encore debout, et leur cime dépasse l'eau de plusieurs mètres encore. Au loin, la mer, belle et meurtrière, étincelle sous le soleil. Un vent salin siffle dans les oreilles de Lucy et fait virevolter ses cheveux. Elle sent la faible chaleur du soleil dans son dos. Seules les plus hautes collines ceinturant la vallée émergent de l'eau. Un autobus scolaire est justement arrêté tout en haut d'une colline. Les jeunes passagers agglutinés autour du véhicule ont eu de la chance, car trente secondes plus tard, le bus aurait descendu dans la vallée et ils auraient été emportés par les eaux.

De nombreux débris de toutes sortes flottent dans l'eau toujours en mouvement. Lucy est assise sur le toit, face au Pacifique. Le tsunami s'engouffre toujours dans la rivière Eel comme dans un entonnoir à une vitesse destructrice, arrachant tout sur son passage.

L'océan frappe le flanc des collines au fond de la vallée en faisant jaillir des gerbes d'eau sur plusieurs mètres de hauteur. Plusieurs centaines de vignes arrachées flottent parmi les nombreux débris qui s'agglutinent au pied de ces collines. Un petit avion renversé flotte loin des pistes. Lucy songe une fois de plus aux passagers de l'aérogare en voyant des corps inertes flotter ici et là. Elle devine aisément que plusieurs villes côtières de la Californie ont subi l'assaut du tsunami destructeur. «Combien de milliers de personnes sont mortes noyées ce matin?» se demande-t-elle, consternée.

L'homme à la chemise bleue a les mains posées sur les hanches et regarde d'un air angoissé le clapotis de l'eau qui bute contre le mur de la tour. Subitement, une étrange sensation est ressentie chez les trois survivants. Un pressentiment collectif. Anxieux, ils s'empressent de scruter les alentours à la recherche de la raison de ce malaise commun. Tout à coup, la tour vibre intensément sous leurs pieds. Instinctivement, ils s'étendent à plat ventre, jusqu'à ce que le puissant tremblement de terre diminue quelques longues secondes plus tard. Ils échangent un regard effrayé puis se relèvent prudemment, tandis que le tsunami se retire progressivement de la vallée. L'eau houleuse voyage maintenant en sens inverse, et les débris ballottés cognent cette fois-ci contre l'arrière de la tour.

Un tronc d'arbre géant déraciné heurte l'armature de la tour mise à nu par l'eau. Un retentissant BONG! résonne dans leurs oreilles et fait à nouveau vibrer le bâtiment. Le ressac est de plus en plus rapide et une réaction en chaîne se produit : l'eau qui s'était engouffrée dans la vallée à grande vitesse revient maintenant en sens inverse. L'étendue d'eau devient rapidement chaotique, et un son de clapotis généralisé se fait entendre.

Le niveau de l'eau monte soudain et lèche l'arrière du toit inférieur en y laissant des menus débris, dont de nombreuses vignes dépouillées de leurs fruits. Inquiète, Lucy recule de deux pas en s'éloignant du rebord du toit. Instinctivement, elle se dirige vers les poteaux d'antennes pour s'y accrocher. L'angoissante inquiétude ressentie plus tôt s'intensifie ; elle pressent un nouveau danger. Elle fixe le fond de la vallée, observant les débris qui dérivent près d'eux.

Le corps d'un homme en chemise blanche frotte contre le bâtiment, le visage sous l'eau. Aux insignes qui ornent les épaulettes de sa chemise, elle réalise qu'il s'agit d'un pilote. Mais son attention est subitement détournée par la vue d'un important roulis en provenance du fond de la vallée, qui s'apprête à percuter la tour. Lucy entoure le poteau de ses bras, attendant le moment fatidique. Les deux hommes l'imitent aussitôt. Le ressac gonflé frappe la tour quelques secondes plus tard et inonde le petit toit en éclaboussant les survivants postés plus haut. Son cœur bat la chamade. Elle observe la progression du roulis qui ressort de la vallée. Au même instant, le père du jeune homme lâche un juron :
— Merde !

Lucy se retourne vivement. Il se contente de pointer du doigt l'océan derrière elle et dit :
— Là, un autre tsunami !

Un autre tsunami en provenance du large s'avance rapidement, passant par-dessus l'eau encore haute des précédents tsunamis. Instinctivement, les survivants resserrent leur étreinte autour des poteaux métalliques. Ils attendent anxieusement l'impact imminent de ce mégatsunami, surpassant les autres de plusieurs mètres. L'adrénaline envahit à nouveau le corps déjà éprouvé de Lucy, faisant rapidement rosir ses joues et augmenter son rythme cardiaque. Elle serre le poteau si fort que ses mains blanchissent. Le tsunami fonce droit sur eux, et Lucy doute que l'immeuble puisse résister à un nouvel impact. Elle doute aussi qu'elle puisse y survivre… Son cœur bat à tout rompre.

Mais au fur et à mesure que le tsunami s'engouffre dans la vallée, il se heurte au ressac perturbé rempli de débris, qui ralentit sa progression. L'important roulis du ressac qu'ils viennent d'essuyer fonce tout droit sur le mégatsunami. Les deux vagues s'affrontent et les forces opposées font jaillir une gigantesque trombe d'eau qui s'élève vers le ciel dans un claquement retentissant. Heureusement pour eux, cet affrontement colossal ralentit sensiblement la vitesse et la force du tsunami. En touchant la tour quelques secondes plus tard, l'eau salée mouille les chevilles des survivants toujours agrippés aux antennes. La tour vibre à nouveau dangereusement sous cet impact et Lucy hurle de terreur.

Cette vague arrache de nouvelles vignes aux flancs des collines avoisinantes, et de nombreux débris se retrouvent transportés encore une fois dans le fond de la vallée. Lucy s'efforce de retrouver son calme. Cette impressionnante manifestation de la nature lui confirme qu'elle n'est «qu'un grain de sable dans cette immensité hostile... » Elle ferme les yeux un long moment pour se ressaisir, alors que le niveau de l'eau baisse enfin. Le métal froid du poteau la fait frissonner et elle se résout à s'en détacher. Elle frotte vigoureusement ses bras et ses mains afin de faire circuler le sang plus rapidement dans ses membres refroidis.

Soudain, elle réalise que cette vague fera le même trajet en sens inverse. Résignée, elle se place à nouveau tout près de l'antenne et attend le retour de la vague qui viendra par-derrière. Une fois de plus, Lucy entend la voix de son frère dans le combiné placé dans sa poche et le sort aussitôt.
— Den! Den! Je suis là!
— Lucy! Est-ce que ça va? Bon Dieu! J'ai eu peur... Que s'est-il passé?
— Oui, oui, ça va pour l'instant. Je suis sur le toit de la tour. Il y a eu deux énormes tsunamis. Non trois. Je ne sais plus. Je suis avec deux autres personnes, et je crois que je suis en sécurité ici pour le moment.
Elle marque une pause.
— Merci d'être encore là...
— Hey, je t'avais dit que je ne te lâcherais pas, dit-il d'un ton sérieux.
— Den, on est pris ici. L'océan a envahi toute la vallée. Il n'y a que la tour qui tient toujours debout. Tout le monde est mort, Den. Tout le monde... C'est affreux. Inimaginable. Personne n'a eu le temps de se mettre à l'abri... Y a même pas eu de sirène d'urgence.

Toute l'horreur de la situation l'afflige à nouveau, et l'image de la fillette dans la camionnette lui revient en mémoire. Elle se laisse choir sur la base métallique de l'antenne et se remet à pleurer. Elle tente de lui raconter ce qu'elle a vu, mais ses paroles sont incompréhensibles; seules quelques bribes de mots entrecoupés de sanglots sortent de sa bouche.

— Je comprends Lucy. Calme-toi maintenant. Tu dois être forte. Pense à Logan. Il a besoin de toi.

Puis il attend patiemment que sa sœur se calme. Elle essuie les larmes qui roulent sur ses joues et renifle un bon coup.

— Ça va mieux maintenant, lui dit-elle. C'est vraiment épouvantable Den… T'as pas idée.

— Lucy, utilise le téléphone pour filmer ce que tu vois.

— OK.

Elle prend le temps de faire un tour complet, tranquillement. Ce faisant, elle fait une brève description de ce qu'elle voit. Pour terminer, elle filme les toits de la tour et les deux hommes assis non loin d'elle. Elle enregistre les images sur son téléphone.

— Lucy, tu dois être courageuse et patiente. Cela prendra un certain temps avant que vous soyez secourus. Toute la côte ouest a été touchée, de l'Alaska jusqu'au Mexique. C'est une catastrophe planétaire. L'Asie a aussi écopé, et même l'Australie n'y échappera pas. On dit que ce tsunami est cent fois plus important que celui qui a frappé les côtes des îles indonésiennes en décembre 2005. Où était-ce en 2004 ? Je ne me rappelle plus très bien…

— On est livrés à nous-mêmes, c'est ça ? Personne ne viendra à notre secours ? ajoute-t-elle dans un murmure.

— Garde espoir, Lucy.

— Oui, d'accord.

Elle ferme les yeux. Elle veut rester positive même si le moment est grave.

— Den, si jamais je ne reviens pas, promets-moi de prendre soin de Logan. Promets-moi de l'élever et de l'aimer comme ton fils. Tu m'entends ?

— Je te le promets, Lucy. J'adore Logan, tu le sais.

— Oui, je le sais. Tu lui diras à quel point je l'aime, et que je serai toujours dans son cœur. D'accord ?

— Je le lui dirai, dit-il après un moment d'hésitation.

De nouvelles larmes inondent les yeux de Lucy. Elle inspire profondément. Au fond de la vallée, un puissant ressac s'est formé en se cognant contre le flanc des collines et revient en force dans leur direction. Précautionneusement, les trois survivants s'agrippent de nouveau aux antennes.

— Den, un retour de vague se dirige vers nous. Je dois m'accrocher au poteau. Je te rappelle bientôt. Ne t'en va pas, d'accord ? dit-elle d'un ton plaintif.

— Je reste ici et j'attends ton appel.

— OK. Merci. Den… je t'aime, tu sais.

— Je sais. Je t'aime aussi, petite sœur.

Ces mots lui font le plus grand bien et lui redonne courage. Elle replace doucement le combiné dans la poche de son jeans et appuie sa joue contre le métal froid.

La vague déferle dans un torrent de mousse blanche parsemé de vignes vertes avec la même force qu'à l'aller. L'eau monte à nouveau sur le toit supérieur et éclabousse les chevilles des rescapés en leur faisant perdre pied. Mais les hurlements de terreur des survivants passent inaperçus dans le bruit assourdissant de la vague heurtant les murs de la tour, qui vibre à nouveau.

La vague passée, Lucy demeure accrochée au poteau pour se remettre de ses émotions. Elle remarque un gros débris qui scintille au soleil et qui se rapproche rapidement. C'est la coque blanche d'un bateau ; un petit voilier de dix mètres retourné. Il se dirige sur la tour, emporté par le fort ressac qui pousse les débris vers le large. La coque heurte le mur arrière et demeure coincée, ses cordes s'étant accrochées au petit toit pendant plusieurs secondes. Puis subitement, il bascule sur le côté. Le cordage glisse et se coince maintenant sur le toit supérieur pendant un long moment. La rampe du pont frotte durement contre les parois du mur, arrachant la brique. Le bateau semble vide. Le courant le pousse vers l'avant et les cordes se balancent dangereusement au-dessus de leurs têtes, s'accrochant maintenant aux antennes. La forte pression a raison du cordage, qui cède violemment dans un « dong ! » retentissant et le voilier, libéré de son emprise, est emporté par les flots tumultueux.

Lucy s'éloigne des antennes et s'approche avec précaution du rebord du toit. Le niveau de l'eau baisse graduellement. Elle ne sait si elle doit être soulagée ou inquiète. « Est-ce que la mer se retire pour de bon ou le tsunami va revenir en force ? » se demande-t-elle. Elle observe le large, les mains sur les hanches. Les deux hommes s'approchent d'elle silencieusement, observant également l'océan au loin.

Quelques minutes passent. Elle s'est calmée et son esprit fonctionne à toute vitesse. Elle se questionne : « C'est incroyable que je sois toujours vivante. Pourquoi ? Pourquoi suis-je toujours vivante ? Avec tout ce qui s'est passé ? »

En son for intérieur, elle sait que son heure n'est pas encore venue. Et alors qu'elle observe cet océan tourmenté, son esprit émet une hypothèse qui lui semble d'abord tirée par les cheveux. « Je suis convaincue d'être toujours vivante pour une raison bien précise. Une raison encore inconnue, lointaine et qui m'échappe pour le moment. Mais ce fort pressentiment me confirme que je ne me trompe pas. Que mon esprit n'invente pas toute cette histoire. Qu'il y a vraiment une raison pour ma présence ici ! » Discrètement, elle tourne son regard vers l'inconnu en se demandant s'il a les mêmes réflexions. Si, comme elle, il prend conscience que sa présence ici n'est pas le fruit du hasard…

Elle est surprise de voir qu'il la dévisage déjà. Il lui semble alors discerner dans ses yeux bleus le même questionnement, le même pressentiment. Ils se regardent longuement, avec une intensité peu commune. Comme s'ils étaient seuls au monde, tout en étant bien conscients de leur situation précaire.

Leur connexion est subitement interrompue par le jeune homme, qui demande :
— Qu'y a-t-il?

Visiblement, il a remarqué le regard échangé et le changement dans l'énergie les entourant. Son père répond d'un signe de tête signifiant qu'il n'y a rien. Troublée, Lucy détourne aussi les yeux. Sa tête fourmille de questions auxquelles elle n'a pas de réponses, et elle décide d'oublier tout ça pour le moment. Elle frissonne et frotte ses bras refroidis. Le soleil matinal ne réussit pas à réchauffer son corps trempé. Elle reprend le téléphone.
— Allo Den, t'es là?
— Lucy! Je suis content d'entendre ta voix. Que diable s'est il passé?
— Il y a eu un retour de vague, et un voilier s'est coincé sur la tour. Il s'est dégagé maintenant et est parti avec le courant. J'ai eu peur.
— Tu vas bien?
— Oui, répond-elle, hésitante.
— Bon écoute, je vais te dire ce que je sais. Aux nouvelles, j'ai appris qu'il y a deux morceaux qui se sont détachés d'un volcan à Hawaii. Ils ont donc prévu plusieurs énormes tsunamis, et il y en aura peut-être d'autres, car il y a de nombreux tremblements de terre au large des côtes californiennes. Mais après, l'océan devrait se calmer. Alors, tu dois être patiente, d'accord?
— Oui, d'accord. Je… je crois que je vais m'asseoir et me reposer un peu.
— Bonne idée. Et surtout, Lucy, ne désespère pas. Sois forte. Je suis branché sur le canal des nouvelles et Internet. Je te tiens au courant de tout développement. Je vais aussi essayer d'entrer en contact avec la garde côtière pour signaler votre présence.
— Oh oui, c'est un bonne idée. OK. Merci, Den.
— À bientôt, petite sœur.

Lucy éteint le combiné et le remet dans sa poche. Pendant sa conversation, elle remarque le père se rapprocher de son fils et passer un bras timide autour de ses épaules. Ce dernier se laisse faire et baisse la tête en soupirant. Lucy devine à sa réaction que le jeune homme retient ses larmes. Il inspire profondément plusieurs fois, puis fait signe de la tête à son père qu'il va bien.

Elle se rapproche d'eux et partage le peu d'information qu'elle possède. Le jeune homme essuie discrètement quelques larmes. Petit à petit, le stress et l'adrénaline les quittent, les laissant émus, meurtris et sans énergie. Ils s'assoient tous les trois à l'avant du bâtiment en scrutant l'horizon. Ils demeurent ainsi sans rien dire pendant près d'une heure et rien ne se produit, mis à part les nombreux va-et-vient de l'eau qui se retire progressivement de la vallée. Lucy est épuisée. Toutes ces intenses émotions l'ont littéralement vidée de son énergie habituelle. N'en pouvant plus, elle s'allonge en grelottant de froid.

Une conversation entre les deux hommes la réveille… Elle s'était assoupie. Le soleil semble plus intense, réchauffant son corps et séchant ses vêtements. L'océan s'est retiré en grande partie, en laissant derrière d'innombrables débris. Elle ne prête pas vraiment attention à leurs propos, jusqu'à ce qu'elle distingue cette phrase :
— Moi, je vais la réveiller et lui demander son téléphone !

Le jeune homme croise le regard de Lucy.
— Nous pourrions utiliser votre téléphone pour joindre le 9-1-1.
— Bonne idée. Je fais un appel.

Le jeune homme est visiblement satisfait. Elle compose le 9-1-1.
— La ligne est occupée… Pas étonnant, il doit y avoir des milliers de personnes qui appellent à l'aide avec ce qui arrive. Je vais réessayer périodiquement jusqu'à ce que la ligne se libère.

Mais après une dizaine de tentatives infructueuses, elle éteint à nouveau son téléphone. Elle tend la main au jeune homme d'abord, pour se présenter :
— Je suis Lucy Chambord.
— Je m'appelle Marc.
— Brian.
— C'est ton père, n'est-ce pas ?

Brian hoche la tête. Pourtant, elle s'est adressée au jeune homme. Elle poursuit :
— Tu es un jeune homme très courageux, Marc. Quel âge as-tu ?
— Merci madame. J'ai dix-huit ans.
— Et que faites-vous à Loleta ?

Marc hésite. Finalement, c'est Brian qui prend la parole.

— Marc habite… habitait ici avec sa mère. Elle est décédée d'un cancer il y a une dizaine de jours. Je suis venu le chercher afin qu'il passe la prochaine année avec moi, au Texas.

Lucy dit doucement :
— Je suis désolée de l'apprendre, Marc. Ta mère devait être une femme merveilleuse.
— Oui, elle l'était. Toujours pleine de joie et d'entrain. Elle avait un sale caractère, mais je m'y accommodais, ajoute-t-il sur un ton de regret.

Puis il baisse la tête et dit tout bas :
— Elle me manque.

Lucy et Brian sont muets devant cet aveu. Quelques minutes plus tard, la sonnerie de son portable retentit. Lucy sursaute et se lève d'un bond.
— Allo ?
— Salut Lucy, c'est moi.
— Salut. Et puis, t'as du neuf ?
— Oui et non. Quelqu'un veut te parler.

Sans ajouter un mot, il passe le combiné à ce quelqu'un.
— Maman ?

Le cœur de Lucy bondit dans sa poitrine et elle reste sans voix pendant un instant. Il répète :
— Maman ? Maman !
— Salut mon cœur, comment vas-tu ?

Les larmes inondent ses yeux. Cela lui fait tellement plaisir de lui parler ! Sa voix se fait petite et tremblante.
— Ça va bien, répond Logan. Mon oncle Denis dit qu'il y a eu de grosses vagues dangereuses où tu es. C'est vrai ?
— Oui, mais ça va maintenant.
— Je m'ennuie maman. Tu reviens bientôt ?

Pincement au cœur. Lucy répond néanmoins :
— J'espère très bientôt, mon trésor. Je t'aime, tu sais.
— Oui je sais. Maman, il y aura une fête à l'école, la fête spéciale de l'Halloween. Est-ce que je peux y aller ? Je vais me déguiser en pirate.

Elle sourit.
— Quelle bonne idée ! J'aimerais tant pouvoir te faire un câlin maintenant…

— Moi aussi. Maman, je vais dormir encore chez oncle Denis, et on va regarder un film avec Gab et William en mangeant du pop-corn! dit-il tout excité.

— C'est super Logan! Alors, je te souhaite une belle journée avec tes cousins et je t'embrasse bien fort. Je t'aime mon chéri.

— Maman, tu vas revenir demain?

Lucy déteste mentir.

— J'aimerais beaucoup. Je vais travailler fort pour y arriver mon cœur, ça, c'est sûr. D'accord?

Il est silencieux.

— Logan?

— OK maman. Je vais t'attendre, mais ne sois pas trop longue encore. Au revoir maman! lance-t-il avant de passer le combiné à son oncle.

Cette conversation redonne courage et espoir à Lucy.

— Merci beaucoup. C'est une belle surprise. Ça m'a fait du bien, finit-elle dans un soupir.

— Tant mieux.

— As-tu des nouvelles?

— En fait, les bulletins de télé montrent des images de plusieurs endroits qui ont été submergés par les vagues, des endroits détruits par les puissants tremblements de terre et des volcans qui montrent des signes évidents d'éruption imminente à plusieurs endroits dans le monde... Les reporters disent aussi que les secours prendront du temps à arriver. Apparemment, tout le monde est à court de ressources... Le désastre est d'une telle ampleur! Ils anticipent déjà des millions de morts à l'échelle planétaire.

— On est laissés à nous-même, alors. C'est bien ça? lui demande-t-elle.

— J'ai peur que oui... De quoi ça à l'air maintenant?

— C'est beaucoup mieux. La mer se retire graduellement, et de petites vagues de trois à cinq mètres continuent de heurter la tour. Si ça diminue davantage, peut-être pourrons-nous descendre, traverser la vallée pour rejoindre les montagnes...

— Bonne idée. Mais sois prudente.

— C'est sûr. À bientôt.

— D'accord.

Le jeune homme pose ensuite un regard insistant sur elle, et elle devine sa signification. Elle fait de nouveau des appels au 9-1-1, mais la ligne est toujours occupée.

— C'était votre petit garçon tout à l'heure? lui demande le jeune homme.

— Oui.

— Vous l'aimez beaucoup, madame, ça se voit.

— Oui, je l'aime beaucoup.

— Votre mari vous a-t-il rapporté des nouvelles ?

— Mon mari ? Puis elle comprend qu'il fait allusion à son frère.

— Oh, je parlais à mon frère. Mon mari est décédé voilà bientôt deux ans.

Elle marque une pause et poursuit :

— Il a dit que toute la côte ouest est dévastée, qu'il y a eu de nombreux tremblements de terre aussi. Apparemment, il y aurait des millions de morts. J'ai l'impression que nous devrons nous débrouiller seuls, ajoute-t-elle.

Brian, qui écoute silencieusement la conversation, s'exprime :

— Cela veut dire que nous devons choisir entre descendre et tenter de rejoindre les montagnes ou rester ici et attendre les secours.

Ils réfléchissent silencieusement. Puis Marc parle le premier :

— Je suis d'avis qu'il faut partir d'ici. Je connais bien la région, et je pourrais nous guider vers Fortuna ou Eureka.

— Mouais… Mais si de nouvelles vagues arrivent pendant que nous sommes au sol, nous n'y échapperons pas. Et c'est sans compter qu'il sera difficile d'avancer dans cette boue et ces débris. Au mieux, il nous prendra deux bonnes heures pour rejoindre la colline la plus près, fait Brian.

Lucy est confuse et se lève pour se dégourdir les jambes. Elle regarde les débris qui jonchent la vallée, certains toujours ballottés par les flots et d'autres devenus trop lourds gisant simplement à l'envers. Les aéronefs ont d'abord été emportés dans le fond de la vallée, puis dispersés un peu partout. Et aussi loin que porte son regard, Lucy voit des corps gisant parmi les débris ou flottant, à moitié dénudés. « Brian a raison. Tout est sens dessus dessous en bas. » L'eau brune transporte d'innombrables vignes. Une dizaine de gros débris sont agglutinés au pied de la tour et certains s'accrochent encore à ce qui reste de la passerelle située au-dessus du toit de l'aérogare. En face, elle distingue le viaduc de l'autoroute encombrée et quelques structures d'édifices mises à nue qui ont tenu le coup. Tous les autres bâtiments ont été complètement rasés, jusqu'à la fondation.

Le jeune homme se lève à son tour et se dirige d'un pas décidé vers l'échelle menant au petit toit. Inquiets, Lucy et Brian courent derrière lui.

— Que fais-tu ? lance son père.

— Je descends, comme tu vois, dit-il en s'agrippant au métal mouillé.

— Attends ! C'est dangereux, rétorque Lucy.

Il ne dit mot et poursuit sa descente, mettant rapidement le pied sur le petit toit à moitié démoli. Son père descend l'échelle à son tour, tandis que Marc arpente la structure avec prudence pour atteindre la porte. Lucy les imite à contrecœur. Brian aide Lucy à atteindre la porte, qui est à moitié arrachée de ses gonds et gît lamentablement sur le côté. Marc entre le premier et se retrouve sur la passerelle de métal grillagée. Cette dernière est recouverte de débris de toutes sortes, à tel point qu'il leur est impossible de voir le plancher. Un gros débris, recouvert de branches et de feuilles, encombre le centre du palier. Curieux de voir de quoi il s'agit, Marc soulève les branches et découvre… une vache. Une vache noyée gît au septième étage de la tour.

— Comment diable? se demande-t-il, stupéfait.

Il secoue la tête et s'élance en direction de la petite cage d'escalier menant à la salle de contrôle. Mais l'escalier fragilisé cède soudain sous son poids en produisant un bruit métallique infernal. Son père étire le bras et le rattrape de justesse. Le lourd escalier métallique s'est détaché et encombre désormais l'ouverture menant à la salle de contrôle. Brian descend et tente de le dégager pour créer un passage, mais le l'escalier refuse de bouger. Résignés, Lucy et Marc s'assoient sur la passerelle, et ce dernier se prend la tête entre les mains en rageant de ne pouvoir partir de là. Brian arpente la pièce à la recherche d'une autre issue. Lucy s'adosse à la rambarde métallique, les yeux dans le vague.

Tout à coup, l'immeuble tremble violemment. Le bruit du métal cliquetant devient rapidement assourdissant, et le plancher grillagé menace de céder sous eux. La secousse est si importante que Lucy est incapable de se remettre debout. Elle est secouée comme une poupée de chiffon. Paniquée, elle s'élance à quatre pattes vers l'extérieur en direction des toits. Elle atteint le pas de la porte et s'assoit en travers du cadre. De larges morceaux de brique, de bois et de béton se détachent de la structure pour tomber dans l'eau boueuse sept étages plus bas. Des carreaux de vitre craquent à l'intérieur et tombent dans la salle. Un bruit métallique ahurissant se fait subitement entendre, et Lucy se protège instinctivement la tête de ses bras. La tour tremble encore plusieurs secondes, puis la secousse faiblit graduellement.

Reprenant son courage, elle se redresse et ouvre les yeux. Elle est surprise de voir Marc qui se tient sous elle. Il a les pieds appuyés contre un montant de bois et soutient son père d'une main en se retenant de l'autre, le visage rougi par l'effort. Elle s'empresse de lui prêter main-forte et de sortir l'homme de sa fâcheuse position, suspendu dans le vide. Le plancher grillagé a cédé sous la forte secousse et gît maintenant à plus de quatre mètres sous eux, dans la salle de contrôle démolie…

Brian est tiré d'affaire, et les trois survivants sont maintenant assis à cheval dans l'embrasure de la porte sans oser bouger. Leur promiscuité rassure momentanément Lucy. Mais, conscients de leur position précaire, ils s'accrochent l'un à l'autre, attendant anxieusement une prochaine secousse, qui ne vient pas.

Au bout d'un moment, Brian propose :
— Retournons aux antennes sur le toit. Elles représentent l'endroit le plus sûr, à mon avis.

Sans hésiter, Marc entreprend de longer le mur menant à l'échelle. Les deux autres imitent ses moindres gestes, arpentant les montants dénudés avec précaution. Ils atteignent finalement le toit supérieur et s'installent chacun au pied d'une antenne. Ces dernières se dressent fièrement et ne semblent pas avoir été affectées par le terrible tremblement de terre. Mais le toit s'est fissuré sur toute sa longueur, laissant voir une partie de la structure métallique fragilisée.

Quelques minutes plus tard, une nouvelle secousse se produit. Elle est moins vigoureuse que la précédente, mais aussi longue. Les antennes vibrent et oscillent, obligeant les survivants à lâcher prise et à s'allonger sur le ventre. L'instant d'après, le petit toit s'effondre dans un bruit sonore de métal et de bois entrechoqués, et une fine poussière s'élève de la structure effondrée. Lucy hurle de terreur, aussitôt imitée par Marc.

La secousse s'atténue progressivement et le toit supérieur tient le coup. La fissure s'est élargie et fait maintenant plus de vingt-cinq centimètres de largeur sur la moitié de la surface. Trois autres petites secousses secondaires suivent, suscitant stress et désespoir chez les survivants. Une dizaine de minutes passent sans nouvelle secousse. Lucy a soif, et les rayons du soleil réfléchissant sur l'eau lui brûlent les yeux. Elle se tient accroupie au pied de l'antenne et tire le téléphone de sa poche pour appeler son frère.

Il répond sur-le-champ.
— Den, c'est moi, dit-elle d'un ton plaintif.

Elle marque une pause et poursuit.
— On vient de subir deux gros tremblements de terre… Je pense bien que la tour va s'écrouler d'un moment à l'autre. On est coincés ici. J'ai peur…
— OK, calme-toi. Dis-moi ce que tu vois.

Elle soupire.

— Rien de plus que tantôt. On ne peut pas descendre au sol ; l'accès est bloqué. De toute façon, de nouvelles vagues déferleront bientôt, j'en suis sûre. La tour tient encore debout par je ne sais quel miracle...

Elle parle d'une petite voix en s'efforçant de ne pas pleurer.
— Lucy, respire à fond plusieurs fois. Tu dois te calmer, petite sœur, dit-il d'une voix douce...
— Oh ! Mon Dieu, Den, c'est horrible... Promets-moi de prendre soin de Logan.

Il l'interrompt aussitôt :
— Ça suffit. C'est de toi qu'il faut prendre soin maintenant. Calme-toi, ça va aller.

Au bout d'un moment, elle se calme et raccroche, alors que l'étrange pressentiment ressenti plus tôt l'envahit de nouveau. Tout à coup, un bruit de moteur attire leur attention. Il provient de l'arrière de la vallée, à l'est. Après quelques secondes d'observation, ils distinguent dans le ciel bleu un hélicoptère. Marc hurle de joie et s'agite dangereusement sur le rebord du toit fissuré. Il enlève son t-shirt et le fait virevolter dans tous les sens, espérant ainsi attirer l'attention sur eux. Lucy et Brian agitent les bras. L'appareil blanc portant une inscription d'une chaîne de télévision locale approche rapidement dans leur direction.

D'où elle se tient, Lucy aperçoit le pilote, assis seul à l'avant, et deux autres personnes qui occupent les sièges arrière. Ces dernières ouvrent la porte de côté toute grande. Un caméraman filme la scène et une jeune femme aux cheveux roux bouclés leur fait de grands gestes de la main, les invitant prestement à se rapprocher. La jeune femme hurle quelque chose et semble réellement paniquée. Mais le bruit du moteur étouffe sa voix et aucun des survivants ne saisit ses paroles.

Lucy est désarçonnée un court instant sous la puissante rafale produite par les hélices. Elle se retient fermement à l'antenne. L'aéronef ne peut se poser, et le pilote approche l'hélicoptère très près du mur nord, à l'opposé des antennes. Ses patins se trouvent à moins d'un mètre du rebord, et le pilote stabilise son appareil en maintenant cette position. Marc, toujours premier, traverse le toit avec précaution à quatre pattes jusqu'au rebord de l'immeuble. Il se met debout puis s'élance sans hésiter sur le patin. L'hélicoptère oscille légèrement puis reprend sa position. La jeune femme et le caméraman l'aident à grimper à bord. Brian emprunte le même itinéraire et passe à son tour devant Lucy. Cette dernière tente de contrôler sa peur, mais elle est terrifiée à l'idée de se détacher de l'antenne. Brian a déjà atteint le rebord du mur. Il se relève lentement, en conservant son équilibre. Lucy remarque que les passagers s'agitent soudainement. L'appareil s'élève de quelques mètres et redescend au même endroit. Les passagers deviennent hystériques et se disputent.

— Mais que se passe-t-il? murmure Lucy.

Marc hurle quelque chose à son père et pointe en direction de l'océan. L'hélico cache la vue à Lucy, mais celle-ci remarque l'expression figée de Brian, suivie de sa vive réaction. Il tend la main avec insistance à son intention, et elle s'élance finalement à quatre pattes. Ils s'accrochent l'un à l'autre, lorsqu'un vent violent en provenance du large les assaille et pousse l'hélico sur la gauche, l'éloignant du rebord du toit pendant plusieurs secondes. Au même moment, Lucy aperçoit par-dessus l'épaule de Brian un autre tsunami s'avancer dans la vallée. Elle arrête de respirer. Un frisson de terreur parcourt son corps et fait se dresser le poil sur ses bras, car ce mégatsunami est d'une hauteur sans précédent. Rien à voir avec les autres. «C'est insurmontable», se dit-elle avec un air terrifié, prête à abandonner.

Jamais un être humain n'a été témoin d'un tel tsunami. Bien que personne n'ait été en mesure de calculer la hauteur exacte de cette vague, les experts en déduiront plus tard qu'elle mesurait au moins trente mètres de haut.

Lucy sent sa fin toute proche. Ses membres paralysés par la peur refusent de bouger. Ses yeux fixent avec terreur ce tsunami impitoyable qui fonce sur eux… Mais Brian tire Lucy fermement par le bras vers l'appareil, qui s'approche à nouveau. L'hélico se stabilise un court instant, et elle lit la terreur sur le visage des passagers. Brian place sa main devant les yeux de Lucy et fait un décompte avec ses doigts. Brian veut qu'ils sautent ensemble sur le patin de l'hélico. Son cœur bat à tout rompre et ses cheveux fouettent son visage sous les puissantes rafales. Trois, deux, un…

Ils s'élancent et Lucy ferme les yeux. Brian atterrit debout sur le patin et s'agrippe à la rampe. Lucy atterrit douloureusement sur l'abdomen. Marc l'attrape fermement par les cheveux et elle hurle de douleur tandis que la jeune femme la tire par les bras. Elle est hissée rapidement à bord. Déjà, l'hélico repart en virant sur sa gauche et les passagers sont fortement projetés les uns contre les autres. Ils survolent la vallée submergée en direction de l'est à grande vitesse, la porte demeurée grande ouverte à côté du caméraman.

La femme rousse hurle de terreur en voyant le monstrueux tsunami qui gagne du terrain, détruisant la tour comme un vulgaire château de cartes. Le pilote hurle :

— La charge est trop lourde! Je n'arrive pas à prendre de l'altitude. Viens te placer à l'avant pour équilibrer le poids!

La jeune femme rousse s'exécute aussitôt sans cesser de hurler. La bouche grande ouverte, elle garde les yeux fixés sur le monstre. Lucy s'agrippe fermement au dossier du siège avant et n'ose pas regarder derrière. Le caméraman, filmant toujours, a le corps à moitié sorti de l'hélico et se tient d'une seule main. Il est visiblement enthousiaste de capter ces images uniques. L'hélico fonce sur les collines à une vitesse vertigineuse, mais demeure incapable de prendre suffisamment d'altitude. Lucy sent sur sa nuque la froide humidité de la brume précédant le tsunami. Elle ferme les yeux et les ouvre subitement en entendant les cris de terreur de Marc. L'immense écume du sommet de la vague est à quelques mètres au-dessus de leurs têtes et s'apprête à s'abattre sur eux. La jeune femme rousse devient littéralement hystérique, cherchant instinctivement à s'éloigner du monstre. «On n'y arrivera jamais», songe Lucy, blanche de terreur en voyant l'hélico se rapprocher d'une colline à toute vitesse.

Le mégatsunami frappe l'hélico et la paroi montagneuse en même temps. Une énorme trombe d'eau gicle vers le haut, propulsant alors l'hélico en hauteur. Le pilote perd le contrôle de l'appareil à moitié rempli d'eau, qui valse dangereusement au-dessus des vignes avant de percuter les branches d'un Redwood. L'hélico s'écrase plusieurs mètres plus haut sur la colline dans un fracas épouvantable après deux tonneaux. Il s'immobilise enfin sur son flanc gauche à travers un champ de vignes.

Au moment de l'impact, Lucy est projetée contre le dossier du siège avant et roule dans l'habitacle avec les autres passagers en hurlant. Brian fait une pirouette involontaire pour se retrouver dans le tableau de bord, tête première. Des étincelles jaillissent, et une fumée s'échappe aussitôt des instruments de navigation. Dès le premier tonneau, Marc est éjecté à l'extérieur par la porte restée ouverte. Le pilote gémit de douleur, tandis que la jeune femme rousse devient soudainement silencieuse.

Une épaisse fumée envahit rapidement l'habitacle. Marc se relève en boitant et rejoint l'appareil en criant le nom de son père. Lucy se tient la tête à cause de la douleur, mais discerne sa voix. Le sang chaud coule de son cuir chevelu et descend sur sa tempe gauche, puis sur sa joue. Elle tousse et réalise qu'ils se sont écrasés sur les flancs de la colline, hors de portée du mégatsunami. À tâtons, elle escalade les bancs pour atteindre la sortie située au-dessus de sa tête. Elle tousse de plus belle, car l'épaisse fumée envahit ses poumons. Ses yeux brûlent, l'empêchant de voir clairement. Une solide main l'agrippe et la tire à l'extérieur. C'est Marc.

Le jeune homme, à peine blessé, entre dans la carlingue enfumée pour secourir son père évanoui. Peu de temps après, il crie à l'aide, et Lucy y retourne après avoir inspiré quelques bonnes bouffées d'air. À travers l'épaisse fumée, elle distingue une longue branche de Redwood qui traverse l'avant du cockpit sur toute sa largeur. Brian est étendu entre les deux sièges avant, sous la branche. Ils l'extirpent de sa fâcheuse position et l'étendent dans l'herbe haute quelques mètres plus loin. Il est salement amoché et inconscient. Il a une blessure ouverte au bras droit et une énorme ecchymose à la tête, qui gonfle à vue d'œil.

Marc demeure auprès de son père tandis que Lucy retourne à l'hélico. Le pilote hurle de douleur. Avant d'entrer, elle jette un bref coup d'œil sur la vallée. Elle ne voit qu'une immensité bleue partout. La tour a disparu sous les flots. Elle s'étouffe en entrant dans la carlingue. Le pilote geint et enlève son casque. Il dit :
— Elle est morte.

Il désigne la femme rousse à ses côtés. Cette dernière est toujours assise sur son siège, la tête penchée en avant, ses cheveux cachant son visage. Lucy constate avec effroi que la longue branche d'un petit diamètre traverse sa cage thoracique de droite à gauche. Lucy est si désolée de voir la jeune femme morte… « C'est injuste », se dit-elle. La fumée toxique lui fait horriblement mal aux yeux et à la gorge, et elle s'apprête à porter secours au pilote, qui l'interrompt :
— Nous sommes liés à jamais, dit-il, en fixant toujours la jeune femme rousse.

Les yeux du pilote semblent flous… Elle ne comprend pas ce qu'il veut dire, mais comme le temps presse, elle se penche pour détacher la ceinture, et sa main touche alors la branche. Cette dernière traverse également une partie de l'abdomen du pilote. La branche du Redwood s'est insérée à travers la portière côté passager pour terminer sa course de l'autre côté, transperçant du même coup le pilote et la femme rousse… L'impact contre l'arbre géant a été brutal. Fatal pour ses sauveteurs…

Lucy ne peut tolérer la fumée et vomit entre les sièges. Elle est intoxiquée. Alors qu'elle sort enfin sa tête de la carlingue, un autre tsunami se fracasse sur la colline, et l'eau lèche la carcasse de l'appareil. Elle saute et trébuche vers le sommet de la colline, haletante, toussant et crachant. Marc soulève son père inconscient et le porte sur une trentaine de mètres. Les survivants zigzaguent à travers les vignes regorgeant de fruits mûrs. Lucy est dans un piteux état. Des larmes laissent des traces propres sur ses joues salies par la fumée nocive et son maquillage défait. La fumée a encrassé ses poumons et rougi ses yeux. Elle vomit une fois de plus avant de se laisser choir aux côtés des deux hommes. Brian est toujours inconscient. L'eau menaçante continue sa progression vers le sommet et les force à réagir aussitôt. Ils soutiennent Brian sous les bras et titubent en direction du sommet où se dresse un vieux moulin à vent.

Ils ont tout juste le temps de s'y rendre que l'eau inonde la colline à hauteur des chevilles avec une force surprenante et soutenue, les faisant trébucher. Lucy est rassurée de trouver le vieux bâtiment tout rond fait de pierre des champs. Ils le contournent dans la hâte d'y trouver l'entrée ; une vieille porte en bois déverrouillée. Ils entrent sans hésiter et grimpent un escalier poussiéreux qui les mène à une hauteur de trois mètres du sol. Marc étend son père dans l'escalier et place sa tête sur ses jambes. L'eau entre par les interstices du mur inégal et par la porte. Le tsunami s'étend même jusqu'ici, recouvrant le sol du vieux moulin d'eau souillée et boueuse.

Brian reprend lentement conscience. Une petite ouverture dans le mur permet à Lucy de voir le site de l'écrasement. L'eau inonde la colline et de nombreux petits débris s'amassent ici et là, portés par le fort courant. Au loin, elle distingue la vallée entièrement inondée sous l'océan Pacifique. « Une image de fin du monde, irréelle », se dit-elle.

Marc brasse les épaules de son père sans ménagement. Brian se réveille lentement et ouvre des yeux hagards. Son fils paraît soulagé de le voir reprendre ses esprits et lui frotte les bras comme pour le réchauffer. Ils demeurent assis dans les marches pendant plus d'une heure, sans dire un mot, se remettant de leurs émotions. Brian souffre d'un affreux mal de tête et tient celle-ci entre ses mains. Lucy tousse toujours et éponge le sang qui s'écoule de sa tête blessée.

L'eau se retire tranquillement de la vallée, laissant derrière elle des milliers de débris. Lucy descend lentement les marches et sort avec précaution du moulin. Elle jette un coup d'œil aux alentours et constate qu'ils se trouvent sur une des premières collines verdoyantes, qui font partie d'une petite chaîne vallonneuse, se transformant en montagnes plus imposantes vers l'est. Peu après, Brian et Marc la rejoignent. La sonnerie de son téléphone la fait sursauter. Elle répond :
— Lucy, où es-tu ?
— Nous sommes sur une colline. À environ deux kilomètres de l'endroit où nous étions. Un hélico nous a secourus in extremis, mais s'est écrasé dans les vignes. Un tsunami gigantesque est arrivé en même temps que l'hélico, et on n'a pas eu de chance… Den, les gens qui nous ont sauvés sont morts… Ils sont tous morts…

En disant ces mots, elle réalise qu'elle n'a pas vu le caméraman dans la carlingue. Elle l'avait complètement oublié !

— Marc, as-tu vu le caméraman ?

— Oui… il est tombé de l'hélico quand le tsunami a frappé…

— Ohhh… fait tristement Lucy.

Son frère est silencieux au bout du fil.

— Den, j'ai le sentiment que c'est la fin du monde. Au sens propre…C'est inimaginable…

— Je comprends. C'est presque ça, en fait. Que comptez-vous faire maintenant ?

— Je n'en sais rien. On n'a pas discuté de ça. Mais j'ai l'impression qu'il nous faudra marcher dans les montagnes en direction de l'est.

— D'accord. Je crois que c'est une bonne idée. Quel est le niveau de la batterie sur ton téléphone ?

— Elle est à moitié.

— Ça va ? T'es blessée ?

— Non. Ça va aller… Je vais tenter de joindre à nouveau le 9-1-1.

— D'accord petite sœur. Sois courageuse et garde espoir.

— Oui.

Elle raccroche et tente à nouveau de rejoindre le 9-1-1. Sans succès. Marc retourne à l'hélico afin de récupérer du matériel. Il revient quelques minutes plus tard, transportant un sac à dos contenant une couverture, des bouteilles d'eau, un briquet, des mouchoirs, des barres de céréales et des croustilles, une lampe de poche, une veste pour homme, une petite trousse de premiers soins et la caméra, sanglée autour de lui.

— Je ne crois pas que les secours viendront à nous, dit-il. Je pense que nous devrions marcher en passant par les sommets en direction de Fortuna, à l'est.

— Je suis d'accord, dit Lucy.

Brian ne répond pas. Il est confus et demeure étendu sur le sol en gémissant.

— Mais je crois qu'on devrait attendre que ton père se sente mieux.

— Oui. On attendra.

Après une bonne rasade d'eau, Lucy aide Marc à panser les blessures de Brian. Ils attendent patiemment pendant plus d'une heure. Brian finit par s'asseoir et semble légèrement mieux.

— On prend une bouchée et on y va ? suggère Lucy qui a vraiment besoin de manger pour se redonner des forces.

Ils partagent une barre de céréales et des croustilles. Elle soutient Brian et emboîte le pas à Marc, qui marche devant en transportant le sac à dos et la caméra en bandoulière. Lucy se demande bien pourquoi le jeune tient à transporter cette lourde caméra.

Ils arpentent ensuite péniblement le sommet de la première colline. Les collines s'étendent sur près de trente kilomètres carrés, avec une élévation moyenne variant entre vingt-cinq et cent vingt mètres. Elles sont presque entièrement recouvertes de vignes et de quelques bosquets de Redwood.
— Par ici, on les appelle les collines vertes. Par delà, vers l'est, s'étend une chaîne de montagnes beaucoup plus imposante, avec des sommets atteignant les deux mille mètres. La forêt à cet endroit est composée de Redwood et de conifères. C'est la chaîne de montagnes des Cascades.

« Visiblement, le jeune connaît bien son coin de pays », se dit Lucy. Mais elle sait que le chemin sera long. Encore en état de choc, ils marchent en silence, observant la dévastation totale des alentours. Ils montent et descendent les pentes arrondies. Ils avancent difficilement au bas des collines, progressant parmi les amoncellements de débris apportés par l'eau qui s'est engouffrée entre les collines, laissant une épaisse boue. À leur grand désarroi, ils n'ont d'autre choix que de descendre, mais remontent précipitamment lorsque d'autres tsunamis inondent occasionnellement les petits vallons. La vue de cette eau meurtrière les terrifient.

Brian est toujours souffrant et désorienté. Il perd facilement l'équilibre et trébuche. Ils le soutiennent à tour de rôle. Ils marchent sans répit toute la journée, malgré la fatigue, le désespoir et les tremblements de terre. Lorsque la nuit tombe, les trois survivants s'abritent dans une vieille grange peinte en rouge située en haut d'une colline. Une cinquantaine de mètres plus bas, la résidence des propriétaires et les terres basses sont inondées sous deux mètres d'eau. Plusieurs débris gisent dans la boue. Ils aperçoivent une large vallée s'étalant sur six kilomètres de long par environ deux kilomètre et demi de large.
— C'est Jones Prairie, dit Marc.

Une rare plaine parmi les collines environnantes. Quelques bâtiments s'y trouvent ainsi qu'une route encombrée. Mais un silence inquiétant y règne. « Demain, nous devrons traverser cette prairie afin de rejoindre le prochain sommet. Autrement, le détour sera beaucoup trop long. Peut-être aurons-nous la chance de rencontrer des survivants alors… » songe-t-elle avec espoir.

Les survivants s'assoient par terre et mangent sans appétit les aliments remis par Marc, accompagnés de plusieurs grappes de raisin, dont les vignes regorgent. Avant de s'étendre, Lucy fait une nouvelle tentative d'appel au 9-1-1, mais n'obtient toujours aucune réponse. Elle appelle ensuite son frère et lui raconte brièvement leur marche épuisante dans les collines et l'itinéraire prévu pour le lendemain. Elle lui souhaite bonne nuit avec beaucoup d'émotion.

Puis, elle informe discrètement Marc qu'il serait sage de réveiller Brian deux ou trois fois cette nuit afin de s'assurer qu'il ne s'endorme pas trop profondément. Elle craint une commotion et croit qu'il risque peut-être de sombrer dans le coma… Marc est d'accord, et ils s'entendent pour se relayer. Étendue dans le foin sec et tiède de la grange, les mains sous la joue, Lucy s'endort rapidement, en observant sans les voir les outils de ferme accrochés aux murs…

Julie

Elle entend des craquements inquiétants dans l'immeuble et hésite un moment avant d'ouvrir la porte. Elle jette un dernier regard au père de famille mexicain qui se tient debout, les mains sur les hanches. Elle penche la tête en signe de remerciement et passe dans le couloir vide. Elle marche d'un pas rapide, mais chancelant, en direction des escaliers. Elle est pieds nus et l'eau salée mêlée à son sang dégouline sur le plancher de céramique en laissant une trace derrière elle. Elle glisse par deux fois et tombe sur les fesses, mais se relève prestement. Arrivée au bout du couloir, elle aperçoit l'endroit où était le restaurant il y a quelques minutes. Elle est bouche bée. L'énorme toit fait de billots de bois a littéralement été arraché et emporté contre le mur de l'immeuble central, bloquant l'ouverture du hall principal.

Elle monte deux à deux les marches et emprunte les corridors et les passerelles. L'espoir l'envahit : les planchers des quatrième et cinquième étages sont secs. Mais l'immeuble n° 1, où elle arrive, émet des craquements sourds inquiétants, et certains murs sont fissurés. À peine arrivée dans le couloir où se trouvent les enfants, Julie ne peut s'empêcher de crier leur nom en courant nerveusement dans le couloir.
— Émanuel ! Jonathan !

La porte de la suite est grande ouverte, et elle entend les voix de François et Rick. Ils argumentent :
— Il faut descendre sur-le-champ et venir en aide aux gens agrippés çà et là sur les balcons !
— Mais on ne peut pas laisser les plus jeunes seuls !

En proie à la détresse, les petits pleurent. Julie arrive en trombe dans la grande suite. Ils arrêtent net de parler, stupéfaits. Le plus vieux de la bande,

François, l'aperçoit le premier, et met ses mains sur sa tête tant sa surprise est grande. Il dit simplement :

— Ma tante…

Sur ces mots, les autres se tournent vers Julie. Ils sont fous de joie de la revoir, mais sidérés devant son état lamentable. Jonathan s'écrit :

— Maman !

— Maman ! fait aussitôt Émanuel.

La terrible allure de Julie donne la frousse aux plus jeunes, qui tiennent leurs distances et la regardent avec effroi. Les ados posent mille questions d'un air hystérique. Très émue, Julie serre Émanuel et Jonathan longuement dans ses bras. Elle baise le front de son cadet et renifle l'odeur familière de ses cheveux. Elle est si soulagée de les voir sains et saufs… Elle demeure un moment muette, savourant cette précieuse caresse. Sans répondre à leurs questions et sans prêter attention à l'hystérie collective qui règne, elle demande :

— Où est Jordan ?

Elle a rapidement remarqué qu'il manque un enfant.

Le petit Joey, au teint déjà bronzé, est le frère cadet de Jordan. Il répond :

— Il est parti avec maman et papa pour voir l'infirmière.

Pour la famille Jacobs, les enfants sont au cœur de leurs priorités. Leurs intérêts passent avant les adultes et, même, les ados. Chaque membre de la famille a cette valeur fondamentale tatouée sur le cœur. Julie baisse la tête sans rien dire, se doutant que Jordan et ses parents ont été emportés par les eaux déchaînées. Puis Joey ajoute en pointant du doigt son ami Léo :

— Léo a vomi.

Sans se donner le temps de se reposer, Julie dit calmement, mais fermement :

— OK, calmez-vous maintenant. Écoutez-moi.

Mais les ados continuent d'argumenter et de parler les uns par-dessus les autres, cherchant des solutions. Les adolescents Rick, François et Sam ne prêtent déjà plus attention à Julie. Chacun a son idée sur ce qui doit être fait et ils s'énervent bruyamment. Émanuel lui prend la main et dit sur un ton inquiet :

— Maman, tu es pleine de sang. Ça doit faire mal.

— Un peu, mais c'est pas grave.

— Maman, comment t'as fait ? J'ai vu le tsunami t'emporter… ajoute Jonathan sur un ton incrédule.

Étrangement, elle ne ressent pas la douleur. Elle est légèrement étourdie et a toujours la nausée. Mais elle est surtout préoccupée par les craquements sourds de l'immeuble qui perdurent… Les enfants sont de plus en plus troublés et les ados ne savent pas où donner de la tête tant ils sont fébriles et paniqués. Julie se rend à l'évidence : elle doit les calmer. Elle prend alors une grande inspiration et crie à s'époumoner :
— Ça suffit ! Vos gueules !

Ils se taisent subitement. Puis François s'avance vers Julie, et dit doucement :
— Calme-toi Lilie.

Julie repousse la tentative de François pour la calmer. Les jeunes insistent pour prendre soin d'elle, mais elle commence sérieusement à s'impatienter. À bout de nerfs, ressentant un urgent besoin de se faire entendre, elle siffle fortement avec ses doigts afin d'attirer leur attention une fois de plus. Ce sifflement strident les fait sursauter. Elle reprend la parole d'un ton ferme et sévère.
— Écoutez-moi bien maintenant. Tout le monde. Nous n'avons pas le temps de parler ici. Faites exactement ce que je vous dis où nous risquons tous de mourir ici même et très bientôt !

Ces paroles ont l'effet escompté ; les ados figent, puis elle les pointe du doigt :
— Sam et Angy, allez chercher les vêtements, videz les pharmacies et les armoires de salle de bain et placez tout ça dans les sacs à dos et les valises sur roues. Fouillez partout. Go ! Jo et Rick, allez récupérer toute la nourriture et l'eau, et mettez tout ça également dans les sacs à dos. Videz les quatre chambres sans exception. François, tu t'occupes des cordes. Tu dois trouver de quoi faire des cordes ; n'importe quoi. On va en avoir besoin. Dépêchez-vous tout le monde. Le temps presse. Go ! Go ! Go !

Au ton utilisé par Julie, personne ne s'oppose à ses directives, et ils s'exécutent rapidement, à son grand soulagement. Un nouveau craquement sourd retentit… Julie craint que l'immeuble ne s'effondre d'un instant à l'autre, consciente qu'il a reçu de plein fouet les terribles tsunamis destructeurs. En empruntant la passerelle, Julie a remarqué que les vagues ont frappé plus fortement les immeubles situés à gauche du complexe, à cause de l'angle. Les immeubles de droite semblent moins touchés, selon elle.

Elle demeure plantée là, debout au milieu de la pièce, les bras chargés de serviettes blanches apportées par son jeune fils. Il lui tend ensuite une bouteille d'eau déjà entamée et Julie la vide d'un trait. Léo et Joey, les yeux écarquillés, semblent très impressionnés par les blessures superficielles sur les jambes de Julie. Cette dernière remarque également que les enfants sont toujours en pyjama.

— Ça va les amis. Je vais bien. Ce ne sont que des égratignures. Mais maintenant, vous devez vous habiller; passez un chandail, un short et des souliers. Tout de suite.

Le petit Joey l'interrompt :
— Où est ma maman ?
— Je ne sais pas, mon amour… Je ne suis pas certaine.

Joey, du haut de ses trois pommes, est le plus jeune des enfants présents. Il a tout juste quatre ans et demi et il a déjà l'allure d'un petit homme, avec ses cheveux bruns bouclés et ses grands yeux bruns expressifs, identiques à ceux de sa mère. Julie ferme les yeux, souhaitant ardemment que ses parents aient eu la chance de s'en sortir…

L'immeuble vibre sous une forte secousse sismique. De larges morceaux de béton se détachent des murs extérieurs et tombent dans l'eau, dans de grosses éclaboussures. La force dévastatrice des eaux a mis à nu les poutres de soutien de l'immeuble, et Julie redoute que ce tremblement de terre les affaiblisse considérablement. Un silence s'installe dans la suite, alors que les enfants paralysent de peur sous les vibrations. Angy retourne dans la suite en sanglotant, tout en tremblant de peur.
— Ma mère est morte, murmure-t-elle…

Âgée de dix ans, Angy est suffisamment mature pour comprendre ce qui arrive. Julie ne dit mot, mais caresse ses longs cheveux. «Elle ressemble tant à sa mère», songe Julie : teint d'ébène, cheveux noirs, grands yeux bruns… Presque identique.

Julie observe la baie vitrée donnant sur le vaste balcon et remarque des gouttes d'eau sur la porte. Intriguée, elle se dirige vers le balcon détrempé et l'ouvre toute grande. Elle avance prudemment et a l'étrange impression que l'immeuble flotte en pleine mer… Ils sont complètement entourés d'eau, isolés… Même au sud de la large baie, elle ne voit que la mer, qui lèche les montagnes où se trouvait la charmante ville de Puerto Vallarta. Seuls les plus hauts édifices de bord de mer et les villas perchées dans les montagnes sont encore visibles. Ça et là, des coques de petits bateaux renversés sont dispersées dans la baie…

Julie songe à Benoît, l'imaginant avoir survécu, agrippé à un arbre quelque part. Ainsi que Lydia, Peter, Bélynda, Trish, Jordan et Danielle. Ses yeux se remplissent de larmes... Sans s'en rendre compte, elle serre fortement le métal forgé de la balustrade. Sa douleur se transforme rapidement en colère. Elle hait cet océan meurtrier qui vient de lui enlever des êtres chers. Mais cette colère devient malgré tout bénéfique, car elle lui redonne l'énergie et la volonté de combattre pour sauver les siens...

Un intense sifflement se fait entendre, et Julie réalise que c'est la mer qui se retire. Un impressionnant ressac. L'eau voyage en sens inverse devant ses yeux à une vitesse phénoménale, transportant des arbres, des planches de bois, une voiture, des corps, du feuillage, des chaises... L'eau brune frappe les immeubles par-derrière en faisant gerber de hautes trombes écumeuses. Le phénomène est spectaculaire et Julie se dit que, forcément, il y aura de nouvelles vagues destructrices qui frapperont à nouveau le complexe. Elle retourne vivement à l'intérieur.

Sam, Jonathan et Rick sont déjà de retour avec les sacs à dos et les bagages complétés.
— Tout y est? demande Julie, anxieuse.
— Oui, tout ce qu'on a pu trouver comme nourriture et breuvages, répond Rick.

Sam parle par-dessus :
— On a mis les vêtements des enfants et les nôtres. Mais j'ai aussi pris quelques vêtements de nos parents... dit-elle avec une lueur d'espoir dans la voix.
— C'est une bonne idée, Sam, répond Rick pour rassurer sa sœur.

François revient avec les bras chargés de cordons de rideaux tressés et deux cordes à danser appartenant à Angy. Il fourre le tout dans un sac à dos et empoigne trois autres sacs.
— OK. Parfait, dit Julie. Il faut partir maintenant et se rendre dans l'édifice d'en face en utilisant les passerelles. Nous devons faire vite avant que les vagues frappent à nouveau; l'immeuble risque de s'écrouler.

Mais Léo et Angy protestent en chœur :
— Non! Si on s'en va, nos parents ne nous trouveront pas!

Jo les rassure aussitôt :
— Vous avez raison. Alors, on va écrire une note qu'on va laisser ici pour qu'ils la trouvent. Ainsi, ils sauront où nous rejoindre.

Les enfants paraissent rassurés, et Jo écrit la note, qu'il place sur la table du salon. François s'adresse à Julie :

— Après, on ira secourir les autres, hein Lilie ?

François est le plus vieux des cousins présents. Il a dix-huit ans et est le fils unique de la sœur de Julie. Elle adore son filleul et en est très fière. Ce jeune homme, vivant pour l'instant chez son père, d'origine italienne, poursuit ses études collégiales. Autrefois petit garçon dynamique et souriant, il est devenu un bel homme charmant, sensible, dynamique et ingénieux. De taille moyenne, il est costaud et a la peau bronzée typique des Italiens, les cheveux bruns coupés à la mode et des yeux bruns perçants. De nature un peu rebelle, il est capable d'une maturité surprenante pour son âge. Pourtant, ce jeune homme brillant n'a pas toujours eu la vie facile dans son enfance, subissant les conséquences désastreuses d'une séparation douloureuse de jeunes parents frustrés et immatures. Il s'est même souvent retrouvé au milieu de furieuses tempêtes familiales. Mais au fil du temps les choses se sont calmées, et il s'en est sorti avec comme bagage une expérience de vie peu commune.

— Ça, c'est certain, répond-elle sur un ton déterminé. Mais avant, on doit se rendre en lieu sûr. Ensuite, on fabriquera une corde avec ce que tu as trouvé et on descendra au troisième étage. OK ?

Les trois ados hochent vivement la tête en signe d'approbation.

— On y va ! lance Julie à la volée.

Les trois cousins emportent tous les sacs à dos et les bagages. François marche en tête, suivi de près par Rick et Jo. Sam tient la main de Joey et Léo. Angy suit derrière, tandis que Julie tire son fils par la main, fermant la marche. Elle a mal à la tête et se sent encore étourdie. Sa nuque est raide… Elle prend plusieurs grandes inspirations alors qu'elle circule rapidement dans le couloir, toujours pieds nus. L'étage est désert ; les occupants ont quitté tôt pour se rendre à l'église ou à l'aéroport… Le trio de jeunes hommes dévale déjà l'escalier pour emprunter la passerelle sans attendre les autres. Sam hurle plusieurs fois en leur direction, en vain. Les jeunes hommes sont poussés par l'adrénaline et n'ont qu'une idée en tête : sauver des vies. Secourir la famille. Le plus vite possible !

En passant devant les ascenseurs, Sam entend des cris à travers les portes. Julie s'arrête également pour écouter. C'est une voix féminine. Elles ne parviennent pas à déchiffrer les paroles, car les sons sont étouffés. Sam appuie inutilement à plusieurs reprises sur les boutons pour ouvrir les portes. Julie cherche autour d'elle de quoi les ouvrir, mais ne voit rien. Puis Sam s'éloigne vers un placard et revient avec divers objets, dont un balai et un couteau de table. La porte de l'ascenseur est double et, à l'aide du couteau, elles réussissent à écarter légèrement la première porte. Puis, elles insèrent l'extrémité du balai à travers celle-ci, créant un effet de levier. Elles poussent sur le manche et la porte s'ouvre sur une largeur d'environ vingt-cinq centimètres. La seconde porte est légèrement entrouverte. Sam crie en même temps que la femme de l'autre côté, et Julie ne prête pas attention à ce qu'elles disent. Elle insère alors le balai dans l'interstice de la deuxième porte, et elles parviennent à l'ouvrir sur la même largeur.

Julie voit une femme assise par terre dans le noir. « Mais c'est Danielle ! »
— Oh mon Dieu ! Danielle ! Tante Danielle !

Sam pleure et rit tout à la fois. Julie est surprise et heureuse de la retrouver saine et sauve. Les trois femmes s'étreignent malgré la petite ouverture. Mais Danielle ne peut passer par l'étroit passage.
— Merde, dit Julie. Poussez-vous !

Julie est la plus petite et la plus mince des trois. Elle s'insère alors entre les portes et appuie son dos contre elles, poussant de toutes ses forces avec ses genoux et ses mains. Sam et Danielle aident en tirant chacune de leur côté. Julie réussit à insérer ses pieds et pousse de plus belle, les rebords de métal s'imprégnant dans son dos. Les portes glissent enfin. Danielle les rejoint à quatre pattes, et Sam l'aide à se relever. Danielle, voyant l'état de Julie et la panique qui règne chez les petits, demande d'un ton consterné :
— Mais qu'est-ce qui se passe ?

Julie se remet debout en frottant son dos endolori. Sans répondre, elle s'élance à nouveau dans le couloir, tirant Émanuel derrière elle. Sam répond tristement :
— Il y a eu un tsunami…

Puis elle empoigne Joey et Léo, tandis qu'Angy et Danielle suivent derrière.
— Un tsunami ? Oh mon Dieu… Mais où allons-nous ? Où sont les autres ?

Tout en marchant d'un pas rapide, Sam résume le peu qu'elle sait. Danielle écoute d'un air atterré. Elle pleure et ne cesse de répéter comme pour elle-même :
— Ça ne se peut pas… Oh non … Ça ne se peut pas…

Julie dévale les escaliers en tirant Émanuel par le bras. Ils atteignent l'immeuble d'en face en un rien de temps. Danielle traîne derrière et supplie Julie d'aller moins vite. Mais elle ne l'écoute pas. Elle ne ressent pas non plus la douleur de ses blessures et le froid tant son esprit est sollicité par son désir de se mettre en sécurité. Ils arrivent finalement au cinquième étage de l'immeuble d'en face, et Rick les accueille en s'écriant de joie en apercevant Danielle. Il s'empresse de la soutenir.

Danielle, Sam et les enfants s'assoient par terre dans le couloir et s'adossent au mur. Julie farfouille dans les sacs à dos à la recherche de ses vêtements. Sa robe fleurie est souillée de sang, mouillée et déchirée. Elle met rapidement la main sur sa paire de souliers de course, un t-shirt et un short de jogging qu'elle s'empresse d'enfiler rapidement sur place, sans même se cacher. Elle trouve un élastique de poche et attache ses cheveux en queue de cheval. Elle prend ensuite une serviette de plage qu'elle mouille légèrement avec de l'eau embouteillée et frotte doucement son visage, ses bras et ses jambes, afin d'éponger le sang et d'enlever le sel de ses blessures.

Elle rejoint rapidement François, qui fabrique une corde longue de dix mètres avec les cordons tressés. Les cordes à danser faites de tissus sont reliées entre elles et mesurent huit mètres. François utilise des nœuds doubles en huit et s'assure que les cordes de fortune pourront supporter le poids d'un adulte. Jo et Rick rejoignent Julie et François au bout du couloir. Ils se regardent intensément l'espace d'un instant. La testostérone et l'adrénaline sont élevées dans le corps des adolescents, et ils sont fébriles. Cette énergie contagieuse envahit Julie à son tour.

Elle se retourne vers Danielle et Sam, et demande doucement :
— Restez ici. S'il vous plaît, prenez soin des petits et gardez-les avec vous. Nous partons pour voir si nous pouvons aider à sauver des gens. Avec un peu de chance, des membres de notre famille....

Au même moment, un homme arrive en haut de l'escalier. Il est dans la soixantaine avancée, bien dodu et portant la robe de chambre blanche fournie par l'hôtel. Il a l'air désorienté. De toute évidence, il ne comprend pas ce qui se passe. Il ouvre les bras en signe de questionnement. Sam s'avance lentement vers lui et explique brièvement la situation. Julie jette un regard à Émanuel et lui envoie tendrement un baiser de la main. Il lui rend son baiser.
— Tu vas sauver papa ? dit-il avec une lueur d'espoir dans la voix.
— J'espère bien, mon chéri, j'espère bien.

Sans plus attendre, ils s'élancent tous les quatre comme des fous dans l'escalier.

Danielle

Depuis que les filles l'ont sortie de l'ascenseur, tout tourbillonne dans sa tête. Elle a du mal à assimiler ce qui se passe. « C'est impossible. Ça ne peut nous arriver à nous », se dit-elle. Elle a l'impression qu'elle va sortir d'une seconde à l'autre d'un mauvais rêve.

Assise à même le sol, elle écoute sans broncher Julie donner des directives, et elle est bien heureuse de pouvoir se reposer un peu. Elle a mal au bas-ventre ; l'hernie abdominale dont elle souffre a été malmenée par cette marche rapide dans les couloirs et l'escalier. Elle ferme les yeux quelques instants et frotte son ventre douloureux. Angy la rejoint et s'accroupit tout contre elle. La petite n'a pas cessé de pleurer et repart d'un gros sanglot. Danielle a un pincement au cœur. Elle passe un bras autour de ses petites épaules et la réconforte avec des mots d'encouragement à l'oreille :

— Ça va aller ma grande. Tes parents sont forts, je suis sûre qu'ils sont en sûreté quelque part. On va les retrouver. Garde espoir ma pitoune…

Elle dit ces mots avec espoir et conviction afin de rassurer la petite, mais elle n'y croit pas vraiment. Elle a bien vu la hauteur et la vitesse impressionnante du ressac, de même que l'état du restaurant où ils se trouvaient. Il n'y reste rien, mis à part quelques poteaux fixés solidement dans le sol. « Quelle chance de m'être retrouvée dans l'ascenseur au moment même… C'est sûr que je serais morte noyée à l'heure qu'il est. »

Et elle remercie silencieusement Dieu d'avoir épargné les enfants. Quelle coïncidence qu'ils n'aient pas été à l'extérieur ce matin-là. « Mais est-ce vraiment une coïncidence ? » se demande-t-elle, en les regardant tour à tour. Son cœur se remplit d'amour pour ces petits êtres innocents. Elle les appelle à elle et ils viennent tous se blottir contre elle et Sam, docilement. Sauf Émanuel, trop surexcité pour rester en place, et qui s'exclame haut et fort, racontant à qui veut l'entendre le récit de son témoignage. Mais ses yeux trahissent une profonde inquiétude.

Émanuel est un petit garçon de sept ans frêle et menu, mais énergique. De nature équilibrée, il est tantôt actif et sociable, tantôt solitaire et calme. Ses cheveux blond cendré et ses yeux pairs, habituellement de couleur vert kaki, lui donnent un air mignon et particulier. Unique même.

Le petit Léo hésite et traîne les pieds, mais finit par rejoindre ses camarades. Il a encore vomi lorsque les ados sont partis, il y a de cela quelques instants. Lorsqu'il est ému ou malheureux, Léo vomit. C'est sa façon à lui de vivre certaines émotions… Ce charmant garçon de huit ans est toutefois doté d'une intelligence supérieure à la moyenne et se démarque visiblement des jeunes de son âge. Sa peau blanche immaculée contraste avec ses cheveux noirs épais coupés à la garçonne, et ses longs cils lui donnent un air innocent. Sa tête bien ronde surplombe un petit corps mince et frêle. Il vit difficilement la séparation récente de ses parents, sa mère étant partie très loin de lui. Heureusement, son père et son grand frère Jonathan prennent grand soin de lui. Le petit évolue maintenant dans un monde masculin, où la fierté, l'humour, les jeux et une certaine tendresse règnent dans la maisonnée. Le fils de Franck est considéré comme un membre de la famille à part entière, au même titre que les autres petits.

Danielle songe avec inquiétude à sa jeune sœur Lydia. Elle s'efforce de ne pas pleurer devant les enfants, mais un douloureux pressentiment ne lui laisse rien présager de bon. Elle ferme les yeux et décide de prier pour ceux qui manquent à l'appel. Lorsque Danielle prie ou demande de l'aide, elle songe à sa mère décédée, et son tourment s'allège comme par enchantement.
Mais elle n'a pas le loisir de prier longtemps, les enfants réclamant son attention. Émanuel s'est souvenu que Danielle a toujours de la gomme dans son sac à main. Alors sans gêne, il lui demande d'une voix claire :
— Tante Danielle, as-tu de la gomme ?
— Oh oui !

Elle farfouille dans son sac à main et distribue la gomme aux enfants, qui sont momentanément ravis par le bon goût de la cannelle. Puis, elle est victime d'une bonne quinte de toux incontrôlable et devient écarlate. Elle mouille une fois de plus sa petite culotte et elle lâche un « zut ! » d'agacement. Depuis des années, elle endure ces quintes de toux incontrôlables provoquées par l'asthme et le reflux gastrique, sans rien pouvoir y faire. Les enfants, habitués, s'éloignent prestement pour lui permettre de reprendre son souffle.

La fébrilité d'Émanuel se propage maintenant aux autres enfants. Il raconte comment « les grands » sauveront son papa. Le petit Joey, fébrile à son tour et motivé par les propos de son cousin, ajoute avec espoir et sur un ton convaincu :
— Mon papa et ma maman vont arriver bientôt.
— Et mes parents aussi ! conclut Angy. YOUPPI !

Les enfants sautillent de joie. Léo se joint à eux, gagné par leur enthousiasme. L'espoir leur donne des ailes. Danielle se sent mieux, l'espoir l'ayant aussi gagnée… « Et si …? » Les minutes passent et ils sont sans nouvelles. Ils patientent, le cœur rempli d'espoir. Mais Sam repère un nouveau tsunami qui fonce droit sur le complexe. Affolées devant l'amplitude de la vague qui gonfle en se rapprochant, les deux femmes regroupent les enfants et attendent que le monstre charge une fois de plus… Le bâtiment vibre violemment sous l'impact du puissant tsunami. Ils hurlent tous de terreur en se cramponnant les uns aux autres. Puis, la vibration s'estompe. Mais ils demeurent enlacés, jusqu'à ce que Rick se pointe dans le couloir et lance dans un cri de joie :
— Léo ! Viens voir !

Julie

Julie hurle à l'intention de Rick et François qui courent au-devant :
— Descendons au troisième étage !

Puis Rick ajoute :
— On a vu un homme accroché à un balcon du deuxième étage de l'immeuble central, face à la mer.
— OK, on te suit ! hurle Jo.

Ils dévalent l'escalier menant au troisième étage de l'immeuble central. Une fois dans le couloir, ils se penchent à une balustrade avec vue sur l'océan, lequel se retire toujours. Sur leur droite, à l'étage en dessous, se trouve un homme solidement accroché à la rambarde du large balcon donnant sur le luxueux bar. L'eau lui arrive à la mi-cuisse et passe par l'intérieur de l'immeuble. Un peu plus loin, une jeune femme est agrippée à la balustrade d'un autre balcon. Ils décident de joindre leurs efforts pour tenter de sauver l'homme d'abord, et la femme au loin ensuite.
— Mais il n'est pas question de descendre au deuxième étage et de risquer d'être emportés par l'eau. Il faut secourir cet homme du troisième étage, précise Julie qui a un peu de mal à se concentrer.

Rick et François crient à s'époumoner par-dessus le bruit de l'eau qui se retire, afin d'attirer l'attention de l'homme accroché au balcon. Après plusieurs tentatives, l'homme paraît les entendre. Il relève la tête et tourne son regard dans leur direction. Julie retient sa respiration. « Nom de Dieu ! »
— C'est Franck !
— Jo, c'est ton père ! Jo ! Jo !

Rick et François sont surexcités. Jonathan est immensément ému, et des larmes envahissent ses yeux. Mais Franck ne semble pas les reconnaître ou, du moins, il ne le démontre pas. Il est mal fichu et lutte farouchement pour rester accroché à la rambarde. Le courant le malmène. Après quelques instants de réflexion, ils décident de se déplacer à l'aide des balcons dans sa direction, afin de pouvoir se placer au-dessus de lui. Ils balanceront ensuite la corde pour le remonter vers eux.
— Rick, tu es notre meilleur grimpeur, tu pars en premier. Tu t'attaches, et François t'assure. Jo et moi, on sert de renfort, précise Julie, qui veut s'assurer que les directives sont claires et comprises afin d'éviter tout malentendu qui pourrait se révéler fatal.
— Ensuite, François te rejoint. Ensemble, vous ouvrez la porte vitrée et traversez la chambre pour ouvrir la porte donnant sur le couloir. Nous vous

rejoindrons. On répète le manège jusqu'au troisième balcon. Avez-vous compris ?

Rick semble impatient de partir et ne porte pas réellement attention aux instructions de Julie.
— Et si la porte vitrée est fermée ? demande François.
— On verra… Attendez ! hurle fermement Julie.

Elle retient Rick par le bras et les oblige tous à la regarder dans les yeux.
— Vous comprenez pourquoi je suis ici ? Parce que vous devez réaliser qu'on n'est pas au centre d'escalade. Si vous faites la moindre erreur, votre cousin mourra par votre faute.

Elle utilise volontairement un ton tragique en prononçant ces mots, car elle sait qu'elle touche ainsi une corde sensible. Quoique bien intentionnés, les jeunes hommes, surtout Rick, font parfois preuve de manque de jugement, et leur témérité pourrait leur être fatale. Elle désire les sensibiliser suffisamment pour qu'ils s'encordent minutieusement et appliquent les règles de sécurité nécessaires. Car même s'ils pratiquent l'escalade tous les quatre ensemble depuis deux ans, la situation est de loin beaucoup plus périlleuse.
— Tu as raison, Lily. On va faire attention, confirme François.

Jonathan et Rick acquiescent d'un air sérieux, réalisant l'importance de prendre les mesures de sécurité nécessaires. En guise de communion, les quatre grimpeurs collent leurs fronts ensemble un court instant, joignant les bras sur les épaules. Rapidement, François fabrique des harnais avec les cordes à danser, et ils utilisent la corde de fortune faite de rideaux tressés pour assurer Rick. François tient la corde fermement, passant un demi-tour autour de sa taille pendant que Rick part le premier pour escalader le mur extérieur.

De la sueur perle au front de François, tandis que Rick entame son parcours hasardeux. S'aidant simplement des coins et des inégalités de la brique, comme Julie l'a fait plusieurs minutes auparavant, Rick progresse avec précaution à l'horizontale. Il est de loin le plus agile d'entre eux ; c'est un sportif naturel. Ses cheveux bruns coupés très court, ses yeux bruns et sa barbe naissante lui donnent un air de bum de rue. Mais sous cette apparence désinvolte se cache un jeune homme sensible et vrai, prêt à donner un coup de main en tout temps.

François est le plus fort, et c'est lui qui supportera Rick en cas de chute. Il se tient sous l'arche et surveille la progression de son cousin, le pied calé contre le mur. Jo et Julie se tiennent derrière François, en renfort, retenant la corde. Rick doit parcourir une distance de quatre mètres pour atteindre le premier balcon. De longues secondes passent tandis qu'ils donnent du leste, à la demande du jeune grimpeur qui progresse.

— OK! Il est sur le balcon! s'exclame François, visiblement soulagé.

C'est à son tour. Jonathan et Julie assurent François pendant qu'il escalade le mur dans une traversée horizontale, suivant le même parcours que son cousin. Jonathan cale son pied et surveille la progression de ce dernier, qui arpente le mur avec agilité. François atteint facilement le balcon et se défait de la corde. Julie est soulagée de voir les deux jeunes hommes sains et saufs sur le premier balcon.

Presque aussitôt, une porte s'ouvre dans le couloir : c'est François.

— Allez, venez! lance-t-il.

Julie et Jonathan se ruent dans la chambre vide et atterrissent sur le balcon détrempé. Ils préparent la seconde ascension jusqu'au prochain balcon. Franck se tient toujours dans la même position, sur le rebord du vaste balcon en dessous d'eux, à plusieurs mètres sur leur droite. C'est une scène épouvantable à voir, et Jonathan est bouleversé. Il craint que son père ne lâche prise à tout moment, avant même qu'ils n'aient le temps de parvenir jusqu'à lui.

Rick est déjà sur la rambarde et se déplace sur le mur pour rejoindre le prochain balcon. Le processus se répète et François le rejoint rapidement. Mais la porte vitrée est verrouillée. Ils haussent les épaules dans un signe d'impuissance.

— Il faut briser la vitre! hurle Julie.

Elle entre dans la chambre à la recherche d'un objet lourd et massif. Dans un bagage à main des occupants disparus, elle trouve un cendrier de marbre de la grosseur d'un poing.

— Ça fera l'affaire, murmure-t-elle.

Jonathan lance l'objet en direction des jeunes hommes; le cendrier rebondit d'abord sur le mur et atterrit sur le balcon. Rick l'empoigne et fracasse la baie vitrée sans prendre le temps de se protéger. Des éclats de verre explosent partout, blessant les deux jeunes superficiellement sur tout le corps. Après un court moment de surprise et de douleur, François passe par la vitre éclatée, traverse la chambre inoccupée et ouvre la porte à Jonathan et Julie, qui s'empressent de les rejoindre. Julie examine furtivement les blessures des jeunes hommes; rien de grave, heureusement. Elle jette un regard désapprobateur à Rick, qui a agi trop rapidement, sans prendre le temps de réfléchir. Il s'excuse aussitôt auprès de son cousin blessé, et celui-ci lui tapote l'épaule, signifiant que ça n'a pas d'importance.

Une troisième fois, Rick escalade le mur menant en direction du dernier balcon, situé presque au-dessus de Franck. Mais à peine a-t-il débuté son parcours que son pied droit glisse, et il chute sur plus de deux mètres. François s'écrase brusquement contre la balustrade, tandis que Julie et Jonathan glissent sur le plancher recouvert de verre brisé. Surpris, ils supportent son poids, et la corde se tend en craquant dangereusement.
— Rick! hurle férocement François.

Rick reprend rapidement contrôle de son ascension, s'agrippant à la pierre rugueuse. Il remonte à leur hauteur et poursuit. Leurs cœurs battent la chamade et François transpire maintenant à grosses gouttes.
— Ouf! fait-il en se détendant lorsque Rick atteint finalement son but.

Il entame à son tour le parcours et progresse avec prudence… Jonathan et Julie sont inquiets, car le plancher glissant recouvert de morceaux de verre ne leur assure pas une bonne stabilité. Mais tout se passe bien, et François rejoint Rick rapidement. L'instant d'après, ils sont tous les quatre sur le dernier balcon. Rick et François hurlent des instructions à Franck. Celui-ci les reconnaît enfin et paraît vraiment heureux de les revoir. Mais il secoue la tête pour leur faire comprendre qu'il ne peut bouger.

Presque au même moment, Rick dit d'un ton légèrement impatient :
— Après son père, on part à la recherche de MES parents.

Rick garde bon espoir de retrouver ses parents vivants, maintenant qu'il réalise que les deux parents de Jonathan s'en sont sortis… L'eau se retire avec moins de vigueur, et le niveau a diminué sensiblement. La marée brune arrive à hauteur des chevilles de Franck et passe toujours par l'intérieur de l'immeuble, tourbillonnant de l'autre côté de la large rambarde de béton. Franck est accroché à l'extérieur de celle-ci, car de nombreux objets sont agglutinés à l'intérieur. On y distingue des tables, des chaises, de la vaisselle, des vêtements, de la verdure et un cadavre.

Les cousins disposent suffisamment de corde pour rejoindre Franck, mais de toute évidence, il ne peut s'y accrocher seul. Son bras gauche, replié contre son torse, semble blessé. Ils discutent rapidement des diverses possibilités pour secourir Franck. Julie refuse catégoriquement qu'ils descendent sur le balcon du deuxième étage, qui est beaucoup trop vulnérable face aux vagues… Ils optent donc pour la suggestion de François :

— Jonathan, descend jusqu'à lui. Vous revenez ensuite ensemble le long de la balustrade jusque sous le balcon. Toi, tu grimpes au mur et ton père, on le remonte ensuite tous ensemble. Qu'en dites-vous ?

Ils acquiescent tous d'un signe de tête. Et il va de soi que c'est Jonathan qui viendra au secours de son père. François teste la solidité de sa corde en utilisant son propre poids. La corde tient le coup, tout en émettant quelques craquements inquiétants.
— C'est mieux que rien… marmonne François.

Jonathan enroule la seconde corde autour de son cou et passe par-dessus la balustrade. Avec un regard légèrement anxieux, il s'accroche à la corde et se laisse descendre par Rick et Franck qui le soutiennent, alors que Julie assure derrière. Elle s'efforce de rester calme, voyant son fils ainsi risquer sa vie pour sauver celle de son père.

Jonathan a le même physique que lui, d'ailleurs. C'est presque un « copier-coller », dit souvent Julie. À seize ans, Jonathan est tous muscles et de taille moyenne. Ses cheveux châtains bouclés, coupés court dans le style militaire, lui donnent un air sérieux. Il porte de petites lunettes, cachant un peu ses charmants yeux couleur noisette en forme d'amande. Ce jeune homme, toujours de bonne humeur, dégage un calme rassurant, tout comme son père. Et tout comme lui d'ailleurs, il est légèrement timide avec la gent féminine, mais rayonne grâce à son large sourire éclatant. Son tempérament discret et mystérieux comme celui de sa mère lui confère un air étonnement mature pour son âge. Il a hérité de la même sensibilité spirituelle qu'elle et de l'esprit critique de son père. Depuis maintenant près de deux ans, Julie et Jonathan entretiennent des conversations d'ordre spirituel et sur des enjeux sociaux et environnementaux que peu de jeunes gens de son âge, et même d'adultes, sont en mesure d'alimenter. Elle soupçonne que son fils atteindra à l'âge adulte un niveau de conscience peut-être supérieur au sien. Elle est heureuse de pouvoir converser avec quelqu'un qui comprenne de quoi elle parle, et vice versa. Julie voit en son aîné une vieille âme ; une âme qui a déjà passablement cheminé.

Ses cousins sont nerveux. Si la corde cède, Jonathan tombera directement dans le tourbillon. Lentement et avec mille précautions, ils le font descendre vers le vaste balcon inférieur. Ce dernier atteint le dessus de la rambarde de béton sans complications. Il pose les pieds dessus et marche en équilibre en direction de son père. Il est maintenant à deux mètres de lui. Il contourne le monticule d'objets contre la rambarde et ne s'arrête même pas à la vue d'un corps barrant le passage. Il arrive devant lui.

Jonathan lit la peur dans le regard de son père. Pour la première fois de sa vie. Franck est terrorisé à l'idée de lâcher prise. Le cœur de Jonathan se gonfle d'amour pour cet être si cher à ses yeux. Il sait que son père n'est pas infaillible, mais il n'a jamais été ainsi témoin de sa vulnérabilité. Alors, sans hésiter, il le rassure et passe la corde sous ses aisselles. Son père lui sourit, mais il ne bouge pas. Jonathan vérifie la solidité du nœud et repart en sens inverse, tirant sur la corde attachée à son père. Ce dernier finit par céder devant son insistance et avance précautionneusement le long de la rambarde en s'aidant de son seul bras valide. Ils progressent ainsi jusqu'en dessous du balcon où les cousins et Julie les attendent. Jonathan remonte prestement ensuite sur le balcon.

— OK, on est prêts !

François se place le premier. Suivi de Jonathan, Rick et Julie. Ils s'apprêtent à le hisser lorsque Franck hurle quelque chose à François. Celui-ci ne comprend pas tout de suite et Franck répète, pointant l'océan de la tête. François tourne la tête vers la baie. Ses yeux s'écarquillent sans que ses compagnons ne soient témoins de leur échange. François, soudain paniqué, hurle sans les prévenir :

— Vite ! Vite ! Il faut le remonter. Goooooo !

Et il tire à lui seul le poids de Franck pendant un court instant, utilisant la balustrade comme point d'appui. Sans trop savoir pourquoi François panique ainsi, les autres suivent le rythme effréné de ce dernier. Franck hurle de douleur pendant la remontée, et la corde tendue craque dangereusement plusieurs fois. Les nœuds se resserrent. Alors que Franck pose le pied sur le balcon de l'autre côté de la balustrade, François l'empoigne sans ménagement et le bascule par-dessus. Franck hurle de douleur et s'effondre dans les bras des jeunes hommes. Jonathan proteste vivement devant le manque de délicatesse de son cousin.

— Attention ! Doucement !

— On n'a pas le temps ! Regardez !

Ils se retournent à temps pour voir un autre puissant tsunami se diriger droit sur eux. Il est encore plus gros que les précédents, alimenté par le ressac. Le tsunami brun chargé de débris inonde déjà les jardins. Ils se figent un moment, les yeux rivés sur cette vague meurtrière qui avance à une vitesse folle. Même Franck cesse de hurler pour la regarder d'un air terrifié. Pris de panique, ils se dépêchent de défaire les nœuds de la corde rattachant Franck et Jonathan à la balustrade. Leurs mains s'entremêlent et se bousculent contre le fer forgé, et Rick hurle de panique.

— Allez ! Allez !

François transpire à grosses gouttes et Julie croît que son cœur va sortir de sa poitrine ! À la dernière minute, alors que le nouveau tsunami se fracasse contre les premiers bâtiments, ils quittent le balcon en soutenant Franck sous les aisselles. Ils n'ont pas le temps de défaire le nœud autour de leurs abdomens, et les cordes de fortune traînent derrière eux alors qu'ils se précipitent dans le couloir. Ils atteignent le bas de l'escalier menant au quatrième étage lorsque le tsunami frappe l'immeuble central où ils sont, de plein fouet. La secousse les fait tous tomber au bas de l'escalier, et l'eau entre en trombe à l'étage sur un mètre de hauteur. Ils sont violemment projetés contre les marches, et une mer de débris les recouvre instantanément. La force de l'eau les écrase et les retient prisonniers à cet endroit, la tête sous l'eau. Rick, plus rapide que les autres, s'élance à temps sur les marches et rattrape de justesse la corde rattachée à Jonathan.

Il tire alors son cousin, qui à son tour attrape la main de sa mère. Ils se hissent difficilement hors de l'eau en haut de l'escalier. Les têtes de Franck et François sont toujours sous l'eau tumultueuse, puis réapparaissent subitement. Sans hésiter, Jo lance sa propre corde dans leur direction. François l'attrape et empoigne le t-shirt de Franck, rendu invalide par ses blessures. Aidé de Rick et Julie, Jonathan les hisse hors de l'eau à leur tour. Franck tousse et recrache l'eau de mer bruyamment alors que les jeunes s'empressent de le soulever sans ménagement.

Ils grimpent les marches à quatre pattes, dégoulinant et glissant. Ils traversent la passerelle à temps pour voir la jeune femme vue plus tôt être emportée par les eaux. Soutenant toujours Franck sous les aisselles, qui gémit et pleure tant la souffrance est aiguë, ils aboutissent enfin dans le couloir où les survivants les attendent. Ils s'affalent sur le plancher froid. Julie a de nouveau la nausée et se place à quatre pattes, se préparant à vomir de nouveau. Mais c'est Franck qui vomit subitement en haut de l'escalier. Léo se précipite le premier après avoir entendu les cris de Rick.

Le sourire du petit s'élargit lorsqu'il aperçoit son père. Il vient à sa rencontre et l'entoure de ses petits bras. Il pose sa tête contre sa poitrine et sourit de soulagement. Son père utilise son bras valide pour caresser les cheveux de son fils. Puis il dit doucement, d'une voix rauque, méconnaissable :
— Ça va aller maintenant, mon petit Léo. Ça va aller. Mais là, je dois me reposer.

Léo fait signe qu'il comprend et s'éloigne un peu. Franck s'adosse au mur. Il n'y a pas de banc, et il sait qu'il souffrira atrocement s'il tente de s'asseoir sur le sol. Alors, il se contente de rester debout... Il est salement amoché :

son œil gauche est entièrement rouge de sang, et il respire difficilement. Ses jambes sont recouvertes de plaies, d'égratignures et de grosses ecchymoses. Ses mains et ses bras sont également égratignés. Il tient toujours son bras gauche replié sur son ventre. Une coupure superficielle saigne sur le dessus de son pied dénudé. À son tour, Jonathan étreint son père. Doucement. Il est très ému et pleure en souriant. Il baise son front avec tendresse et lui dit, avec un petit sourire en coin :

— Tu sais qu'on te voit les fesses ?

En effet, Franck a pour tout vêtement son t-shirt bleu tendre et une seule chaussure de course…

François s'est étendu sur le dos et cache son visage de ses mains. Il est heureux d'avoir pu contribuer à sauver Franck, mais est accablé par la tragédie. Et il a eu peur d'y rester… La force du courant l'a vraiment ébranlé. Rick s'empresse de défaire la corde enroulée autour de Jonathan, tandis que ce dernier s'occupe de libérer délicatement son père de la sienne. Rick rejoint alors ses sœurs et Danielle, qui observent avec inquiétude la dévastation autour du complexe. Néanmoins, elles sont heureuses de voir Franck et gardent alors bon espoir de retrouver d'autres membres de la famille…

Julie soulève Émanuel et le serre dans ses bras. Elle est maintenant convaincue qu'il est peu probable de retrouver les membres de sa famille, morts ou vivants. « Ce dernier tsunami chargé de débris est beaucoup plus puissant que les précédents ; au moins neuf mètres. Personne n'est en mesure de survivre à ça… » croit-elle.

— Il faut trouver une chambre pour étendre ton père et lui donner des soins adéquats, murmure-t-elle à l'oreille de Jonathan.

— Ouais…

— Et bravo mon grand ! C'était courageux, lui murmure-t-elle tendrement à l'oreille.

Jonathan sourit fièrement en remontant ses lunettes. Il arpente le couloir et vérifie les portes, mais elles sont toutes verrouillées. Julie s'approche de Franck et lui passe délicatement une serviette de plage autour de la taille afin de lui procurer un peu d'intimité. Il grimace de douleur.

— Tu as mal aux côtes ?

— Oui.

— Je peux regarder ?

Il hoche la tête. Julie soulève délicatement son t-shirt. Son torse est bleuté à plusieurs endroits.

— C'est évident que tu as des côtes cassées.

— Ouais…

Elle regarde derrière son dos et constate qu'il a une énorme éraflure longue de plusieurs centimètres. À l'aide des sacs à dos et des bagages, elle confectionne un siège contre le mur. Il grimace et gémit de douleur, mais ferme les yeux une fois installé. Il est visiblement soulagé. Léo lui apporte une bouteille d'eau qu'il vide d'un trait en se gargarisant. Ses yeux larmoient et il entre en état de choc, tremblant de toutes parts sans pouvoir se contrôler. Jonathan recouvre les épaules de son père d'une serviette de plage et lui remet deux comprimés fournis par Danielle. Julie songe alors à Benoît et ses yeux se s'emplissent de larmes. Elle s'éloigne, silencieuse.

François et Rick discutent entre eux, et celui-ci trépigne d'impatience. Il est prêt à repartir à la recherche de ses parents. Il dit vouloir secourir ceux qui manquent à l'appel. Ne pouvant plus attendre, il quitte l'étage, François sur les talons. Julie et Jonathan quittent à leur tour quelques instants plus tard pour les rejoindre, un peu à contrecœur. Elle craint qu'ils ne prennent des risques inutiles et se sent obligée de les accompagner de nouveau, délaissant une fois de plus Émanuel.

En courant, Rick et François lancent des cris inaudibles à travers la passerelle à leur intention. Ils font de grands gestes des bras. Les jeunes sont fébriles et disent avoir aperçu la jeune femme de tout à l'heure accrochée sous la passerelle reliant les immeubles. Mais la fâcheuse position de la femme ne leur permet pas de lui prêter main-forte. Elle est accrochée à l'envers, à un mètre en dessous de l'eau.
— Pas moyen de grimper ou de lancer la corde d'où on est… En tout cas, aucun moyen sécuritaire de lui porter secours sans risquer notre propre vie, constate François.

Ils ont beau réfléchir, ils ne trouvent pas de solution. Rick s'impatiente devant leur inertie et suggère de s'attacher lui-même à la corde pour qu'on le descende dans la mer déchaînée afin qu'il attrape la femme… Mais ils refusent catégoriquement, ce qui le fait exploser de colère.
— Bande de lâches! On ne peut pas la laisser là! On doit au moins essayer de la sauver!

François rétorque :
— Oui, mais pas au risque de mourir nous-mêmes! Tu veux mourir pour elle?

Rick se ressaisit soudainement, réalisant pertinemment que François a raison.
— J'ai une idée; suivez-moi, dit tout à coup Julie.

Elle grimpe au cinquième étage du bâtiment voisin et accède à l'extrémité du couloir donnant sur la passerelle. Elle s'arrête net devant une ouverture et explique son idée :

— On relie les cordes entre elles, et on lance l'extrémité dans le courant pour qu'elle puisse l'apercevoir. D'ici, nous serons en mesure de la remorquer à travers le courant et elle longera le mur où nous sommes. Vous pourrez la hisser à partir du quatrième étage ?

Rick est le premier d'accord et s'élance déjà au quatrième étage. François lance la corde devant la femme, qui la voit immédiatement et tente de s'en saisir. Mais la corde s'éloigne dans le courant et s'emmêle dans les débris. François la dégage et la remonte. Au deuxième essai, la dame attrape la corde et s'élance sans hésiter dans le courant parsemé de débris végétaux et de bouts de bois. François et Julie tirent sur la corde et la femme disparaît sous la passerelle, hors de leur vue, en longeant le mur comme prévu.

Jonathan s'empresse alors de rejoindre Rick à l'étage inférieur. Il est estomaqué de voir ce dernier agrippé à l'extérieur, retenu d'une seule main à une petite rambarde décorative de fer forgé ; il s'étire au maximum pour attraper la femme qui se rapproche ! Mais soudainement, l'extrémité du fer forgé se détache du béton effrité, et son cousin dégringole contre le mur rugueux, les pieds trempant dans le fort courant. Jonathan hurle :
— Rick !

Paniqué, il s'élance et se saisit de l'autre extrémité, qui menace de se détacher, et hurle à son cousin de remonter. Rick tente de le faire, mais ses pieds glissent. Ignorant la situation précaire de Rick, François et Julie continuent de tirer la corde, et la femme s'approche de l'ouverture où Rick se débat. Mais la corde de fortune frotte vigoureusement contre la brique rugueuse, alors qu'elle se coince dans un arbre emporté par le courant. La corde se tend dangereusement et craque. Ils échangent un regard inquiet, souhaitant que la dame soit secourue rapidement avant que la corde ne cède…

La tête de Rick apparaît enfin par l'ouverture. Ce dernier s'agrippe au rebord de pierre, et Jonathan l'empoigne par le bras et le tire sans ménagement par-dessus. Ils s'effondrent sur le sol trempé et, au même instant, la corde de fortune cède dans un « TCHAC ! » sonore. François et Julie tombent à la renverse. François, d'abord surpris, ferme les yeux dans un douloureux sentiment d'échec. Ils réalisent que la femme vient d'être emportée par les eaux…

Julie s'élance dans l'escalier et rejoint les deux jeunes à l'étage du dessous, penchés à la fenêtre. Ils regardent la femme s'éloigner dans le puissant

courant. Elle lutte pour garder sa tête hors de l'eau et s'agrippe aux débris…
Rick est accablé :
— Non ! Non !

Julie baisse les yeux et dit :
— La corde a lâché…
— Oh non ! Merde ! On est des…

Il explose de colère encore une fois et lance des injures au monde entier. Jonathan s'effondre sur le sol et demeure silencieux. Julie s'assoit à ses côtés et prend sa tête entre ses mains. Ils se sentent terriblement coupables. François les rejoint lentement, le bout de corde dans les mains.
— C'est un nœud qui a lâché, dit-il d'un ton amer.

Visiblement, il s'en veut aussi. C'est lui qui a fait les nœuds avec les cordons de rideaux. Presque en cœur, ils lui répondent :
— Ce n'est pas ta faute…

Et Jonathan ajoute :
— C'est juste arrivé.

Il hésite un moment et poursuit :
— Il faut qu'on soit plus prudents, les gars. Rick a failli tomber à l'eau.

Il raconte brièvement l'incident qui a failli coûter la vie à son cousin téméraire. À l'unisson et sans même avoir besoin de se regarder, ils acceptent d'un simple hochement de tête. Une leçon de vie qui coûte cher… François se lève le premier et enroule le bout de corde restant autour de son cou. Ce geste les sort de leur torpeur et, silencieusement, ils explorent ce quatrième étage de l'immeuble central. Ils sont à la recherche de quoi fabriquer une nouvelle corde et détaillent du regard les murs extérieurs pour voir s'il y a quelqu'un d'autre à secourir… Ils arpentent la passerelle suivante en examinant la vallée au loin. François remarque alors un homme étendu sur un petit toit surélevé faisant partie de l'immeuble central, face au stationnement. Le petit toit peint en rouge est supporté par une structure de bois rond, typique des haciendas mexicaines. Sauf que le toit a subi les assauts répétés des vagues, et la plupart des tuiles ont disparu, laissant place aux billots de bois nus.
— Il y a un homme là, sur le toit de l'entrée, dit-il en pointant du doigt.

L'homme semble inconscient et son visage est tourné vers le fond de la vallée. Les pieds de l'inconnu touchent l'eau tourbillonnante, et de fortes éclaboussures parviennent jusqu'à lui. Mais l'inconnu ne réagit pas.
— Ça ressemble à Peter, murmure François. Vous ne trouvez pas ?

Ils examinent attentivement le corps inerte d'un air sceptique.
— Rick, ça ressemble à ton père ! hurle François, maintenant convaincu.
— C'est lui ! C'est lui ! C'est mon père !

Rick est surexcité. Il se précipite hors de la passerelle, descend un étage et tente d'ouvrir l'une des portes des chambres donnant sur le petit toit. Mais elles sont toutes verrouillées. Il cogne à toutes les portes à coups de poing sans ménagement.

Julie observe l'homme étendu puis remarque les motifs fleuris de sa chemise… «C'est la chemise que Peter portait ce matin au restaurant !» Elle est soudain émue et incroyablement surprise. Jonathan et François hurlent depuis la passerelle à l'intention de Peter, en vain. Ce dernier ne semble pas les entendre. Rick revient à la passerelle et hurle :
— On doit entrer dans une chambre ! On va défoncer la porte la plus proche. Venez, il faut descendre au troisième étage.

Ils s'élancent tous à sa suite. L'eau s'est retirée et le plancher de l'étage est mouillé. Un grincement soudain retentit et une tête apparaît dans l'embrasure d'une des portes situées du bon côté. Un jeune homme mexicain d'environ dix-sept ans sort de la chambre et demande timidement en espagnol :
— Si ?

Ils sautent de joie. «Quelle coïncidence !» Rick, tout énervé, débite un paquet de paroles et, bien entendu, le jeune mexicain ne comprend pas un traître mot. François s'interpose finalement et demande gentiment, en baragouinant quelques mots en espagnol :
— Nosotros puedo vamos… in tu casa ?

Le jeune homme hésite un instant, puis les invite à entrer. Une fillette d'environ six ans, portant des nattes, est assise sur un bureau et caresse nerveusement les cheveux de sa poupée. La chambre a été inondée et les bagages sont sur les meubles. Les pantalons du jeune homme sont remontés au niveau du genou. Rick, le premier, se dirige tout droit vers la porte vitrée surplombant le petit toit. Il l'ouvre toute grande et ils s'avancent tous sur le balcon trempé. Il s'agit bien de Peter. Rick et François hurlent une fois de plus en sa direction, mais ce dernier ne réagit toujours pas. Il a les yeux fermés et gît, complètement immobile.

Rick devient livide et murmure :
— Il est mort. Mon père est mort.

Et il s'effondre sur le balcon.

— Non, non. Il n'est pas mort, dit fermement Julie. C'est clair qu'il a réussi à monter sur ce toit par lui-même. Il ne nous entend pas, c'est tout. Il est épuisé ou évanoui, voilà tout.

François ajoute :
— Et je vois sa chemise se soulever lorsqu'il respire.
— Nous sommes encore trop loin, et la corde est trop petite ! désespère Rick.

Peter est à dix mètres et le bout de corde dont ils disposent est beaucoup trop court. Julie s'empare de cordons de rideaux de la chambre et les remet à François, qui les ajoute à sa corde en vérifiant les nœuds à deux reprises.

Rick tente désespérément de réveiller son père en hurlant comme un dément. Il s'apprête à s'élancer sur le petit toit, mais Jonathan le retient et réussit à lui faire entendre raison.

Julie cherche de quoi allonger la corde et tombe sur une petite cordelette retenant le rideau de douche. Elle s'empare aussi des rouleaux de papier hygiénique imbibés et rejoint les jeunes sur le balcon. François attache la cordelette à la corde de cordons tressée, tandis que Rick s'empare des rouleaux de papier hygiénique. Il lance avec précision, et le premier rouleau atterrit sur le flanc de son père et roule dans l'eau. Peter ne réagit pas. Il envoie un deuxième rouleau ; celui-ci atterrit sur sa nuque et roule sur son visage. L'instant d'après, Peter ouvre les yeux.

Fous de joie, Rick et Jonathan hurlent en gesticulant pour attirer son attention. Peter déplace son bras et soulève le rouleau de papier. Il semble confus et, visiblement, ne comprend pas comment cet objet s'est retrouvé là. Mais il referme les yeux et lâche le rouleau, qui roule dans l'eau. Rick lance le dernier rouleau, qui atterrit sur sa jambe, mais Peter ne réagit toujours pas. D'un geste impatient, il s'engouffre dans la chambre des Mexicains et en ressort avec des jouets de plastique et des chaussures. Sans demander la permission à leur propriétaire, il tire les objets sur le corps de son père qui, au bout d'un moment, revient à lui.

Au prix d'un pénible effort, Peter se soulève et s'assoit. Il remarque d'abord les menus objets autour de lui et lève lentement la tête. Ils sont terriblement soulagés et gesticulent sur le balcon pour attirer son attention. Peter les aperçoit enfin. Il fait un signe de la main et désigne ses oreilles pour signifier qu'il n'entend rien. Mais il sourit. Ou pleure ? Julie n'est pas certaine. C'est un tel soulagement de le revoir ! Ils sont tous vraiment émus.

Rick lance la corde en direction de Peter. Celui-ci la récupère rapidement et l'attache délicatement autour de sa taille en grimaçant. Et très lentement, il arpente à quatre pattes le petit toit fragilisé en direction de leur balcon. À trois reprises, sa main s'enfonce subitement à travers le toit affaibli. Ils craignent qu'il se retrouve dans le dangereux tourbillon de mousse brune où flottent des débris. Rick s'aventure de l'autre côté de la balustrade pour être le premier à secourir son père, tandis que Julie le retient par la ceinture de son pantalon. Au fur et à mesure que Peter progresse, François et Jonathan tendent la corde. Peter rejoint le mur de l'immeuble, et Rick s'étire prudemment pour aider son père à se relever et à enjamber la balustrade du balcon. Père et fils s'étreignent longuement en pleurant à chaudes larmes. C'est une scène très émouvante, et les autres survivants se joignent à leur étreinte.

Mais soudain, une violente secousse se produit et ils se réfugient précipitamment dans la chambre. L'intense tremblement est assourdissant, et un fracas se fait entendre au loin, suivi d'un craquement sourd au-dessus de leurs têtes. Le balcon du dessus s'effondre soudainement sur celui où ils se trouvaient, et les deux s'écrasent plus bas! Une poussière venue de l'extérieur envahit la chambre. Terrorisés, ils s'accroupissent sur le sol en se protégeant la tête de leurs bras, tandis que les murs se fissurent et que des morceaux de plâtre tombent autour d'eux.

La poussière se dissipe graduellement lorsque la secousse s'amenuise. Ils approchent alors prudemment de la porte vitrée et regardent, ahuris, l'amoncellement de balcons empilés plus bas. Ils échangent un regard angoissé et empoignent vivement Peter sous les bras pour se réfugier dans l'immeuble voisin. Ils invitent les deux jeunes Mexicains à se joindre à eux, mais ces derniers refusent. Le jeune homme leur fait comprendre qu'ils iront les rejoindre plus tard.

Résignés, ils quittent la chambre. En traversant précautionneusement la passerelle affaiblie menant à leur immeuble, ils constatent avec stupeur qu'une partie de l'immeuble blanc où étaient leurs chambres, l'immeuble n° 1, s'est effondré dans un nuage de poussière. D'énormes morceaux de structure, de maçonnerie et de bois jonchent la mer autour de l'immeuble maintenant en ruine… Ils s'attardent un instant sur la passerelle et Peter demande :
— Avez-vous retrouvé ma femme?

Rick secoue la tête avec des yeux de chien battu. Peter est atterré et se couvre les yeux d'une main. Jonathan dit à voix basse :
— Je ne crois pas qu'on retrouvera quelqu'un d'autre de la famille vivant. On a été chanceux avec papa et Peter…
— Je le crois aussi… fait Julie en songeant tristement aux autres.

L'adolescent passe un bras autour des épaules de sa mère. Mais leur attention est détournée par l'arrivée des jeunes Mexicains qui s'avancent avec leurs bagages. Le jeune se présente :
— Yo me llamo Pedro y mi herminia soy Isabelle.

Julie lui répond d'un sourire. Jonathan les aide avec leurs bagages et ils rejoignent la famille. Pendant le trajet, Pedro explique dans sa langue maternelle que ses parents sont partis à l'église. Ils habitent à Guadalajara. Pedro prononce ces paroles avec un regard qui en dit long sur sa détresse, car il sait pertinemment que ses parents n'ont probablement pas survécu aux tsunamis. Isabelle paraît angoissée aussi, mais elle est encore trop jeune pour réaliser pleinement l'ampleur de la tragédie.

Arrivant dans le couloir, ils entendent les cris excités d'Émanuel, de Joey et d'Angy, et les jeunes Mexicains paraissent rassurés de voir d'autres enfants. Julie est heureuse de retrouver son petit Émanuel, qui court à sa rencontre. Elle savoure cette étreinte.

Sam et Angy sont littéralement collées à leur père et pleurent de joie. La cadette demande anxieusement à son père s'il a vu sa mère et, malgré sa surdité temporaire, il comprend le sens de sa question. Il baisse les yeux et secoue la tête, le visage totalement défait. Angy explose en pleurs une nouvelle fois et Danielle l'étreint pour la réconforter. Elle est aussi ébranlée d'apprendre que sa jeune sœur n'a probablement pas survécu.

Plus tard, Peter raconte comment il a réussi à survivre :
— Lorsque la vague nous a engloutis, je me suis mis en boule et j'ai été transporté par les eaux. Je n'ai jamais revu ma femme et Benoît. Puis, un puissant tourbillon s'est formé lorsque le tsunami est passé entre les immeubles, et j'ai été projeté contre le mur de gauche, puis contre une balustrade. À peine ai-je réussi à m'y agripper que la deuxième vague s'est abattue sur moi et m'a arraché du balcon. J'ai ensuite été emporté par un nouveau tourbillon, mais j'ai réussi à grimper à l'un des billots de bois du petit toit où je me suis réfugié. J'ai rampé plus haut lors de l'assaut du troisième tsunami.

Peter, contrairement à Franck, a conservé tous ses vêtements, mais semble vraiment sonné. Il a aussi quelques ecchymoses sur l'abdomen. « Sûrement des côtes brisées », remarque Julie. Sans cérémonie, elle présente à la volée Pedro et Isabelle à sa famille.

Émanuel lui demande d'un air triste :
— Maman, vous n'avez pas retrouvé papa ?

— Non mon cœur.

Elle s'accroupit sur le sol et invite son fils à s'asseoir entre ses jambes.
— Je ne crois pas que nous le retrouverons, tu sais, fait-elle doucement.
— Ce n'est pas vrai. Tu te trompes ! Vous avez retrouvé le papa de Léo et d'Angy ! Alors, vous allez trouver le mien !

C'est logique, pour lui. Il est en colère et s'éloigne dans le couloir en proférant des menaces :
— Vous allez le retrouver, sinon…

Le petit homme a le cœur brisé et tempête douloureusement. Il ne peut envisager la terrible vérité. Déchirée, Julie baisse la tête et cache son visage entre ses mains. Quelle horrible annonce à faire à son enfant ! Elle et Peter échangent un regard douloureux et impuissant, devant la souffrance de leurs enfants.

Peu de temps après, Émanuel revient sur ses pas et se jette dans les bras de sa mère, laissant libre cours à son chagrin. Il pleure à chaudes larmes pendant de longues minutes, et elle se balance d'avant en arrière en lui murmurant des mots doux. Elle pleure aussi. Sam en fait autant avec le petit Joey, qui désespère de ne pas voir ses parents et son grand frère… Ceux qui comptaient le plus pour lui sont disparus. C'est une scène affreusement déchirante pour tout le monde, et chacun est accablé par le poids de ces lourdes pertes.

Une vingtaine de minutes passent dans un silence entrecoupé de pleurs et de gémissements. François s'avance alors :
— Jonathan et moi allons essayer d'entrer dans la suite à l'autre bout de ce couloir pour qu'on s'y installe.

Les deux cousins s'éloignent du groupe éprouvé et discutent ensemble à voix basse. François revient chercher la corde de fortune, et Julie s'informe de leur plan.
— On va monter sur la passerelle reliant les immeubles pour accéder au balcon extérieur. Et je te jure qu'on ne prendra pas de risques inutiles, s'empresse de préciser François, qui anticipe déjà la protestation de Julie.

Soudain lasse et accablée, elle cède en leur faisant promettre de demeurer prudents. Les deux cousins parviennent dans la suite sans incident. Ils invitent la famille à s'y rendre et installent Franck et Peter dans les fauteuils confortables, tandis que Julie s'assoit sur l'un des lits et remonte ses jambes sous son menton en tremblant. La grande suite est identique à celle qu'ils occupaient dans l'autre immeuble ; deux grands lits, un coin salon comptant un divan-lit, une salle à manger, le tout agrémenté de trois fauteuils confortables. Émanuel rejoint tristement ses cousins pour jouer aux cartes.

— Sexy jambes, Julie, dit Franck d'une voix rauque avec un semblant de sourire en coin.

Julie le regarde d'un air interloqué. Elle déplie ses jambes. Elles sont hideuses : écorchées, égratignées et couvertes de bleus. Elle émet un petit rire idiot. Franck a toujours le mot pour rire et sait détendre l'atmosphère, malgré son état. Elle remarque son œil rouge et boursouflé, tandis que Danielle lui fabrique une écharpe à l'aide d'un foulard.

Julie s'approche de lui.
— Comment vas-tu ?
— Ça fait mal dès que je bouge ou je tousse. Mais je respire bien. Je crois que mon avant-bras gauche est cassé. Et je vois embrouillé de cet œil.
— Mmm…

Un profond sentiment de culpabilité s'empare d'elle et fait naître une vive douleur à la poitrine. Comme un coup de poignard entre les seins… Elle a le souffle court, et l'intense douleur va et vient comme par vagues, la laissant sans énergie. Elle connaît ce phénomène de douleur au plexus pour avoir lu sur le sujet, mais ne l'avait jamais expérimenté auparavant. Elle sait que cela se produit lorsque l'intellect et les émotions ne s'entendent pas… Elle gémit un peu et met ses mains sur sa poitrine pour tenter d'apaiser la douleur.

François et Jonathan sont témoins de sa souffrance et insistent pour qu'elle s'allonge. Elle se laisse convaincre. À son tour, elle entre en état de choc et le sait. Elle a repoussé cet état le plus longtemps possible, roulant à fond de train sur l'énergie alimentée par l'adrénaline. Mais la substance miraculeuse quitte ses veines et son corps s'affaiblit en tremblant. Elle s'endort malgré la douleur et le tourment assez rapidement, allongée sur le dos avec le petit Émanuel venu la rejoindre. Les voix s'estompent et elle sombre dans un sommeil léger, mais réparateur.

Angy la réveille une heure plus tard et dit :
— Les gars sont partis voir s'ils peuvent secourir d'autres survivants.
— OK, merci Angy, grimace Julie en se redressant.

Sa langue est épaisse et sa bouche est pâteuse. Elle souffre des écorchures sur ses cuisses et ses bras, qui sont légèrement boursouflées. Sa tête tourne. Elle jette un regard circulaire dans la suite et constate que Sam est la seule adolescente encore présente. Peter et Franck somnolent avec la bouche ouverte, visiblement épuisés eux aussi. Danielle, étendue sur le divan-lit dit à voix basse :

— Ils sont partis avec Pedro pour faire le tour des immeubles. Ils m'ont demandé de surveiller les jeunes. Ils n'ont pas voulu te réveiller.

— Merci.

Julie se retourne vers Émanuel et les autres enfants qui colorient dans des cahiers.

— Manu, maman repart encore quelque temps, d'accord ?

Il hoche de la tête sans détacher son regard du dessin. De toute évidence, il ne semble pas inquiet. Au moment où elle passe la porte toutefois, il ajoute :

— Tu vas trouver papa ?

— Je vais essayer mon cœur, c'est sûr. Je t'aime mon ange.

— Moi aussi.

En traversant la passerelle, Julie remarque que l'eau, devenue stagnante et boueuse, s'est abaissée à un mètre du sol. Elle observe avec consternation la vallée complètement ravagée et devine l'ampleur du désastre à l'échelle du pays. «Des dizaines de milliers de personnes sont mortes… Non. Des centaines de milliers de personnes, corrige-t-elle. Toutes inconscientes du danger qui les attendait ce matin… Tout comme nous», songe-t-elle avec amertume.

Puis une bouffée d'espoir l'envahit en songeant qu'ils ont déjà rescapé deux personnes, presque trois… Elle passe devant l'escalier de l'immeuble central et constate par les traces de pas laissées dans la boue que les jeunes sont descendus au troisième étage. À son grand désarroi, elle s'aperçoit qu'ils ont poussé l'audace jusqu'à descendre au deuxième étage par l'escalier jonché de débris. Découragée de leur témérité et anxieuse, elle suit néanmoins leur piste…

Une odeur saline règne au deuxième étage. Julie s'avance prudemment dans le couloir menant au bar. Elle aperçoit sur sa droite le balcon où se trouvait Franck plus tôt et le luxueux bar ravagé laissant voir les poutres de soutien dénudées, dévoilant les tiges métalliques fragilisées. Elle est terriblement inquiète et avance péniblement à travers les objets de toutes sortes qui jonchent le sol, et où la superbe céramique a presque entièrement disparu sous la boue. Elle traverse l'immeuble sans avoir trouvé les ados. Elle perçoit des voix provenant du bâtiment d'à côté. Elle s'élance dans la cage d'escalier, emprunte la passerelle située au quatrième et redescend au deuxième étage de l'immeuble voisin.

Elle fige devant le spectacle : tous les murs, les planchers et les poutres de ce bâtiment sont entièrement dénudés. Elle devine sans mal que la structure de soutien, située à l'étage inférieur, se trouve dans un état pire encore. Et ces craquements sourds qui retentissent l'inquiètent beaucoup. Elle craint que cet immeuble ne s'effondre à tout moment. Tout comme l'autre. À cet étage, toutes les portes des chambres ont été arrachées de leurs gonds, et les meubles sont soit empilés contre le mur du fond, soit carrément absents. «Probablement éjectés des pièces.» Elle aperçoit les jeunes hommes dans une chambre; ils sont penchés sur ce qui reste de la structure d'un balcon donnant derrière le complexe. Ils font de grands gestes de la main. Julie s'avance silencieusement et distingue un homme mexicain assis à cheval sur une petite embarcation flottant à l'envers. L'embarcation ballotte dans les flots irréguliers poussés par les vagues et la marée montante. Une femme est étendue sur le ventre à ses côtés. Il lui tient la main. Elle est immobile et Julie devine aisément à sa posture et à son inertie qu'elle est morte. L'homme semble hésitant à quitter sa compagne pour sauver sa peau avec ces jeunes inconnus.

Une forte inquiétude l'assaille soudain; comme un pressentiment. «Quelque chose va se produire.» Elle s'avance alors vers les jeunes hommes, qui se retournent vivement.

— Tante Julie! Mais que fais-tu ici?

— Maman? Ça va?

— Oui, oui, je vais bien. Mais il ne faut pas rester ici. J'ai un mauvais pressentiment. Venez vite.

Mais les jeunes insistent auprès du Mexicain quinquagénaire pour qu'il les suive. L'inconnu secoue la tête et, d'un coup de rame, s'éloigne du mur. Les ados expriment bruyamment leur désapprobation. Mais ils abandonnent l'homme à son destin et quittent la chambre. Rick annonce :

— Venez les gars. Il ne veut rien entendre, alors tentons de sauver les autres dans l'arbre.

Soudain curieuse, Julie leur emboîte le pas. Ils s'engouffrent dans la chambre voisine. Julie voit des malheureux perchés dans des palmiers un peu plus loin. Ces arbres sont situés sur le haut d'une butte qui sert visiblement à délimiter le terrain du complexe hôtelier. Deux femmes blondes sont perchées sur un même arbre. La première est âgée d'environ quarante ans et l'autre de treize ou quatorze ans. Cette dernière a le haut du corps dénudé et elle tente de se cacher dans les feuilles de palmier. Et, finalement, un employé mexicain portant un habit de serveur est campé bien haut au sommet d'un deuxième arbre. Mais ils sont à plus de vingt mètres de l'immeuble et ils refusent de descendre. Le sentiment d'impuissance fait à nouveau rager Rick, qui tempête dans la chambre ravagée. François quitte prestement, et tous le suivent aussitôt.

— Allons voir plus loin, dit-il en sortant de la pièce.

Il se dirige vers l'immeuble effondré. Julie est de plus en plus inquiète et intervient :

— Attends François ! Il faut partir d'ici !

Mais ils poursuivent sans prêter attention aux protestations de Julie, jusqu'à atteindre l'extrémité du couloir, d'où ils ont une vue désolante de l'immeuble effondré. Elle ajoute :

— Les poutres de soutien de cet immeuble-ci ne sont pas en bon état non plus ! Ce ne sera pas long avant qu'il ne s'effondre aussi. Venez maintenant !

Jonathan renchérit :

— D'autant plus qu'on n'est pas à l'abri des vagues ici.

— Ça tremble ! s'écrie Rick

Une terrible secousse fait vibrer l'immeuble dangereusement. Paralysés par la peur, ils cherchent instinctivement à conserver leur équilibre. Mais la secousse s'intensifie, et de larges morceaux de plâtre et de béton se détachent des plafonds pour s'écraser sur le plancher, laissant échapper une fine poussière blanchâtre. Les joints de béton se fissurent sur les murs, et de nombreux craquements retentissent.

— Vite, aux escaliers ! s'écrie Julie.

Ils titubent dans le couloir, évitant de justesse les morceaux qui se détachent du plafond et des murs. Une section entière de béton tombe subitement juste devant eux, bloquant l'accès à l'escalier. Ils se retrouvent coincés dans le couloir du deuxième étage de cet immeuble, qui s'effondre littéralement sur eux. Ils paniquent l'espace d'un instant, et Julie hurle de peur. Jonathan appelle sa mère d'un cri désespéré. Un éclair de génie traverse l'esprit vif de François, et il hurle par-dessus le vacarme :

— Sautons à l'eau ! Vite ! Vite ! Venez !

Sans attendre, il se précipite dans la chambre la plus près, donnant derrière l'immeuble. Il s'élance aussitôt par-dessus la balustrade, pour atterrir dans l'eau boueuse. Ils le suivent tous instinctivement et arrivent en trombe sur le balcon. Puis, ils sautent à l'eau deux mètres plus bas. L'eau froide et boueuse est encombrée de débris. Leurs jambes s'enfoncent dans le sable, et des branches les empêchent de se déplacer. Ils alternent péniblement entre la marche et la nage pour s'éloigner le plus vite possible du bâtiment vacillant.

Quelques secondes plus tard, une partie de l'immeuble s'effondre dans un fracas chaotique. Un nuage de poussière s'élève, et de larges morceaux de béton tombent à leurs côtés dans l'eau, provoquant de grosses éclaboussures. La poussière est si dense que, pendant un moment, elle remplit l'air au-dessus de l'eau et les empêche de distinguer quoi que ce soit. Inquiet, François hurle le nom de ses compagnons en toussant :
— Jonathan ? Rick ? Lilie ?

Avec toute cette poussière et ces éclaboussures, ils sont désorientés et ne savent plus où se diriger. Ils baignent, dispersés dans l'eau agitée. Ils se rejoignent finalement autour d'un tronc d'arbre. La poussière se dissipe et ils distinguent les vestiges de l'immeuble écroulé. François s'exprime à voix basse.
— On a été chanceux. L'immeuble s'est écroulé d'abord de l'autre côté.

Julie en est bien consciente, mais s'abstient de tout commentaire pour le moment. Les vagues de la marée montante les poussent progressivement vers l'immeuble central, en passant sous la passerelle à moitié effondrée. Depuis les tsunamis, Julie a l'impression que le niveau de la mer a monté, car les vagues déferlent maintenant au pied des immeubles, soit plus de deux cents mètres plus loin. Mais dans les faits, c'est le sol qui s'est volatilisé… Les puissants tsunamis ont creusé le sol sablonneux à plus de deux mètres de profondeur, dénudant du même coup toutes les structures coulées dans le béton, et affaiblissant dangereusement les piliers porteurs.

Essoufflés et se remettant de leurs émotions, ils prennent une pause en s'accrochant à un arbre plus loin. Julie se met alors en colère contre les adolescents et les engueule royalement, les yeux remplis de larmes de rage :
— Mais à quoi avez-vous pensé ? Vous ne pouvez pas sauver quelqu'un au risque de vos propres vies, voyons ! Vous devez absolument réfléchir avant d'agir ! Les héros, c'est dans les films, pas dans la vraie vie !

Elle est rouge de colère et les foudroie du regard, chacun leur tour. Les ados sont muets, les yeux baissés. Ils sont visiblement mal à l'aise, et Jonathan tente de cacher son désarroi en rinçant son visage poussiéreux. Julie se calme quelques instants plus tard et ajoute d'une voix empreinte d'émotion :
— On ne peut pas se permettre de vous perdre. Vous êtes précieux pour nous. Vous êtes nos descendants, notre futur. Et nous comptons tous sur vous pour prendre la relève…

Elle marque une pause et poursuit :
— N'oubliez pas votre valeur. Et votre rôle.

Un autre moment de silence s'installe alors que les trois cousins échangent un regard différent. Ils prennent conscience progressivement de l'importance de leur rôle au sein de la famille. Surtout dans cette situation d'urgence. Même Pedro, qui ne comprend pas les paroles de Julie, en saisit rapidement le sens. Alors qu'ils sont tous fermement agrippés, une autre importante secousse se produit. La passerelle glisse sur près d'un mètre dans un bruit de pierres entrechoquées et de bois fendu et s'enfonce un peu plus dans l'eau.

Au même moment, d'énormes blocs de béton provenant des immeubles effondrés tombent. Poussé par le vent de la mer, un autre nuage de poussière les englobe pendant quelques secondes, et un effondrement important se fait entendre plus loin. Paniqués, ils croient à tort qu'il s'agit de l'immeuble où la famille s'est réfugiée. Lorsque le nuage se dissipe enfin, ils sont soulagés de constater que c'est un autre immeuble qui s'est écroulé. « Trois immeubles sur cinq n'ont pas tenu le coup… » calcule François rapidement. Il ne reste que l'immeuble central derrière et l'immeuble n°4 .
— Est-ce que vous croyez que les immeubles s'écroulent parce que les secousses sont vraiment importantes ou parce que les immeubles n'ont pas été bien construits ? demande Rick.
— Les secousses sont vraiment importantes, répondent derechef les autres.

Au Québec, les tremblements de terre sont extrêmement rares. Mais malgré leur manque d'expérience en la matière, ils en concluent que les secousses sont très fortes. Et cette dernière fait craindre le pire à Jonathan :
— Est-ce que le tremblement de terre va déclencher d'autres tsunamis ? demande-t-il sur un ton alarmé.
— Probablement, répond Julie sur un ton convaincu.

Ils échangent un bref regard paniqué et se précipitent en nageant vers l'immeuble central. Ils grimpent sur des débris longeant le mur afin d'atteindre un balcon du deuxième étage. Julie est complètement épuisée et n'a même plus la force de passer la jambe par-dessus la balustrade à moitié défaite. Une autre secousse se produit. Julie réalise à quel point le sol tremble affreusement en voyant les jeunes hommes violemment secoués sur le balcon. Une énorme fissure apparaît le long du mur en face d'elle sur presque toute la hauteur dans un craquement sonore. Soudain, deux balcons des étages supérieurs se détachent dans un bruit sourd, au-dessus de leurs têtes…

Julie s'élance aussi loin que possible dans le vide par-derrière, tandis que les jeunes hommes se précipitent dans la chambre de justesse. Les balcons atterrissent dans un fracas assourdissant. Les ados sont terrifiés et hurlent depuis la chambre. L'immeuble tremble toujours et ils n'osent pas s'approcher de l'ouverture. Julie sort la tête de l'eau et nage difficilement en s'éloignant. Mais elle est à bout de force. Peu à peu, la secousse diminue d'intensité puis s'arrête. Jonathan saute à l'eau et ramène sa mère jusqu'aux balcons effondrés, et ils la hissent. En repartant quelques instants plus tard, ils remarquent les survivantes toujours accrochées aux palmiers… À regret, ils regagnent la sécurité de leur immeuble, les épaules courbées de déception.

Aussitôt arrivés dans la suite, les enfants effrayés leur sautent au cou. Ils s'étaient inquiétés pour leur sécurité et ils ont eu très peur en voyant l'immeuble d'à côté s'effondrer. François constate avec inquiétude que les murs se sont fissurés dans la suite et que des tuiles sont tombées sur le sol de la salle de bain. En réponse au bombardement de questions de la part des autres, les ados et Julie se contentent de secouer négativement la tête, signifiant qu'ils n'ont trouvé personne. Leur moral est à plat et ils demeurent silencieux pendant une bonne demi-heure.

François et Jonathan descendent ensuite inspecter les niveaux inférieurs de l'immeuble, afin de vérifier l'état des poutres. Ils veulent s'assurer qu'il ne va pas s'effondrer à son tour. Ils reviennent peu après, visiblement satisfaits. L'estomac de Jo étant réglé comme une horloge, il annonce qu'il est l'heure du lunch. La plupart des adultes n'ont pas faim, mais les petits, si. Jo propose de rationner la nourriture, au cas où. Tous acceptent d'emblée. Chacun lui remet sa nourriture, et Jonathan la répartit également entre eux, en priorisant bien entendu les petits. Il est amèrement déçu de constater que leur maigre butin se compose de quatre sacs de croustilles, deux barres chocolatées et une barre de céréales. D'un commun accord, les adultes et les ados acceptent de se priver pour avantager les petits.

Franck tente de se lever, mais lance un cri de mort qui les fait tous vivement sursauter. François s'empresse de lui venir en aide, car ce dernier a sérieusement besoin d'utiliser les toilettes. Péniblement, il se déplace jusqu'à la salle de bain et en ressort quelques instants plus tard, en lançant sur un ton surpris :
— L'eau fonctionne encore… Pourtant, l'électricité est coupée.

François, intrigué, se rend alors à la salle de bain et vérifie les robinets.
— Tout fonctionne ! lance-t-il tout heureux. Les pompes doivent être branchées sur une génératrice indépendante ou quelque chose du genre.

Une idée géniale lui traverse l'esprit :
— Hey ! Nous pourrions remplir les baignoires avec l'eau du robinet, comme ça on s'assure d'avoir le plus d'eau potable possible !
— C'est une excellente idée, renchérit Franck.

François s'empresse de remplir les baignoires de la suite à ras bord.
— Nous pourrions aussi vider les minifrigos des autres chambres de l'étage et ceux du quatrième ?

Sans attendre de réponse et fier de son initiative, il prend la corde et l'enroule à nouveau autour de ses épaules. Rick et Pedro l'accompagnent.
— C'est faisable, dit Rick. On n'a qu'à escalader les balcons comme on a fait ce matin.
— C'est ça, répond François.

Les jeunes hommes quittent la suite avec entrain. Mais avant qu'ils ne soient hors de portée de voix, Sam s'écrie en leur direction :
— Attendez !

François revient en la questionnant du regard.
— Avec quoi allez-vous transporter toute cette nourriture et les bouteilles d'eau ? demande-t-elle, l'air narquois.
— Oh… Euh, je n'y avais pas pensé.

Satisfaite, elle tend deux sacs à dos à son cousin.
— Merci… fait François, l'air gêné.

La perspicacité de Sam est l'une de ses plus belles qualités. Les yeux verts perçants et la longue chevelure noire ondulée donnent un air définitivement exotique à cette adolescente fort jolie de dix-sept ans. Sa beauté naturelle et ses formes volumineuses attirent les regards masculins, mais elle ne s'en formalise pas. Sa personnalité sociable donne tout le piquant voulu à cette jeune fille qui a hérité du même sens de l'humour que sa mère. D'ailleurs, elle n'hésite pas à faire rire ses cousins dès qu'elle en a l'occasion.

Malgré la chaleur qui règne dans la suite, Julie tremble de froid. Elle se débarrasse de ses vêtements mouillés et se réfugie dans un drap de bain. Ses étourdissements reprennent avec plus de vigueur. Elle reconnaît ces symptômes pour les avoir déjà vécus auparavant. Il s'agit d'une légère commotion cérébrale ; elle sait qu'il arrive parfois que les minuscules cailloux localisés dans le liquide de l'oreille interne se déplacent lors de chocs violents. Ces déplacements apportent alors des désagréments, comme la perte d'équilibre, des étourdissements et la nausée. Elle se remémore les manœuvres que le médecin de garde de l'urgence a exécutées pour régler son problème, à l'époque. Elle s'allonge sur le lit et les répète le plus fidèlement possible. Le processus est aussi pénible que dans son souvenir… Elle devient complètement désorientée et prise de nausées. Malgré tout, plusieurs longues minutes plus tard, ses étourdissements diminuent peu à peu. Elle demeure étendue un moment, perdue dans ses pensées…

Les ados reviennent une heure plus tard, avec peu de nourriture. Trois sacs de croustilles et une barre chocolatée supplémentaire, des sachets de café, de la Tequila et quelques bouteilles de bière locale.
— La plupart des minibars étaient vides, car les chambres n'avaient pas encore été faites… Mais on a rempli quatre autres baignoires d'eau ; deux au cinquième étage et deux au quatrième.

Jonathan fait soigneusement l'inventaire et estime que les enfants ont de quoi se nourrir pendant deux jours, peut-être trois en rationnant… Rick a aussi eu la bonne idée de ramener plusieurs autres objets jugés utiles ; des matelas supplémentaires, des couvertures, des cordons de rideaux, une petite trousse de premiers soins, du papier hygiénique, des chaises, etc. Sans électricité, ils n'ont pas accès aux nouvelles du monde extérieur. Il leur est donc impossible de savoir ce qui se passe autour et quand ils peuvent espérer les secours… «Aussi bien se préparer à une longue attente», prévoit Rick.

Jo répartit des portions à chaque enfant, lesquels grignotent faiblement… Les ados prennent en charge l'organisation et installent les matelas en désignant les places à coucher. Peu à peu, l'après-coup se fait ressentir et plusieurs sont en état de choc. Ils réalisent toute l'ampleur du désastre et de leurs pertes, une fois de plus. La douleur est vive et profonde, laissant un air terrassé à tous. Et la situation est des plus angoissantes, car après quelques discussions, ils en viennent à la conclusion que l'aide extérieure n'arrivera pas de sitôt. Il leur semble évident que les tsunamis n'ont pas déferlé que sur Puerto Vallarta, mais probablement sur plusieurs autres villes côtières mexicaines du Pacifique. Les ados retournent à deux reprises faire le tour des deux immeubles restants afin de voir s'ils peuvent secourir des survivants en détresse. Ils forment des équipes de deux et sillonnent les couloirs, frappant aux portes. Mais personne ne répond et ils ne rencontrent âme qui vive, à part le vieux couple de l'étage inférieur.

Julie, vidée de son énergie habituelle, demeure dans la suite auprès des enfants. Sans pouvoir s'en empêcher, elle revit inlassablement dans son esprit les durs événements qui l'ont conduite jusqu'ici. Les images déferlent dans sa tête, et la vive douleur entre ses seins persiste. Elle constate que Franck et Peter sont affectés par les mêmes tourments… Les pensées de Danielle sont sans cesse dirigées vers Bélynda, Trish et Jordan. «Ils étaient au niveau du sol, marchant en direction de l'infirmerie lorsque les vagues ont frappé. Trish est un homme très en forme et il aura sûrement trouvé moyen de s'en sortir.

Mais il est si dévoué à sa famille qu'il n'aura pas accepté de laisser sa femme et son fils dans la tourmente et aura tout tenté afin de les sauver au péril de sa propre vie. En cas d'échec, je suis convaincue qu'il aura préféré rester auprès d'eux, quelle que soit la fin…»

La journée se passe avec les va-et-vient des ados, entrecoupés des pleurs. D'autres tsunamis et tremblements de terre de moindre importance se produisent jusqu'au coucher du soleil. La douceur de la nuit arrive, silencieuse et bienvenue. Puis Danielle, s'adressant timidement à tous, demande :
— Prions pour Lydia, Bélynda, Trish, Jordan et Benoît. D'accord? Prions pour ceux que nous aimons et qui, s'ils sont toujours vivants, risquent de passer une nuit difficile…

En chœur, plusieurs répondent par un petit oui convaincu. Silencieusement, chacun pour soi, ils prient pour leurs proches. Les petits et les ados, peu initiés au concept de la prière, imitent les adultes dans leurs gestes.

Bien que très spirituelle, Julie ne croit pas en Dieu. Elle est persuadée, après avoir profondément fait le tour de la question, que Dieu n'existe pas. Que la religion est un concept mis sur pied par les hommes, pour les hommes. Elle a constaté que les croyances et les traditions se ressemblent beaucoup d'une religion à l'autre, tout en revêtant toutefois une image différente. Mais toutes convergent vers un but commun : augmenter la spiritualité et le niveau de conscience de l'homme. Mais dans les faits, les religions ont surtout été utilisées pour manipuler les populations du monde entier, et ce, à différentes intensités et, souvent, au détriment des femmes. Contrairement à ce que plusieurs pensent, Julie est convaincue que la spiritualité et la religion ne sont pas synonymes, mais complémentaires. Car la spiritualité s'acquiert de plusieurs façons, pas seulement par la pratique d'une religion. «J'en suis la preuve vivante», se dit-elle parfois. Néanmoins, elle joint les mains dans une pensée positive pour ceux qu'elle aime, sachant bien que toute énergie positive est bienvenue dans pareille situation.

Quelques minutes plus tard, les pleurs cessent et le silence s'installe, entrecoupé de bruyants ronflements dispersés dans la large suite. Mais Julie a les yeux ouverts dans le noir. Sans cesse, elle revit la terrible épreuve. Elle caresse les cheveux d'Émanuel endormi tout contre elle. Elle se sent toujours coupable de ne pas avoir réagi plus tôt. De ne pas avoir prévenu à temps son mari de la menace qui approchait. «Mais Benoît est un homme doté d'une force de caractère particulière, complémentée d'une énergie vitale surprenante. Malgré son genou atrophié, je garde espoir qu'il s'en soit sorti.»

Elle a rencontré Benoît lors d'un cours de golf où il était instructeur professionnel. Benoît a vite été séduit par la joie de vivre de Julie, son esprit vif et sa beauté raffinée. Julie a été attirée par lui surtout par le calme qu'il dégage, sa finesse et la spiritualité qu'il semblait posséder... Pendant quatre ans, leur relation avait été harmonieuse, routinière, et Benoît était agréable. Jusqu'au moment où ils avaient décidé d'investir tous deux dans une résidence pour personnes âgées. Le stress et la fatigue accumulée par les longues heures de travail de Benoît avaient eu raison de l'harmonie du couple. Le comportement de Benoît avait changé radicalement et il était devenu irritable, agressif et parfois, même, était au bord de la violence.

Au bout d'un moment, franchement écœurée, Julie avait affronté Benoît au sujet de son comportement, qu'elle jugeait inacceptable. Au bout de cette discussion, il en était ressorti que Benoît avait prétendu être un homme mature et spirituel et s'était efforcé de maintenir cette fausse illusion. Et toute cette mascarade pour quoi? Parce qu'il était follement amoureux de Julie, et il savait quel genre d'homme elle recherchait. Il s'était donc efforcé d'être ce type d'homme... au lieu d'être lui-même. Jusqu'à un an de ça.

Pour Julie, ça avait été comme un coup de massue sur la tête. Il avait osé lui mentir tout ce temps! Elle a dû s'avouer aussi qu'elle avait bien perçu certains indices, mais n'y avait pas prêté attention, car lorsqu'elle le questionnait à ce sujet, il dissipait facilement ses soupçons... Elle s'était rendue à l'évidence que Benoît n'était pas l'homme qu'elle croyait. Malgré tout, elle avait décidé d'apprendre à connaître réellement son mari, et cela lui avait pris un certain temps. Elle avait songé à se séparer de lui. Bien qu'il n'ait pas levé la main sur elle, il lui était trop souvent arrivé de menacer de le faire, alors en proie à de sérieuses crises de colère issues de son incapacité à gérer son stress et ses émotions, cherchant à se défouler sur elle...

Et puis un jour, conscient d'être sur le point de perdre sa bien-aimée, Benoît avait décidé de consulter un spécialiste afin d'apprendre à contrôler ses excès. «Les résultats sont aujourd'hui appréciables. Surprenants même», songe Julie. Et de son côté, elle a aussi appris beaucoup; comme choisir des moments plus appropriés pour entamer certaines discussions et imposer derechef les limites acceptables de niveau de tension entre eux. Depuis, la qualité de leur relation s'est grandement améliorée et ils sont tous deux de nouveau heureux et sereins. Malgré toutes leurs différences et leurs frustrations, il se trouve qu'ils sont toujours amoureux l'un de l'autre. Ils s'épanouissent ensemble, se découvrant même de nouvelles passions communes au fur et à mesure qu'elle apprend à connaître véritablement son mari. Un amour tendre se développe progressivement, et Julie entrevoyait désormais leur futur commun avec confiance… Les yeux mouillés de larmes, elle sombre enfin dans un sommeil profond.

Et étrangement, elle rêve d'un voyage en Floride qu'ils ont fait, sa famille et elle en «véhicule récréatif», quelques années auparavant en compagnie de ses parents. Dans ce rêve, c'est le même voyage qui se répète, à quelques exceptions près. Plusieurs autres membres de la famille sont présents, dont les parents de Bélynda et plusieurs cousins, oncles et tantes. Ils sont tous regroupés sous l'auvent du véhicule récréatif des parents de Julie, qui les protège de la pluie. Julie se tient de l'autre côté du chemin et les regarde s'activer autour d'une carte étendue sur une table de pique-nique. Ils semblent inquiets et fatigués. L'expression sur leurs visages en dit long sur leur désespoir, mais aussi sur leur détermination. De toute évidence, il ne s'agit pas d'un voyage d'agrément. Et s'approchant d'eux, Julie remarque une petite grenouille verte avec des pattes en forme de ventouse, collée à la paroi du véhicule. La grenouille ne lui est pas inconnue. Elle se rappelle la drôle d'aventure que cette coquine a fait vivre à son père pendant ce voyage mémorable. Le batracien s'est introduit à l'intérieur du véhicule et a réveillé son père en pleine nuit en bondissant sur son bedon arrondi. Ce dernier, réveillé par les bonds de la demoiselle, s'est mis en tête de la pourchasser en pleine nuit. Finalement, au bout d'une demi-heure de poursuite, il a abandonné après l'avoir enfermé dans la salle de bain… Et le lendemain matin, il raconte en riant sa poursuite nocturne à Julie et Benoît en leur présentant la jolie importune enfermée dans un bocal de plastique. Jonathan, alors âgé de douze ans, s'était empressé de libérer la captive dans les bois…

Et voilà que cette même grenouille se retrouve là dans son rêve. Julie sourit intérieurement en se disant qu'elle symbolise sûrement quelque chose… Puis, son attention est soudainement détournée par une pluie diluvienne qui s'abat sur le site. L'eau monte rapidement au niveau du sol, atteignant sa cheville, puis son genou… Les membres de sa famille, paniqués, tentent de trouver refuge sur la table de bois… »

Julie se réveille subitement, trempée de sueur. La douleur à sa poitrine a disparu, et un étrange sentiment provenant de son rêve l'habite. Une vague sensation que quelque chose se prépare… qu'une aide s'organise déjà…

Serena

Alors qu'ils retournent à la salle d'amusement pour enfants après le court arrêt dans leur cabine, Serena surprend des passagers fouiller les poches des morts dans la salle de casino. Elle s'apprête à intervenir, mais Claude s'y oppose fermement et la tire par le bras, sans même prêter attention à ses protestations. Il se dirige obstinément sur le pont supérieur.

La majorité des passagers survivants sont regroupés sur les ponts extérieurs, côté tribord. Ils sont assis à même le sol, car se tenir debout avec l'inclinaison et le tangage relève presque du miracle. Claude et Serena se joignent à eux et s'adossent au mur. La gravité de la situation les assomme d'un coup, alors qu'ils entendent des femmes discuter entre elles...
— Ces terribles tsunamis détruiront complètement les villes côtières de la région, ce qui résultera en millions de victimes...

Serena ferme les yeux et secoue la tête tristement en songeant aux chaleureux habitants du quartier chinois de Vancouver... Quelques minutes plus tard, plusieurs explosions successives font vivement sursauter les passagers. Les déflagrations sont si puissantes que le navire tout entier gronde, faisant paniquer les passagers éprouvés une fois de plus. Un nuage de fumée s'élève des étages inférieurs et monte jusqu'aux ponts. Les employés s'empressent d'ouvrir toutes grandes les cloisons et les portes extérieures pour évacuer la fumée nocive. Certains braves descendent même aux cuisines pour porter secours aux employés en détresse et parviennent à éteindre l'incendie rapidement. Les blessés sont transportés vers les ponts et pris en charge par les autres passagers, faute de ressources. Les brûlés ont la peau noircie par la suie et toussent pendant de longues minutes.

C'est un spectacle déchirant et le couple s'empresse de porter secours à une jeune femme membre d'équipage, nommée Lindsay. C'est une belle jeune femme mince aux yeux verts, arborant de jolies taches de rousseur sur les joues, et à la chevelure colorée chatoyante. Elle a vingt ans et travaille comme hôtesse à la salle à manger principale. Elle raconte avec tristesse:
— Je suis descendue aux cuisines afin de préparer des repas légers pour les passagers, accompagnée de sept collègues. Une fuite de gaz provenant d'un four a provoqué l'explosion de plusieurs unités de réchauds, tuant du même coup deux de mes amis...

Lindsay souffre de quelques brûlures légères aux mains et aux bras. Tous les passagers survivants et les employés sont maintenant attroupés sur les ponts pour échapper à la fumée noire qui s'échappe du navire. En cette magnifique journée ensoleillée, le vent vivifiant de l'océan emporte la fumée sur de longues distances dans les airs, contrastant avec le bleu du ciel. Claude souhaite que cette longue traînée de fumée aide les secours à les localiser.

Quant à Serena, elle regarde l'océan et le maudit. Une colère gronde en elle alors qu'elle songe à l'immense tragédie qui se déroule sur le continent au même moment. Silencieusement, elle échafaude des plans de secours. Son esprit fonctionne à toute vitesse. Elle calcule les probabilités qu'ils puissent être secourus, envisage dans quels délais et quelles circonstances cela se produira. Elle imagine très bien la dévastation des côtes après un tel tsunami et réalise que si les secours se présentent un jour, ils seront insuffisants, ayant eux-mêmes été victimes de ce cataclysme naturel sans précédent... Dès lors, une petite voix en elle suggère de trouver d'autres solutions pour se secourir eux-mêmes. Eux seuls.

Son mari remarque le regard concentré de sa femme alors qu'il enfile son coupe-vent. Il reconnaît ce regard déterminé pour l'avoir vu maintes fois. Il sait qu'elle échafaude des plans pour leur salut. À de nombreuses occasions, la détermination, l'esprit d'analyse et l'entêtement de sa femme leur ont été profitables. Alors, il demeure patient, attendant qu'elle lui fasse part de ses idées. Pendant ce temps, il prend soin de Lindsay et l'installe confortablement sous de chaudes couvertures après lui avoir servi de l'eau fraîche.

Soudain, la sirène d'urgence retentit et ils sursautent à nouveau. Son cri strident suscite une hystérie collective sur les ponts, et tous les passagers se ruent à l'intérieur malgré la fumée toujours omniprésente. Une voix différente de la précédente annonce l'arrivée d'une nouvelle série de vagues qui frappera le navire dans moins d'une minute. L'interlocuteur se présente sous le nom de Peterson, et Serena trouve étrange que ce ne soit pas le capitaine qui sonne l'alerte.

Ils aident Lindsay et d'autres blessés à rejoindre les salles à la hâte. Le navire pivote lentement sur lui-même et se présente lentement de dos aux nouveaux roulis. Accompagnés de leur protégée, ils se réfugient dans la salle d'amusement. Ils s'agrippent fermement à la structure d'un jeu fixé au sol et installent Lindsay dans la petite glissade torsadée faite de polymère jaune. Dans toutes les salles, le bruit de la sirène couvre les cris de terreur et les pleurs des passagers âgés. Cette fois-ci, les tsunamis frappent l'arrière du navire, qui se soulève sur le dessus du premier gigantesque roulis à l'écume blanche. Le yacht tangue dangereusement et évite in extremis de chavirer sur le côté déjà incliné. L'eau inonde à nouveau les ponts et s'écoule aux étages inférieurs en passant par les cloisons laissées ouvertes à cause de la fumée. Trois membres d'équipage, pris par surprise dans les couloirs, sont emportés par les eaux et disparaissent aux niveaux inférieurs.

Le navire tangue plusieurs fois de côté tout en se soulevant d'avant en arrière sur les énormes roulis déchaînés, tandis que la poupe s'enfonce dans les creux de vagues meurtrières. Le puissant ballottement du navire est difficilement supportable pour les passagers, qui sont ballottés de tous bords. Plusieurs lâchent prises et sont projetés d'un bout à l'autre des pièces. Serena se retient fermement aux barres plastifiées du jeu pour enfants. Elle a l'impression de se retrouver à bord de gigantesques montagnes russes, et elle réalise une fois de plus combien ils sont insignifiants sur cette étendue démesurée et hostile.

Elle se contente de fermer les yeux en espérant qu'ils s'en sortent. Malgré la furieuse tourmente, le couple parvient à se regarder droit dans les yeux. Sans même qu'ils aient à parler, ils se transmettent le même message d'amour, croyant leur fin toute proche « Je t'aime plus que tout et je suis prêt à mourir ici même, avec toi. Maintenant. »

Au total, une dizaine de roulis mesurant huit et douze mètres s'abattent sur le navire endommagé, à nouveau vulnérable dans le bassin peu profond. Peu à peu, le calme revient et les passagers sont soulagés de voir que le yacht a tenu le coup, une fois de plus. Les passagers indemnes s'agglutinent sur les ponts extérieurs pour respirer l'air frais. Les autres sont transportés vers l'infirmerie improvisée afin de recevoir des soins inadéquats. L'infirmerie est sens dessus dessous ; les personnes blessées présentes dans l'infirmerie sont empilées d'un côté et recouvertes des tables et de matelas. Le personnel soignant et les bénévoles ont aussi été blessés. Hélas, une vingtaine de passagers sont morts après avoir roulé d'un bout à l'autre dans la salle de banquet. Une fois de plus, Claude et Serena s'activent à dégager les personnes empilées dans les salles, aident les blessés et vont porter les corps à la morgue improvisée, où les corps déjà étendus se sont également retrouvés empilés contre un mur. Dégoûtés, plusieurs survivants, dont Claude, déplacent les corps et les alignent à nouveau sur le sol. La besogne est ardue, et le grand gaillard transpire à grosses gouttes.

En milieu d'après-midi, la fumée s'est dissipée et plusieurs passagers se regroupent dans les différentes salles. Claude et Serena arpentent lentement les ponts, ne sachant où aller. Las et épuisé par cette journée chargée en émotions et en efforts physiques importants, le couple d'âge mûr s'installe à même le sol dans la salle d'amusement en toute fin d'après-midi. Les petits tapis de jeux leur procurent un confort minime, mais ils s'en accommodent.

La première soirée se passe dans le calme plat et dans un silence parfois brisé de sanglots et de gémissements. Les passagers sont maintenant rassemblés à l'intérieur dans la salle de banquet, sauf une douzaine installés dans la salle d'amusement, dont Claude, Serena et Lindsay. Le gaillard met la main sur quelques restes du buffet du petit déjeuner et ils mangent en silence du pain durci et des bananes.

Un merveilleux coucher de soleil s'offre à eux, mais personne n'y prête attention. Quelques employés récupèrent certains restes en bon état et les servent aux passagers tourmentés et affamés. La plupart passent la nuit couchés à même le sol ou sur les bancs de la salle de banquet. Par mesure de sécurité, on interdit aux passagers de regagner leurs cabines cette nuit-là. Et hélas, plusieurs passagers gravement blessés, mourront pendant la nuit...

La cabine de pilotage

Norrington observe les cartes marines étendues sur le bureau. Selon la position du navire, calculée à l'aide du radar toujours fonctionnel, ils s'éloignent tranquillement de la vaste zone des bas-fonds de Tuzo et dérivent lentement vers le sud-est.

Cela l'inquiète. Si de nouvelles vagues arrivent, le navire sera plus vulnérable à l'extérieur de cette zone profonde. La porte de la salle de pilotage s'ouvre d'un coup sur Peterson qui apparaît. Norrington lève les yeux et l'observe un moment. Peterson semble s'être calmé. Norrington lui demande sur un ton autoritaire :
— Êtes-vous de retour à votre poste, M. Peterson ?

Peterson ne répond pas immédiatement et marche dans la pièce, le regard rivé au sol, les mains dans les poches. Finalement, il dit d'un air triomphant :
— En fait, je suis de retour pour occuper... votre poste.
— Quoi ? Que dites-vous là ?
Norrington est abasourdi. M. Todds s'avance alors dans la pièce, accompagné de deux gardiens de sécurité. Norrington s'adresse alors directement à lui :
— M. Todds, que se passe-t-il enfin ?

M. Todds est chef de la sécurité et relève directement du capitaine ou du bureau-chef.
— M. Norrington, il existe un protocole d'urgence si le capitaine en place n'est pas en mesure de remplir ses fonctions temporairement pour une raison d'ordre médical ou une incapacité temporaire. Le protocole ne peut être appliqué que si le chef de la sécurité en reçoit l'instruction du bureau-chef de la part du directeur des opérations. Je suis désolé, capitaine Norrington, mais j'ai reçu une directive sans équivoque du directeur des opérations, M. Made.

Il tend le papier à Norrington, qui le lui arrache des mains et le lit rapidement. Il lève les yeux vers M. Todds et dit :

— Mais c'est impossible ! Ce document est un faux ! Nous n'avons pas eu de communication avec la base depuis bien avant 9 h ce matin, et le document indique qu'il a été transmis à 9 h 04 !

M. Todds se contente de soupirer, l'air impuissant et résigné.
— Nous avons confirmé la validité du communiqué, bien entendu, soutient Todds.

Norrington riposte :
— Et quelle est la raison évoquée pour me démettre de mes fonctions ?
— Selon certains témoins, vous auriez manqué de sang-froid et auriez menacé le sous-capitaine Peterson, en plus de le prendre au collet. Le directeur des opérations à la base semble inquiet de votre capacité à gérer un tel stress dans pareille situation, et il…

Norrington est furieux et n'écoute plus. Il aurait voulu brandir son poing au visage de Peterson, qui le dévisage d'un air vainqueur. Norrington ajoute sur un ton convaincu :
— Et, bien entendu, M.Graney est étrangement absent, alors que lui seul aurait pu invalider ce faux communiqué…

Peterson hausse les épaules d'un air innocent. Plus tard, Norrington apprendra que lorsque Peterson et Anderson sont sortis de la salle de pilotage, ils ont élaboré un plan machiavélique pour l'évincer. Ils sont montés dans la salle des communications située sur le toit du navire et ont réussi à trafiquer les machines avec l'aide du nouvel employé des communications, qu'ils ont soudoyé. Ils ont imprimé une directive comme si elle venait tout droit du bureau-chef. Ils ont ensuite présenté ledit document à M. Todds. Pendant ce temps, Peterson a fait enfermer M. Graney dans une cabine d'un des membres d'équipage à l'insu de Todds, les mains attachées à la tuyauterie afin de perpétrer son méfait bien à son aise. Et le jeune employé soudoyé a acquiescé et confirmé la procédure à Todds. Ce dernier baisse les yeux un moment devant la colère du capitaine et s'éclaircit la gorge :
— Je suis monté à la salle des communications pour obtenir confirmation de la transmission auprès du préposé, qui a confirmé la procédure. Les directives sont formelles mon capitaine. Le sous-capitaine Peterson prendra la relève de votre poste jusqu'à ce que nous soyons secourus. Ou jusqu'à ce que je reçoive une confirmation contraire de la base. Veuillez s'il vous plaît me suivre maintenant sans faire d'histoires.

Norrington inspire profondément. Il hésite entre sortir la tête haute ou foutre son poing au visage dédaigneux de Peterson. Il lève les yeux vers ce dernier.

S'il frappe Peterson, son accusation sera fondée et cela nuira à sa réputation. Alors qu'il s'apprête à sortir simplement, le talkie-walkie sonne :

— Capitaine Norrington, ici l'officier Senecal.

Peterson s'avance et arrache le talkie-walkie des mains de Norrington d'un air mesquin :

— Ici le sous-capitaine Peterson. Qu'y a-t-il ?

— De nouvelles vagues arrivent côté bâbord, sous-capitaine Peterson !

Un silence de mort tombe dans la cabine. Tous les officiers présents s'élancent du côté bâbord. Norrington examine à l'aide de ses jumelles ces hauts roulis qui se rapprochent à une vitesse impressionnante. « Pas moyen d'y échapper… » songe-t-il. Il hurle aussitôt des ordres à l'intention des officiers. Mais Peterson s'interpose immédiatement :

— M. Todds, sortez-le d'ici !

— Bien. M. Norrington, veuillez me suivre immédiatement !

Norrington, enragé, hésite un moment, puis sort finalement la tête haute. Peterson répète les mêmes ordres que Norrington. Une fois dans le couloir menant au pont principal, Norrington tente en vain de convaincre le chef de la sécurité :

— Pensez-y ! Ne trouvez-vous pas étrange que Graney ne soit nulle part au moment où vous auriez besoin de lui pour confirmer la validité de ce communiqué ? Je vous en prie, faites-le chercher. J'espère qu'il ne lui est rien arrivé…

Todds ne dit mot, mais les paroles de Norrington à propos de Graney le trouble. Il ordonne aux gardes de reconduire le capitaine dans ses appartements et se dirige ensuite vers la salle des communications. C'est une petite pièce carrée surmontée de deux boules rondes et d'antennes radio, dont l'unique employé qui y travaille est le subordonné soudoyé rencontré plus tôt. Todds a l'intention de le cuisiner sans la présence de Peterson pour connaître le fond de l'histoire… Il entre dans la salle au moment où le navire affronte le premier roulis. Le derrière du navire s'élève sur la vague et Todds est projeté contre le mur du fond et se cogne violemment la tête contre le coin d'une boîte métallique. Il perd conscience. À son réveil, plusieurs heures plus tard, le subordonné a disparu…

Quant au chef des communications, M. Graney, il attend nerveusement dans une cabine à demi submergée du quatrième niveau, les mains ligotées et la bouche bâillonnée, alors que l'eau monte dangereusement à chaque nouvelle vague qui s'abat sur le navire en détresse.

Chapitre 7

Le 2ᵉ jour

Lucy

À l'aube, un bruit de moteur la réveille et, pendant un moment, elle se demande pourquoi elle est étendue dans une grange. Elle se remémore la tragédie de la veille… Puis, elle se frotte les yeux.

— C'est bien réel, murmure-t-elle tout bas.

Elle pousse un long soupir de découragement. Le bruit du moteur s'intensifie et les deux hommes se réveillent à leur tour. Elle réalise avec déception qu'elle a dormi toute la nuit et n'a pas veillé sur Brian. « Heureusement, il semble aller mieux. Quoiqu'il a toujours ce regard un peu perdu et souffre visiblement toujours d'un horrible mal de tête », remarque-t-elle. Ils sortent lentement de la grange et avancent dans le pré en direction du bruit. Lucy a affreusement mal partout. « J'ai l'impression qu'un autobus m'est passé sur le corps. » Elle sort le téléphone mobile de sa poche et constate que ce dernier ne fonctionne pas. Alarmée, elle manipule la pile plusieurs fois dans l'espoir de lui redonner vie. Mais la pile s'est vidée de sa charge pendant la nuit… Elle replace le combiné dans sa poche avec rage.

Presque au même moment, un tracteur rouge ancien conduit par un vieil homme apparaît au sommet de la colline. Dans l'herbe haute, un magnifique berger australien court au-devant. Arrivé près d'eux, le vieil homme éteint le moteur et descend agilement de l'engin. Dans son regard se lit une immense tristesse et ses yeux bleu pâle trahissent un profond tourment. Sa nervosité est visible et son corps amaigri tremble légèrement.

— Bonjour. Je suis Arnold. Et voici mon chien Boy.

Il tend la main aux trois survivants en enlevant sa casquette défraîchie. Puis il s'élance dans un monologue nerveux en faisant balancer sa casquette entre ses doigts frêles.

— Une de mes jeunes vaches s'est enfuie du clos l'autre nuit. Je suis parti à sa recherche tôt hier matin. Ce n'est pas la première fois; elle fiche le camp par une brèche dans la clôture et se rend près du clos voisin…

Les survivants écoutent Arnold raconter son histoire, se doutant de la suite des événements…

— À peine étais-je rendu en haut de la colline, face au champ voisin, que je vois ma vache se faire emporter par toute cette eau venue de nulle part. Les moutons y ont passé aussi, de même que mes voisins… Sam, Monica, Joshua… Je n'en croyais pas mes yeux. Je n'avais jamais vu ça. De toute ma vie…Tout a été englouti. L'eau venait et revenait sans cesse, tout en changeant de direction, coincée entre les collines. J'ai vu passer des centaines de débris, du bois de clôture, des vaches, des animaux, des corps… une partie du toit de la grange de Sam.

Il marque une pause.

— Ma maison est située en bas du clos (il désigne du doigt la maison qu'ils ont remarquée la veille). Elle a subi l'assaut des vagues pendant plusieurs heures. Je ne pouvais rien faire, sauf rester ici, à regarder… Mon épouse est morte au printemps dernier. J'aurais aimé partir avec elle. Ou même hier. Je n'aurais pas eu à être témoin de tout ça… Faut croire que mon heure n'est pas encore venue.

Il caresse tristement son chien. Un moment de silence s'installe entre eux.
— Je suis désolé, dit Marc.

Arnold le remercie d'un signe de tête. Puis, le jeune homme lui raconte brièvement leur propre histoire et leur intention de se rendre à Fortuna. Ils proposent à Arnold de les accompagner, mais il refuse catégoriquement, prétextant que sa place est ici. Sans s'opposer à sa décision et après quelques mots d'encouragements, ils se quittent et les trois survivants entreprennent de descendre la colline en direction de Jones Prairie. Arnold les regarde s'éloigner en remontant sur son tracteur.

Jones Prairie est partiellement inondée ce matin, et les hautes herbes sont couchées sur le sol. Arrivés au bas de la colline, ils découvrent qu'un des bâtiments encore debout est une école dévastée. Aux alentours, ils distinguent des vestiges d'autres bâtiments à demi ensevelis sous la boue. Aussi loin que porte leur regard, ils ne voient que de la boue, des vignes, des branches d'arbres, des animaux morts, des morceaux de bois, quelques voitures et des corps. L'eau s'est retirée en laissant des flaques boueuses et une odeur saline persistante intensifiée par l'absence de vent.

Ils voudraient avancer rapidement dans la prairie, conscients d'être exposés au danger en si basse altitude. Mais la progression est difficile ; leurs pas s'enfoncent dans la boue, parfois jusqu'au genou. Las de perdre leurs chaussures dans cette boue épaisse, ils les transportent dans leurs mains et marchent pieds nus. À peine ont-ils parcouru deux cents mètres qu'ils distinguent avec effroi de nombreux corps d'enfants gisant un peu partout, à demi ensevelis ou cachés sous les branches de vigne. Les petits corps sont regroupés non loin de l'école, un bâtiment de brique rouge haut de deux étages. Les fenêtres du premier étage ont disparu et des branches de vigne encombrent les vitres fracassées du second.

Lucy pleure en silence, un mouchoir sur le nez. « Le tsunami a déferlé à l'heure de la rentrée. Les enfants jouaient à l'extérieur, attendant que la cloche annonce le début des classes », songe-t-elle avec une profonde tristesse. Brian, toujours souffrant, songe aux paroles du vieil homme qui racontait que « l'eau venait et revenait sans cesse, coincée entre les collines… Ceci explique peut-être pourquoi les corps des enfants se retrouvent si près de l'école… et non pas à des kilomètres de là ». Lucy regarde autour d'elle dans l'espoir de voir un enfant survivant… Mais au bout de quelque temps, elle réalise que c'est peine perdue.

— Ils n'ont pas été prévenus, dit-elle tristement tout en marchant dans la boue.

Elle se sent désabusée. Déchirée… En colère face à ce caprice de la nature qu'elle considère comme une terrible injustice. Elle patauge rageusement lorsque son genou bute contre un objet dur. En le contournant, elle constate qu'il s'agit d'un pupitre d'écolier… Elle s'immobilise et le contemple un moment d'un air absent. Elle le redresse et l'examine en enlevant la boue, pleurant doucement sans s'en rendre compte… C'est un petit pupitre de bois traditionnel qui s'ouvre par le dessus et dont la chaise est rattachée par des barreaux de métal recourbés. Le dossier est fendu et le dessus du pupitre est griffonné de mots d'enfant.

Une rage intense monte subitement en elle. Elle a si mal… La vue de tous ces petits corps ensevelis lui est insupportable. Elle grimace et frotte le petit meuble avec frénésie comme si elle désirait le faire reluire. De grosses larmes roulent maintenant sur ses joues salies. « Pourquoi les enfants ? Pourquoi… » Elle laisse libre cours à sa colère et à sa douleur en tabassant rageusement le petit pupitre, en voulant aux tsunamis, à Dieu, à l'océan.

— Pourquoi faire souffrir les enfants ? Pourquoi ? hurle-t-elle à tue-tête.

Brian et Marc sont témoins de la scène, mais ne savent pas comment réagir devant ce débordement d'émotion. Marc finit par s'asseoir sur un banc renversé et se bouche les oreilles. Brian l'observe silencieusement, attendant patiemment. Au bout d'un moment, Lucy se laisse choir sur le pupitre d'écolier et pleure à chaudes larmes, la joue contre le bois dur. Lorsqu'elle se calme enfin, Brian tente de la convaincre de poursuivre leur chemin. Mais elle est perturbée et s'accroche désespérément au pupitre d'écolier, comme s'il s'agissait d'un précieux trésor. Elle a l'impression qu'en le quittant, elle abandonnera les enfants innocents morts ici…

C'est absurde et elle le sait. Mais en même temps, elle ne veut pas passer sous silence la tragédie qui s'est déroulée ici. Repoussant Brian, elle entreprend de soulever le pupitre pour le déposer sur le toit d'une voiture non loin de là. Brian décide de l'aider malgré tout. À deux, ils soulèvent le pupitre sur le toit d'une vieille Topaze. Pendant un long moment, elle fixe ce petit pupitre d'écolier juché en l'air. Aux yeux de Marc, le pupitre n'a pas sa place ainsi perché sur la vieille voiture sale. Mais au bout d'un certain temps, observant tour à tour le comportement de Lucy et celui de Brian, il comprend que le pupitre fait figure d'un monument érigé en l'honneur des enfants morts ici. Il les rejoint alors silencieusement, joignant les mains en signe de recueillement.

Presque aussitôt, l'attention de Lucy est attirée par un son provenant de derrière un bâtiment à moitié démoli tout près. «On aurait dit une plainte. Une lamentation?» Prise d'un espoir soudain, elle part à la course dans la boue, suivie de près par les deux hommes.
— Un cri d'enfant! C'est un enfant!

Elle en est certaine. Les deux hommes entendent également la plainte qui se répète. Marc s'élance à toute vitesse et dépasse facilement Lucy en bousculant son père au passage. Il passe derrière le bâtiment et s'arrête net de l'autre côté. Lucy et Brian le rejoignent aussitôt. Un gros conteneur métallique vert dont la peinture s'écaille gît sur le côté. Sur le dessus, se trouve… un agneau. Un petit mouton gris aux pattes et à la tête noire. Il bêle de plus en plus fort maintenant qu'il les a aperçus.

En proie à une terrible déception, Lucy baisse la tête avec tristesse. Brian la prend dans ses bras pour la réconforter, tandis que Marc grimpe sur le conteneur et se saisit de la petite bête en détresse. Il redescend, l'agneau dans les bras. Ce dernier bêle toujours, mais ne se débat pas. Brian l'examine. Il est sale et a de la boue dans les yeux, dans la gueule, et son pelage sent mauvais. Il respire fortement.
— Il s'en sortira, confirme Brian.

Lucy s'en approche et le flatte doucement. Il cesse de bêler et Marc le place sur ses épaules en le tenant par les pattes de chaque côté du cou. Sans plus attendre, il reprend sa marche, donnant le coup d'envoi. Elle jette un dernier regard sur le pupitre d'écolier avec tristesse et inspire profondément. Elle reprend courage en songeant à son propre fils.

Près d'une heure plus tard, ils atteignent enfin l'autre côté de la prairie. Sans prendre le temps d'enfiler leurs chaussures, ils escaladent la colline, dont le sol est recouvert d'un épais tapis d'épines de conifères. L'air sent bon l'eucalyptus et le sapinage et contraste avec l'odeur nauséabonde qui régnait en bas… Ils font une pause au pied d'un énorme Redwood tombé au flanc de la colline. Lucy est impressionnée par la largeur du spécimen et le détaille du regard un moment, tandis que Marc libère le petit agneau, qui fait mine de brouter paisiblement un peu plus loin.

Les survivants mangent leur premier repas, composé de croustilles, puis se reposent. Lucy est éprouvée et s'assoupit rapidement. Marc l'imite peu après. Brian est toujours souffrant et ne parvient pas à fermer les yeux. Il en profite pour observer discrètement ses compagnons pendant leur courte sieste. Il perçoit Lucy comme une femme émotive, fragile, mais aussi déterminée, têtue et fort intelligente. Bien que la beauté naturelle de Lucy l'intimide, il ressent une connexion toute spéciale avec elle. Toute simple. « Ç'a à voir avec ce quelque chose que je perçois dans son regard… Une profondeur d'esprit. » En fait, il la trouve carrément irrésistible, mais il est persuadé qu'elle n'est pas attirée par un homme tel que lui, simple et sans artifice.

Son regard passe ensuite à son fils, qu'il n'avait pas vu depuis deux ans. «Marc a énormément grandi et est devenu un jeune homme vigoureux et intelligent.» Avec émotion, il dévisage son fils endormi. Il doit admettre qu'il lui ressemble beaucoup physiquement. Il a les mêmes cheveux blond miel que lui à son âge, des joues roses bien remplies et une carrure déjà imposante. De sa mère, il tient ses yeux pairs dénotant une perspicacité notable et ses taches de rousseur, trahissant son jeune âge. Brian est fier de son fils et de la façon dont il s'est comporté ces derniers mois, temps difficile pour lui. Bien qu'il soit conscient qu'un fossé les sépare et que Marc lui en veut de ne pas avoir été un père présent, il a confiance que l'amour inconditionnel qu'ils se portent les unira à nouveau.

Marc se réveille brusquement, se sentant probablement observé. Il lui jette un coup d'œil rapide et se lève prestement pour rattraper l'agneau qui s'est éloigné. Ils reprennent lentement leur marche et traversent collines, vallons et petites routes, toutes désertes. Ils évitent la grande route, car elle longe la rivière Eel, mais s'assurent tout de même de la suivre à distance afin de garder le cap vers Fortuna. Une humidité persistante règne dans la forêt, ainsi qu'une odeur de sapinage vivifiante. Sans chaussures de marche, Lucy progresse difficilement. Elle glisse, tombe, se tord les chevilles plusieurs fois en hurlant de douleur. Elle décide finalement de marcher pieds nus, option qu'elle juge somme toute plus sécuritaire. Mais l'état de Brian l'inquiète davantage. Il se comporte bizarrement par moments et demande l'heure toutes les dix minutes. Il semble tantôt désorienté, répétant les mêmes phrases, tantôt parfaitement conscient. Lucy doit le ramener vers eux continuellement, car il s'éloigne sans s'en rendre compte. Elle espère trouver à Fortuna l'aide adéquate pour le soigner.

Ils sont sales et recouverts de boue séchée. Lucy a la bouche pâteuse et ses jambes lui font mal. Au fur et à mesure qu'ils se rapprochent de Fortuna, elle ne peut que constater les importants dégâts causés par les tsunamis si loin dans les terres. L'eau s'est introduite beaucoup plus loin qu'elle ne l'avait d'abord imaginé. Chaque vallon qu'ils traversent représente toujours un danger, car l'eau s'y est accumulée en vastes étendues boueuses et sablonneuses, encombrées de débris végétaux qu'il leur faut traverser, parfois même en rampant. Lucy est déterminée à atteindre Fortuna à tout prix et toute sa concentration, son énergie et ses efforts sont orientés vers ce but ultime. Elle est persuadée d'y trouver un moyen de transport pour retourner enfin chez elle. Ils poursuivent donc leur périple toute la journée sans s'arrêter. Épuisés et affamés, ils atteignent finalement la petite ville à la tombée de la nuit, alors qu'une chouette hurle derrière eux, annonçant l'arrivée de la pleine lune.

Parvenus en haut d'une colline, ils jouissent d'une vue intégrale sur la petite vallée abritant Fortuna. Celle-ci est plongée dans le noir et totalement silencieuse. «C'est mauvais signe...» songe Lucy. Progressant lentement en bas de la colline, ils enjambent et contournent les obstacles qui jonchent le sol. Ils sont consternés de voir que la vallée de Fortuna a été ravagée par les eaux des tsunamis qui ont voyagé sans obstacle sur la rivière Eel avec une force dévastatrice. La majorité des bâtiments comptaient un étage, certains deux. Pour la moitié d'entre eux, seuls la fondation et les trottoirs de béton témoignent de leur présence ici auparavant. Ceux encore debout démontrent des signes évidents d'assauts majeurs : les vitrines sont absentes et les toits sont arrachés, les murs de briques, fissurés. La partie ouest de la ville, donnant sur la rivière, a littéralement été rasée. Mais Lucy ne voit les débris nulle part. La place est nette. Vidée. Elle s'imagine qu'ils ont été emportés par les eaux, au loin dans la rivière.

Ils avancent silencieusement d'un air incrédule. Le sol éclairé par la pleine lune apporte une lumière diffuse, mais suffisante pour leur permettre d'avancer sans difficulté. Sur la chaussée, une immense lignée de boue et de sable témoigne de la crue soudaine des eaux dans la petite municipalité. La vallée entière a été rasée. Submergée sous plusieurs mètres d'eau, à chaque nouvelle vague, toutes plus puissantes les unes que les autres... Le regard tourné vers l'ouest, Brian observe avec inquiétude la rivière Eel qui s'écoule normalement...

Contrairement à tout à l'heure, Lucy ne ressent pas de la rage face à cette dévastation, mais plutôt un fort mélange de désespoir et de stupéfaction. Ils espéraient trouver de l'aide à Fortuna, mais de toute évidence ce ne sera pas le cas. Un urgent besoin de s'éloigner l'étreint, consciente qu'ils sont dangereusement exposés en ces lieux. Ils se dirigent rapidement vers l'est de la ville, où ils distinguent une colline au loin. Pendant le trajet, Marc fait beaucoup de bruit en marchant sur la chaussée, faisant claquer ses chaussures sur le sol et appelant à l'aide. Il tourne sur lui-même plusieurs fois et observe tout autour, dans l'espoir évident que quelqu'un se manifeste. Mais ses efforts demeurent vains.

En arrivant à l'extrémité de la ville, ils sont stupéfaits de voir que la colline n'en est pas une. Dans les rues de ce quartier s'élève un monticule haut d'une cinquantaine de mètres. Il est composé de toutes les structures, les bâtiments, les toits, les voitures, les clôtures, les arbres, les meubles, les poteaux électriques et les habitants de la petite ville de Fortuna. Une colline de débris. Une colline immonde.

Cette image restera à jamais gravée dans leurs mémoires... Les débris sont agglutinés contre le mur imposant du bâtiment de l'hôpital, poussés là par la force phénoménale des tsunamis. Des centaines de corps sont empilés les uns sur les autres. Des corps d'hommes, de femmes et d'enfants, gisant dans des flaques d'eau au pied du monticule. Une odeur nauséabonde s'en dégage déjà. Lucy s'écroule sur le sol, en proie à une vive émotion. Marc, adossé à une voiture, dépose l'agneau et pleure doucement, les paumes de mains appuyées sur les yeux et le T-shirt remonté sur le nez. Brian ne réagit pas. Il reste muet et momentanément confus, attendant apparemment de nouvelles directives. Au bout de quelques instants, elle se ressaisit et dit tout haut d'une voix troublée :
— Nous devons nous réfugier en montagne pour passer la nuit. On ne peut pas rester ici.

Cette désagréable odeur lève le cœur de Lucy et lui pique la gorge.
— Il faut à tout prix s'éloigner d'ici, et vite ! ajoute-t-elle avec détermination cette fois-ci.

Elle insiste, mais n'obtient aucune réponse ni mouvement de ses compagnons. Au contraire, Marc s'effondre sur le pavé, le dos appuyé contre le pneu de la voiture. Il pleure comme un petit garçon, ses sanglots lui soulevant les épaules. Déchirée, elle se penche vers lui et le serre dans ses bras. Il pose sa tête un court moment sur son épaule. Elle lui murmure des mots réconfortants tout en lui caressant les cheveux. Prenant tout à coup conscience de sa faiblesse momentanée, il se relève prestement en s'essuyant les yeux, tout en se justifiant :

— Plusieurs de mes amis vivaient ici…

C'est alors que l'attention de Lucy est attirée par quelque chose en mouvement derrière eux, à quelques pâtés de maisons à l'ouest. C'est une silhouette féline allongée qui déambule dans la rue d'un pas lent, calculé. Elle reconnaît cette démarche animale… Son sang se glace dans ses veines. Elle se lève d'un bond et secoue vigoureusement Marc, qui sort définitivement de sa torpeur. D'une voix vive et apeurée, elle dit :

— Nous devons partir tout de suite ! Dépêchez-vous ! Pas de temps à perdre !

Elle prend même le sac à dos, tire la manche de Marc et se dirige vers Brian, qui se tient toujours immobile devant le monticule. Elle l'empoigne à la ceinture et tire les deux hommes avec force sur plusieurs mètres en traversant la rue. Une énergie nouvelle l'anime, alimentée par la vive crainte que cet animal suscite chez elle… Mais Marc se dégage d'un geste vif et retourne sur ses pas sans dire un mot. Lucy, affolée, lui hurle de revenir immédiatement, mais il ne l'écoute pas.

— Merde ! marmonne-t-elle

Elle hésite un moment puis entraîne Brian derrière elle en suivant Marc. Ce dernier cherche l'agneau. Il l'appelle comme on appelle un chien, et le petit apparaît derrière une voiture retournée à quelques mètres d'eux. Ses petits sabots résonnent sur la chaussée. Marc l'attrape et le replace sur ses épaules. Lucy scrute l'ouest à l'endroit où elle a aperçu la silhouette animale quelques instants plus tôt. Disparue. « Elle est sûrement cachée et nous épie », songe-t-elle. Lorsque Marc les rejoint, elle dit sur un ton affolé :

— Venez ! Vite ! Il faut s'éloigner des corps…

Lucy est persuadée que l'odeur nauséabonde a attiré le dangereux prédateur dans la ville dévastée. Ils se hâtent. Le cœur de Lucy bat la chamade. Derrière le monticule se dresse le large bâtiment hospitalier de trois étages dont le mur arrière est défoncé et le toit recouvert de débris. Ils s'élancent à travers un jardin encombré, traversent le stationnement où les voitures sont empilées et atteignent la porte d'entrée principale. Sans s'arrêter, ils empruntent différents couloirs glissants jonchés de débris. Il y fait très noir. Au bout d'un moment, Marc trouve l'escalier principal et ils le gravissent jusqu'au dernier étage. Brian arrive le premier, au grand étonnement des deux autres. Une fois en haut, ils referment soigneusement la porte et la bloquent à l'aide d'une couchette renversée.

Ici, enfin, Lucy se sent en sécurité. Mais il fait noir comme dans un four dans ce couloir... Ils avancent à tâtons dans l'obscurité et atteignent une petite salle d'attente vitrée sur trois côtés, située à l'extrémité nord du bâtiment. L'une d'entre elles est fracassée ; du verre recouvre le sol devenu glissant. La lueur de la lune diffuse une pâle lumière dans la pièce. Chacun s'installe sur des bancs en rangées. Marc distribue la dernière ration d'eau et de nourriture. L'agneau s'agite dans le noir, ses petits sabots tapotant le sol frénétiquement. Marc réussit à lui faire boire un peu d'eau et étend une couverture sur le sol. Brian ronfle déjà.

— Tu sais, tout à l'heure, tu m'as vraiment fait peur... dit-il.

— J'ai eu vraiment peur, répond-elle.

— Tu as vu quelque chose ?

— Oui, dit-elle d'une petite voix.

— Qu'est-ce que c'était ?

Elle ne répond pas, mal à l'aise. Elle craint qu'il croie qu'elle a imaginé le prédateur... Un silence s'ensuit. Puis Marc ajoute :

— Bon, ça va. On est en sécurité ici. Y a pas d'inquiétude à y avoir, dit-il d'un ton qui se veut rassurant.

Lucy soupire. Elle a un peu honte de sa peur injustifiée, mais n'ose pas l'avouer. Ce dernier manipule la caméra, qu'il s'est entêté à transporter, et fait jouer la bande. Ils regardent les images entrecoupées captées le jour du désastre par le caméraman... Ils y voient des scènes ahurissantes des tsunamis qui déferlent sur les villages côtiers, gobant tout... Les dernières images leur font revivre leur propre sauvetage et la terrible minute où l'hélico est poursuivi par le monstre de trente mètres de haut... Marc retire la cassette et la place dans le sac. Ils demeurent silencieux un long moment, songeant à la terrible épreuve passée. L'agneau est toujours nerveux. Finalement, Marc empoigne le petit animal effarouché et le blottit contre lui. L'agneau se calme peu à peu grâce à cette présence chaude et réconfortante.

Brian ronfle bon train maintenant, et Marc l'imite l'instant d'après. Mais le sommeil fuit Lucy. Pourtant, elle en a rudement besoin. Au bout d'un moment, elle se lève à nouveau pour vérifier que la porte de la cage d'escalier est bien fermée, et cale de nouveaux objets contre celle-ci. Puis, elle pose son oreille contre la porte et écoute un moment... Rien. Elle poursuit son exploration dans le sombre couloir et découvre un trou dans le toit, causé par la chute incongrue d'un tracteur à gazon. Lasse, elle retourne s'étendre sur les bancs inconfortables. « Demain, je visiterai les autres pièces et peut-être pourrai-je me laver... » Elle s'endort sur cette pensée.

En pleine nuit, elle est réveillée par une puissante secousse. L'immeuble vibre tout entier. Des objets tombent au sol dans le couloir. La secousse perdure plusieurs secondes et les deux hommes se réveillent à leur tour, les nerfs à vif. Au-dehors, des bruits métalliques proviennent des voitures qui s'entrechoquent, de même que des bâtiments qui s'effondrent. La colline immonde laisse aussi tomber bruyamment quelques morceaux…

Lucy se réfugie instinctivement sous une petite table basse dans le coin de la pièce. Père et fils demeurent debout, les jambes et les bras écartés, prêts à bondir. Lucy remarque l'étonnant réflexe instinctif transmis de père en fils. Lorsque les tremblements diminuent, une seconde secousse beaucoup plus importante que la précédente se produit. Les tuiles du plafond tombent dans la pièce et la vitrine fracassée s'effondre à l'extérieur de l'immeuble dans un bruit assourdissant. L'immeuble vacille. Une partie du mur déjà affaibli par l'assaut des débris s'écroule et des briques tombent au sol un peu partout.

Au loin dehors, de nouveaux bruits de froissements métalliques, de vitres fracassées et de structures qui s'effondrent se font entendre de plus belle. Puis, un retentissant bruit d'explosion ressemblant à un puissant coup de tonnerre se produit… suivi d'un long craquement sinistre déchirant l'air. Cette déflagration ahurissante fait sursauter les hommes, qui se réfugient prestement sous les bancs fixés au mur. Une quinzaine de minutes plus tard, les tremblements cessent enfin. Leurs oreilles bourdonnent et ils demeurent à couvert jusqu'au petit matin…

Julie et Danielle

Danielle se réveille dès les premières lueurs. Le sommeil l'a fuie une partie de la nuit. Elle se relève péniblement du divan-lit et utilise la salle de bain. Son attention est attirée par un bruit répétitif provenant de l'extérieur. Elle l'entend très clairement à travers la fenêtre entrouverte ; quelqu'un cogne sur du métal… Elle se relève prestement et se penche à la fenêtre. Un misérable spectacle s'offre à elle : l'eau s'est retirée en grande partie de la vallée et, ici et là, se trouvent des amoncellements de débris de toutes sortes : des voitures, un autocar, des voiturettes de golf, des tables, des chaises, des arbres, des corps et, un peu partout, des bancs de sable. D'immenses flaques d'eau boueuses et opaques parsèment le paysage. Des poteaux arrachés et des fils électriques sont éparpillés par terre sur la chaussée et sur les parterres. Au loin, la rivière semble avoir repris son cours et, très loin dans la vallée, elle aperçoit un imposant voilier brun, renversé sur le côté et dont les voiles blanches sont déchirées. Elle le reconnaît aussitôt : c'est le bateau de pirate sur lequel ils se sont embarqués voilà deux jours. Le Marie Galante, un voilier bien conservé, opéré par une compagnie locale offrant des excursions divertissantes pour toute la famille dans la baie de Banderas. Toute la famille s'est bien amusée pendant le spectacle musical de pirates, où le capitaine est victime d'une mutinerie dansante en pleine mer…

Un lever de soleil magnifique expose la vallée dévastée… Elle tend l'oreille attentivement et repère la provenance des frappements répétés ; une femme vêtue d'un sarrau blanc est étendue sur une bétonnière renversée juste en face de l'hôtel. À l'aide d'un bout de bois, elle cogne sur le métal. Danielle sort de la toilette en s'écriant :
— Hey ! Il y a une jeune fille dehors. Elle est vivante !

Ils se réveillent en sursaut. Rick est le premier à se ruer sur le balcon, toujours somnolent. François le rejoint, et ils hurlent pour attirer l'attention de la jeune femme, qui au bout de quelques secondes, tourne la tête dans leur direction. Lentement, elle s'assoit et les salue d'un signe de la main. « Elle paraît jeune… Seize ou dix-sept ans, peut-être », remarque Rick.

Toute la bande se réveille rapidement sous leurs cris. Jo distribue la mince ration d'eau et de bouffe aux enfants. Ils rechignent un peu, désirant probablement ne pas se réveiller, pour échapper à la dure réalité qui les attend. Julie sursaute en ressentant une légère secousse, lui semble-t-il… Elle est encore étourdie. Ses yeux sont bouffis de sommeil et de pleurs… Elle remarque à l'expression de ses proches qu'elle n'est pas la seule à avoir versé des larmes cette nuit. Le petit Joey, anxieux et encore à moitié endormi, cherche ses parents. Sam s'occupe de le rassurer et de lui changer les idées avec sa bonne humeur. Les jeunes hommes s'empressent de sortir pour secourir la jeune femme. Franck crie derrière eux :
— Pas de niaiseries ! Soyez prudents !

Julie les regarde s'éloigner. Peter dort toujours à poings fermés, malgré tout ce brouhaha. Danielle essaie à nouveau d'utiliser son téléphone cellulaire, mais sans succès. Le réseau est tombé… Peter se réveille finalement quelques minutes plus tard en sursaut, lorsque Angy lui crie dans les oreilles. Il respire superficiellement et a les yeux hagards. Puis, il place ses mains devant ses yeux et pleure doucement. Toute l'horreur de la situation lui revient à l'esprit…

Franck n'a pas bougé depuis la veille. Il n'ose le faire de peur d'avoir mal à nouveau. Il sait que ses côtes brisées prendront plusieurs jours, voire des semaines, avant de guérir. Son œil meurtri est totalement collé de sécrétions ce matin et il n'arrive pas à l'ouvrir. Léo lui apporte de l'eau dans une bouteille et il réussit à l'ouvrir en le frottant longuement avec l'eau douce. Il est soulagé de constater qu'il n'a pas perdu la vue... Les enfants ont de l'énergie à revendre malgré leur peine, et Julie leur suggère de jouer dans le couloir avec le ballon de plage. Ils s'élancent hors de la suite, et Julie en profite pour se recoucher.

Les adolescents dévalent déjà l'escalier. Ils rencontrent le couple âgé du quatrième étage, qui est complètement désorienté. La dame obèse se déplace difficilement, en utilisant une marchette.
— Où comptez-vous aller ? demande Jonathan.
— À la réception... Nous désirons réserver un vol de retour anticipé. Ma femme ne se sent pas bien...

François les informe avec délicatesse qu'il est impossible pour le moment de circuler hors de cet étage et les raccompagne fermement à leurs chambres. La dame désespérée pleure, tandis que le vieil homme tente en vain de la réconforter. Un triste sentiment de pitié envahit le cœur des jeunes hommes devant cette scène poignante. Ils s'éloignent néanmoins et débarquent finalement dans le grand hall d'entrée situé au premier étage de l'immeuble central. Il est vidé de ses meubles, à part le large lustre toujours suspendu au plafond et l'énorme comptoir de réception qui s'est déplacé sur plusieurs mètres. Les poutres mises à nue laissent voir l'effritement avancé de la structure de béton. Le plancher est recouvert de branches de palmiers, de morceaux de bois, de quelques corps et de menus objets. François s'aventure près des corps pour vérifier s'il reconnaît quelqu'un... mais les victimes lui sont inconnues. Les vitrines des boutiques sont fracassées et leur contenu, vidé. Les jeunes s'avancent et atteignent l'entrée principale donnant sur le stationnement. Un peu à l'avant gisent la bétonnière et sa captive, vêtue de blanc.

Craignant qu'un tsunami ne les surprenne, ils s'organisent pour former une chaîne de communication. Le premier de la chaîne, Pedro, se tient sur les premières marches de l'entrée arrière, faisant face à la mer. C'est lui qui surveille les allées et venues de l'eau et avertira ses camarades en cas de danger. Jo s'est posté à l'autre extrémité de la pièce, sur les premières marches de l'entrée principale avant, faisant face à la vallée. Rick et François s'aventurent au sol avec mille précautions parmi les débris. L'eau boueuse arrive à hauteur de genoux des jeunes hommes. Les bancs de sable sont de véritables souricières et emprisonnent facilement leurs pieds, ralentissant leur progression. Ils tentent donc de les éviter, mais se heurtent à d'innombrables objets. Ils progressent lentement et doivent même contourner quelques corps déjà boursouflés. Au bout d'une dizaine de minutes, ils rejoignent la demoiselle en détresse sur la bétonnière renversée.

Soudain, Pedro hurle quelque chose à Jo, qui ne comprend pas vraiment ce qu'il dit, mais devine à son agitation qu'un tsunami arrive !
— Planquez-vous ! Un tsunami arrive ! hurle-t-il.

Paniqué, il grimpe au mur extérieur endommagé jusqu'au premier balcon, qui tient encore par miracle... Pedro s'élance dans l'escalier et atteint le deuxième étage lorsque la vague déferle quelques secondes plus tard. François et Rick grimpent sur la bétonnière de justesse. La vague est beaucoup moins vigoureuse que les précédentes, mais elle réussit tout de même à déplacer une voiture gisant sur le parterre ainsi que tous les débris alentour. L'eau entre dans le hall à hauteur de quelques centimètres, mais recouvre le plancher avec une force surprenante.

Cette vague d'environ un mètre et demi de haut est suivie par trois autres plus petites, échelonnées sur une période de quinze minutes. Peu après, l'eau se retire tranquillement, laissant à nouveau des bancs de sable et des débris déplacés. Pedro et Jo reprennent anxieusement leur poste d'observation, et ce dernier hurle à ses cousins de revenir prestement avec la rescapée. Le temps de retour est plus long, car le niveau de l'eau est légèrement plus élevé, au grand désespoir de Jonathan, qui s'impatiente. L'avancée est ardue, et ils parviennent enfin au pied de l'escalier principal. Ils sont essoufflés et épuisés, mais Pedro insiste pour qu'ils remontent immédiatement aux étages supérieurs en traînant de force ses nouveaux amis. Pedro et la jeune femme mexicaine échangent quelques phrases, dont la signification leur échappe. François retient toutefois son nom et son âge : Maria, vingt et un ans.

En fait, elle raconte à Pedro qu'elle travaille comme femme de chambre à l'hôtel Marina Vallarta. Elle était sur le balcon du deuxième étage d'une villa lorsque la première vague a frappé. À la toute dernière minute, elle a réussi à grimper sur le toit en s'aidant de son chariot roulant. Mais la deuxième vague a arraché le toit entier et elle a basculé à l'eau. Elle s'est retrouvée tout près d'ici après une heure de nage épuisante, s'est déplacée de débris en débris tout au long de la journée et a grimpé sur le camion à la nuit tombée... Maria est visiblement reconnaissante d'avoir été rescapée par les jeunes hommes. Elle leur offre un magnifique sourire, et ceux-ci retrouvent aussitôt leur gaîté naturelle et leur fierté masculine...

Les autres membres de la famille ont assisté au sauvetage de Maria du haut du balcon et l'accueillent chaleureusement. Jonathan s'empresse de lui remettre une bouteille d'eau et quelques croustilles. Maria est déshydratée et boit goulûment le précieux liquide, tandis que Jonathan observe les jambes de la jeune femme marquées d'ecchymoses et ses pieds nus. Maria dévore les croustilles tout en répondant aux questions de Pedro. Ils discutent un moment, puis Maria s'énerve subitement. Elle se précipite aussitôt sur le balcon et observe anxieusement la vallée. Pedro la regarde sans dire un mot. Il baisse la tête, l'air triste.

— Elle vient d'apprendre que la vallée tout entière est dévastée, murmure Julie qui le devine à son comportement.

En effet, d'où elle était, il lui était impossible de constater l'importance de la dévastation dans la vallée. Mais du cinquième étage, la vue est sans équivoque. La jeune femme désespère silencieusement, car elle réalise que sa famille et ses amis n'ont probablement pas survécu aux terribles tsunamis. Elle s'effondre en larmes et se recroqueville dans un coin du balcon, tournant le dos à tous et refusant toute forme de compassion des inconnus qui l'ont secourue. En revenant des toilettes, Julie annonce que la chasse d'eau, hélas, ne fonctionne plus… La deuxième journée se déroule dans le calme et la tristesse. Personne n'ose sortir, et ils se contentent de se promener entre les chambres déverrouillées du cinquième étage.

Toutefois, un espoir naît progressivement en soirée concernant les secours qui pourraient bien arriver le surlendemain. Peter et Franck s'entendent pour dire que les secours prennent en moyenne quarante-huit heures pour s'organiser lors d'un événement majeur. Et considérant l'étendue du désastre sur les côtes du Mexique, ils prévoient que l'aide n'arrivera peut-être qu'en fin de journée dans deux jours. Du moins l'espèrent-ils. Le manque de nourriture, rationnée et inadéquate, amène une baisse d'énergie marquée chez les enfants, et ils deviennent impatients et colériques en après-midi. Et la chaleur torride de cette merveilleuse journée ensoleillée contribue à rendre les ados et adultes, à jeun depuis la veille, légèrement amorphes.

La nuit est bienvenue et les petits s'endorment enfin, au grand soulagement des adultes exaspérés. Afin de ne pas gaspiller l'eau disponible, ils n'utilisent l'eau des baignoires que pour boire et se débarbouiller.

Serena

Au matin, une humidité froide provenant à la fois des tapis mouillés des étages inférieurs et de la pluie qui est tombée pendant la nuit rafraîchit l'air. Le navire reste à flot, toujours en position inclinée. Les tourtereaux en détresse sont réveillés au petit matin par les grognements bruyants de l'estomac de Claude. Serena s'assoit lentement et observe autour d'elle. La lumière du jour passe par les fenêtres de la salle de jeu. La plupart des gens présents dorment encore. Devant la porte entrouverte se tient un petit garçon chinois âgé d'environ cinq ans. Il regarde Serena intensément. Après un moment, elle reconnaît le gamin qui a glissé sa petite main dans la sienne le premier matin, dans le grand hall. Elle lui répond par un sourire. Il ne le lui rend pas, mais continue de la fixer comme s'il s'attendait à ce qu'elle fasse quelque chose. Intriguée, elle se lève et se dirige vers lui en souriant de nouveau. L'enfant pointe Claude du doigt. Celui-ci, qui discute à voix basse avec Lindsay, les rejoint l'instant d'après. Le petit chinois ouvre tranquillement la porte et les invite d'un geste de la main à le suivre.

L'enfant les mène directement au spa, abritant dorénavant l'infirmerie. Le petit circule parmi les blessés dans la pièce et se place debout devant sa mère inconsciente, étendue sur une table de massage. Ils reconnaissent la jeune femme asiatique aux longs cheveux noirs et s'inquiètent de son teint beaucoup trop pâle. Le petit touche le front de sa mère de sa petite main et embrasse sa joue. Puis, il dit d'une voix claire et enfantine, avec un léger accent :
— Ma maman est morte cette nuit.

Serena est surprise du calme du gamin alors qu'il prononce ces paroles troublantes. Claude s'avance et prend le pouls de la jeune femme au poignet et acquiesce d'un simple signe de tête. Ils demeurent silencieux un moment et Serena est immensément triste pour ce petit être, réalisant qu'il sera privé de sa mère pour le reste de sa vie. Alors, elle murmure à son oreille :
— Si tu veux bien, je prendrai soin de toi jusqu'à ce que nous soyons en lieu sûr.

Le petit accepte d'un hochement de tête. De grosses larmes roulent le long de ses petites joues rondes, et Serena caresse les cheveux fins en soupirant tristement. Le couple attend patiemment aux côtés du petit qui dévisage longuement sa mère en lui tenant la main. Au bout d'un moment, il se retourne vers Serena et dit d'une petite voix :
— Je suis prêt à partir avec vous maintenant.
— Euh… D'accord. Et ne t'inquiète pas mon petit, ils prendront bien soin de ta mère en notre absence. Viens.

Serena ressent la détresse du petit et aurait aimé pouvoir prendre sur ses propres épaules cette lourde peine. Elle tend la main au petit homme, qui la prend docilement. Claude ramasse les effets personnels du gamin et de sa mère et place le tout dans grand un sac fourre-tout, appartenant visiblement à cette dernière. Tout en s'éloignant, Serena lui pose quelques questions simples pour tenter de lui changer un peu les idées.

— Je m'appelle Serena. Quel est ton nom déjà?
— Je m'appelle Yhéo. Ma mère s'appelle Mai.
— Je suis ravie de faire ta connaissance, Yhéo. Quel âge as-tu?
— J'ai cinq ans. J'aurais six ans le 1er décembre.
— Bien. As-tu faim?

Il répond affirmativement et elle lui tend une barre de céréales, qu'il mange avec appétit. Ils retournent dans la salle d'amusement, où Claude installe une petite table avec quelques chaises d'enfants. Yhéo ouvre un tiroir et trouve des casse-tête défaits. Une fillette du même âge se joint à lui quelques instants plus tard et ils jouent tranquillement ensemble une partie de la matinée. Serena est intriguée par le comportement du petit. Elle s'attendait à ce qu'il soit triste et qu'il pleure une bonne partie de la journée. Bien qu'il demeure silencieux et calme, Yhéo ne pleure pas. Il garde les yeux baissés sur ses casse-tête et ses dessins, en proie à une tristesse contenue. Serena laisse le petit aux soins de son mari en après-midi, arpente les salles à la recherche de nourriture et tombe nez à nez avec le capitaine Norrington.

Sans hésitation, elle se présente à lui :
— Bonjour capitaine.
— Bonjour madame. Que puis-je faire pour vous?

Elle l'examine brièvement, mais n'ose lui demander pourquoi il porte une paire de jeans et un t-shirt «Sous le soleil de l'Alaska Sun».
— Capitaine, est-ce que le navire va couler?
— Non, il restera à flot madame. Soyez sans crainte.
— Pourtant, vous paraissez inquiet. De quoi s'agit-il?

Elle s'assied à côté de lui, espérant qu'il se confiera à elle. Mais il se contente de sourire et de répondre :
— Tout va bien. Nous attendons les secours d'un jour à l'autre.

Puis, il se lève et disparaît dans la foule. Serena sait qu'il ment. «Je saurai la vérité, tôt ou tard», se dit-elle avec son entêtement habituel. Elle poursuit sa ronde et trouve des tomates légèrement écrasées, des petits gobelets de confiture de fraise et de beurre d'arachide, du pain grillé humide et des morceaux de cantaloup sous les tables de buffet renversées. Ces quelques aliments nourrissent les quatre amis; Yhéo et Lindsay ont droit à une plus grosse part, tandis que Claude se contente d'une tranche de pain humide sans saveur et de quelques gorgées d'eau de toute la journée. Il y a longtemps qu'il

164

veut perdre du poids, beaucoup de poids. Alors, il se dit que les circonstances s'y prêtent bien…

Les heures passent lentement et les passagers angoissés déambulent sur les ponts et dans les salles à la recherche de confort et de nourriture. Aucune autre vague importante ne déferle sur le navire, et les gens attendent patiemment les secours. La nuit tombe et se passe dans le calme, hormis les gémissements. Serena somnole en veillant sur Yhéo. Le petit s'endort rapidement ; de grosses larmes séchées laissent de longues traces sur ses joues rondes. Il a pleuré discrètement en s'endormant. Il tient serrée contre son cœur une petite peluche ; un bébé panda à la fourrure usée de caresses répétées. Pendant que le petit dort, Claude farfouille dans le sac bandoulière de Mai. En feuilletant les passeports, il découvre qu'ils sont d'origine japonaise et non chinoise. Il vérifie les papiers d'identité, qui indiquent qu'ils ont le statut d'immigrants reçus au Canada. Claude replace le tout dans le sac et observe sa femme, qui s'est finalement endormie aux côtés du petit. Il demeure assis longtemps dans le noir en se demandant si les secours viendront vraiment. Malgré ces pensées qui ne sont pas pour le réconforter, il s'endort en position assise et ronfle allègrement, au grand désespoir des autres passagers…

Norrington

Une ambiance triste et étrangement calme règne en cette matinée pluvieuse sur le navire. Norrington déambule dans les salles, dirigeant le personnel et participant activement à assurer le confort et la sécurité des passagers. En fin d'avant-midi, les gardes de sécurité trouvent finalement Graney dans une cabine inondée à mi-hauteur. Ce dernier a passé une nuit misérable debout sur un bureau, les pieds dans l'eau. Graney rejoint Norrington après avoir visité Peterson dans la salle de pilotage. Ce dernier prétend avoir agi de la sorte dans l'intérêt des passagers… Graney le déteste et tempête une fois en présence de Norrington. Ce dernier est soulagé de voir que son ami est sain et sauf. M. Graney l'informe alors des dernières nouvelles, qu'il a soutirées de ses collègues officiers et de Peterson lui-même.

— Todds est toujours inconscient. Peterson a planifié et orchestré cette mascarade tout de suite après les premières vagues, lorsqu'il a quitté la salle de pilotage, accompagné de son fidèle ami, Anderson. Ils ont contrefait la lettre de directives à l'aide du jeune employé des communications. Peterson l'aurait menacé puis soudoyé pour obtenir sa collaboration…

— Je m'en doutais. Mais il est trop tard maintenant. On ne peut renverser la vapeur et Todds est gravement blessé.

Il marque une pause et poursuit :
— Et les secours ne sont pas prêts de se pointer…

Intrigué, Graney lui demande :
— Et pourquoi dites-vous cela ?
— La deuxième série de vagues venait de bâbord. Or, j'ai évalué la position du navire à ce moment-là, et cela me fait croire qu'elles provenaient en fait du sud. Du large des côtes américaines et non d'Hawaii.
— Des côtes américaines ? Mais comment ?
— J'ai réfléchi. Je ne vois que deux possibilités ; soit qu'il s'agissait de retour de vagues, soit qu'elles provenaient d'un important séisme sous-marin… Juan de Fucas. Dans un cas comme dans l'autre, les deux séries de tsunamis ont percuté les côtes américaines et canadiennes fortement. Et j'ai observé d'autres séries d'ondulation sur l'océan aujourd'hui, quoique faibles, provenant de la même direction. Tous les ports et villes côtières ont sûrement été ensevelis sous des mètres d'eau. Je suis persuadé qu'ils sont tous détruits… De même que Pearl Harbor, à Hawaii. Si l'aide arrive un jour, elle proviendra sûrement des airs ou de navires déjà en mer ayant passé à travers les séries de vagues sans être endommagés.
— Bon… Je vois.
— Des nouvelles sur l'état du navire ?
— Oui. Les cloisons ont tenu le coup et le navire restera à flot longtemps. Les niveaux six et sept tribord et avant sont inondés, de même que les niveaux cinq et quatre à la proue. Les mécaniciens de bords ne peuvent réparer l'aviron principal, et la colonne de direction a été tordue. Les moteurs auxiliaires fonctionnent, mais l'hélice a perdu une pale. Les plongeurs mécaniciens tentent présentement de la réparer.
— Merci M. Graney.

Ce dernier penche la tête en guise de salutation et repart vers la cabine de pilotage, où il doit reprendre son poste auprès de Peterson. Norrington réfléchit. « Même avec l'hélice réparée, le navire tournera en rond sans aviron fonctionnel. Et en ce temps de l'année, le navire pourrait bien être emporté jusqu'en Amérique centrale, voire même en Amérique du Sud dans le courant océanique. Ou encore être à la merci d'une bombe atmosphérique. » Il est assis sur une chaise dans la salle de banquet, la tête entre les mains. Il songe alors à sa propre famille. Sa résidence est située sur le bord de l'eau à Seattle, et il souhaite ardemment que ses filles et sa femme n'étaient pas à la maison lorsque les tsunamis ont déferlé dans la baie. Selon ses estimations, elles étaient peut-être déjà en route pour l'école à cette heure-là, par delà les montagnes… Lorsqu'il relève la tête, une femme s'approche de lui. C'est la même femme qui s'est introduite dans la cabine de pilotage la veille au matin.

— Bonjour capitaine…

Chapitre 8

Le 3ᵉ jour

Lucy

Ils sont réveillés à l'aube par le bruit des petits sabots résonnant sur le carrelage. Lucy s'extirpe de son refuge et examine la pièce. Le sol est recouvert de tuiles brisées et de morceaux de vitres. Elle jette un coup d'œil à l'extérieur et constate de nouveaux dommages dans la ville. Certains bâtiments qui étaient debout la veille ne sont plus que ruines. Une énorme fissure de plusieurs mètres traverse la chaussée sur sa largeur jusqu'à la rivière, où l'eau s'engouffre. Une brume s'élève au-dessus et, avec le soleil levant, cette vue donne une impression étrange, presque irréelle. Lucy réfléchit à toute vitesse… Elle cherche une raison à tous ces impressionnants cataclysmes naturels simultanés.

— Ce n'est pas normal… il doit y avoir une raison… murmure-t-elle.

Elle lève les yeux en direction de Marc, qui se réveille à son tour. Elle dit :

— Ce n'est pas sécuritaire ici… On doit partir.

— Tu as raison. Il y a souvent des tremblements de terre par ici. Mais ceux des derniers jours étaient particulièrement puissants… C'est mauvais signe. Je n'aime pas ça.

— Moi non plus. Mais où peut-on aller ?

« S'il y a d'autres secousses, le bâtiment ne tiendra pas longtemps », se dit-elle. Mais son attention est aussitôt détournée par les gémissements de Brian. Assis sur un banc, les coudes sur les cuisses, il tient sa tête entre ses mains. Il souffre atrocement. Marc tente d'engager la conversation avec lui, mais il n'obtient que quelques grognements. Il gémit et se frotte la tête comme pour en faire sortir la douleur. Marc et elle échangent un regard entendu et s'élancent hors de la pièce à la recherche de médicaments pouvant le soulager. Mais les couloirs sont sombres et encombrés. Ils explorent le troisième étage où se trouvent trois chambres occupées par des personnes âgées ; un homme et deux femmes. Les autres chambres sont vides ou démolies. Le vieil homme est inconscient et recouvert de tuiles de plafond. Lucy le dégage des débris et tente de le réveiller, mais sans succès. L'autre chambre héberge une femme âgée branchée à divers tubes vides. Elle ne respire plus. Ils fouillent dans leurs effets personnels à la recherche d'ibuprofène ou d'analgésique, en vain.

La porte de la troisième chambre est bloquée par de menus objets. Ils la dégagent et, à leur grande surprise, trouvent une dame âgée, assise tranquillement dans un fauteuil. Elle porte une robe de nuit bleu pâle et des pantoufles assorties. Elle semble étrangement sereine malgré le chaos qui règne autour d'elle. Elle est très vieille; Lucy le devine à la peau incroyablement plissée de son visage et de son cou. Elle est menue et ses bras ainsi que son visage sont recouverts de taches de vieillesse. Mais elle dégage une réelle douceur, une gentillesse palpable qui se lit à travers ses yeux d'un bleu pâle usé. Ça a l'effet d'un baume sur le cœur malmené de Lucy.

— Je suis Madeline. J'attends mon petit-fils, Stefan, qui m'a téléphoné voilà trois jours de Maple Grove, non loin d'ici. Il a promis de venir me chercher, mais il ne s'est jamais montré. Je me doute bien que son absence a un lien avec les tremblements de terre et l'inondation…

Lucy et Marc échangent un regard sérieux, réalisant que Madeline est très lucide. Lucy s'assoit sur une chaise près de Madeline et lui raconte doucement les événements des derniers jours. Elle termine en lui suggérant de les accompagner, sachant pertinemment que la vieille femme refuserait. Madeline écoute sagement. Elle verse une larme et, calmement, lui répond que c'est ici et maintenant qu'elle désire finir ses jours, afin de pouvoir enfin rejoindre ses bien-aimés qui l'attendent déjà depuis un bon moment.

— Pouvez-vous m'y aider, madame? demande innocemment Madeline d'une voix douce.

Lucy est stupéfaite. Madeline lui demande de la… tuer? De mettre fin à ses jours? Bouleversée et ne sachant comment réagir à une telle demande, elle sort de la pièce sans un mot. Elle se poste dans le couloir et secoue silencieusement la tête. Marc poursuit la discussion avec la vieille dame, mais elle ne fait pas attention à ce qu'ils disent. Puis elle aperçoit en face d'elle le poste d'infirmerie, une salle de consultation et deux petits placards; l'un pour l'entretien et l'autre pour les médicaments. Elle s'avance et tente d'ouvrir ce dernier, mais la porte est fermée à clé. Elle contourne le comptoir du poste d'infirmière à la recherche de la clé et trébuche sur un corps étendu par terre. La pénombre l'empêche de voir clairement le sol. Elle s'accroupit : c'est une infirmière, à en juger par ses vêtements. Elle est étendue sur le ventre, immobile. Lucy la secoue vigoureusement dans le but de la réveiller, mais elle est inerte. Elle prend son pouls et constate qu'elle est morte.

— Mais que lui est-il arrivé? murmure-t-elle.

Puis elle remarque du sang séché autour de sa tête, et plus loin, une lourde tuile…L'infirmière à la peau noire est toute une pièce de femme. Elle mesure un mètre soixante-douze et pèse environ cent vingt kilos, estime Lucy. Cette dernière parvient tout de même à la retourner et s'empare du trousseau de clés accroché au-devant de son pantalon. Pendant ce temps, Marc fouille dans le sac à main de la vieille dame. Il en sort un contenant d'aspirines et court le remettre à son père. Brian avale plusieurs cachets. Il s'allonge sur le banc et ferme les yeux, la tête toujours entre les mains. Marc rejoint ensuite Lucy dans le placard, où une armoire vitrée contenant les médicaments est renversée sur le côté. Le jeune homme casse la vitre et sort plusieurs flacons en lisant la description. Il remplit un sac de plastique trouvé sur place d'une dizaine de flacons. Pendant ce temps Lucy fait provision de pansements et d'autres accessoires utiles. Marc place un flacon entre ses mains.

— C'est pour la vieille. Faites-lui l'injection d'une seringue dans chaque bras. Elle ne sentira rien, je vous le promets. Je pars à la recherche d'eau et de bouffe.

Lucy est estomaquée !
— Mais que dis-tu là ? Je ne vais pas faire ça ! C'est de la folie !

Marc se retourne lentement sur le pas de la porte et ajoute sur un ton sans équivoque :
— Vous savez très bien qu'elle ne s'en sortira pas. C'est ça où elle mourra de faim dans d'atroces souffrances.

Il marque une pause et poursuit :
— C'est de la morphine. Il y en a assez pour l'amener au paradis, croyez-moi. Prenez une seringue dans le tiroir, là, et donnez-lui les doses. Ce sera une belle mort. Elle ne souffrira pas.

Il marque à nouveau une pause et termine :
— C'est facile, vous verrez. C'est moi qui ai administré les médicaments à ma mère dans ses derniers jours. Je sais de quoi je parle…

Lucy le regarde avec incrédulité. «Où est passé le jeune homme doux et sensible ? Il est maintenant autoritaire et m'ordonne carrément de tuer la vieille dame.» Elle s'y refuse catégoriquement. Elle dépose le flacon sur le comptoir dès qu'il s'éloigne et ressort de la pièce d'un pas décidé. En retournant dans la salle où attend Brian, elle passe devant la chambre de la vieille dame et celle-ci l'appelle. Lucy hésite un moment devant la porte, puis entre. La vieille dame lui demande doucement :
— Avez-vous trouvé ce qu'il vous faut ? Je suis prête, maintenant.

Madeline s'est changée. Elle porte une jolie robe beige parsemée de minuscules fleurs bleu foncé et jaunes et un tricot jaune sur les épaules. Le tout agrémenté d'un mignon petit chapeau. Elle tient son sac à main sur ses genoux et s'est appliqué un rouge à lèvres… Elle s'est coiffée aussi.

Confortablement assise dans le fauteuil, Madeline semble attendre son moment de délivrance. Ses yeux pétillent… Lucy est bouche bée.

Madeline ajoute :
— Mais je n'ai pas trouvé mes chaussures.

Lucy remarque ses bas de soie couleur chair montant aux genoux. Ses petits pieds touchent à peine le sol. Lucy est trop troublée pour parler; les larmes lui montent une fois de plus aux yeux. Elle inspire profondément et regarde la vieille femme, qui lui sourit avec des yeux quémandeurs. Les larmes roulent maintenant sur les joues sales de Lucy. Elle sait ce qu'elle doit faire. Pour le respect et la dignité de Madeline. Par compassion aussi. Elle penche la tête de côté, pour se donner le temps d'accepter cette difficile décision, se faisant violence. Son cœur est d'accord avec le fait qu'une mort douce est de loin préférable à d'autres morts possibles dans cette pénible situation. De faim, de froid… dévorée ?

Résignée, elle répond d'un signe de tête, puis tourne les talons pour récupérer le flacon et la seringue. Avant d'entrer à nouveau dans la chambre de Madeline, elle essuie ses larmes et prend une grande inspiration. Elle rejoint cette dernière et s'agenouille près d'elle. Elle examine le flacon pour lire la posologie, espérant y trouver des directives.
— Mais qu'est-ce que je fais, voyons. Y a pas de posologie pour ça… murmure-t-elle pour elle-même.

Elle lève les yeux au plafond pour se donner du courage et remarque, à travers la porte entrouverte du placard, les chaussures de la vieille dame. Elles sont placées sur la tablette du haut. Elle dépose le flacon de morphine et s'étire pour attraper les chaussures. Elles sont simples; noires avec un petit talon. Elle essuie la poussière blanche de plâtre qui s'y est déposée et s'agenouille à nouveau devant la vieille dame. Avec une douceur calculée, elle lui enfile les chaussures. La vieille dame la remercie d'un sourire satisfait. Madeline, si sereine devant la mort, se cale confortablement dans son fauteuil et tend son bras gauche sur l'accoudoir, paume vers le haut. La vieille dame la regarde intensément dans les yeux, lui signifiant qu'elle est prête.

Lucy s'exécute presque machinalement, comme un robot, mais tout en douceur. Elle doit s'y prendre par trois fois, car elle n'a guère l'habitude. Mais Madeline ne bronche pas. « Elle ne sent déjà plus la douleur », conclut Lucy. Très lentement, elle lui injecte une dose. Elle retire l'aiguille et l'observe silencieusement en s'agenouillant près d'elle. La respiration de Madeline est régulière, mais son regard est déjà loin. Ses yeux se renversent et sa bouche s'entrouvre. Quelques instants plus tard, Lucy lui injecte une autre dose dans l'autre bras. Elle replace délicatement les bras de la vieille dame sur sa bourse et cale sa tête contre le dossier. Lucy demeure assise aux pieds de l'inconnue pendant de longues minutes. Son esprit et son cœur se livrent un combat intérieur, et cela provoque une vive douleur à la poitrine. Elle vient d'enlever la vie à quelqu'un, et cette pensée est effroyable. Mais son geste en est un d'amour. De compassion. Un geste démesuré, mais plein de sens…

De nouvelles larmes roulent sur ses joues. Elle entoure ses jambes de ses bras et repose sa tête contre ses genoux, alors que Madeline convulse et émet de petits sons. Lucy se bouche les oreilles, écœurée par ces bruits de douce agonie. Son esprit vagabonde, et elle demeure perdue dans ses pensées un moment. Marc surgit soudain dans la chambre puis retourne aussitôt dans le couloir. Lucy revient à elle. La tête de la vieille dame s'est légèrement inclinée de côté, et une trace de salive à moitié séchée s'écoule du coin de sa bouche jusque sur son menton. Elle a les yeux clos et ne semble plus respirer. Lucy s'avance et prend son pouls au poignet. Elle ne sent aucune pulsation. Elle vérifie sur l'autre poignet. Rien. Elle replace doucement la tête de la vieille dame et essuie la salive. Elle ferme les paupières de Madeline, morte d'une surdose. Elle baise doucement le front recouvert de cheveux blancs ondulés… Elle referme silencieusement la porte derrière elle. Marc l'attend dans le couloir, les poches de son pantalon et le sac à dos plein de provisions. Il la regarde intensément. Puis il lui dit d'une voix douce :

— Ma mère est décédée des suites d'un cancer généralisé. Je m'occupais d'elle à la maison avec ma tante. Afin d'abréger ses souffrances, elle m'a demandé de lui administrer une surdose.

Il marque une pause et ajoute :
— Et je l'ai fait. Le médecin n'a rien dit… C'est mieux ainsi… finit-il en faisant allusion à Madeline.

Lucy acquiesce d'un signe de tête, mais n'a pas envie de parler. Pas tout de suite. Ils retournent silencieusement à la salle d'attente pour rejoindre Brian, qui dort profondément. Lucy est toujours tiraillée entre des sentiments contradictoires et affiche un air consterné pendant de longues minutes. Elle se sent vidée. Marc s'est procuré deux autres sacs et dresse l'inventaire de ce qu'il a trouvé. Il partage également les médicaments, la nourriture, les couvertures, etc., dans les sacs et dit :
— Chaque sac contiendra un mixte des éléments essentiels ; c'est plus sûr ainsi ; si on perd un sac, on ne sera pas mal pris. Nous devons partir d'ici une heure. Nous n'avons pas de temps à perdre, dit-il.

Légèrement surprise, elle lui demande :

— Pour aller où ?

Il la regarde droit dans les yeux et dit :
— Nous devons nous rendre à Redding…

Il hésite et ajoute :
— Avez-vous remarqué le ciel ?

Et sans lui laisser le temps de répondre, il lui explique :
— Ce ne sont pas nuages ordinaires, mais un gaz qui s'échappe de la croûte terrestre lorsque l'explosion d'un cratère ou d'un volcan s'est produite. Il pourrait y avoir un couvert de cendres pendant plusieurs jours sur la région, et nous devons nous en éloigner le plus rapidement possible.
— Mais comment sais-tu tout ça ? lui demande-t-elle, réellement surprise.
— Tout à l'heure, la vieille dame m'a dit avoir vu ce même ciel lors de l'explosion du volcan de Clear Lake, au sud, en 1932. Elle dit que l'explosion de cette nuit ressemble étrangement à celle qu'elle avait entendue alors… La région avait été épargnée de justesse par les nuages de cendre, car les vents avaient tourné vers l'est à la dernière minute. Mais ce fut une catastrophe pour les régions affectées ; elles ont été quasi désertiques pendant longtemps.

Lucy réfléchit un instant et demande :
— À quelle distance se trouve Redding ?
— À plus de deux cents kilomètres par la route. Nous pourrions nous y rendre en voiture.
— Deux cents kilomètres ! Mais ça nous prendra une éternité… En voiture ? Mais quelle voiture ? Et la route suit la rivière sur plusieurs kilomètres encore… C'est trop dangereux !

Au même moment, ils entendent un vrombissement. Alarmés, ils s'avancent vers la fenêtre fracassée et assistent, impuissants, à l'arrivée d'un autre tsunami voyageant dans le lit maintenant vide de la rivière Eel, car celle-ci se déverse depuis cette nuit dans la crevasse. Le tsunami déferle à une vitesse impressionnante et se déverse à son tour dans la crevasse, venant en sens contraire.
— Un autre tsunami… murmure Lucy.

L'eau du tsunami cascade, telle une chute d'eau dans la crevasse, au lieu de dévaster ce qui reste de Fortuna. Silencieux, ils observent la rivière et le tsunami s'écouler dans la crevasse de part et d'autre avec, en fond d'image, le ciel gris orangé. Ce spectacle singulier leur laisse un goût amer dans la bouche et une vague de frissons parcourt le dos de Lucy. Brian, réveillé par le bruit, s'avance vers eux avec les yeux plissés. Il contemple un moment le spectacle et retourne s'étendre sans avoir prononcé une parole. La crue des eaux se calme au bout de plusieurs minutes. Lucy demeure assise près de la fenêtre, aux aguets. Pendant ce temps, Marc prépare le repas, composé de carottes miniatures, de croustilles et d'un pudding. Ils s'en délectent. Elle ne cherche même pas à savoir comment il s'est procuré tout ça, mais se dit que le jeune homme est plein de ressources. Elle admire cette qualité et partage ce compliment avec lui. Il est visiblement ravi et la remercie timidement.

Le jeune homme a aussi fabriqué une espèce de tétine à l'aide d'un gant de caoutchouc dans lequel il a percé un trou sur un doigt. L'agneau, d'abord réticent, tête finalement avec vivacité le pis improvisé contenant du lait de vache. Marc réveille ensuite son père sans ménagement et lui ordonne de manger. Lucy remarque une fois de plus l'attitude brusque de Marc envers son père. Brian obéit sans un mot. Il mange rapidement et prend de nouveaux cachets. Marc le regarde et dit :
— Tu n'as pas demandé l'heure encore. J'imagine que ça va mieux ?

Son ton est légèrement inquiet, toutefois. Son père le regarde avec étonnement.
— Je demandais l'heure ?
— Oui, toutes les dix minutes.

Brian incline la tête, intrigué.
— Mais où diable sommes-nous ?
— À Fortuna.

Brian cherche dans sa mémoire un instant, puis secoue la tête pour signifier qu'il ne se souvient de rien. Il remarque leurs expressions et lance :
— Et ça ne va pas bien, c'est ça ?

Marc ne répond pas, mais Lucy le dévisage, soulagée de constater qu'il va mieux :
— Ça pourrait être pire, dit-elle doucement. Mais on ne doit pas rester ici. Nous devons partir immédiatement. Après l'écrasement de l'hélico, nous avons marché pendant deux jours et sommes arrivés ici hier soir.
— Oui, oui… je me rappelle l'écrasement. Mais où sont les autres ? Le pilote, la femme rousse et… je me rappelle du pupitre et de l'agneau…

Lucy secoue tristement la tête. Brian se lève en gémissant. Gardant les yeux plissés, il se penche pour ramasser l'un des sacs, qu'il place sur son épaule. Marc l'imite. Lucy prend le dernier sac.
— Je dois aller à la toilette, s'empresse-t-elle d'ajouter.

Les deux hommes répondent en cœur :

174

— Bonne idée !

Tous les trois s'empressent de choisir chacun une salle de bain pas trop endommagée. Lucy croise le miroir accroché au-dessus du lavabo. Malgré la pénombre, elle stoppe net et revient sur ses pas. Elle est méconnaissable. Son visage est si sale ! Ses cheveux sont ébouriffés, et une longue et mince égratignure traverse sa joue. Ses mains sont outrageusement crasseuses. Son gilet est croûté de boue, de même que sa veste et son pantalon. Elle ouvre le robinet pour se rincer les mains, mais il n'y a pas d'eau. Rapidement, elle enlève le lourd couvercle du cabinet de toilette et utilise l'eau qui s'y trouve. Elle se frotte les mains et rince son visage. Elle court chercher les élastiques sur le comptoir du poste des infirmières et se fait une queue de cheval et, finalement, se soulage sur le cabinet. Elle ramasse ensuite tout ce qu'elle peut : papier hygiénique, savon, mouchoirs, verres de plastique, débarbouillettes, pansements, etc.

Les deux hommes l'attendent dans le couloir. Marc installe l'agneau sur ses épaules. C'est seulement à cet instant que Lucy réalise que le prédateur aperçu la veille suivait probablement l'odeur de la petite bête et non celle des corps boursouflés... Alors qu'elle s'apprête à lui en parler, Marc l'interrompt :
— Nous emmenons Noireau.
— Mais ça peut être dangereux. Le...
— Je prends le risque. Il vient avec nous, un point c'est tout.

Puis, il s'élance le premier dans l'escalier, suivi de près par son père, qui se demande de quoi ils parlent. Lucy se résigne malgré elle devant l'obstination du jeune homme. Sa dernière pensée en quittant l'étage va vers Madeline, mais elle s'empresse de la chasser, craignant de pleurer à nouveau... Marc hurle à leur intention sans se retourner :
— Nous devons trouver une voiture qui fonctionne !

Mais les voitures renversées sont inutilisables. Instinctivement, ils marchent en s'éloignant de la rivière, en direction de l'est et de la route 101. Ils contournent le bâtiment de l'hôpital et trouvent de l'autre côté un camion d'ordures, dont la porte côté conducteur est grande ouverte. Le véhicule est coincé entre deux conteneurs à déchets renversés. Brian monte le premier. La clé est dans le démarreur. Il la tourne plusieurs fois et le moteur démarre, contre toute attente. Lucy et Marc explosent de joie. Brian dégage le lourd véhicule des conteneurs dans un long grincement métallique, qui résonne dans toute la vallée. L'habitacle accueille les trois personnes sur la banquette avant. Même Noireau a sa place aux côtés de Marc. Ils quittent le stationnement du Redwood Memorial Hospital en direction de l'est. Brian contourne de nombreux débris et roulé sur les pelouses, puis rejoint la route déserte. Le grondement du moteur parvient même à assourdir les bêlements de Noireau, nerveux et fébrile dans le véhicule en mouvement. Ils roulent ainsi sur quelques kilomètres et empruntent la route 36 à travers les montagnes.

La radio du tableau de bord ne fonctionne pas et certaines fonctions électriques sont inutilisables. Le petit village de Hydesville a aussi été dévasté par les eaux, car l'affluent de la Eel, la Jack Black River, passe à travers le village. Ils poursuivent donc leur chemin sur une trentaine de kilomètres sur la route endommagée par la crue soudaine des eaux refoulées dans les affluents, les ruisseaux et les vallons. Ils traversent deux autres petits villages désertés et croisent quelques voitures renversées sur le côté dans les larges fossés débordant d'eau.

Après quarante minutes de route, ils arrivent à la hauteur d'une large crevasse sectionnant complètement la route. De l'autre côté se trouve un véhicule de pompier aux roues coincées dans des cisaillements du pavé. Il est inoccupé. De petites barricades de bois sont empilées sous le véhicule, et de nombreuses branches jonchent la chaussée. Brian immobilise le lourd véhicule. Le moteur gronde toujours tandis qu'ils observent la crevasse. Il embraye la marche arrière et recule sur plusieurs mètres. Il emprunte un étroit chemin à gauche remarqué quelques instants plus tôt, lequel monte sur une colline pour redescendre de l'autre côté. Le large et haut véhicule heurte les branches des arbres en dévalant la pente. Au détour d'une courbe serrée, Brian applique les freins sans ménagement. Les passagers sont propulsés contre le tableau de bord, et Noireau contre le pare-brise.

La crevasse traverse également ce chemin. Ici elle est moins large, mais fait tout même près de deux mètres. Pas moyen de traverser, même à pied. Ils n'osent s'approcher trop près de la crevasse ; elle semble vraiment profonde, et une odeur qui leur est inconnue s'en dégage. Au bout d'un moment, ils remontent à bord et retournent au sommet de la colline. Ils y ont aperçu une maison victorienne ancestrale habitée. Ils souhaitent silencieusement que les propriétaires soient en mesure de leur venir en aide. Le ciel voilé gris orangé donne l'impression d'une légère brume devant un coucher de soleil. Mais ce n'est ni l'un ni l'autre. Lorsqu'ils descendent du camion dans le stationnement de la belle demeure, un vieux Golden Retriever blond les accueille en jappant, sa longue queue fouettant leurs cuisses. Lucy, tout en frottant doucement son front douloureux, remarque l'impressionnante demeure. «Elle est magnifique», songe-t-elle. Peinte en deux tons de vert, elle compte deux tourelles, dont la plus haute mesure trois étages. Le détail de

la finition ornant les petits toits est remarquable. Un couple de septuagénaires sort de la maison et paraît heureux de les voir. Ils s'avancent vers les inconnus et se présentent :
— Je suis Joseph et voici ma femme, Jacinthe.

Joseph est grand et mince et arbore un large sourire. Sa chevelure blanche et épaisse contraste avec ses sourcils garnis, de couleur poivre et sel. Sa femme est petite et ronde, toujours coquette et avec des yeux gris perçants. Lucy se dit que ces yeux-là ont la capacité de voir au-delà de la première impression. Elle lui serre longuement les mains, qui sont chaudes et douces. Une troisième personne sort de la maison et les rejoint ; c'est un homme dans le début de la quarantaine, les cheveux noirs de jais assortis à sa barbe taillée avec soin. Il est vêtu tout de noir. Costaud, mais de taille moyenne, il dégage une assurance peu commune et une fine sensualité.
— Je m'appelle Théo. Fils aîné des Smith.
— Venez vous restaurer et prendre un bon bain.

Brian et Lucy acceptent d'emblée. Mais Marc hésite et s'adresse doucement à eux :
— Nous ne devrions pas nous attarder ici, ça peut devenir dangereux.

Joseph entend les paroles de Marc et l'interrompt :
— Avez-vous l'intention de vous rendre à Redding ?

Ils acquiescent tous trois de la tête, surpris qu'il devine leur intention.
— Venez. Nous devons parler, ajoute-t-il d'un ton soudain sérieux.

Il les invite à le suivre d'un signe de la main, et ils obéissent instantanément. Lucy ne peut s'empêcher d'admirer discrètement la décoration de style victorien qui se reflète partout dans la prestigieuse demeure ; sur les murs, les planchers, les meubles. Le majestueux escalier fait de bois de cerisier est réellement impressionnant. Elle remarque un détail particulier toutefois : au bas des marches se trouve une chaise élévatrice fixée au mur, menant à l'étage supérieur... Les tremblements de terre ont également endommagé la demeure, dont certains murs se sont fissurés.

Plus tard, Jacinthe lui racontera que cette maison appartenait aux parents de son mari. Le père de Joseph était ingénieur et avait participé à la construction du fameux pont de Ferndale enjambant la rivière Eel. Il s'agit du plus long pont à arche au monde, et sa construction s'est terminée en 1919, lui fera-t-elle remarquer fièrement en désignant une vieille photographie accrochée au mur. Ils s'assoient tous à une table ronde faite de bois magnifiquement travaillé, installée dans une verrière située à l'arrière de la résidence. Les survivants sont mal à l'aise de s'asseoir sur les chaises propres avec leurs vêtements sales. Mais Jacinthe insiste et ils obtempèrent. De la verrière, ils aperçoivent de magnifiques jardins, un étang et, plus loin, des chevaux qui broutent dans une prairie descendante où se trouvent quelques bâtiments de ferme.

Jacynthe leur sert du thé et du café chaud, qui sont grandement appréciés des survivants. Les Smith les informent fièrement qu'ils sont autonomes et possèdent deux génératrices qui leur permettent de fonctionner presque normalement. Joseph débute et trace le récit des événements des derniers jours :
— Nous avons appris par les bulletins de nouvelles à la télé et à la radio l'ampleur du désastre qui se prépare…

Les trois interlocuteurs échangent un regard abasourdi.
— Qui se prépare ? répète Marc en l'interrompant.

Lucy ajoute :
— Mais le désastre s'est déjà produit !

Joseph la regarde droit dans les yeux et dit tout doucement :
— Les tsunamis ne sont que le début…

Les survivants ont le souffle coupé devant cette affirmation. Ils viennent de vivre l'enfer, et voilà que le vieil homme leur annonce que ce n'est que le début ? Les Smith demeurent silencieux alors que leurs invités digèrent cette pénible déclaration. Marc se lève d'un bond et marche nerveusement de long en large dans la pièce, se passant les mains dans les cheveux, tout comme son père, assis à la table.

Brian invite Joseph à poursuivre :
— Que savez-vous ?

Joseph hésite un moment puis, lentement, décrit ce qu'ils ont vu et entendu depuis trois jours.
— Voilà : cela a commencé avec l'annonce d'un important tsunami qui frapperait les côtes ouest de l'Amérique du Nord, de l'Amérique centrale et de l'Asie à cause de l'effondrement d'un immense volcan sur les îles d'Hawaii dans l'océan. Je ne me rappelle plus le nom… Ce matin, on rapporte que toutes les îles d'Hawaii ont subi d'importants dommages à cause des tsunamis, de la cendre, des gaz géothermiques brûlants qui s'échappent d'un peu partout dans les îles par les cratères actifs. Bref, ils estiment que la totalité de la population là-bas a péri, et la flotte navale américaine de Pearl Harbor est… inutilisable.

« … Peu de temps après le premier tsunami sur les côtes, on a pu voir certaines images tournées par des vidéos amateurs à San Francisco, Los Angeles et Seattle. Mais les reporters disent que les tsunamis se sont propagés jusqu'en Amérique du Sud et ont complètement submergé toutes les îles du Pacifique et de la Polynésie, de même que les rives des pays d'Asie, et inondé les côtes nord de la Nouvelle-Zélande et de l'Australie. Plus près de nous, sur la côte ouest des États-Unis, les tsunamis ont atteint entre quinze et trente mètres de haut. Des millions de gens sont morts… C'est affreux de voir les villes entières englouties, détruites… Tous ces gens morts subitement… d'un coup.

À ces mots, Lucy a une pensée douloureuse pour les enfants de la petite école de la prairie…

« … Toutes les heures, les bulletins de nouvelles montrent des images des régions touchées par les tsunamis et les tremblements de terre. Ça ne cesse d'augmenter. Les journalistes ont annoncé que plusieurs autres vagues frapperaient encore, échelonnées sur une dizaine de jours. Elles sont causées par les tremblements de terre, dont l'épicentre pourrait se situer au large des côtes californiennes.

Joseph fait une pause et boit une gorgée de café. Il poursuit :
— Hier matin, on nous informait que les volcans St-Helens, les deux à Shasta Lake, de Clear Lake, de même qu'un autre en Oregon démontrent des signes imminents d'éruptions majeures. Un peu plus tard dans l'après-midi, des nouvelles venues du Pacifique, de l'Asie et des îles aléoutiennes nous informaient que cinq volcans sont également entrés en éruption là-bas.
Hier soir, un géologue invité a dit s'attendre à ce que l'activité sismique de la chaîne Cascadia, soit tous les volcans de la Californie, de l'Oregon et de l'État de Washington, entrent en éruption de façon imminente à différentes intensités. Un ordre d'évacuation a déjà été donné auprès de la population habitant les zones à risque près des volcans. Le géologue a dit que les nombreux tremblements de terre que l'on a sentis ces derniers jours sont en fait un signe précurseur de ces éruptions, créant également de larges crevasses dans la croûte terrestre, qui cède sous l'énorme pression de l'énergie emmagasinée pendant ces trois années de calme inhabituel. Tout ceci est causé par le déplacement majeur de la plaque tectonique du Pacifique, qui s'est soudain réveillée et fait de prodigieux bonds en avant, en plusieurs phases, créant tous ces cataclysmes naturels…

«Mais ce qui nous préoccupe ici, c'est le volcan de Clear Lake qui est entré en éruption la nuit dernière. Une incroyable explosion s'est produite. Apparemment, des nuages de cendre s'étendent ce matin à plus de quatre-vingts kilomètres au nord et à l'est du cratère. Et les météorologues prédisent que les vents pousseront les cendres jusqu'ici. Et c'est là le problème ; à cause de la chaîne de montagnes, les nuages sont retenus au-dessus de nous. Ils prévoient que toute la région, à partir de San Francisco jusqu'au nord de la Californie, subira des dommages importants, car les nuages de cendre pourraient tournoyer pendant des jours. Cela aura pour effet de saturer l'oxygène de gaz toxiques et la plupart des habitants mourront, asphyxiés, dans un délai de quelques jours. Les bêtes ne survivront pas non plus.

Les trois rescapés sont atterrés, mais écoutent silencieusement l'impressionnant monologue du vieil homme, visiblement très au fait de la situation.

« La moitié de la Californie sera recouverte de cendres, de gaz et de coulées de boue si tous ces volcans entrent en éruption… L'ordre d'évacuation formel s'étend maintenant pour tous les habitants survivants de la côte ouest des États-Unis. Le président a émis un bulletin d'urgence ordonnant aux habitants de la Californie de se réfugier vers les États du Nevada, du Texas, de l'Arizona et du Montana.

Lucy met ses mains sur son visage. Marc a les mains dans les poches et respire difficilement, comme s'il cherchait son air. Brian est immobile, les yeux fixés sur la table.

« Finalement, ce matin on nous annonce que d'autres volcans sont entrés en éruption au Mexique et en Amérique centrale. Et… hélas, aucune aide ne viendra à nous. Ni vers personne. Toutes les troupes américaines avaient déjà été déportées vers la Floride, où l'ouragan Léona s'est déchaîné voilà quatre jours. Il y a eu deux ouragans majeurs d'affilée… Tout est inondé là-bas aussi, et ils en ont plein les bras. Ils n'en finissent pas de repêcher des corps partout… »

Joseph se tait et Théo prend la relève :
— Tout à l'heure, les spécialistes volcanologues et géologues nous ont informés qu'il y aura probablement d'autres séismes majeurs en Californie, car les failles de San Andréas et Juan del Fucas au large sont très vulnérables en ce moment… D'ailleurs, San Francisco et Los Angeles sont déjà en ruines… Trois tremblements de terre de plus de huit sur l'échelle de Richter les ont dévastées en l'espace de quelques heures. Même le pont de San Francisco n'a pas tenu après les assauts répétés des tsunamis majeurs et des puissants tremblements de terre. Ils croient que ça pourrait aussi donner un grand coup. Le grand coup, où la Californie se scindera en deux… J'ai

enregistré la partie où le spécialiste volcanologue parle de l'activité sismique de la Californie. Voyez par vous-même.

Théo introduit un DVD dans le lecteur et allume le téléviseur. On y voit un spécialiste volcanologue qui s'agite devant une carte électronique de la Californie et informe :

— La section nord de la Californie comporte plusieurs sommets, dont trois volcans importants, soit les monts Lassen Peak, Shasta et Medecine Lake, qui ont chacun connu différentes activités volcaniques dans les dernières décennies et ont constitué les points chauds du nord de la Californie au cours des dernières années. Un peu plus au sud, le volcan du mont Konocti de Clear Lake s'est déjà manifesté, et une explosion de gaz en altitude a généré de gigantesques nuages de cendre. Cette manifestation vient aussi de créer la plus vaste zone de geyser au monde. C'est phénoménal. Ce site est situé le plus à l'ouest de la chaîne Cascades et constitue un système complexe de défoulement de la fameuse faille de San Andréas, située juste au-dessous de la région de Clear Lake.

Théo arrête la bande et s'adresse aux survivants :
— Le problème, c'est que l'armée en a plein les bras en Floride. Et ici, les installations sont en piteux état à cause des ravages causés par les tsunamis dans le Pacifique. Ce matin, le président a finalement accepté de rapatrier la majorité des troupes postées dans tout le secteur du Moyen-Orient pour venir secourir son propre peuple… Mais ça prendra plusieurs jours, voire des semaines avant que l'aide n'arrive jusqu'à nous. Et les services d'urgence des villes limitrophes des États voisins ne savent plus quoi faire avec tous ces réfugiés qui arrivent par centaines de milliers chaque jour.

N'en pouvant plus, Marc explose violemment :
— On est dans la merde ! On est foutus ! Complètement foutus !

Brian se lève et tente de calmer son fils, qui gesticule comme un fou furieux. Il l'immobilise, et ce dernier éclate en sanglots. Lucy a de nouveau un pincement au cœur en voyant Marc désespérer ainsi. C'est beaucoup pour un jeune homme. Elle se tourne vers Théo et, d'une petite voix, lui pose la seule question qui lui brûle les lèvres :
— Avez-vous des nouvelles de la Nouvelle-Angleterre ?

Joseph réfléchit un moment et fait signe que non de la tête. Théo l'imite et ajoute :
— Non, il ne s'est rien produit là-bas. Toutefois, les spécialistes prévoient que les nuages de cendre se déplaceront loin, poussés en haute altitude par les vents des prairies s'ils passent les Rocheuses. Ces nuages de cendre

pourraient atteindre le centre et même l'est des États-Unis et du Canada. Et, bien entendu, ils s'attendent aussi à ce qu'un déplacement massif d'une partie de la population se fasse dans cette région, de façon permanente, et cela aura pour effet de perturber l'économie et l'approvisionnement en nourriture.

Théo frotte sa barbe en guise de fin. Ils demeurent tous silencieux un long moment. Les trois survivants digèrent ces pénibles nouvelles, et Marc sanglote toujours. Ils ne savent tout simplement pas comment réagir face à cette annonce de marasme planétaire. À son tour, Théo pose timidement la question qui lui brûle les lèvres :
— D'où venez-vous ?

Ils sont si terriblement bouleversés qu'ils n'ont pas le cœur à parler. Au bout d'un moment, Brian revient s'asseoir à la table et trace un récit bref, mais complet, du chemin qu'ils ont parcouru. Il prend également deux cachets et termine son café. À leur tour de paraître consternés, en entendant cet incroyable périple. Un moment de silence s'ensuit, chacun ayant le regard plongé dans sa tasse.
— Pouvons-nous passer un coup de fil ? demande Lucy.

Sans répondre, les trois hôtes secouent la tête.
— La ligne est coupée et les réseaux cellulaires se sont effondrés, dit Théo.

Lucy les prie de l'excuser et retourne à l'extérieur près du camion. Elle se sent prise de vertiges. C'est trop pour elle. Trop d'émotions et d'épreuves en si peu de temps… Et son fils lui manque terriblement. Elle s'assoit sur le sol et se recroqueville en petite boule. Elle ne voit pas le bout de tout ceci… Elle ne voit pas comment elle pourra s'en sortir. Elle a soudain envie d'abandonner. De fermer les yeux et d'oublier tout ceci…Oublier tout. Prétendre qu'elle se trouve ailleurs et que tout va bien… Lentement, son esprit s'apprête à accepter cette fausse réalité si attirante. Si réconfortante. Mais elle sursaute lorsque Jacinthe l'empoigne fermement par les épaules et la secoue.
— Venez. Un bain chaud et un bon repas vous feront le plus grand bien, dit-elle doucement.

Lucy proteste. Mais Jacinthe insiste. Lasse, elle se résigne en pleurant. Elle se laisse entraîner comme un automate. Malgré son profond tourment, elle sent que cette femme lui veut du bien. Elle se laisse guider par cette dernière qui l'escorte jusqu'au deuxième étage. Jacinthe l'aide à se dévêtir dans l'immense salle de bain et s'empresse de lui apporter quelques produits de toilette. Lucy entre dans la baignoire remplie à moitié d'une eau chaude bienfaisante et apprécie malgré tout ce petit moment de répit. Elle s'assoupit même quelques instants plus tard.

Elle se réveille brusquement lorsque Jacinthe entre dans la pièce pour lui remettre un peignoir. L'eau est devenue tiède. Elle a dormi plusieurs minutes et s'en veut soudain d'avoir ainsi désespéré. D'avoir voulu fuir la réalité au point de tout oublier… Assise dans la baignoire, prenant tout son temps pour se savonner, elle pense à son fils et n'aspire maintenant qu'à le serrer dans ses bras. Une énergie renouvelée s'empare d'elle, stimulée par le désir de le revoir. Elle décide alors de s'accrocher à cet espoir, coûte que coûte. Elle se dit que, quoi qu'il arrive, elle persistera dans cette voie jusqu`à ce qu'elle retourne enfin auprès de lui.

Enivrée par sa nouvelle détermination, Lucy frotte vigoureusement son corps endolori par les nombreuses ecchymoses et égratignures. Elle est en piteux état ; ses ongles sont cassés et sales, ses jambes sont affreuses et elle doit laver deux fois ses cheveux pour enlever toute la boue et la gomme de conifères. Au sortir du bain, elle est gênée de voir que l'eau de la baignoire est brune, laissant un cerne bien visible. Elle fait rapidement sa toilette et enfile le peignoir rose prêté par Jacynthe. Il est un peu court, mais incroyablement doux. Quelques instants plus tard, Jacinthe lui ramène ses vêtements nettoyés.
— Venez manger Lucy.

Elle enfile ses vêtements propres. «Jacinthe a fait des miracles», remarque-t-elle. Même ses chaussures sont nettoyées. Elle rejoint les autres dans la verrière. Marc et Brian ont aussi bénéficié de soins de leur hôtesse. Et tout comme elle, ils ont meilleure mine que tout à l'heure, tandis que l'état de choc s'amenuise…Théo a préparé un léger repas. Ils mangent en silence, sans appétit. Pourtant, la nourriture est excellente. Dans d'autres circonstances, ils auraient grandement apprécié. Brian ouvre la bouche en premier :
— Pourquoi n'êtes-vous pas encore partis ?

Théo rétorque :
— Vous avez vu la route ?

Brian acquiesce d'un signe de tête.
— N'y a-t-il pas un autre chemin ? poursuit-il.

Joseph jette un regard à Théo, qui ajoute :
— Oui, peut-être. En fait, c'est un sentier qui mène à une passerelle surplombant un petit canyon où s'écoule la rivière. Si la passerelle est toujours là, il est possible de traverser et de continuer vers l'est en rejoignant de nouveau la route 36.
— Un sentier ? De quelle largeur ? demande nerveusement Marc.
— Un à deux mètres.
— Il faut donc y aller à pied, murmure Lucy.

— Ou à cheval, dit Théo.

Puis, il ajoute dans un soupir :

— Mes parents refusent de partir… Dès que j'ai appris que des tsunamis arrivaient sur les côtes, je suis venu ici depuis Redding. Juste avant que la route se crevasse. Après, il était trop tard…

Lucy lit la déception sur le visage de Théo. Un lourd silence s'ensuit.
Brian dit :

— Nous avons encore plusieurs heures devant nous avant que la nuit ne tombe. Nous devons repartir.

— Pourquoi ne pas venir avec nous ? ajoute Marc.

Cette fois-ci, Jacinthe répond :

— Nous ne pouvons laisser Joshua seul ici. Et il ne peut voyager à cheval ou à pied. Ma décision est prise ; je reste ici auprès de mon fils.

Son ton est catégorique. Joseph ajoute :

— Et je reste avec ma femme.

Théo s'empresse de fournir des explications aux invités :

— Joshua est mon frère cadet. Il a été victime d'un accident de la route voilà huit ans. Il est polytraumatisé. Il ne peut se déplacer qu'en transport adapté ou en fauteuil roulant. Il dort à l'étage, présentement.

Lucy comprend parfaitement la décision de ses parents. Dans la même situation, elle aurait probablement fait le même choix. Et elle fait aussitôt le lien avec la chaise élévatrice de l'escalier.

— Je comprends. Mais êtes-vous en mesure de nous fournir des indications pour accéder à cette passerelle ? demande Brian.

— Je pars avec vous.

Jacinthe et Joseph réagissent vivement. Théo poursuit :

— C'est décidé, je pars avec vous. Je serai plus utile à Redding qu'ici de toute façon, et je pourrai organiser une aide pour venir vous chercher.

Un bref silence s'installe. Joseph s'avance vers Théo et le regarde droit dans les yeux.

— C'est une sage décision.

Théo paraît soulagé. Visiblement, il craignait la réaction de son père. Le vieil homme enlace son fils et ils se tapotent le dos de grandes claques affectueuses. Théo s'avance ensuite vers sa mère et se penche pour l'étreindre affectueusement.

— Je suis heureuse que tu partes avec eux, Théo. Prenez les chevaux.

— Je vais trouver de l'aide et nous viendrons vous chercher. On trouvera le moyen, c'est promis, dit Théo avec ardeur.

— J'ai confiance en toi. Je sais que tu y arriveras. Mais promets-moi d'être prudent, ajoute Jacinthe.

Leurs adieux sont émouvants et Lucy s'éloigne pour leur laisser un peu d'intimité. Elle remarque alors le vieux piano noir de style Up Right et quelques portraits encadrés. Il y a une photo de famille qui a été prise voilà plusieurs années; dix ans peut-être? Elle reconnaît sans peine Jacinthe, Joseph, Théo, et devine que l'autre jeune homme est Joshua. Il y a également une jeune femme à la chevelure auburn cascadant sur ses épaules. Elle a les mêmes yeux perçants que sa mère.

— Je vais préparer les chevaux, tandis que Jacinthe s'occupera des provisions. Théo, descends à la cave récupérer ce dont tu as besoin.

Trente minutes plus tard, les sacs à dos sont bien remplis. Jacinthe remet à Lucy un sac contenant des vêtements, une paire d'espadrilles, des articles de toilette, des serviettes hygiéniques et chuchote à son oreille:

— Ce sac et son contenu appartiennent à ma fille Laura. Elle l'a oublié ici lors de sa dernière visite. Vous avez presque la même taille, et ils vous seront utiles…

Lucy remercie la vieille dame en la serrant dans ses bras. Elle enfile aussitôt les chaussures sport et rejoint les hommes à l'étable. Trois chevaux sont déjà sellés. «Je ne comprends pas; nous sommes pourtant quatre.» Les magnifiques bêtes semblent légèrement nerveuses, mais Théo parvient à les calmer rapidement. Joseph leur donne ensuite quelques conseils sur la façon de monter à cheval et comment en prendre soin. Il présente ensuite les bêtes :

— Voici Flamboyant. Brian, puisque tu es le plus expérimenté avec les chevaux, tu le monteras. C'est un jeune étalon fougueux. Marc, tu monteras la douce Alie. Et voici Méthane, le cheval de Théo. Je présume que vous monterez avec Théo?

Lucy hausse les épaules, ignorant la réponse. Mais Théo approuve d'un simple hochement de tête.

— Les autres chevaux ont été peu montés et il serait hasardeux de tenter de le faire. Oscar portera nos paquets, dit Théo en désignant un cheval blanc qui s'avance vers eux, tiré par Joseph. Il étale sur le sol une carte et trace le chemin qu'ils devront parcourir pour traverser le canyon.

— Si tout va bien, nous y serons avant la tombée de la nuit. Il y a plusieurs années que nous y sommes allés; huit ans pour être précis. Pas depuis l'accident de mon frère… Nous avions l'habitude d'y aller tous les étés pour passer quelques jours…

Ses nouveaux compagnons baissent tristement la tête. Après de courts adieux à Joseph qui les regarde s'éloigner, Lucy chevauche à l'arrière de Théo. Elle n'a pas l'habitude de monter à cheval, et elle est carrément inconfortable. Théo le remarque aussitôt, et après avoir chevauché pendant quelques instants, il s'adresse à elle :
— Si vous vous rapprochez de moi, vous pourrez appuyer vos pieds contre mes jambes et vous tenir à ma ceinture. Vous serez beaucoup plus confortable. Vous savez, nous chevaucherons ainsi pendant plusieurs jours…

Lucy hésite un moment, mais finit par suivre les conseils de ce dernier. Quoique la proximité de cet inconnu la gêne un peu, elle avoue que cette position est franchement meilleure. Sur le premier kilomètre, le sentier est suffisamment large et ils chevauchent deux par deux. Lucy en profite pour observer les bêtes plus attentivement. Oscar, le cheval blanc aux flancs tachetés de gris, est retenu par ses guides au pommeau de Flamboyant, le cheval monté par Brian. Flamboyant a une robe d'un brun roux avec une tâche blanche sur le museau et aux bas des pattes avant. Alie, la douce jument montée par Marc, est brune également et porte une tache blanche sur le museau. Théo lui confirme que la jument est la mère de Flamboyant. Et Méthane, cet étalon noir, est à l'image de son cavalier : fier et racé.

Noireau fait également partie de la chevauchée, Marc s'entêtant à le garder auprès de lui. La petite bête ne semble pas apprécier ce périple, ainsi attachée sur la jument. Mais elle finit par se taire au bout de quelques kilomètres. Flamboyant piaffe d'impatience lorsqu'il se retrouve à l'arrière. Au bout d'un moment, Brian passe devant et remet les guides d'Oscar à Théo.
— Je pars au galop pour lui faire dépenser son trop-plein d'énergie.

Il s'élance au galop à l'orée d'une petite clairière à l'herbe longue, et les enjambées fougueuses de l'étalon soulèvent la poussière. Cette emballée provoque chez les autres chevaux le désir de galoper. Instinctivement, Lucy entoure Théo de ses deux bras et le serre fortement lorsque Méthane s'élance à son tour, suivi d'Oscar et d'Alie. Heureusement pour Lucy, la course folle ne dure pas longtemps. Elle trouve l'exercice enivrant, et la puissance des bêtes l'impressionne vraiment. Brian les rejoint au bout d'un moment avec sa monture essoufflée, mais enfin calmée.

Le sentier mène à une forêt dense où l'air est plus frais. Ils traversent plusieurs mangroves d'arbres géants jusqu'à une petite rivière. Le sentier bifurque ensuite en suivant le cours d'eau sur plusieurs kilomètres. « Ici, tout semble calme et paisible. Le couvert de la forêt cache la vue du ciel inquiétant et donne la fausse impression d'une agréable promenade dans les bois», songe Lucy. Elle admire les immenses touffes de fougères vertes recouvrant le sol et ressent cette humidité presque palpable. Elle remarque aussi que le sentier n'a pas été utilisé depuis longtemps et que l'herbe a repris le dessus. Elle se rend à l'évidence que Théo a l'habitude de chevaucher. «Il dégage une force tranquille, rassurante.» Mais elle perçoit également chez lui un fort sentiment de culpabilité. Partir ainsi, abandonnant ses parents et son frère handicapé, le trouble profondément. Avant de partir, Théo a insisté auprès de ses nouveaux compagnons sur la priorité d'atteindre Redding pour trouver du secours adéquat pour sa famille. Redding est donc la destination à atteindre. «Dans l'intérêt de tous d'ailleurs, car elle compte un aéroport…» songe Lucy.

Après trois heures de chevauchée, ils font une pause. Lucy a le dos en compote et a l'impression que ses jambes ne pourront plus reprendre leur position normale après avoir été écartées si longtemps. Théo, courtois, aide cette dernière à descendre de Méthane, et elle demeure debout un moment, soulagée de pouvoir enfin marcher. Pendant la pause, chacun s'occupe de son cheval. Pour sa part, Lucy a la charge d'Oscar et s'empresse d'imiter les gestes de ses compagnons pour se familiariser rapidement avec le cheval.
— Voyez-le comme un gros chien, conseille Théo.

L'endroit est légèrement escarpé et surplombe la petite rivière qui s'écoule de la montagne. Quelques mètres plus loin, la crevasse s'étire dans le sol. Elle mesure un mètre de large, et de petits arbres sont tombés en travers. La rivière et la crevasse sont presque parallèles et l'eau s'y déverse en partie. Théo fait un rapide inventaire des articles contenus dans leurs sacs afin de les partager également. Il remet à chacun un couteau de chasse; celui offert à Lucy est petit, c'était le canif de Théo lorsqu'il était enfant. À leur grande surprise, Théo expose aussi une arme de poing qu'il porte sur lui. La vue de cette arme crée un certain malaise. Il leur assure que c'est par précaution; pour leur propre sécurité. Il étale sur le sol les différents articles: allumettes, lampes de poche, piles de rechange, petite radio, sacs de couchage, cordes, trousse de premiers soins, gourdes, foulards, petits masques blancs pour le nez et la bouche, élastiques, un petit poêle au propane, deux petites casseroles, deux fusées de secours, deux imperméables, des sacs de plastique, etc. Il répartit les articles également dans les sacs, qu'il replace ensuite sur le dos d'Oscar. Lucy, perdue dans ses pensées, manipule le canif entre ses doigts, puis le place machinalement dans sa poche de pantalon. Marc s'enquiert alors du métier de Théo. Ce dernier sourit et répond :

— J'ai été garde-chasse pendant plusieurs années pour le National Humboldt Redwood Park. Et j'ai laissé mon équipement chez mes parents depuis que j'habite Redding. Ce matériel est donc vieux de plusieurs années, mais il fera l'affaire.

Même s'il n'a pas répondu réellement à sa question, Marc semble satisfait de sa réponse. Ils repartent. Au bout de trois kilomètres, la crevasse s'amincit graduellement, pour finalement devenir une simple fissure large d'une trentaine de centimètres. Un peu avant la tombée de la nuit, ils atteignent un endroit légèrement surélevé où les arbres ont été taillés voilà longtemps. Une vieille cabane de bois rond inhabitée trône au centre. Théo descend de cheval et se dirige sur le côté de la cabane ; il farfouille dans l'entre-toit en s'étirant le bras. Au bout d'un moment, il trouve la clé. Il avance jusqu'à la porte et déverrouille le vieux cadenas. Il entre et demeure seul un bon moment à l'intérieur. Pendant ce temps, Marc descend de cheval à son tour. Théo ressort de la cabane, visiblement ému, mais satisfait. Les mains sur les hanches, il dit :
— Je crois que nous devrions passer la nuit ici ; nous traverserons demain matin, dit-il en désignant de la tête un petit sentier en direction opposée.

Ils approuvent en silence et s'installent dans la petite cabane, qui compte deux lits de camp superposés, soit quatre couchettes. Une odeur de renfermé et de bois humide règne dans l'unique pièce. Un petit poêle à bois trône au fond, à côté d'une petite table ronde faite d'une seule pièce de bois. Les chaises sont juchées sur celle-ci, tournées à l'envers. Un petit meuble contient des casse-têtes, des livres et de vieux jouets. Théo descend les chaises, allume une lampe à l'huile et un feu dans le poêle. Marc et Lucy préparent les sacs de couchage et le repas, tandis que Brian s'occupe des chevaux. Il explore le sentier menant à la passerelle pendant un court moment et retourne ensuite dans la cabane en affichant un air satisfait. Devant le feu, Marc donne à nouveau à boire à Noireau en utilisant le même gant de latex trouvé à l'hôpital. Lucy réchauffe le jambon et les pommes de terre, et ils mangent alors que la nuit s'installe. Seul le léger martèlement des sabots de Noireau sur le plancher de bois rompt le silence. Même si Théo trouve curieuse la présence de cet animal auprès d'eux, il s'abstient de tout commentaire.

Brian annonce :
— La passerelle semble en bon état, et nous ferons une tentative pour traverser au petit matin.

Après le repas, Lucy n'a d'autre choix que de se soulager... à l'extérieur. Accroupie parmi les fougères sous le ciel légèrement voilé, mais teinté par la lune, Lucy observe anxieusement autour d'elle... Elle remarque alors une brume luminescente qui s'avance au-dessus du sol. Elle éteint sa lampe de poche et se relève. Partout, à perte de vue dans la forêt, la brume luminescente envahit le pied des fougères et recouvre progressivement le sol. Elle n'a jamais rien vu de tel. « C'est comme une forêt enchantée habitée par des fées... » Mais elle sait fort bien que cela n'a rien de magique. Le spectacle est si impressionnant qu'elle appelle les hommes pour qu'ils observent à leur tour ce curieux phénomène. Théo, plus que les autres, semble particulièrement inquiet à la vue de ce gaz verdâtre.

— C'est mauvais signe, dit-il en passant près d'elle. Cette brume est en fait un gaz, presque inodore, dont le nom m'échappe et qui provient des profondeurs de la terre. C'est un signe avant-coureur de futurs tremblements de terre importants...

— La brume provient de la crevasse, de l'autre côté de la rivière, annonce Marc qui revient vers eux. Le gaz passe lentement par-dessus le cours d'eau et poursuit son chemin jusqu'ici sur plus d'un kilomètre.

Inquiets, ils retournent dans la cabane et ferment la porte. Malgré cela, une petite fente laisse entrer une légère lueur fluorescente sur le plancher. Lucy, alors allongée sur la couchette supérieure, observe cette lueur jusqu'à ce que ses paupières se ferment. Elle s'endort rapidement, malgré cette inquiétude et le piétinement incessant des petits sabots sur le plancher de bois. Marc, résigné, tend le bras et attrape Noireau, qu'il installe sur sa poitrine. L'animal bêle un moment, puis finit par se taire et s'endormir, rapidement suivi de ses compagnons...

Julie et Danielle

Le troisième jour se passe bien malgré tout. L'espoir ravivé donne des ailes aux enfants, et une bonne humeur règne dans la suite. À cause de la baisse d'énergie engendrée par le manque de nourriture, ils économisent leurs forces en réduisant leurs déplacements. En fin d'après-midi, Jonathan est consterné par la pauvre réserve, alors que les secours ne se sont toujours pas manifestés. Il se confie à son père.

— Il ne reste que quelques croustilles. Et nous avons déjà épuisé toute la réserve d'eau embouteillée. Nous devons donc boire l'eau des baignoires.

Hélas, cinq d'entre eux souffrent déjà de diarrhée. La fin de la troisième journée se termine sensiblement comme la seconde : parmi les pleurs, les chamailleries et les plaintes. Julie serre tout contre elle son fils cadet, qui souffre de la faim. Émanuel et Léo sont victimes d'hypoglycémie ; ils tremblent et sont trempés de sueur. Ils marmonnent des paroles incohérentes dans leur sommeil et font de terribles cauchemars éveillés, troublant le sommeil de tous…

Serena

Au petit matin, une nouvelle série de vagues s'abat par surprise sur le navire. La sirène retentit moins d'une minute avant l'impact et laisse très peu de temps aux passagers et membres d'équipage pour se placer à l'abri. Les vagues sont moins puissantes que les précédentes, mais causent néanmoins beaucoup de dégâts. Le navire se place de justesse de front aux vagues qui engloutissent à chaque fois le nez du navire. Une dizaine d'importants roulis abrupts se succèdent pendant plusieurs minutes dans le bassin peu profond.

Une fois la tourmente passée, les passagers se plaignent du manque de nourriture et de l'inconfort. Aussi, l'impatience gagne la plupart des vieillards à qui l'ont interdit de se rendre à leurs cabines pour récupérer certains effets personnels ou des médicaments. Une frustration s'installe aussi chez les membres d'équipage qui sont tenus à l'écart et ne reçoivent aucune information. Et malgré cette situation d'urgence, ils sont tenus de poursuivre le service auprès de la clientèle jusqu'à ce que les passagers soient de retour à bon port.

Le sentiment d'insécurité s'intensifie chez les passagers laissés dans l'ignorance et de fausses rumeurs circulent, ce qui contribue à créer une atmosphère tendue et alarmiste. Las de cette situation, le directeur du service à la clientèle, M. Fergusson, se présente dans la matinée à la cabine de pilotage. Le sous-capitaine Peterson l'accueille froidement, et le renvoie aussitôt avec très peu d'informations :
— Le navire restera à flot longtemps et les signaux de détresse ont été envoyés. De plus, le GPS d'urgence émet en liaison constante. Notre situation est préoccupante, certes, mais les passagers devront être patients.

Sur ce, Peterson le renvoie d'un signe de tête. Fergusson ressort en colère. Il aurait plutôt aimé savoir si le navire fera demi-tour pour rejoindre les côtes ; ou si une confirmation d'aide a été reçue. Ainsi, il aurait pu rapporter ces informations aux employés à sa charge, et ces derniers auraient été en mesure de rassurer les passagers inquiets. En revenant de son entretien, il entend une volée de protestations qui s'élèvent de la salle de banquet. Deux membres d'équipage, debout sur la scène, tentent de calmer une tempête soulevée par le mécontentement de passagers affamés. Plusieurs lancent des cris de colère, et la foule désespérée s'agite. Fergusson décide alors de suivre l'idée qui lui trotte en tête. Il rejoint les deux employés sur la scène et lève les bras pour apaiser la foule en colère. Il parle fort et haut pour que tous puissent l'entendre :

— Mesdames, Messieurs. Je suis le directeur du service à la clientèle. Nous comprenons la situation et sommes désolés des inconvénients. Le sous-capitaine Peterson a annoncé que l'aide sera bientôt en route. Nous ne savons rien de plus. Entre-temps, nous tenterons de vous accommoder de la meilleure façon possible. Nous vous reviendrons avec des nouvelles récentes dès que nous en aurons. Merci de votre patience et de votre compréhension.

Puis, il enjoint aux deux employés de le suivre à l'écart, et il leur fait part du plan qui germe dans son esprit.

— Messieurs, nous descendrons aux étages inférieurs pour tenter de récupérer le plus d'aliments possible, tant dans les cuisines que dans les machines distributrices. Maggy préparera avec son équipe quelques tables de buffet dans la grande salle. Préparez-vous : apportez des sacs pour transporter la nourriture.

— D'accord, monsieur, répondent en cœur les deux jeunes hommes.

Vingt minutes plus tard, les trois hommes accompagnés de deux autres membres d'équipage, Lindsay et Sherry, descendent aux étages inférieurs inondés. L'eau est glacée, mais à l'aide de tournevis et de marteaux, ils vident les machines distributrices et récupèrent le chocolat, les croustilles, bouteilles d'eau et autres boissons et aliments non endommagés. Ils vident également les minibars de toutes les cabines de cet étage à l'aide de clés passe-partout. Fergusson et deux employés utilisent la cage d'escalier du personnel pour descendre à l'étage au-dessous menant aux cuisines. Ils empruntent une partie de l'équipement de plongée des mécaniciens et nagent dans une obscurité quasi totale au niveau submergé, s'éclairant à l'aide de lampes de poche sous-marine.

Dans les cuisines, tout flotte à l'envers. Les aliments frais ont été abîmés par l'eau ou le feu. Mais quelques-uns des aliments surgelés, emballés sous vide, sont toujours comestibles. Les deux hommes récupèrent en tout une trentaine de sacs d'aliments emballés viables. Ils ressortent enfin après plusieurs va-et-vient dans cette eau glacée, complètement transis et les lèvres bleues. Selon Fergusson, ils en auront pour deux jours en rationnant. Peut-être trois. C'est tout. Il est découragé, car le problème ne sera que reporté dans le temps si les secours n'arrivent pas bientôt... Une heure plus tard, il remonte sur la scène de la grande salle et annonce qu'un repas léger sera servi sous peu. Il ajoute quelques rappels sur les règles de civisme. Cette nouvelle a l'effet d'une bombe et les passagers, soudain fébriles, s'élancent prestement dans la grande salle et s'entassent près des tables de buffet remises debout. Mais les gens sont affamés et impatients. Ils se bousculent. Certains vont même jusqu'à proférer des menaces et tenter sournoisement de se procurer une meilleure place dans la file d'attente. Fergusson, qui avait prévu le coup, fait poster deux gardes de sécurité au début de chaque table de buffet, qui s'assurent du civisme de chacun. Au menu : cannettes de soda, jus d'orange, craquelins, croustilles, poitrines de poulet cuites refroidies et légumes en conserve.

Claude se place en ligne pour le buffet et intervient deux fois auprès d'hommes âgés irrespectueux cherchant à s'introduire dans la file ou chialant exagérément. Vu sa grande stature, les belliqueux obéissent en maugréant lorsque Claude s'interpose. Ce dernier récupère à son tour une pleine assiette sous le regard outré de quelques passagers. Il sourit intérieurement, car cette assiette sera partagée à trois, bien entendu.

Peterson

Peterson savoure le fort sentiment de puissance qui l'habite depuis deux jours. Il attend ce moment depuis déjà si longtemps, lui semble-t-il. Il est enfin maître à bord et trouve ça carrément grisant.

Hélas, la situation est précaire et il le sait. Car sans aviron fonctionnel, le navire demeure à la merci des forts courants marins. Mais Peterson a une idée fixe : il veut à tout prix ramener le navire près des côtes, dans le corridor protégé qu'il connaît si bien. Il est persuadé que plusieurs villages côtiers ont été épargnés en Alaska grâce à la barrière protectrice des milliers d'îles, et s'entête à croire que leur salut est de ce côté. Toutefois, rien ne marche comme il le souhaite. Les mécaniciens de bords ne cessent de lui répéter qu'il est impossible de réparer l'aviron principal en mer, et les plaintes de plus en plus fréquentes des passagers et du personnel lui tapent royalement sur les nerfs. Il n'a pas de réponse à leur donner et se contente de répéter le même boniment avec exaspération depuis qu'il est en poste. Il maudit Norrington, marmonnant entre ses dents que tout est de sa faute.

Il sort les cartes marines pour évaluer la position du navire. Il sait pertinemment que si ce dernier se retrouve dans le courant de l'Alaska, ils seront entraînés aussi loin qu'en Amérique du Sud. Il frotte sa barbe grisonnante de deux jours en se penchant sur les cartes. Il a mal dormi et n'a rien avalé depuis hier matin. L'expression de ses yeux cernés trahit sa mauvaise humeur. M. Graney n'a toujours réussi à rejoindre aucun des ports, ni la garde côtière canadienne. Seul un pétrolier japonais avec bris de moteurs a répondu à leur appel de détresse. Mais il n'est pas en mesure de leur venir en aide…

Ils sont laissés à eux-mêmes dans cette immensité océanique, et il rage d'impuissance. Il lâche un juron et balaie les cartes de la main en signe d'impatience. Il sort de la cabine de pilotage et marche sur le pont principal quelques instants pour se calmer. Lorsqu'il revient, sa décision est prise : «L'aviron principal sera réparé, coûte que coûte.» Il convoque une réunion de ses officiers et leur fait part du plan qui a germé dans son esprit.
— Nous devons absolument réparer l'aviron. Il n'y a pas d'autre solution. Et pour ce faire, nous devons faire en sorte que l'arrière du navire se soulève suffisamment pour effectuer la réparation.

Les officiers, intrigués, mais sceptiques, écoutent en silence. Plusieurs sont au courant de la manigance orchestrée par Peterson et désapprouvent son geste. Mais ils se taisent. Peterson poursuit :
— Nous allons ouvrir les cales avant et les portes étanches des niveaux inférieurs pour que l'eau emprisonnée côté bâbord se transfère à l'avant. Ainsi, lorsque le nez du navire sera dans l'eau, le derrière se soulèvera. Il faudra ouvrir les ballasts de la poupe et les vider.
— C'est impossible, dit posément l'officier ingénieur. Le poids arrière du navire fera briser le navire en deux. La fissure côté bâbord ne pourra supporter une telle pression.
— Je sais. Néanmoins, il est possible d'alléger le derrière du navire en le lestant.

Les hommes haussent les sourcils d'un air sceptique. Peterson demande à l'officier mécanicien :
— Combien de mètres de dénivellation avons-nous besoin pour permettre à vos plongeurs d'effectuer la réparation ?

L'officier hésite un moment, puis répond :
— Six à huit mètres, je crois. Mais le problème réside surtout dans le fait que nous n'avons pas l'équipement nécessaire pour effectuer le redressement de l'aviron…

Peterson l'interrompt :
— Si, au lieu de tenter de redresser l'aviron, nous ajoutions une déviation à celle-ci, comme une patte supplémentaire ?
— Vous voulez parler d'un aviron double ?
— Oui, dans le genre. Que vous faudrait-il ?

— Eh bien, pour commencer, une quantité suffisante de métal à fondre pour le soudage ; près d'une tonne. Ensuite, une plaque métallique suffisamment grande ; je dirais environ trois mètres par cinq, d'une épaisseur minimum de deux centimètres. Des équerres métalliques. Une douzaine, pour supporter la soudure. Et du propane en quantité suffisante pour alimenter les chalumeaux hydrofuges. Il faudra aussi élaborer un système de poulie pour descendre la plaque métallique à l'arrière du navire et permettre de la soutenir, disons… pendant huit heures ? Il faudrait deux plongeurs en alternance et les mécanos… Oui, c'est à peu près ça.

— C'est faisable, n'est-ce pas ? demande Peterson, déjà convaincu.

— C'est possible, corrige l'officier. Mais cela demandera beaucoup de travail et de la main-d'œuvre, que nous n'avons pas…

— Nous assignerons des volontaires parmi les membres d'équipage et les passagers, dit fermement Peterson.

— Les passagers ? s'étonne M. Graney qui écoute en silence.

— Pourquoi pas ? S'ils désirent survivre, ils devront participer, ajoute-t-il d'un ton décidé.

Même si l'idée semble d'abord tirée par les cheveux, les officiers approuvent un à un. Sauf le navigateur, M. Sorrentos, qui émet une suggestion sans y être invité :

— Nous pourrions également installer les passagers dans les canots de sauvetage et ramer en direction de la côte. Aidés du fort courant des marées ces jours-ci, ils atteindront Scott Islands en deux jours…

Peterson le foudroie du regard et prend un ton condescendant :

— Ah oui. Certainement. Et pourquoi ne pas les laisser voguer pendant des jours sur le courant de l'Alaska qui les mènera sur les côtes du Mexique dans deux ou trois semaines, morts ? Ou encore les laisser à la merci d'une bombe atmosphérique ? Ou d'autres tsunamis ?

— Nous ne sommes pas encore sur le courant marin de l'Alaska. Si nous partons tout de suite, nous…

Peterson le coupe d'un ton sec.

— Ça suffit. Personne ne quittera le navire. Les passagers ont de meilleures chances de survie s'ils demeurent à bord.

S'adressant à l'officier ingénieur :

— Dans combien de temps prévoyez-vous commencer la réparation ?

— Je ne sais pas. Dans trois jours peut-être.

— C'est trop long. Il n'y aura plus de nourriture dans deux jours. Commencez tout de suite.

— Bien, monsieur.

L'officier ingénieur sort de la pièce rapidement, les sourcils froncés. Les autres officiers réagissent en apprenant que la nourriture manquera dans deux jours. L'un d'eux demande :

— N'est-il pas censé avoir suffisamment de nourriture pour tenir trois jours de plus que la durée de la croisière ?

— En effet, répondit Peterson avec agacement. Mais l'eau et le feu ont fait beaucoup de dégâts dans les cuisines. Merci messieurs, vous pouvez disposer, termine-t-il sèchement.

Les officiers quittent la cabine de pilotage en affichant un air perplexe. Graney fait de même, en prenant soin de préciser toutefois qu'il reviendra dans une heure. Ce dernier part à la recherche de Norrington, qu'il trouve dans le couloir principal alors qu'il transporte des matelas des cabines pour les apporter dans les salles. Pendant qu'ils marchent, il lui expose les intentions de Peterson.

Norrington réfléchit un instant et dit :

— Ça aurait pu fonctionner si le navire avait été en bon état. Mais la coque est fissurée ; vous l'avez entendu comme moi, n'est-ce pas, ce long craquement métallique ?

— Oui. Nous l'avons tous entendu.

— La fissure risque de s'élargir et l'eau de s'infiltrer sous la pression, faisant couler le yacht par le fond.

— C'est ce que je crains également.

— Alors, il va évacuer les passagers dans les radeaux avant d'effectuer la réparation ?

— Non justement, il refuse de les laisser partir. Pourtant, c'est le meilleur moment, car selon Sorrentos, nous ne sommes pas encore dans le courant alaskien.

— Mmm... marmonne Norrington.

Puis, il regarde Graney un moment et lève les bras tout en haussant le ton :

— Que voulez-vous que je fasse ? Qu'attendez-vous de moi, enfin ?

Graney secoue la tête, ne sachant que répondre.

— J'imagine que je m'attends à ce que vous me disiez ce que nous devrions faire pour empêcher ça.

— Il n'y a rien que je puisse faire. Peterson me déteste et il ne m'écoutera pas. L'allégeance des officiers lui est acquise.

— Pas tout à fait. Près de la moitié des officiers se sont réunis secrètement pour discuter de votre départ et de la nomination de Peterson. Ils sont prêts à vous supporter.

— Mouais… Mais une fois de plus, que pouvons-nous faire ?
— Prendre le contrôle ! lance Graney sans hésitation.

Norrington le regarde, ahuri.
— Prendre le contrôle ? Par la force ?

Il baisse la voix, car Graney lui fait signe de la main.
— Ça ne va pas ? Ça ressemble à une mutinerie ! chuchote-il avec force.
— Si c'est pour sauver la vie des passagers et membres d'équipage, je suis prêt à envisager cette possibilité.

Norrington n'en revient tout simplement pas. Il reprend les matelas qu'il a laissé tomber par terre et s'éloigne en lançant une dernière phrase à son ami :
— Vous êtes fou !

Graney reste un moment dans le couloir à réfléchir silencieusement. Cet homme de cinquante-cinq ans, à quelques années de sa retraite, a une entière confiance en Norrington. Il tient à trouver une solution à cette impasse. La vie des passagers et de ses collègues en dépend… Il lève les yeux et regarde les passagers déambuler dans le couloir devant lui. « Ils sont tous inconscients de ce qui les attend. Inconscients de la nouvelle menace qui pèse sur eux… » Tous, sauf un. Serena a entendu la conversation entre les deux hommes à leur insu. Car elle suit Norrington depuis un moment déjà, en espérant pouvoir obtenir certaines informations. Mais elle ne s'attendait pas à ça. Elle demeure muette et immobile un moment. Puis elle rejoint son mari dans la salle d'amusement et lui expose la situation. Les deux échangent un regard entendu. Ils quitteront le navire au plus vite.

Pendant ce temps, Graney se dirige vers la cabine de pilotage afin d'obtenir plus d'information du chef de la navigation concernant sa suggestion d'envoyer les passagers dans les canots de sauvetage. « Cela pourrait bien être la seule alternative possible au plan risqué et extravagant de Peterson sans avoir à recourir à la force… » se dit-il. Norrington, quant à lui, passe le reste de la journée à réfléchir à ce que ce dernier lui a dit. Mais il se sent impuissant face à cette situation. Il est étranger à bord et croit à tort qu'il n'a pas sa place ; il se sent presque comme un imposteur. Il se demande d'ailleurs pourquoi il a accepté ce poste en sachant pertinemment que Peterson poserait problème. Il s'avoue en secouant la tête qu'il s'est profondément attaché au vieux capitaine McDuff et qu'il a accepté pour lui faire plaisir… Néanmoins, il se sent terriblement concerné par la sécurité des passagers.

Il remarque que les membres d'équipage s'activent à enlever une partie du plancher métallique embossé, près de la porte latérale au niveau trois. Cette large porte située côté bâbord permet aux passagers et à la marchandise d'entrer et de sortir sur le navire, lorsque celui-ci est accosté au quai. À cet endroit, le plancher est recouvert d'une épaisse plaque métallique embossée mesurant quatre mètres sur cinq, avec une épaisseur de deux centimètres. Les ouvriers s'activent à la découper. La tâche est ardue, car elle est solidement vissée au plancher d'armature du navire. Le soir venu, Norrington approche Graney, qui se tient sur le pont supérieur, près de la salle des communications. Ils discutent longuement alors que le soleil descend à l'horizon. Serena les observe discrètement, sans toutefois s'approcher suffisamment pour entendre ce qu'ils disent. Le petit Yhéo, toujours sage et patient, se tient à ses côtés sans dire un seul mot.

Alors qu'elle s'apprête à retourner auprès de son mari, le petit Yhéo s'assoit soudainement au sol dans une position zen et semble… méditer. Décontenancée, elle s'assied à ses côtés et attend qu'il termine. Sans dire un mot, il se relève et la remercie d'un signe de tête. Alors qu'ils empruntent l'escalier pour redescendre, elle tombe nez à nez avec Norrington, qui lui dit d'un ton mi-amusé, mi-agacé :
— Vous n'êtes pas du genre à lâcher prise, n'est-ce pas ?
— Euh… Bonjour capitaine. Non, en effet.

Elle hésite un moment, ne sachant si elle peut se permettre de poursuivre la conversation sans qu'il s'impatiente.
— Me permettez-vous de vous poser quelques questions ?

Il prend une profonde inspiration en descendant l'escalier et répond :
— Allez-y
— Merci. Avez-vous eu des nouvelles ? Les secours viendront-ils à nous ? Ou devrions-nous partir en canot de sauvetage ?
— Non aux deux premières questions et oui à la troisième, mais seulement lorsque le moment sera venu.
— D'accord…Nous allons préparer nos affaires.

Elle hésite un moment, puis ajoute :
— Viendrez-vous avec nous ?
— Je ne sais pas encore.

Il s'éclipse aussitôt au bas de l'escalier. Serena raconte à Claude sa conversation avec Norrington. Son mari est d'accord et est tout fier de lui montrer la nourriture et l'eau qu'il a réussi à récupérer. Seul le petit Yhéo mange ce soir-là, les tourtereaux se contentant de boire quelques gorgées d'eau. Ils rationnent la nourriture en prévision de leur sortie en canot, qui durera plusieurs jours. Mais Serena, bien qu'elle n'en laisse rien paraître, angoisse secrètement à l'idée de devoir passer quelques jours en canot, à la merci des caprices de l'océan. La soirée et la nuit se passent bien, malgré les gémissements des passagers, qui commencent à souffrir de la faim. Serena entend le petit Yhéo gémir et pleurer pendant un temps, en pleine nuit. Elle caresse ses cheveux et se blottit contre lui; le tourment du gamin s'apaise aussitôt. Et elle s'endort à son tour...

Chapitre 9

Les 4ᵉ et 5ᵉ jours

Lucy

Lucy se réveille à l'aube, alors qu'une légère secousse fait vibrer la petite cabane de bois rond, qui laisse échapper un peu de poussière. Cette première secousse est rapidement suivie par une seconde plus importante, qui réveille tout le monde. Théo se lève d'un bond, pieds nus sur le parquet poussiéreux. Une odeur de soufre règne ce matin-là. Sans un mot, ils s'empressent de faire les bagages et sortent à l'extérieur.

Les chevaux s'agitent. La matinée est grisâtre. Théo referme la porte derrière eux et remet en place le vieux cadenas rouillé. Pendant un moment, il semble perdu dans ses pensées en affichant une mine triste. Lucy attend discrètement derrière lui. Marc et Brian sont déjà partis avec leurs montures en direction de la passerelle. Théo se retourne en reniflant et prend la bride de Méthane et d'Oscar. Il marche en silence en direction de la passerelle, tout en tirant les chevaux, tandis que Lucy ferme la marche. Marc arrive le premier devant le petit pont de bois suspendu. Théo précise :
— Nous l'avons fabriqué voilà maintenant douze ans pour accueillir les véhicules tout-terrain ainsi que les chevaux. Il peut supporter le poids d'un seul cheval à la fois.

La passerelle suspendue au-dessus du canyon mesure sept mètres de long par un mètre et demi de large. Elle est faite de planches de bois, de chaînes et de grosses cordes. Ces dernières sont ancrées aux parois rocheuses du canyon de chaque côté. Lucy n'a pas de crainte à traverser la passerelle au-dessus de ces petites cascades ; mais les chevaux sont autrement réticents… Marc s'aventure le premier, seul. Il teste la solidité du pont en sautant et en tentant de le secouer. La passerelle bouge à peine. Théo observe la scène, silencieux, avec l'air d'un gars qui sait pertinemment que la passerelle est suffisamment solide. Marc revient sur ses pas en affichant un air satisfait et entreprend la traversée avec la jument. Les cordes du pont se tendent sous le poids de l'animal, et le bruit des sabots sur les planches résonne sur les parois rocheuses, par-dessus le bruit des petites cascades.

Tout heureux que sa traversée se soit bien passée, Marc fait une petite gigue pour exprimer sa joie en affichant un large sourire. Sa bonne humeur est contagieuse, et ses compagnons sourient franchement. Brian s'avance, mais Flamboyant hésite. Manifestement, l'animal n'aime pas voir l'eau cascader sous ses sabots. Mais Brian tient fermement les guides et avance avec assurance en tirant l'étalon. Quelques instants plus tard, Flamboyant est attaché aux côtés d'Alie. Théo fait signe à Lucy de s'engager avec Oscar. Celle-ci tire les guides de l'animal derrière elle en se souvenant du conseil donné par Théo la veille « Voyez-le comme un gros chien ». Elle s'exécute et ce dernier obéit docilement. Théo traverse le pont à son tour sans problème avec Méthane. Avançant prudemment, les yeux rivés sur le sol à la recherche de la fissure, ils marchent en tirant les guides de leurs montures. Le sentier boisé suit la rivière de l'autre côté sur près d'un demi-kilomètre.

— La crevasse traverse le sentier, annonce Marc qui marche le premier.

Ils s'arrêtent aussitôt. La crevasse est étroite ; trente centimètres de large sur plusieurs mètres de long à cet endroit. Marc s'avance précautionneusement sur plusieurs mètres sans problème. Pendant qu'il progresse, il fait la description à voix haute de cinq autres petites crevasses dont la largeur varie de dix à trente centimètres. Plus loin sur le sentier, le sol redevient normal. Marc revient sur ses pas et, un à la suite de l'autre, ils traversent cette section à pied, tirant chacun leur monture avec précaution. Heureusement, la traversée hasardeuse du sol fissuré se passe sans encombre. Plus loin, le sentier débouche sur une petite prairie d'herbes hautes puis se divise en deux. D'instinct, Marc poursuit tout droit. Il y a des traces de pneus laissées par des véhicules tout-terrain sur le sentier. Certaines sont fraîches… Les pistes creusent la terre et rendent la marche difficile. De l'autre côté de la prairie, Théo suggère de remonter en selle. Lucy demande timidement si elle peut monter Oscar.

— Il y a assez de place pour moi si on déplace un peu les paquets…
— D'accord, on va essayer, dit Théo.

Il redistribue alors les paquets sur les montures et aide Lucy à grimper sur Oscar. Elle cale ses pieds contre les paquets attachés et empoigne les guides. Oscar se retourne pour la regarder. Il réalise qu'elle est assise sur son dos, mais ne semble pas s'en offusquer. Théo passe devant avec Méthane et siffle légèrement à l'attention d'Oscar, qui obéit instantanément. De toute évidence, les chevaux reconnaissent ce sifflement familier. Lucy n'ose bouger sur la monture de peur que l'animal rue. Mais après quelques minutes, elle se détend. Elle trouve agréable de se balader ainsi, assise seule sur le dos nu de l'animal. Le sentier bifurque à droite à travers la forêt en pente douce et, au bout d'un moment, ils rejoignent un chemin de terre. Après une dizaine de kilomètres, la route débouche enfin sur la route 36 pavée où les sabots résonnent au loin, au grand soulagement des cavaliers.

Mais à peine arrivés sur la chaussée, Méthane se cabre vigoureusement et les autres chevaux hennissent. Ils s'élancent au galop, tandis que Théo tente de rester sur le dos de sa monture qui se cabre de plus belle. Lucy n'arrive pas à maîtriser Oscar, qui galope comme un fou. Elle s'agrippe fermement à la crinière de la bête et cale ses pieds sous les paquets. Les chevaux sont littéralement terrifiés par un danger invisible et deviennent incontrôlables. Brian est bon premier avec le puissant Flamboyant tandis que Méthane, aux yeux exorbités par la peur, est toujours sur place, maîtrisé par son cavalier. La route pavée à flanc de montagne zigzague dangereusement à travers un dédale de parois et des promontoires à pic, faisant craindre le pire à Lucy, qui se demande si elle doit se jeter en bas du cheval devenu fou de peur.

C'est alors qu'une explosion d'une puissance inouïe déchire les montagnes. La formidable déflagration résonne sur les parois montagneuses et le sol vibre violemment, désarçonnant les montures et leurs cavaliers. Le soubresaut des bêtes les fait tomber au sol et Lucy roule douloureusement sur la chaussée. Elle place ses mains sur les oreilles contre l'assaut brutal du bruit qui fait éclater ses tympans. Elle hurle de douleur, tandis que la chaussée vibre tellement qu'il lui est impossible de se relever. Et le craquement explosif se poursuit pendant de longues secondes, la rendant sourde à tout autre bruit et incapable de réfléchir. Elle rampe sur le sol en hurlant de terreur et en jetant des regards terrifiés autour d'elle, cherchant à comprendre ce qui se passe. C'est alors qu'elle aperçoit Théo et, derrière lui, la croûte terrestre qui ouvre ses entrailles sous ses yeux ahuris. Le bruit est tellement assourdissant qu'elle garde ses mains sur ses oreilles tout en hurlant. La terre gronde férocement en laissant échapper des vapeurs empoisonnées... Son corps sautille involontairement sur la chaussée et son menton cogne à répétition le dur revêtement. Le pavé se morcelle sous elle.

Théo ignore ce qui se passe derrière lui. Il tient l'animal fermement par les guides, l'obligeant à demeurer sur place. Ses yeux sont à moitié fermés par la douleur fulgurante provoquée par l'éclatement de ses tympans, et il ne se doute pas que derrière lui le gigantesque gouffre s'élargit monstrueusement. Voyant la route se briser où elle se tient, Lucy se précipite à quatre pattes sur le bord et se jette sur le garde-fou métallique à flanc de montagne. Elle l'entoure de ses bras et hurle autant de peur que de douleur pendant de longues secondes, alors que des pierres et des arbres déboulent de la paroi montagneuse autour d'elle, l'épargnant de justesse. Tout s'effondre. Elle se cramponne avec l'énergie du désespoir à ce bout de métal froid qui se tord.

Le bruit et la secousse diminuent d'intensité graduellement, et elle entend soudain quelqu'un siffler fortement. Elle ouvre les yeux pour apercevoir Marc étendu sur le sol, à une trentaine de mètres sur sa droite. Son front est ensanglanté et il pointe la jument Alie derrière elle. Ses guides sont coincés par le garde-fou et la bête se débat. Elle comprend aux gestes de Marc qu'il lui demande de libérer l'animal. Mais elle a si peur… et si mal. Les larmes roulent sur ses joues…

— Il est fou ! hurle-t-elle sur un ton terrorisé. C'est de la folie !

Mais elle s'avance néanmoins en direction de la jument en tremblant de peur. La bête terrifiée se débat dangereusement. Lucy ne parvient pas à dégager les guides. Elle sort alors le petit canif remis par Théo et sectionne le cuir. La jument s'élance aussitôt et Brian la rattrape de justesse, plus loin. La profonde crevasse crache maintenant des gaz blanchâtres asphyxiants qui s'élèvent sur plusieurs mètres en obstruent partiellement la vue aux abords du gouffre. Elle cherche Théo, mais ne le voit nulle part. Il a disparu avec sa monture, tandis que la terre tremble toujours. À tâtons, elle avance en direction de la crevasse, se retenant solidement au garde-fou. Elle hurle son nom à plusieurs reprises, en vain. Toussant et crachant péniblement à cause des gaz, elle s'éloigne à regret du gouffre. Elle rejoint Marc et Brian qui viennent dans sa direction, et ils s'arrêtent à une trentaine de mètres de la crevasse. Des craquements provenant des entrailles de la terre retentissent toujours, faisant trembler le sol déjà craquelé. Mais Lucy ressent plus qu'elle n'entend les vibrations et indique à ses compagnons blessés que Théo est par là. Mais à l'expression de Brian, elle comprend qu'il est trop tard…

— Il est tombé dans la crevasse avec Méthane ! hurle-t-il.

Bien qu'elle ne l'entende pas, elle devine ses paroles. Elle affiche une mine dévastée, tandis que Brian aide prestement Marc à monter Alie, qui cherche à fuir. Il tire ensuite Lucy par le bras en la forçant à le suivre plus loin sur la chaussée. Le grondement devient intermittent, permettant à Brian de siffler pour appeler Oscar. Mais ce dernier se trouve à quelques centaines de mètres d'eux et ne semble pas vouloir revenir, tout comme Flamboyant. Brian insiste pour que Lucy monte derrière Marc sur la jument, et elle s'exécute sans attendre. Au moment de quitter le site, deux coups de feu distincts retentissent des profondeurs de la crevasse. Ils figent instantanément. Ne sachant s'il s'agit d'un appel à l'aide ou d'une façon de mettre fin à d'atroces souffrances, Brian hésite. Lucy est intoxiquée par les vapeurs nocives et vomit sur le sol du haut de la monture. La persistante odeur de soufre lui est devenue insupportable.

Brian passe un foulard sur leurs visages et attache Alie au garde-fou. Puis il s'avance courageusement vers la crevasse. Le brave homme rampe jusqu'aux abords de la gigantesque falaise de la croûte terrestre mise à nue. Il tousse et crache les gaz toxiques, brûlant aussi sa peau et ses yeux. Puis, l'espace d'une seconde, il distingue les corps de Théo et Méthane étendus à flanc de falaise à plus de cent mètres de profondeur. Ils sont morts… Et c'est là qu'il voit à travers l'épais nuage de gaz la profondeur inouïe de cette faille gigantesque… À son esprit lui reviennent alors les paroles de Théo sur la théorie que la faille pourrait scinder en deux la Californie… Suffoquant presque, Brian retourne auprès de Lucy et Marc. Il attrape les guides d'Alie et court à ses côtés pour s'éloigner des gaz asphyxiants. Il vomit à son tour. Un peu plus loin, ils retrouvent Oscar et Flamboyant, retenus par des amas de pierres écroulées des parois rocheuses. Il monte aussitôt Flamboyant et tire Oscar et Alie derrière lui.

Ils traversent le labyrinthe formé par l'éboulement. Ses compagnons sont complètement désorientés et ne parviennent plus à fonctionner, laissant à Brian la lourde tâche de les guider dans cet enfer… Ils cheminent sur la route pendant près d'une heure en s'éloignant de l'immense crevasse. Ils aboutissent plus loin à un petit village désert. La bretelle de la route passe devant un parc à l'entrée du village où une affiche de bois annonce : «Welcome to Bridgeville». Le parc est bordé par un affluent de la rivière Eel, la Van Duzen River. Ici aussi, à plus de quatre-vingts kilomètres des côtes, la rivière s'est gonflée lorsque les tsunamis ont déferlé. Et avec les puissants tremblements de terre, la plupart des bâtiments du village se sont écroulés.

Brian immobilise les montures dans le parc. Lucy s'effondre dans ses bras alors qu'elle descend de cheval. Il attache solidement les guides des chevaux blessés à un arbre et les trois compagnons se laissent tomber lourdement sur la pelouse. Ils sont anéantis et blessés. Lucy pense à son fils. S'il n'était pas présent dans sa vie, elle aurait depuis longtemps abandonné. Le moment est immensément tragique et elle n'a même plus la force de pleurer. Mais elle se questionne : «Pourquoi tout ceci m'arrive-t-il? Comment ai-je encore survécu à pareil cataclysme? C'est insensé», songe-t-elle en toussant, le visage enfoui dans l'herbe.

Bien qu'elle ne connaisse pas la réponse à ces questions troublantes, elle a une fois de plus l'étrange impression qu'il y a une raison à tout ceci. Elle s'efforce de se calmer et regarde le ciel gris, tranquille et stable, qui l'apaise momentanément. Elle n'ose bouger et demeure immobile un long moment, tout comme ses camarades. Elle a mal aux oreilles, à la tête et à la peau de son visage. Ses yeux chauffent. Une douleur lancinante transperce son dos endolori en raison de sa chute. Elle remarque que les deux hommes respirent difficilement, tout comme elle. Les gaz toxiques ont blessé leurs poumons. La peau de leur visage est rosée, comme s'ils avaient été victimes d'un coup de soleil instantané. Marc a la mine défaite et elle remarque du sang séché au bas de son oreille droite. Elle porte les doigts à ses propres oreilles et constate qu'elles saignent aussi … « Nos tympans ont éclaté. » Leurs vêtements et même les bêtes sont recouverts d'une mince couche de poussière blanche toxique. Lorsque sa respiration devient régulière et que la douloureuse sensation de brûlure aux poumons s'atténue, elle se rassoit avec difficulté, la tête tournant encore. Elle aperçoit une jolie petite fontaine ronde à quelques mètres d'eux. Elle se met péniblement debout et tapote l'épaule de Marc en pointant du doigt le bassin.

— Venez ! dit-elle d'une voix rauque en s'adressant aux deux hommes. Venez !

Elle titube vers la fontaine et vérifie l'eau ; elle est fraîche et propre. Sans hésiter, elle se débarrasse de son manteau et s'agenouille sur le bord du muret. Elle asperge son visage brûlé, sa tête et ses mains dans l'eau bienfaisante. Les deux hommes l'imitent. L'eau froide atténue temporairement la douloureuse sensation de brûlure. À regret, Lucy remet son manteau et cueille des cachets d'ibuprophène qu'elle distribue entre eux. Ils pansent ensuite leurs blessures et celles des chevaux. Les bêtes s'abreuvent aussi dans la fontaine en se comportant nerveusement ; elles ont aussi terriblement souffert des bruits et des gaz. Les survivants agissent comme des automates en accomplissant leurs tâches, sans même se soucier des colonnes de gaz qui s'élèvent au loin par delà les montagnes. Ils sont en état de choc et fortement éprouvés par la mort subite de Théo.

Sans échanger une parole, les trois compagnons s'empressent de quitter les lieux. Lucy monte Oscar, mais la bête refuse d'avancer. Les chevaux sont traumatisés et Brian a du mal à se faire obéir. Il attache finalement les guides d'Oscar au pommeau de sa monture. Les bêtes, dont l'ouïe a également été fortement éprouvée, réagissent faiblement aux sifflements insistants de Brian… Les trois cavaliers, blessés physiquement tout comme dans l'âme, déambulent sur la rue principale désertée et encombrée du petit village avec des yeux hagards.

Lucy remarque sans intérêt un chien qui les suit en aboyant. Ses jappements sont à peine audibles. Elle se tourne vers Marc et réalise que Noireau n'est plus là.

— Marc! Où est l'agneau?

Même s'il n'entend pas ses paroles, Marc devine qu'elle lui demande où est Noireau. Il secoue la tête, l'air encore plus triste. Elle est désolée pour lui et se demande, en l'observant furtivement, si la perception du jeune homme envers le monde sera affectée. Si son comportement futur dans la société changera, considérant les pénibles épreuves qu'il vit à cet âge, débutant par la mort de sa mère puis sa survie à ces effroyables désastres orchestrés par mère Nature…

Ils chevauchent côte à côte sur la rue principale. Les structures porteuses de plusieurs bâtiments sont mises à nues. À la sortie du village, Marc consulte machinalement sa montre. Il est quatorze heures et le ciel tourne une fois de plus à l'orangé. Une vingtaine de kilomètres plus loin, Brian dirige Flamboyant vers une aire de repos aux abords d'un ruisseau longeant la route 36. La pénombre s'installe. Pour seul confort, des toilettes sèches et quelques tables de pique-nique s'offrent à eux. Les chevaux, épuisés, broutent l'herbe longue pendant que Marc prépare lentement les couchettes et Brian, un feu pour le repas. Lucy erre dans le vaste stationnement un long moment, les bras croisés, cachant une crise de désespoir passagère. Elle finit par les rejoindre une demi-heure plus tard et mange du bout des lèvres la nourriture fournie par Jacinthe. Ils sont tous les trois dans un état lamentable et affichent un air atterré. À la lueur du feu, ils sortent la petite radio de Théo et une carte de la région. Lucy essuie quelques larmes discrètement alors qu'elle attise le feu, en songeant à leur camarade mort prématurément. Injustement…

Il flotte dans l'air cette odeur persistante de soufre mélangée à de la poussière, qui prend à la gorge. Ils écoutent attentivement les nouvelles sur les récents événements diffusés sur une chaîne de radio locale. Ils apprennent alors que les monts Shasta et Lassen Peak, situés au nord-ouest de leur position, sont entrés en éruption. Les manifestations volcaniques ont fait trembler la terre de ce côté, et les larges cratères du Shasta crachent de la lave et du feu sur plus de treize kilomètres! Les plus proches municipalités, qui avaient déjà été évacuées d'urgence par les autorités locales, sont dévastées par la fonte rapide des glaciers de l'imposant sommet, et les cours d'eau avoisinants débordent d'eau grisâtre.

Le commentateur informe qu'un exode de bêtes effrayées se fait vers l'est, causant de nombreux accidents de la route. Les spécialistes volcanologues s'attendent à des développements majeurs pour les prochains jours et surveillent de près les activités volcaniques de la chaîne des Cascades. Il ajoute que les nuages de cendre provoqués par l'éruption de Clear Lake au sud sont toujours poussés par les vents jusqu'au nord et atteindront le comté de Humboldt pendant la nuit. Il précise que plusieurs routes sont détruites ou fermées. Le trafic est détourné dans tout le centre et le nord de la Californie. La ville de Redding, entre autres, a reçu l'ordre formel d'évacuation, ainsi que toute la population du centre et du nord de l'État, comme l'avait dit Joseph… «Cela représente des millions d'individus», songe Lucy en fronçant les sourcils. Les autorités dirigent la population vers les États du Nevada et de l'Arizona. Des camps de réfugiés sont présentement érigés dans plusieurs villes frontalières. L'armée, ainsi que différents organismes comme la Croix-Rouge, tentent de coordonner leurs efforts, mais sont dépassés par l'arrivée massive des réfugiés.

Le présentateur répète que les autorités militaires et civiles soupçonnent que beaucoup de gens, surtout des personnes âgées, ne respectent pas l'avis d'évacuation et s'enferment chez eux, espérant survivre à cette apocalypse. Le nombre incalculable de morts sur les zones côtières et les systèmes informatiques en panne ralentissent les opérations de logistique, et les initiatives de sauvetage sont éparpillées un peu partout sur le territoire.

Enfin, le présentateur fait état de toutes les villes, villages et régions ayant été détruits par les tsunamis, les éruptions volcaniques et les tremblements de terre. Il termine en disant que le littoral est complètement modifié sur toute la côte bordée par l'océan Pacifique… Irrévocablement. Quelques conseils de sécurité sont ensuite énumérés dans le bulletin, tels que de se tenir loin des côtes, loin des volcans et des failles principales et secondaires, de porter un masque en tout temps, de se diriger calmement vers les différents refuges, etc. Brian éteint la radio et Marc remet à chacun les petits masques blancs fournis par Théo, appliquant les conseils du commentateur. Ils sont atterrés par toutes ces mauvaises nouvelles et réalisent que leur survie tient du miracle. Encore une fois.

Ils en sont à leur quatrième nuit depuis le tsunami de Loleta. Mais Lucy a l'impression que cela fait déjà une éternité. Tant de choses se sont passées depuis ce jour-là… Elle utilise les toilettes sèches du bâtiment et s'observe dans le miroir à la lumière d'une lampe de poche ; ses joues sales se creusent, ses traits sont tirés et ses yeux, hagards. Elle ne se reconnaît pas. De retour auprès du feu, elle se réchauffe les mains et les pieds devant la braise avant d'entrer dans son sac de couchage. Malgré les bruits des chevaux, elle s'endort une fois de plus sans difficulté, les oreilles bourdonnant toujours douloureusement. Par deux fois pendant la nuit, elle est réveillée par des secousses sismiques. Mais elle se rendort aussitôt… tout comme ses compagnons épuisés et meurtris. Au matin, Brian la réveille alors qu'il fait encore sombre. Elle rouspète faiblement ; elle est si bien au chaud… Les bruits étouffés des chevaux lui parviennent doucement et elle s'étire longuement, allongée dans le sac. Brian la secoue une seconde fois et lui dit d'une voix légèrement inquiète :

— Il faut partir maintenant !

Au ton de sa voix, elle sort la tête du sac de couchage et ouvre un œil. Elle croit tout d'abord qu'il neige. Elle s'assoit et frotte ses yeux. Et c'est là qu'elle réalise qu'il ne s'agit pas de neige, mais de cendre ! Une légère couche de cendre gris pâle tombe doucement au sol, recouvrant tout d'un petit manteau gris. Les branches des arbres, la pelouse, la route, les objets, les chevaux, tout. Inquiète à son tour, elle se lève et se dépêche de tout emballer. La cendre mêlée à la rosée matinale en fait une pâte épaisse et salissante qu'elle s'empresse de nettoyer de son sac de couchage. Elle rejoint les hommes qui sellent silencieusement les bêtes. Ils chevauchent pendant plus de trois heures sans même échanger une seule parole. Les oreilles de Lucy ne bourdonnent plus, mais elle entend les bruits comme s'ils étaient légèrement étouffés. Le ciel gris assombrit le jour et la cendre tombe longtemps, à différentes intensités, sur les cavaliers. Ils se couvrent le visage en permanence à l'aide de bandeaux et s'arrêtent fréquemment pour nettoyer les naseaux et les yeux des chevaux.

La route devient plus difficile pour les bêtes, car elle traverse maintenant une chaîne de montagnes plus imposante, avec des sommets atteignant mille deux cents mètres. Les bêtes peinent à respirer l'air vicié, et leurs sabots résonnent sur la chaussée déserte. Un calme étrange règne autour d'eux, comme s'ils sont seuls au monde dans cette tempête grise. Un vrai blizzard. Ils atteignent une intersection entre deux routes principales ; l'une menant à Redding et l'autre, à Red Bluff. Ils optent pour Red Bluff, située au sud-est et éloignée des dangereux volcans en éruption. Quelques kilomètres plus loin, ils font une pause et mangent assis à même le sol après avoir nourri et abreuvé les chevaux à un petit ruisseau situé sur le bord de la route. Lucy en profite pour remplir à nouveau les récipients « d'eau possiblement contaminée », se dit-elle, et retourne à ses pensées. Marc ouvre la radio et capte une chaîne qui transmet un message d'urgence préenregistré :

« À tous les citoyens habitant la région du centre et du nord de la Californie. Vous êtes priés d'évacuer la région immédiatement. N'apportez que les effets nécessaires et partez immédiatement. De nombreux séismes d'importance sont encore attendus et les éruptions volcaniques des derniers jours ont provoqué de dangereux nuages de cendre pyroclastique qui s'étendront sur toute la région. Des camps de réfugiés vous accueilleront à Reno et Carson City, au Nevada. Rendez-vous aux stades sportifs, aux collèges, à l'Université de Carson City et à l'Université du Nevada, à Reno. Tous les aéroports de la région sont fermés jusqu'à nouvel ordre. Il est inutile de vous rendre dans les aéroports. Aussi, toutes les routes sont fermées aux alentours des parcs Mt Shasta, Mt Lassen Peak et de la ville de Redding. Veuillez emprunter les voies de détournement indiquées… » Puis le message se répète.

Lucy s'éloigne des deux hommes en marchant lentement, la tête basse. Son manteau beige est recouvert d'une épaisse couche de cendres grises qu'elle époussette machinalement. Elle secoue le foulard qu'elle porte sur le visage en regardant le paysage qui s'offre à elle sans le voir. Elle ferme les yeux et émet un long soupir de découragement… Marc et Brian se penchent sur les cartes fournies par Théo. Ils se familiarisent avec les routes de la région. Ils décident de changer d'itinéraire : ils bifurqueront en empruntant temporairement une route de terre qui rejoindra celle en direction de Red Bluff. De là, ils pourront rejoindre Reno par une route principale ou en utilisant les services d'évacuation de la ville. Ils proposent le nouvel itinéraire à Lucy qui acquiesce d'un hochement désintéressé. Ils remontent à cheval et rejoignent la route de terre qu'ils ont aperçue quelques minutes plus tôt.

Ils chevauchent à nouveau dans le silence sans croiser âme qui vive. Ils passent devant plusieurs maisons abandonnées et poursuivent leur chemin. Plus ils se rapprochent de la route 36 les menant à Red Bluff, plus l'accumulation de cendre au sol est importante ; près de trente centimètres. Quelques heures plus tard, ils s'installent enfin pour la nuit. Ils sont à l'entrée d'un populaire sentier de trekking, où un panneau plastifié affiche la carte des sentiers pédestres. Brian défonce facilement la porte d'un minuscule kiosque fait de bois rond faisant office de bureau d'accueil. À l'intérieur se trouve une étagère en bois garnie des fascicules, des dépliants, des cartes touristiques de la région et un banc. Il balance le tout vite fait à l'extérieur et étend les sacs de couchage sur le plancher de bois.

— Ainsi, nous serons à l'abri des intempéries… murmure-t-il pour lui-même.

Marc utilise les centaines de dépliants pour allumer un énorme feu et s'occupe ensuite des chevaux. Ceux-ci sont en mauvais état et requièrent des soins minutieux, ce qui accapare les deux hommes pendant un long moment. Lucy en profite pour se rendre à un ruisseau tout près afin de remplir les gourdes et les bouteilles d'eau. Bien qu'ils se doutent que l'eau peut être contaminée par les particules toxiques, ils n'ont pas d'autre choix. Alors qu'elle emprunte un petit sentier menant au bord de l'eau, elle remarque des pistes fraîches dans la cendre accumulée au sol. Elle s'approche pour les identifier et s'arrête net. Même de loin, elle reconnaît ces pistes. De larges empreintes avec quatre doigts et une large paume en forme de montagne. Aucune griffe visible, mais une légère traînée autour de l'empreinte. Elle calcule machinalement l'espace entre les pas à environ quarante-cinq centimètres… Et quelques mètres plus loin, les empreintes se superposent à deux reprises. Comme seuls les félins savent le faire…

Elle cesse tout à coup de respirer et observe anxieusement autour d'elle. Tout paraît calme et silencieux, à part le bruit de fond provoqué par les remous de l'eau. Mais son cœur bat la chamade et ses mains deviennent moites. Elle sent une bouffée de chaleur l'envahir, et une énergie fébrile assaille ses muscles endoloris. Son esprit lui dit de s'éloigner rapidement, mais elle paralyse de peur. Elle recule enfin, en jetant des regards furtifs autour d'elle. Elle revient sur ses pas jusqu'au feu. Elle replace les contenants vides dans le sac et se poste devant le feu en regardant toujours anxieusement autour d'elle. Elle craint que la bête ne surgisse d'un buisson et bondisse sur elle. Mais elle s'efforce de reprendre la maîtrise de son esprit paralysé et se calme peu à peu… Marc et Brian se contentent de l'observer sans comprendre ce qui se passe. Lorsqu'ils la rejoignent au bord du feu, ils sont étonnés de la voir si nerveuse. Finalement, elle raconte ce qu'elle a vu. À son grand étonnement, ses compagnons ne paraissent nullement inquiets. Puis, en pesant ses mots, elle ajoute :
— Ce sont des pistes de couguar.
— Un couguar ?

À ces mots, les deux hommes la fixent un moment d'un air surpris. Puis Brian, qui se veut rassurant, ajoute doucement :
— Peut-être s'agissait-il d'empreintes de coyote, ou même celles d'un chien…

Lucy le foudroie du regard et dit sur un ton sec :
— C'est bien un couguar. Je sais reconnaître les pistes…

Puis elle baisse la tête et se calme rapidement, consciente qu'ici, au bord du feu, il n'y a guère de danger. Elle songe alors aux pistes de couguar qu'elle a observées dans la neige sur ses terres dans le Vermont, voilà deux ans. Elle avait reporté ce fait, photos à l'appui, à plusieurs reprises aux agents de la faune. Mais à son grand désarroi, les responsables, déjà au courant de la présence de ces félins depuis quelques années sur leur territoire, n'avaient pas pris au sérieux cette menace potentielle, et aucune démarche concrète pour attraper le dangereux prédateur n'a été entreprise. Ils affirmaient que les attaques sur les humains sont quasi nulles dans ce coin de pays et que ces animaux ne représentent pas une menace sérieuse pour la population humaine, même si leur nombre augmente progressivement depuis quelques années dans les États de la Nouvelle-Angleterre.

Alors outrée par l'inaction des autorités compétentes, elle avait fait des recherches sur Internet pour en apprendre plus sur ces animaux mystérieux et méconnus. Elle avait appris que les «concolors» ont été réintroduits volontairement dans l'État de New York afin de contrer l'invasion massive de la population de cervidés sur son territoire, qui détruisent la flore à une vitesse alarmante. De plus, la présence de plusieurs mammifères de cette espèce a été confirmée et signalée dans les États du Maine, du Vermont, de New York et du Québec ! Elle avait même réussi à échanger avec des internautes qui ont été témoins de la présence de ces dangereuses bêtes sur leurs terres et avait lu plusieurs comptes-rendus de témoignages, photos à l'appui…

Puis, elle chasse ces pensées de son esprit déjà suffisamment tourmenté par les événements du moment. Les yeux larmoyants, elle regarde le soleil se coucher derrière les montagnes dans une brume rose orangé, les derniers nuages de cendre ayant disparu en fin d'après-midi. Le froid humide d'octobre à cette altitude la fait frissonner. Marc et Brian l'invitent à venir se blottir entre eux devant le feu crépitant. Elle accepte avec soulagement et ils mangent en silence les derniers aliments offerts par Jacinthe. La chaleur des braises et l'effet apaisant des flammes leur font le plus grand bien. Ce soir-là, ils veillent longtemps au bord du feu, malgré leur grande lassitude. Marc, d'ordinaire discret, s'élance dans un monologue portant sur les puissants phénomènes destructeurs des derniers jours.
— Il y a longtemps que ce cataclysme naturel de fin du monde est annoncé, débute-t-il timidement.

Interloqués, les deux autres le questionnent du regard. Ce dernier, satisfait de l'intérêt que sa remarque suscite, enchaîne :
— Plusieurs prophètes ont prédit que la fin du monde se produirait sous forme de cataclysmes mondiaux, au début du deuxième millénaire. Nostradamus, les Mayas, et plusieurs autres. Même si leurs prédictions diffèrent légèrement sur les lieux et les dates précises, elles concordent toutes sur l'année et l'ampleur de la destruction. C'était prévu pour cette année… Je me suis penché sur la question voilà deux ans lors d'un projet de recherche pour mes études. J'avais alors récupéré le maximum d'information à ce sujet et avait été à même de constater une similarité entre de nombreux points. Je m'attendais réellement

à ce que quelque chose de catastrophique se produise quelque part dans le monde dans un avenir rapproché. Mais j'étais loin de me douter que ça se passerait littéralement chez moi et maintenant…

Ses compagnons demeurent muets devant cet aveu troublant. Avant de se réfugier dans le petit kiosque, Brian ajoute quelques bûches au gros feu, histoire de bénéficier d'un peu de braise au lever du jour… Dans l'étroite cabane, Lucy se sent en sécurité, ainsi étendue entre les deux hommes, et elle s'endort la première, comme d'habitude.

Julie

Elle se réveille le cœur battant la chamade et la sueur au front aux petites heures. Sa bouche est sèche et ses doigts sont engourdis. Elle s'assoit lentement et observe son jeune fils dormir à ses côtés. Elle remarque les cernes foncés sous ses yeux et ses petites joues qui se creusent déjà. Léo est dans le même état; les deux garçons sont d'avance frêles et menus. À les regarder ce matin, elle constate qu'ils sont dans un état plus avancé de sous-nutrition et de carence vitaminique que les autres. À son réveil, le petit Joey se plaint à son tour d'un mal de ventre et de jambes, tout comme ses cousins depuis deux jours.

Ce quatrième jour débute différemment des jours précédents. Maria se réveille tôt et quitte aussitôt la suite sans dire un mot à personne. Peter est le premier à remarquer son absence et en avise les autres. François, alerté et se sentant particulièrement concerné par son départ, entreprend d'explorer tout l'immeuble. Il revient bredouille et visiblement déçu. Quelques minutes plus tard, Jonathan aperçoit la silhouette de la jeune femme progressant dans la vallée. Ils se précipitent tous sur le balcon pour observer la pénible expédition de Maria parmi les débris et les mares. Son uniforme blanc contraste avec le sol brun boueux. Pedro explique à l'aide de gestes que Maria a exprimé le désir de rejoindre sa famille qui habite à Banderas, un village situé plus loin dans la vallée. Ils la regardent donc s'éloigner avec inquiétude.

Malgré les efforts continus de Franck et Peter pour nourrir l'espoir que les secours se manifesteront bientôt, l'ambiance sombre peu à peu dans le désespoir et la déprime. Le manque de nourriture, l'inconfort, les désagréments reliés aux symptômes de la sous-nutrition, l'inactivité et la chaleur mettent tout le monde à fleur de peau. Et le départ de Maria contribue à alimenter le désir d'entreprendre une nouvelle initiative…

Julie remarque d'ailleurs la fébrilité de François ce matin. « Il manigance quelque chose celui-là. » Elle le connaît assez bien pour en être convaincue. Discrètement, il invite Jo et Rick dans le couloir pour parler à l'écart. Julie se lève très lentement et s'approche d'eux silencieusement. Ils discutent à voix basse. Elle tend l'oreille.

— Les risques sont importants et la distance à parcourir est grande pour obtenir de l'aide, si aide il y a. C'est trop dangereux, dit Jonathan.

Julie s'avance encore. François tente de convaincre ses cousins de partir avec lui pour trouver du secours. Rick est rapidement convaincu, mais Jonathan s'y oppose toujours. François aperçoit sa tante et intervient.

— Ne t'en fais pas Lilie.

Il met ses mains sur ses épaules et la regarde droit dans les yeux.

— Ça va aller. Tout va bien se passer. On ne peut pas rester ainsi à attendre, et tu le sais. Les petits n'ont plus rien à manger. On n'a pas vraiment le choix ; ils dépérissent à vue d'œil.

À ces mots, Julie penche la tête. Il marque un point. Elle le serre très fort dans ses bras et pose sa tête sur sa poitrine, lui donnant ainsi son accord implicite. Mais Jonathan décide néanmoins de rester et leur témoigne également toute son affection par une accolade émouvante. Sans un mot à personne, ils préparent un léger bagage composé de bouteilles d'eau, de cordelettes, de papier hygiénique, de pesos mexicains et de vêtements de rechange. Peter et Franck remarquent l'activité soudaine des jeunes hommes et devinent aussitôt leur intention. Ils ne s'y opposent pas et ils se lèvent de leurs fauteuils, émus et grimaçants de douleur pour leur serrer la main. François et Rick font leurs adieux aux tout-petits avec beaucoup de douceur et de tendresse.

Jo, Peter et Julie accompagnent les jeunes hommes jusqu'au lobby de l'immeuble central. Les deux cousins s'attachent ensemble à l'aide de la corde de fortune pour plus de sécurité. Fébriles mais déterminés, ils quittent sans plus attendre le complexe qui est devenu leur refuge. Ils les regardent s'éloigner avec anxiété tandis que les jeunes hommes avancent péniblement dès le départ. Au bout de quelques minutes, ils contournent la bétonnière. Julie, Jonathan et Peter remontent à la passerelle reliant les deux immeubles pour suivre leur progression. Jo remarque alors une perturbation dans l'océan. Semblables à une onde de choc, des ondulations avancent lentement à la surface de l'eau vers le rivage. Sans être certains que ces ondulations représentent un danger, ils demeurent plantés là à observer tour à tour les jeunes hommes qui progressent à l'avant du complexe hôtelier et ces ondulations, de l'autre côté.

Peter partage ses craintes :
— Ce sont des tsunamis ? demande-t-il, inquiet.
— Je ne sais pas, répond Julie.

À ses yeux, ces ondulations semblent moins importantes que les roulis qu'elle a vus auparavant. Mais là est l'erreur. Du quatrième étage, il leur est impossible d'évaluer réalistement la hauteur et la puissance du gonflement. Le premier roulis atteint les jardins et s'infiltre sans ralentir entre les immeubles, comme poussé par une force invisible. Le tsunami continue d'avancer en ramassant tout sur son passage, tandis que le deuxième roulis atteint à son tour les jardins. Les tsunamis font près de deux mètres. Jonathan frappe ses poings sur la rambarde de la passerelle en laissant échapper d'un ton grave :
— Non !

Les tsunamis progressent au-delà de ce qu'ils croyaient. Ils s'élancent alors de l'autre côté de la passerelle pour prévenir les jeunes hommes qui avancent péniblement à environ trois cents mètres à l'avant du complexe. Ils entendent le sifflement de Peter et remarquent aussitôt leur agitation du haut de la passerelle. Quelques secondes plus tard, les cousins aperçoivent le premier tsunami foncer sur eux. François s'élance à la suite de Rick en courant parmi les débris pour grimper sur le capot d'une voiture enlisée dans la boue, puis sur un palmier. Les deux cousins essaient tant bien que mal de grimper pour se mettre à l'abri. François semble à bout de force et n'y arrive pas. Il tombe par deux fois sur la voiture. Il s'empresse alors d'enlever son t-shirt et l'utilise pour contrebalancer son poids en s'assurant une meilleure grippe. Il est à mi-hauteur du palmier lorsque le tsunami déferle sur eux. L'impact brutal déplace la voiture. L'arbre est violemment secoué, mais ses occupants tiennent bon. Imperturbable, le tsunami poursuit sa course dans les terres dévastées.

Du haut de la passerelle, Peter, Julie et Jonathan sont alarmés. Julie ne supporte plus de regarder cette scène tellement elle craint le pire et se sent coupable d'avoir accepté de les laisser partir… Elle se prend la tête entre les mains et s'accroupit au sol.
— Quelle imbécile je suis… murmure-t-elle.

Elle s'en veut aussi de ne pas avoir réalisé plus tôt que ces ondulations étaient en fait d'autres tsunamis. Jonathan ne tient pas en place et s'exclame bruyamment :
— Merde !

Peter se passe la main nerveusement dans les cheveux. Au bout d'un certain temps, Jo s'écrie avec soulagement :
— C'est bon ! La mer se retire.

Julie se relève et laisse échapper un long soupir de soulagement à son tour. Sam et Pedro les rejoignent sur la passerelle. Au bout de vingt minutes, l'eau s'est presque totalement retirée de la vallée. Plusieurs autres vagues de moindre importance viennent lécher la fondation des immeubles, sans toutefois la dépasser. Les jeunes hommes demeurent perchés dans l'arbre et discutent, sans démontrer la moindre intention de redescendre. Julie et Jonathan scrutent attentivement l'océan. Aussi loin qu'ils peuvent voir, il semble désormais calme. À l'aide de grands gestes, ils persuadent Rick et François de revenir à l'hôtel. Une vingtaine de minutes plus tard, les deux cousins se présentent dans le lobby. Ils sont exténués. Et extrêmement déçus.

Danielle et Franck ont été témoins de leur courte expédition du haut du balcon, et leur niveau de stress a augmenté lorsqu'ils ont vu les dangereuses vagues foncer sur eux. Ils sont maintenant persuadés que Maria, hélas, n'y a pas échappé… Néanmoins, ils sont royalement soulagés d'entendre les jeunes emprunter le couloir et débarquer dans la suite. Les deux aventuriers se laissent choir sur le sol, visiblement découragés que leur périlleuse tentative de sortie ait échoué. Ils en concluent que s'aventurer ainsi dans la vallée est beaucoup trop risqué pour le moment.

Au fil des heures, plusieurs membres de la famille sombrent dans le désespoir en réalisant que leur seul salut se résume à attendre la venue des secours… En ce quatrième jour, de nombreux autres petits tsunamis déferlent dans la vallée, sans même que les survivants ne ressentent un quelconque tremblement de terre. La journée est pénible ; les enfants se plaignent de plus en plus de la faim et de douleurs musculaires. Les autres souffrent aussi, mais dans le silence. Le soleil se couche à nouveau sous les pleurs et les gémissements. Mais la nuit est bienvenue et apporte un sommeil réparateur, quoique perturbé pour la plupart d'entre eux. Et surtout pour ceux qui n'ont pas mangé depuis le premier jour…

Le jour suivant s'annonce chaud et humide. Le mercure grimpe aux alentours de trente-deux degrés Celsius dans la suite. Une légère pluie tombe le matin, et le temps s'éclaircit vers midi sous un soleil ardent. Les petits se réveillent avec l'estomac douloureux et Sam, accompagnée de Danielle, s'efforce de les distraire. Elles espèrent ainsi alléger leur tourment. Les heures passent péniblement et ils s'efforcent de rester positifs, souhaitant donner l'exemple aux enfants qui ne cessent de se lamenter. L'atmosphère est lourde et certains s'évadent dans les chambres avoisinantes en traînant de la patte, à la recherche d'un peu de répit.

En début d'après-midi, un bruit de moteur se fait subitement entendre haut dans le ciel. D'abord faible, le bruit s'intensifie à un tel point qu'ils s'élancent tous sur le balcon, juste à temps pour voir passer un hélicoptère à toute vitesse au-dessus de leurs têtes. L'hélico poursuit sa route par-dessus les montagnes tout près, puis disparaît. Néanmoins, l'espoir gonfle le cœur des survivants animés par une énergie nouvelle. Franck suggère alors d'attacher des draps à la balustrade du balcon afin de signaler leur présence. François et Rick s'exécutent aussitôt, heureux de pouvoir s'occuper l'esprit.

Les enfants retrouvent leur bonne humeur :
— On va être sauvés ! On va être sauvés ! chantent-ils à tue-tête dans la suite.

Leur joie est contagieuse et les visages s'illuminent de sourires. François suggère d'installer sur le toit des objets pour former le mot HELP. Ainsi, lorsque l'hélicoptère reviendra, ils seront parfaitement visibles. Rick et François grimpent sur le toit incliné pour les y installer. Des lampes de même que des tapis roulés sont transportés à l'aide des cordes sur le toit du bâtiment, en passant par le balcon. Les quatre jeunes hommes jouissent d'une énergie suffisante pour cette tâche qu'ils accomplissent à une vitesse surprenante. Chacun est solidement rattaché à la balustrade avec la corde, et ils forment une chaîne par laquelle les objets passent de bras en bras. Ils enroulent les objets de draps blancs pour plus de visibilité. En moins de trente minutes, tout est installé.

Cet élan d'espoir et cette initiative arrivent à point, car petits et grands avaient grand besoin de penser à autre chose qu'à leur faim et à leur peine. Même les petits écrivent des messages sur des feuilles qu'ils accrochent à la balustrade du balcon. Mais toute cette agitation leur fait dépenser beaucoup d'énergie. Épuisés, ils s'endorment en plein après-midi pour une sieste improvisée mais bienvenue.

Mais les heures passent sans que l'hélico revienne. L'espoir d'êtres secourus aujourd'hui tombe aussi vite que la nuit à ce temps de l'année. Et pour accentuer leur détresse, plus de la moitié des membres de la famille souffrent maintenant de diarrhée, provoquée non seulement par la qualité de l'eau, mais aussi par la sous-nutrition. Le va-et-vient aux toilettes des chambres de l'étage est un rituel continu et contribue à affaiblir les survivants déjà vidés d'énergie. Julie s'inquiète de plus en plus de la rapidité à laquelle Émanuel et Léo dépérissent. Ils maigrissent à vue d'œil. Même Danielle, habituellement très ronde, désenfle rapidement. Chacun souffre du manque de nourriture à différentes intensités.

Le sentiment d'impuissance ressenti chez les adultes et les ados est le plus difficile à supporter. Julie se doute que chacun cherche dans sa tête un moyen d'être secouru ou de trouver de la nourriture. Pour la première fois depuis longtemps, elle ressent le besoin de faire une demande aux mains de la vie. Elle se réfugie dans un coin de la suite et, fidèle à son habitude, s'installe à genoux, inspire profondément et se vide de tout sentiment. Elle emplit son cœur de confiance et de sentiments positifs en prenant une seconde inspiration, très lentement. Puis, elle ouvre ses mains, paumes vers le haut, et y dépose son désir, son besoin. « J'ai besoin de trouver le moyen de sauver les miens. De les ramener en sécurité. » Au bout d'un court moment, elle a le sentiment que son message est bien passé. Satisfaite, elle ouvre les yeux et regarde sereinement autour d'elle. Le soleil a disparu à l'horizon et la pénombre s'installe sur une lune à peine décroissante. Les enfants dorment déjà, apportant un moment de répit bien mérité aux autres. Son cœur se remplit de compassion et son corps, d'une énergie positive. Elle ressent alors le besoin de réconforter ses proches désespérés et tourmentés par la faim.

Depuis toujours, Julie devine une énergie pure, invisible et impalpable qui habite les êtres vivants et les relie entre eux. Une énergie vitale qui régit les lois naturelles et spirituelles de ce monde et qui unit ainsi chaque personne selon différentes intensités. Certaines journées même, elle est en mesure, comme tant d'autres, de ressentir cette forte énergie. Mais sans toutefois saisir complètement son fonctionnement. Son père lui a transmis une partie de ce savoir dans sa jeunesse, qui lui avait été transmis par sa propre mère, qui était médium. Julie est convaincue que son énergie bienfaitrice pourra rayonner suffisamment pour en faire bénéficier les siens en ce moment précis. Elle entreprend donc une ronde…

Après avoir caressé les cheveux de Manu, elle lui baise le front. Elle renifle l'odeur familière de sa peau et ses cheveux. Par ce baiser, elle a l'impression de transmettre tout l'amour d'une mère et son fervent désir de survie. Puis, elle se dirige vers Jonathan, qui a les yeux fermés. Il est assis sur le sol, adossé au mur. Elle s'agenouille près de lui et passe ses bras doucement autour de son cou. Elle appuie sa tête contre la sienne, en communion. Puis, elle le regarde droit dans les yeux et lui dit d'un ton convaincu :

— Ça va bien aller. La solution va se présenter bientôt, j'y travaille. Fais-moi confiance, d'accord ?

— D'accord, répond-il par habitude sans vraiment comprendre à quoi elle fait allusion.

Julie embrasse également son front. Un long baiser chaleureux, comme il y a longtemps qu'elle lui en a donné. Il se laisse faire, appréciant ce geste qui réconforte son cœur d'adolescent. Elle se dirige ensuite vers Rick et ils s'étreignent chaleureusement. Elle sent qu'il en a vraiment besoin. Le jeune homme, le cœur gros, verse quelques larmes en pensant à sa mère. Julie l'embrasse sur le front, comme son propre fils, et chuchotte à son oreille :
— D'où elle est, ta mère est fière de toi et veille sur nous tous, j'en suis convaincue.

Il hoche simplement la tête et essuie ses larmes en se rassoyant. Elle se déplace vers François et le serre fort contre elle en lui murmurant des mots doux à l'oreille. Elle lui dit combien elle est fière de lui et qu'elle admire la façon dont il passe d'adolescent à homme. Elle lui rappelle qu'il est un pilier important de la famille et qu'il se doit de rester ouvert et positif, car son esprit vif leur est d'une grande utilité en ces moments difficiles. Elle l'aime comme son propre fils et n'hésite pas à le lui dire. Mais il le sait déjà depuis longtemps…. Julie se dirige ensuite vers Sam. Cette dernière se lève à son tour et étreint Julie. Les deux femmes ne sont habituellement pas si proches, mais à cet instant précis, une énergie sincère circule entre elles.
— Ta force de caractère te permettra de passer à travers une telle épreuve. Et ta spontanéité ainsi que ton dévouement envers les petits sont vraiment remarquables ; sans toi, ce serait beaucoup trop difficile, avoue sincèrement Julie.

Quant à Danielle, elle est mal en point. Néanmoins, elle s'en fait beaucoup plus pour les petits, surtout pour Joey. Au fur et à mesure que les jours passent, ils ne peuvent qu'en déduire que le petit est orphelin. Cette déchirante réalité pèse lourd sur leurs cœurs… Après quelques minutes de conversation, elles s'étreignent longuement. Julie passe furtivement devant Pedro et Isabelle qui dorment déjà et se dirige ensuite vers Peter ; sans qu'aucun mot ne soit prononcé, ils s'étreignent comme de vieux amis. Ils se sont toujours appréciés et Julie aime particulièrement cet homme vrai, simple et chaleureux, qui souffre atrocement de la perte de sa Lydia. Tout comme elle d'ailleurs…

Franck et elle échangent ensuite sur leurs états d'âme et ce dernier passe une remarque narquoise sur le petit rituel de Julie, qu'il a observé tout à l'heure. Franck est un homme pragmatique et ne croit pas à ces choses. Somme toute, il s'efforce de garder le moral pour ses enfants, qui comptent sur son habituel leadership pour les guider.
— Demain matin, je vais préparer un feu. Peut-être que la fumée sera interprétée comme un signal de détresse…

Alors qu'elle s'apprête à s'étendre aux côtés d'Émanuel, ils entendent des bruits de pas étouffés dans le couloir. Curieux, François se lève et avance avec prudence en distinguant une silhouette à quelques mètres de lui. Il reconnaît aussitôt le sexagénaire qui occupe la chambre du quatrième étage avec sa femme. Ce sont les seules autres personnes survivantes de l'hôtel qu'ils aient croisées depuis des jours. Le vieil homme porte toujours la robe de chambre blanche de l'hôtel et semble s'être coiffé à la hâte. Il dégage une odeur légèrement désagréable ; celle de quelqu'un qui a eu chaud et ne s'est pas lavé depuis plusieurs jours. Sa barbe est longue et son aspect négligé en dit long sur la détresse silencieuse qu'il vit depuis le premier jour. François s'avance vers lui :

— Bonsoir monsieur. Est-ce que tout va bien ?

L'homme se racle la gorge et parle d'une voix rauque :

— Ma femme est malade. Elle ne va pas très bien. Elle ne veut plus manger.

Julie et François échangent un regard perplexe, ne sachant que répondre devant cette affirmation.

— J'en suis désolée. Et comment pouvons-nous vous aider ? réplique Julie.

— Je ne sais pas. Peut-être pouvez-vous m'aider à la convaincre de manger ?

Le simple mot « manger » crée un profond malaise chez Julie et fait visiblement saliver François. Elle a un peu de mal à se contenir en pensant que ces gens ont peut-être de la nourriture dans leur chambre. Néanmoins, elle baisse la tête et dit :

— D'accord. Je veux bien essayer.

L'homme reprend sa marche en sens inverse. Ses pieds glissent sur le sol, comme s'il a de la difficulté à lever ses jambes. Ses pantoufles de cuir noir produisent un bruit sec et agaçant à chaque pas qui fait soupirer François d'impatience. Ils l'aident à descendre les marches jusqu'à l'étage en dessous. Ils empruntent le couloir et entrent dans la chambre du couple. À part une faible lumière provenant d'une minuscule lampe de poche déposée sur la table de chevet, il fait nuit noire. Les rideaux sont tirés et une odeur d'humidité, de peau sale et de fruits trop murs règne dans la pièce. Ce mélange d'odeurs nauséabondes donne la nausée à Julie presque aussitôt. Sans demander la permission, François traverse tout de go la chambre et ouvre les rideaux et la porte vitrée. Puis, il se tourne vers le vieux monsieur dodu et dit :

— Ça va faire du bien, de l'air pur.

Julie sourit en son for intérieur devant l'audace de son neveu. Elle s'avance vers le lit et distingue la silhouette de la femme étendue sur le ventre, du côté droit du lit. En s'approchant tout doucement, elle touche l'épaule de la femme et tente de la réveiller. Elle insiste, mais n'obtient aucune réaction. Inquiète, Julie tente de vérifier le pouls de la dame obèse à son cou, mais n'y parvient pas. Elle palpe alors son poignet un long moment. Pendant ce temps, son mari hurle le nom de sa femme pour tenter de la réveiller :

— Édith ! Édith ! Il faut te réveiller maintenant. Édith !

Julie repose le bras de la dame et s'adresse à celui-ci :
— Son pouls est faible.

Elle passe ensuite sa main devant la bouche et le nez de la dame afin de percevoir un souffle. Elle sent en effet une légère respiration tiède sur son poignet. Elle vit toujours, mais semble extrêmement faible.
— Elle respire faiblement. Quand s'est-elle réveillée la dernière fois ?
— Avant-hier au matin.
— Et depuis quand n'a-t-elle pas mangé ou bu ?

Son mari hausse les épaules, hésitant :
— Pas depuis que tout ça est arrivé. Elle a bu quelques gorgées d'eau avec ses pilules le premier soir, et c'est tout. Ensuite, elle s'est mise à déprimer et elle a refusé de manger. Elle a dit vouloir mourir... Je l'ai forcée à manger un morceau de pain, mais elle l'a recraché. Je ne sais plus quoi faire... Je n'arrive plus à la réveiller...

Il semble totalement désemparé. Julie et François ne savent que faire, ni que répondre. Alors, Julie lui avoue :
— Je n'ai pas d'idée pour le moment. Peut-être pourrions-nous revenir demain matin ? Au grand jour, je pourrai mieux voir comment elle va et on pourra tenter de la réveiller avec de l'eau froide ?

Elle apporte cette suggestion sans toutefois être convaincue que cela fonctionne. Néanmoins, le mari inquiet acquiesce et les reconduit à la porte de sa chambre. Julie et François s'éloignent rapidement. François demande :
— As-tu remarqué l'odeur de fruits trop murs ?
— Oh oui, je me suis retenue pour ne pas quémander.
— Et moi de les voler...

Julie admet que le simple fait de monter l'escalier représente dorénavant un effort important pour elle. Elle doit reprendre son souffle et traîne de la patte dans le couloir. Elle s'adosse au mur et ses yeux se remplissent de larmes. Elle réalise au même instant que sa demande a été entendue. Une fois de plus, un sentiment d'accomplissement l'envahit. Elle ne croit pas aux hasards et sait que cet événement est probablement la réponse à sa demande. Elle s'imagine même que le couple dispose d'un petit inventaire de nourriture qu'il pourrait sûrement partager avec eux le lendemain. Le cœur rempli d'espoir, elle retourne dans la suite et s'endort en toute confiance. Son sentiment de bien-être est tel qu'elle ne ressent plus les symptômes de la faim, et la douleur au plexus a disparu...

Serena

Ce quatrième jour est très animé. Les passagers remarquent l'activité chaotique et continue des membres d'équipage, et cela suscite une curiosité générale. La machine à rumeurs repart de plus belle, contribuant à alimenter une ambiance nerveuse et malsaine parmi les survivants déjà fortement éprouvés. Le transport des meubles, des accessoires et d'articles de toutes sortes se fait d'un bout à l'autre du navire, sur des chariots roulants et à bout de bras. Des centaines d'objets inutiles sont jetés par-dessus bord. Les passagers questionnent, se promènent partout, cherchant de la nourriture, de l'eau et d'autres articles utiles.

Claude, Serena, Lindsay et Yhéo farfouillent également le navire et passent un certain temps dans la cabine du couple afin de tenter de décrocher le canot de sauvetage suspendu et y placer leurs effets personnels et leurs provisions. Mais le canot est toujours solidement attaché et Claude n'arrive pas à le défaire du crochet tordu. Il passe une partie de l'après-midi à chercher des outils pouvant servir à le dégager. Mais sans succès. Il demande alors de l'aide à un membre d'équipage chargé de la sécurité, qui lui répond avec désinvolture d'oublier cette idée et de rester à bord comme tout le monde.

À partir de là, la rumeur court que certains passagers partiront en canot et elle vient aux oreilles de Peterson, qui convoque d'urgence une réunion en fin d'après-midi avec ses officiers. La réunion dure plus d'une heure. Peterson tente de conserver son calme, mais l'insistance de certains officiers, dont Graney, l'agace. Puisque la majorité des officiers sont d'avis qu'il faut préparer les canots de sauvetage et y placer les passagers avant de procéder aux manœuvres de réparation, Peterson cède devant la majorité. Mais le lendemain matin, une panique générale s'installe lorsque les passagers sont finalement informés de la manœuvre de réparation qui se prépare pour les deux prochains jours. Norrington, inquiet, cogne à la porte de la cabine de pilotage et demande un entretien avec Peterson. Celui-ci accepte de l'entendre, sous les recommandations du chef de la sécurité, Todds, qui se remet lentement de sa vilaine commotion. Norrington est bref, mais direct.

— Laissez-les choisir entre partir en canot de sauvetage immédiatement afin de bénéficier du courant de marée ou rester ici jusqu'à ce que les réparations soient effectuées. Dans un cas comme dans l'autre, les membres d'équipage devraient les accompagner.

— Je vous remercie de votre suggestion. Au revoir. M. Norrington.

— Vous n'avez pas l'intention de les laisser partir, n'est-ce pas ?

Peterson se contente de le regarder d'un air méprisant. Il désigne la porte de la tête. Norrington ressort sans un mot et rejoint Graney dans la salle des communications située sur le dessus du navire. Ce dernier a dérobé quelques cartes marines et les instruments nécessaires à la navigation manuelle. Après un moment, Norrington établit la position exacte du navire dans le bassin. Il est situé à la limite de ce dernier et de l'océan Pacifique. « À cet endroit, la force de la marée joue encore un rôle important » et il calcule que le navire sera définitivement à la dérive et à la merci du courant marin de l'Alaska dans environ dix-huit heures, soit vers quatre heures du matin. Norrington est pensif. Il cherche une solution viable pour assurer la sécurité et la survie des passagers. Puis, finalement, il se lève :

— Nous allons planifier l'évacuation d'une partie des passagers pour ce soir. Regroupez les officiers et membres d'équipage fidèles à McDuff et ceux susceptibles de nous aider tout en gardant notre intention secrète. Avec tout le va-et-vient sur le bateau, personne ne devrait s'apercevoir de nos démarches de préparation. Mais nous devons agir vite et discrètement. Aucune réunion officielle avec les passagers ; nous les préviendrons autrement. À la tombée de la nuit, nous descendrons les canots et procéderons à l'embarquement des passagers désireux de partir.

Graney acquiesce d'un signe de tête, visiblement satisfait de l'implication de Norrington et de son plan. Le capitaine sort de la salle et s'accoude à la rampe de bois du pont supérieur. Le fort vent salin fouette son visage et il réfléchit. Il sait pertinemment que cette tentative de sortie peut s'avérer périlleuse pour les passagers et les membres d'équipage désirant s'impliquer, si jamais Peterson est prévenu avant leur départ. Même si la sécurité des passagers ne relève plus de sa responsabilité, il se sent néanmoins toujours aussi responsable. Il est également persuadé que l'idée de réparer l'aviron principal se soldera par un échec. Et il sera trop tard pour les passagers transférés dans les canots d'espérer atteindre alors les côtes...

Graney le rejoint quelques minutes plus tard.

— Nous sommes neuf membres d'équipage au total, moi inclus.

— Bien. C'est parfait, M. Graney. À plus tard alors.

Norrington arpente le pont supérieur et descend à l'étage en dessous à la recherche de la passagère avec qui il a eu une discussion dans l'escalier plus tôt. Il la trouve dans la salle d'amusement, discutant intensément avec Lindsay. Lorsque Serena l'aperçoit, elle marche à sa rencontre.
— Bonjour capitaine.
— Bonjour madame. Puis-je vous parler ?
— Certainement.

Norrington la prend par le bras et l'amène dans le coin de la pièce, à l'abri des oreilles indiscrètes. Puis, il lui expose la situation et son plan. Lorsqu'il termine, elle résume :
— Donc, vous voulez que je parle aux autres passagers discrètement afin de les convaincre de partir ce soir dans les canots de sauvetage ?
— Oui, c'est ça.
— Je vois un obstacle. Je ne suis pas officier ni membre d'équipage ; alors comment dois-je m'y prendre pour les convaincre de me suivre ?

Il lui remet une copie du dépliant de l'itinéraire personnalisé de la croisière et dit :
— Voyez, ma photo est sur le dépliant en tant que capitaine. Montrez-la-leur et envoyez-moi les passagers réticents. Je tenterai de les convaincre à mon tour. Je serai assis sur le banc situé au centre du pont supérieur, côté tribord, le reste de la journée.
— D'accord, je vois.

Serena réfléchit. Elie met ses mains sur ses hanches et demande :
— Est-ce que des officiers ou des membres d'équipage nous accompagneront en mer ?
— Oui. Un par canot. C'est ce qui est prévu.
— Et vous dites que nous sommes à environ deux jours des terres, en ramant vers l'est, c'est bien ça ?
— C'est exact.
— Et… si de nouvelles vagues arrivent pendant que nous sommes à bord des embarcations, que se passera-t-il ?
— Mouais… C'est le seul hic. Mais si les vagues sont identiques à celle que nous avons subie, vous vous en sortirez avec un haut-le-cœur digne des plus impressionnants manèges, car les canots flotteront sur le dessus des roulis. Sauf tout près du rivage, où il vous faudra faire preuve de prudence et vous placer à l'abri le plus rapidement possible. Je ne vous cache pas qu'il y a un risque.

Serena inspire profondément et fixe le tapis un moment. Elle doit prendre une décision importante, rapidement. « La sécurité du navire est fort réconfortante comparée à cette sortie périlleuse… » Néanmoins, elle est bien consciente que la nourriture manquera bientôt, et si la tentative de réparer l'aviron échoue, il sera alors trop tard…

— Et vous croyez sincèrement que la réparation de l'aviron est impossible, n'est-ce pas ?

— En fait, ce serait un miracle…

Elle soupire à nouveau. Elle songe à son mari dont l'idée est déjà fixée ; il veut quitter définitivement le yacht. Et elle a promis au petit Yhéo de le ramener en lieu sûr… Elle relève finalement la tête. Sa décision est prise : ils partiront en canot cette nuit. Elle hoche la tête en signe d'acceptation.

— Donc, nous devons être prêts pour vingt heures. Nous nous déplacerons au niveau trois pour rejoindre les suites côté bâbord. Vous et d'autres membres d'équipage aurez préparé les canots de sauvetage et les mettrez à l'eau à notre arrivée. Exact ?

— Exact. Mais ne fournissez pas ces détails aux autres passagers. Car si Peterson l'apprend, il dépêchera le reste du personnel à cet endroit pour contrer notre initiative.

Serena consulte sa montre : quatorze heures et vingt-sept minutes. Elle inspire à nouveau profondément et serre la main de Norrington, qui penche la tête en signe d'au revoir. Elle rejoint Claude, qui transporte des meubles d'un bout à l'autre du yacht.

— Mais que fais-tu ?

— Je transporte des meubles, dit-il d'un ton innocent, cherchant à la faire sourire.

— Mais encore ?

En chuchotant, il répond :

— J'observe tout ce qu'il y a dans les différentes pièces de ce navire. J'ai déjà trouvé une autre embarcation et…

Elle l'interrompt :

— D'accord, d'accord. Mais écoute ceci.

À son tour, elle lui explique ce qui se trame. Il n'est pas tout à fait d'accord.

— J'aurais préféré que nous partions seuls. Nous avions déjà prévu partir cette nuit de toute façon. Si cette initiative se sait, on nous en empêchera, c'est sûr !

— Je ne peux plus reculer. J'ai donné ma parole, ajoute Serena.

Elle doit maintenant convaincre le plus grand nombre de passagers. Claude la laisse faire, mais s'est déjà préparé un plan de rechange. Son plan B, comme il l'appelle. Puisqu'il n'arrive pas à détacher le fameux canot qui pend au-dessus du balcon de sa cabine, il s'est mis à la recherche d'une autre embarcation. Il a finalement aperçu un canot pneumatique dans la salle des équipements nautiques située près de la poupe du navire, là où ils ont enlevé la plaque métallique du plancher. Le canot est simplement relié par une corde à un anneau fixé au mur. Si leur tentative échoue, ils pourront toujours sortir par là…

Yhéo sur les talons, Serena se déplace de pièce en pièce et informe les passagers de leur plan. Mais la plupart sont sceptiques et hésitants. La majorité refuse sa proposition qui, elle l'avoue elle-même, semble tout aussi hasardeuse. Certains vont même jusqu'à la traiter de folle. Il faut comprendre que la moyenne d'âge des passagers est de plus de soixante ans et que les femmes sont particulièrement craintives. Serena insiste toutefois auprès des passagers pour qu'ils demeurent discrets et les invitent à discuter avec Norrington, qui les attend sur le pont. Il fait nuit noire vers dix-neuf heures et ils attendent avec impatience que vingt heures sonnent. Vers dix-neuf heures trente, Norrington confirme à Serena certains détails. À son tour, elle lui confirme que selon ses estimations, seulement une vingtaine de passagers se joindront à eux. Visiblement déçu, il lui dit néanmoins de se tenir prête et s'en va rapidement. Pendant la demi-heure suivante, elle se présente dans toutes les salles afin de faire savoir aux personnes intéressées que le moment est arrivé.

Lorsqu'elle revient dans la salle de jeu, suivie de dix-sept passagers seulement, Claude l'attend devant la porte. Il porte Yhéo et deux gros sacs en bandoulière. Il transpire nerveusement. Mais il ouvre la marche en les menant au couloir du troisième niveau. Il aperçoit les officiers et membres d'équipage plantés devant plusieurs portes ouvertes donnant accès à bâbord. Il demande simplement :
— On y va ?
— Non. Personne n'ira nulle part, répond un homme dans la cabine sur sa gauche.

Claude fige. Un homme sort de la cabine et s'avance, les mains dans le dos. C'est Peterson. Il regarde les passagers d'un air vainqueur. Claude provoque délibérément une discussion.
— Quoi ?
— Vous m'avez bien entendu. Personne n'ira nulle part.

Une volée de protestations s'élève dans le couloir et Claude, dépassant tout le monde d'au moins une tête, insiste d'une voix forte :

— Où est Norrington ?

Peterson fait un signe de tête et Norrington, escorté par deux membres d'équipage, sort de la cabine avec les mains ligotées derrière le dos.

— M. Norrington n'est plus le capitaine de ce navire depuis trois jours et il n'a aucune autorité. De plus, aucune raison ne justifie votre départ sur des canots de sauvetage en pleine nuit.

Norrington a été frappé au visage. Sa bouche saigne et sa paupière supérieure est rouge et boursouflée. Paniquée, Serena intervient en se plaçant devant son mari. Elle prend la parole en s'adressant à Peterson :

— Nous désirons partir tout de même. Nous sommes prêts à courir le risque et assumons l'entière responsabilité de notre sécurité.

— Je crains que vous ne soyez pas en mesure de prendre cette décision, car elle m'incombe. Et je le répète, personne ne partira d'ici cette nuit. Nous suivrons le plan que j'ai établi au préalable, qui consiste à effectuer les réparations nécessaires sur le navire, pour ensuite retourner dans le passage protégé.

Il se retourne et fait mine de partir pour ainsi démontrer que la discussion est close. Mais Claude fulmine et laisse tomber les sacs et Yhéo. Il attrape Peterson par la chemise en le poussant contre le mur.

— Vous allez nous laisser partir, dit Claude en serrant les dents.

Peterson devient livide. Il faut quatre membres d'équipage pour le dégager de l'étreinte du colosse. Serena tire finalement son mari par le bras et lui chuchote à l'oreille :

— Plan B.

Le regard de Claude s'illumine et il se calme instantanément. Il prend un air renfrogné et fait mine de retourner vers les salles. Les autres passagers ont facilement renoncé à partir et s'en retournent également d'un air résigné. Dans le brouhaha et la pénombre régnant dans les couloirs, Claude et Serena s'esquivent furtivement au tournant d'un couloir et se cachent derrière un placard à la porte entrouverte. Puis, ils rejoignent silencieusement la salle d'équipements nautique en passant par un autre couloir. La salle nautique est plongée dans le noir ; seule une lumière d'urgence jaune située au-dessus de la porte éclaire faiblement la pièce. Une fois à l'intérieur, Claude referme la porte, qui produit un bruit sec. Puis, il manœuvre le lourd mécanisme de la large porte extérieure, épaisse et de forme carrée. Mais elle grince fortement, révélant sans aucun doute leur présence en ces lieux. Ils s'empressent de détacher le canot et le tirent près de l'ouverture en le poussant par la porte. Il tombe à la mer un mètre plus bas. Claude le retient par la corde et invite sa femme à sauter dans le raft. Alors qu'elle saute, la porte donnant sur le couloir s'ouvre toute grande et Peterson apparaît, suivi de deux membres d'équipage. Il hurle à l'intention de Claude :

— Arrêtez tout de suite !

Claude est d'abord surpris, mais improvise rapidement. Il se place devant l'ouverture et ramasse Yhéo par un seul bras. Il recule et allonge le bras par-dessus le canot. Il s'accroupit difficilement et laisse tomber délicatement l'enfant en criant à sa femme :

— Le voilà. Attrape-le !

— Arrêtez ou je tire !

Claude éclate de rire et laisse tomber doucement Yhéo, surprenant Peterson. Mais la pénombre empêche Claude de voir distinctement. Il doute que Peterson tienne réellement une arme. Il hésite tout de même un moment et dit finalement :

— Vous allez vraiment tirer sur moi ?

— Demandez à votre femme de remonter à bord immédiatement.

Peterson s'est déplacé et la faible luminosité permet alors à Claude de voir qu'il tient effectivement une arme de poing. Un des deux membres d'équipage intervient :

— Allez monsieur, soyez raisonnable. C'est très dangereux de partir ainsi sur l'océan. Vous avez de meilleures chances…

— C'est ça, c'est ça… fait Claude en cherchant une issue à cette situation stressante.

M. Todds, chargé de la sécurité, arrive en trombe dans la pièce. Il invective Peterson :

— Remettez-moi cette arme immédiatement !

Mais Peterson ne bronche pas. Il tient Claude en joue fermement et des sueurs perlent à son front. Claude réalise que Peterson s'est emparé de l'arme sans autorisation. Il lui dit :

— Nous allons partir ; si vous désirez me tirer dessus, faites-le tout de suite. Car autrement, je pars.

Peterson ne dit mot. M. Todds insiste :

— Peterson remettez-moi cette arme immédiatement ! Vous n'êtes pas autorisé à vous en servir, et encore moins pour menacer un passager !

Mais devant le mutisme de Peterson, M. Todds ajoute :

— Peterson! Avez-vous perdu la tête? Remettez-moi cette arme une fois pour toutes! somme-t-il.

Peterson a visiblement entendu l'avertissement de l'officier, mais refuse d'obéir. Claude en profite pour jeter un coup d'œil derrière lui par l'ouverture. Serena et Yhéo sont assis dans le canot avec les gilets et les provisions. Il lâche la corde discrètement, libérant le canot. Un silence pesant règne et les hommes sont nerveux. M. Todds s'approche doucement de Peterson, qui garde les yeux rivés sur Claude. Ce dernier peut maintenant lire de la haine dans le regard du sous-capitaine. Une haine injustifiée, un peu folle.
— Laissez-le partir, Peterson. C'est son choix, et nous témoignerons qu'il ne nous a pas laissé d'alternative.
— C'est ma responsabilité.

Il met l'accent sur le « ma ». Il transpire abondamment et s'agite nerveusement. M. Todds est tout près de lui maintenant, et insiste :
— M. Peterson, donnez-moi…

Claude saute soudainement.
BANG!

Le coup part instantanément et la balle atteint le rebord métallique de la porte et ricoche dans le dos du gaillard, qui tombe directement dans le canot pneumatique. Serena hurle. L'officier Todds s'élance pour maîtriser Peterson, qui s'avance déjà vers l'ouverture et tire à nouveau. Une seconde balle atteint le canot pneumatique, dont la partie atteinte explose dans un claquement retentissant. Todds, aidé des autres hommes, lutte un bon moment pour maîtriser Peterson, qui est incroyablement vigoureux. Todds finit par assommer le sous-capitaine avec la crosse du revolver et ce dernier s'effondre enfin. Le chef de la sécurité se penche ensuite vers l'ouverture et regarde le canot pneumatique s'éloigner. Serena est paniquée et s'empresse de soulever le gilet de son mari pour voir la blessure à la lueur de la lune. Claude grogne de douleur. Il s'emporte et hurle des injures à Peterson.
— Claude! Cesse de t'agiter et étends-toi!

Elle sort une petite lampe de poche et examine attentivement sa blessure. La balle est entrée sous l'omoplate gauche pour ressortir à l'avant juste sous l'épaule. Désemparée devant la gravité de la blessure, elle change immédiatement d'avis.
— Il faut retourner sur le navire! Nous n'avons pas de quoi te soigner ici, fait-elle d'une voix paniquée.

Claude, soudain calme, riposte doucement :

— Il n'y a pas ce qu'il faut sur le navire non plus. Et c'est trop tard maintenant.

Serena regarde avec angoisse le yacht qui est déjà loin. Une insécurité profonde lui empoigne le cœur devant l'urgence de la situation. Claude poursuit :

— Mmm… Je crois bien que tu devras ramer toute seule, ma grande.

Serena caresse la tête de son mari posée sur ses genoux en laissant échapper des larmes de désespoir.

— Allez. Allez ma belle. Tout ira pour le mieux. Mais il ne faut pas tarder plus longtemps ma chérie. Commence à ramer. Je vais bien.

Elle sait qu'il ment. Sa blessure saigne abondamment.

— Non tu ne vas pas bien. Applique une pression sur la blessure avec l'autre main et appuie ton dos contre le canot. Je vais panser ta blessure.

À l'aide d'un foulard qu'elle enroule autour de son corps, elle place des bas de coton contre les blessures. Il souffre mais tente de le lui cacher pour ne pas l'inquiéter. Serena est réellement inquiète. Elle rince ses mains dans l'eau froide et vérifie ensuite l'état du canot. Seule une petite partie du pneumatique a été transpercée par la balle. Heureusement, celui-ci est fabriqué en plusieurs cloisons indépendantes, et uniquement deux d'entre elles ont éclaté sous le projectile. Légèrement rassurée, Serena sort les rames tout en essuyant ses larmes. Elle n'a jamais envisagé que les choses tourneraient si mal. Si vite. Elle se sent affreusement coupable, et son expression laisse voir son profond malaise. Quant à Yhéo, il n'a pas dit un mot et est assis dans un coin, les genoux remontés sous le menton. Il semble indifférent… Ou traumatisé. Serena ne saurait le dire… Elle installe les rames et réalise soudain qu'elle ne sait pas dans quelle direction s'orienter. Elle demande à son mari sur un ton désespéré :

— Mais dans quelle direction dois-je ramer ?

— À droite de la Grande Ourse, gronde-t-il de douleur.

— Pourquoi à droite de la Grande Ourse ?

— Parce qu'elle est située au nord, et à droite, c'est l'est. Et la marée nous fera dériver aussi vers l'est.

—Ah bon…

Son explication semble logique et, sans s'opposer, elle suit ses instructions et rame dans cette direction pendant des heures, jusqu'au lever du jour. Pendant tout ce temps, Claude conserve la même position sans bouger, en somnolant de temps à autre. Le petit s'est endormi rapidement en boule dans le fond du canot, la tête appuyée contre son manteau. Heureusement, la mer est calme.

Lorsque le soleil se pointe à l'horizon, Serena prend une pause et s'endort. Claude est blême et respire difficilement. Néanmoins, il réveille sa femme alors que le pâle soleil d'automne plombe sur le canot. Elle a dormi une bonne heure.

— Serena! Serena!

— Mmm. Oui? Oui!

— Réveille-toi… Il faut ramer. Allez, matelot!

Claude se force à sourire. Yhéo se réveille également et regarde tout autour de lui. Il dit :

— Wow!

— C'est vrai que c'est beau… murmure Serena, admirative.

L'océan est d'un calme exceptionnel. Un vrai miroir d'eau. Sans vent. Un silence total, rassurant. Mais Serena ne voit pas de rive à l'horizon… Ni le yacht. Rien du tout. Elle est amèrement déçue. Elle s'approche de son mari et remarque les cernes sous ses yeux. Elle constate avec effroi que le fond du canot est rempli de sang mêlé à de l'eau de mer qui s'est infiltrée par les cloisons dégonflées alors qu'elle ramait.

— Oh mon Dieu, Claude, tu perds ton sang!

— Oh ça, ce n'est rien. Ça va, je te dis.

— Non! Ça ne va pas!

Serena enlève le foulard. Les bas sont totalement imbibés de sang et débordent. Elle s'empresse de les changer et maintient une forte pression pendant un moment. Mais Claude insiste :

— Ça va aller, laisse-moi faire. Tu dois te remettre à ramer. Il faut en profiter pendant que la mer est calme.

— Pas question. Laisse-moi m'assurer que ces pansements feront l'affaire…

Tenant tête à son mari une fois de plus, elle refait adéquatement ses pansements. Ensuite, ils avalent tous une rapide collation et elle s'empresse de reprendre les rames. Soudain, elle s'inquiète :

— Mais dans quelle direction?

— Par là. Le soleil se lève à l'est.

— Ah oui.

Elle est soulagée que son mari ait l'esprit aussi vif dans un moment pareil. Elle observe ses mains alors qu'elle empoigne à nouveau les rames. L'eau de mer et le frottement répété sur le bois dur ont provoqué de douloureuses ampoules. Mais elle s'active toute la journée en ne prenant que de courtes pauses pour boire, manger et prodiguer des soins à son mari qui s'affaiblit rapidement. Yhéo joue aux cartes en solitaire et caresse sa peluche. En fin d'après-midi, alors que le soleil devient moins aveuglant, Serena somnole un moment. Mais elle est rapidement réveillée par le bruit d'un soufflement intense. Ils sursautent à la vue de plusieurs grosses baleines !

— Wow ! s'exclame encore le petit.

— Oh mon Dieu…

Serena est ravie, mais légèrement alarmée. Ils se retrouvent au beau milieu d'un groupe d'immenses baleines qui tournoient autour du canot. Claude est également impressionné, observant les mastodontes avec des yeux ronds…

— Et toi qui voulais voir des baleines… fait-il avec un petit sourire en coin.

Au bout d'une dizaine de minutes, les mammifères marins s'éloignent et disparaissent au loin. Serena reprend les rames après s'être fabriqué des mitaines avec les semelles intérieures de ses chaussures et des lacets. Ainsi, sa peau et les douloureuses ampoules ne sont plus en contact direct avec le bois rugueux. Yhéo est penché par-dessus bord et agite ses petites mains dans l'eau froide. Claude se rendort aussitôt. Il est de plus en plus blême et son état inquiète Serena. Elle redouble d'ardeur. Une sensation de brûlure se fait sentir dans les muscles de ses bras, de ses épaules et de son ventre. Mais, elle s'acharne néanmoins, faisant fi des douleurs.

Elle rame ainsi jusqu'au coucher du soleil, où un petit vent se lève, rafraîchissant joyeusement les passagers éprouvés. Ils mangent avec appétit le léger repas. Même Claude, malgré son état, semble apprécier. Serena appuie sa tête contre le rebord caoutchouteux du pneumatique un moment et s'endort malgré elle.

Chapitre 10

Les 6ᵉ et 7ᵉ jours

Lucy

Ils dorment paisiblement jusqu'aux petites heures du matin. L'agitation des chevaux les réveille. Oscar hennit nerveusement et Marc est le premier debout. Alarmé, il sort en courant du petit kiosque dans la pâle lueur du matin, suivi de près par Brian. Lucy se tient dans l'embrasure de la porte, s'attendant à subir une nouvelle secousse. Mais rien ne se passe. À moitié endormie, elle observe tout autour. La braise rouge du feu émet une faible lueur. Les hommes tentent de calmer les bêtes nerveuses. Elle ranime le feu à l'aide d'un bâton. Alors qu'elle est accroupie, elle perçoit du coin de l'œil sur sa gauche deux yeux brillants dans les sombres bosquets, à plusieurs dizaines de mètres. Ils sont immobiles et ils la fixent intensément. Les chevaux s'agitent à nouveau. Lucy se relève lentement, paralysée. Elle fixe à son tour les yeux luisants…

Brian remarque l'attitude figée de cette dernière. Alors sans hésiter, il s'élance en direction des bosquets tout en hurlant férocement et en agitant les bras au-dessus de sa tête. Lucy lâche un cri de peur mêlé de surprise devant le bruyant manège de Brian. La bête hésite un bref instant, puis prend la poudre d'escampette. Brian retourne auprès des chevaux en passant près du feu et hausse les épaules nonchalamment. Lucy l'observe avec admiration. « J'ai du mal à croire que son manège a fait fuir la bête. » Elle réfléchit rapidement et son esprit s'éclaire soudain : « Brian n'a pas agi en proie, mais en prédateur. En levant les bras au-dessus de la tête pour paraître plus grand et en hurlant férocement, il a décontenancé l'animal, qui a préféré s'enfuir. Humm… Je retiendrai cette leçon. »

Elle prend quelques grandes inspirations et concentre à nouveau son attention sur le feu, qu'elle s'efforce de ranimer tout en jetant des regards furtifs vers les buissons. Plusieurs minutes plus tard, Lucy termine de remballer les sacs de couchage et prépare un léger déjeuner composé de barres de céréales et de pouding au riz. Ils s'installent près du feu et Brian frotte ses mains refroidies devant celui-ci en parlant :
— Le couguar suit probablement une odeur de sang. Je croyais qu'un des chevaux était blessé, mais non.

Lucy cesse de mastiquer, immobilisant le bras qui portait la barre de céréales à sa bouche. Les règles de Lucy, abondantes, se sont déclenchées prématurément il y a deux jours. Elle prend une profonde inspiration en

rougissant légèrement. Alors qu'elle s'apprête à avouer à Brian que c'est elle qui saigne, il l'interrompt d'un signe de la main et fait une moue qui signifie qu'il le sait déjà. Puis il pose sa main sur le genou de Lucy et lui dit doucement :
— Ne vous en faites pas avec cela.

Elle se sent mal à l'aise. Le fait de savoir que l'animal s'est montré intéressé par elle l'inquiète davantage.
— Pourquoi cet animal ne pourchasse-t-il pas ses proies habituelles ?

Les deux hommes se regardent du coin de l'œil, comme s'ils partageaient un secret. Puis Brian répond :
— Parce que les proies ont fui la région ou ne se comportent pas comme d'habitude.

Elle le regarde, surprise.
— Comment savez-vous ça ?
— Le bulletin de nouvelles à la radio…

Lucy se rappelle vaguement avoir entendu cela.
— Mais les prédateurs suivent les troupeaux, non ?
— Habituellement, si. Mais ils ont l'habitude de couvrir également un vaste territoire. Et en plus, nous suivons les troupeaux de cervidés depuis hier matin. Les bêtes possèdent un instinct que nous n'avons plus. Et d'ailleurs, je crois qu'il serait sage de suivre la même direction. Elles ont la capacité de ressentir les désastres naturels bien avant qu'ils se produisent, et leur instinct les pousse naturellement loin des dangers imminents. Il nous faudra donc côtoyer ces bêtes dans les prochains jours.

C'est la première fois que Brian parle aussi longuement. Elle découvre en lui un homme perspicace et sensible. Alors qu'il se lève pour éteindre le feu, elle presse son bras fermement et le regarde droit dans les yeux. Légèrement surpris, il lui rend son regard. Elle lui dit tendrement :
— Merci. Merci pour tout, Brian.

Ce geste le touche profondément. Ils se regardent intensément dans les yeux, sans gêne et sans arrière-pensée. Une émotion d'une étrange pureté, sortie de nulle part, les traverse simultanément. Il lui semble voir en elle et découvre une profondeur insoupçonnée. Et c'est idem pour elle. Ce geste de reconnaissance fait comprendre à Brian que malgré ses nombreux élans d'émotion, Lucy sait reconnaître la valeur des gestes, la valeur des gens. Et pour sa part, elle découvre en Brian un homme vrai et réfléchi. Simple.

Le hennissement d'Oscar, impatient de repartir, sonne le départ et ils se séparent. La température s'annonce clémente, car un ciel bleu se pointe à l'horizon et une légère brise soufflant de l'ouest refroidit les joues. Ils chevauchent sur le chemin de terre qui serpente dans la montagne parmi les arbres géants recouverts d'une épaisse couche grise. Deux heurs plus tard, ils rejoignent la route pavée. Peu après, ils aperçoivent au loin une petite municipalité nichée au creux des montagnes.

Dans ce froid matin d'automne, ils distinguent trois cheminées qui dégagent de la fumée. Ils échangent un regard étonné et se dirigent d'instinct vers ces maisons. «Tout semble si calme ici», se dit-elle. Ils arpentent quelques rues pour se rendre devant les trois maisons situées côte à côte. Elles sont à l'extrémité d'une petite rue, où un vaste parc aménagé s'étend sur quelques âcres. Un petit étang avec de hautes herbes et des quenouilles complète l'aménagement du parc municipal. Mais aujourd'hui, tout est recouvert d'une couche de cendre d'une quinzaine de centimètres.

Les sabots des chevaux résonnent dans le silence du petit matin. En arrivant à la hauteur de la première demeure, la porte de celle-ci s'ouvre toute grande et une fillette rondelette âgée d'environ dix ans s'avance sur le balcon en se frottant les yeux. Elle porte une robe de nuit mauve à manches longues et de de jolies pantoufles assorties, mauves également. Ses longs cheveux noirs épais descendent jusqu'au milieu de son dos. Un chien jappe dans la résidence. Ravie d'avoir la chance de rencontrer des survivants, Lucy descend de cheval sans hésiter et remet les guides à Marc. Alors qu'elle s'approche de l'entrée de la résidence pour rejoindre la fillette, un homme d'une stature imposante, portant un fusil à l'épaule, passe le pas de la porte avec pour tous vêtements un caleçon blanc et un t-shirt vert criant. Il attrape instinctivement sa fille par le bras et la fait passer derrière lui. Brian, alarmé, lance sur un ton hésitant :
— Lucy…

Mais elle ne l'écoute pas. L'homme costaud est très velu et ses bras sont couverts de tatouages. Lucy se dit qu'il ressemble à un ours mal léché. Elle s'avance dans leur direction et tend la main en se présentant :
— Bonjour Monsieur. Je m'appelle Lucy.

Elle n'a pas peur de cet homme. Lucy n'a pas peur des hommes. Elle sait réveiller en eux leur côté doux, docile… Habituée à utiliser sa beauté pour les charmer, elle s'avance vers lui en toute confiance. Mais l'homme est méfiant et maintient sa fille derrière lui, tout en observant tour à tour Lucy et les deux hommes à cheval dans la rue. Il concentre ensuite son attention sur Lucy et la détaille du regard. Elle poursuit :

— Nous sommes désolés de vous importuner. Nous serait-il possible d'utiliser votre téléphone et vos toilettes ? insiste-t-elle doucement.

Lucy a toujours la main tendue, souriante. Elle se tient maintenant à moins d'un mètre de lui. Il hésite un instant, puis parle :
— D'accord je veux bien. Mais le téléphone ne fonctionne pas. Je suis Ben. Vous avez besoin d'un bain aussi. Et nous ne voulons pas de soucis, finit-il en pesant ses mots.

Puis, il serre la main de Lucy avec toute la douceur requise.
— Nous non plus, répond-elle dans un large sourire.

En elle-même, Lucy se dit que ce prénom lui va parfaitement : Ben, Big Ben… Il hurle quelques directives à sa femme, qui se tient dans la salle de séjour. La fillette l'invite d'un signe à la suivre, et Lucy entre sans hésiter. Il fait sombre et il faut quelques instants pour que ses yeux s'y habituent.

L'épouse de Ben est grande, mince et rousse. Elle se prénomme Nancy. Elle accueille chaleureusement l'inconnue en s'empressant de lui servir une tasse de café. Elle tire une chaise et l'invite à s'asseoir à la grande table de cuisine. La fillette se nomme Sophie et raconte à Lucy à quel point elle adore les chevaux. Et qu'elle les a entendus venir de loin. Elle discute allégrement de ces bêtes qui la passionnent, et Lucy se détend rapidement dans cette ambiance familiale. Deux adolescents jumeaux, âgés d'environ quinze ans, descendent de l'étage pour les rejoindre. Ils portent un pyjama au motif identique, mais de couleurs différentes, et ont les cheveux roux mi-longs ébouriffés et la peau du visage ravagée par l'acné pubère. Ils sont grands et minces tout comme leur mère et ne semblent pas du tout surpris par la présence d'une étrangère à leur table.

Sur le balcon arrière, un berger allemand se promène en agitant la queue. De toute évidence, il veut entrer pour rejoindre le groupe, mais les membres de la famille l'ignore. Lucy se dévêt légèrement et allonge les jambes en savourant le délicieux café. Marc et Brian entrent à leur tour, suivis de Ben, qui porte toujours l'arme chargée sur son l'épaule. Les deux hommes saluent timidement les membres de la famille et s'assoient à la grande table. Tout comme Lucy, ils enlèvent leurs manteaux et acceptent le café chaud. Après quelques gorgées, Ben interrompt sa fille qui ne tarit pas d'éloges sur les chevaux et demande :
— D'où venez-vous ?
— Nous venons de Loleta, répond Marc. Nous étions à l'aéroport lorsque les tsunamis ont frappé. Nous avons survécu à ça et aux nombreux tremblements de terre, et nous voyageons ensemble depuis près d'une semaine maintenant.

Ben paraît surpris et commente :
— Vous avez été incroyablement chanceux de survivre aux mégatsunamis.
— Oui. Mais c'est grâce à Lucy, ajoute-t-il.

Lucy lève un regard interrogateur vers Marc, qui précise sa pensée :
— Sans tes avertissements, nous serions restés dans la salle d'attente de l'aérogare…

Elle hoche la tête. Puis, Marc raconte brièvement le trajet emprunté jusque chez eux et demande à Ben s'il peut leur communiquer des nouvelles récentes sur les derniers développements en matière d'évacuation et sur l'évolution de la situation.

Ben, assis à la table et ayant déposé son arme dans le coin de la pièce, les informe de tout ce qu'il sait, ses renseignements étant ponctués des interventions régulières des adolescents qui ajoutent certains détails. Le résumé de la situation ressemble à ce qu'ils savent déjà, sauf la partie concernant les énormes embouteillages des principales routes et autoroutes à proximité des grands centres. Surtout dans la zone entre Sacramento et Redding.
— L'évacuation se fait difficilement et les camps de réfugiés de Reno et Carson City ne suffisent plus à accueillir les millions de personnes qui s'y entassent tous les jours. Aussi, plusieurs localités du Nevada ont émis un appel à la population des régions limitrophes pour ouvrir leurs portes aux réfugiés. Les écoles, centres communautaires, résidences privées, hôtels et motels accueillent aussi les évacués. Un appel à la nation de la part du président a sensibilisé toute la population et l'invite à s'impliquer pour aider les victimes.

Pendant le monologue de Ben, Nancy boit silencieusement son café, accotée au comptoir de la cuisine. Elle s'installe ensuite devant le gros poêle à bois et fait rôtir des œufs et du pain directement sur la plaque du four. Elle ajoute quelques morceaux de fromage et des quartiers d'orange dans une grande assiette qu'elle place sur la table. Elle offre d'abord une portion aux invités, puis sert les siens. Les rôties sont succulentes, et ils se remplissent la panse avec appétit. Puis, Ben raconte :
— Mes deux voisins et moi-même avons décidé de rester ici malgré les avis d'évacuation. Nous possédons chacun une génératrice et un bon poêle à bois qui nous permet de rester bien au chaud et de cuisiner.

Lucy a effectivement remarqué qu'un monticule de bûches occupe l'espace de stationnement de chaque résidence. « Visiblement, ils se sont préparés… » Mais la maison a tout de même subi des dommages à la suite des puissants tremblements de terre et certains murs sont fissurés. Nancy offre à Lucy de faire un brin de toilette. Cette dernière accepte volontiers et se rend à l'étage. La salle de bain du haut est étroite, mais possède une large douche. Et c'est nécessaire, se dit-elle en songeant à l'imposante carrure de Ben. La pièce est décorée de papier peint fleuri rose et beige, et le plancher recouvert d'une céramique dans les mêmes couleurs, craquée à plusieurs endroits. Un amoncellement de vêtements sales et de serviettes trône sur le dessus des appareils ménagers.

Fort heureusement, le chauffe-eau est au gaz et Lucy apprécie une courte douche qui lui permet de se débarrasser de cette poussière blanche nocive. Même si elle doit remettre certains vêtements sales, elle se sent mieux. Les deux hommes se contentent du bon déjeuner et d'eau fraîche pour les chevaux. Pendant ce temps, la fillette, visiblement très heureuse et toujours vêtue de sa robe de nuit mauve, brosse la robe d'Alie, salie par la cendre.

Nancy termine son café et leur remet des muffins au son qu'elle a préparés la veille. Alors que Lucy range les précieuses denrées dans son sac à dos, elle remarque le comportement anormal du chien sur le balcon. Ce dernier n'aboie plus. Il s'est retourné pour observer quelque chose en mouvement au loin dans le parc. Ce détail attire l'attention de Lucy, qui s'adresse au maître des lieux occupé à laver la vaisselle :
— Ben ?

Il délaisse les assiettes et observe le chien à son tour. Sans dire un mot, il ouvre la porte et s'avance sur le balcon. Le chien semble ravi de le voir, mais retourne aussitôt à son observation. Ben lui caresse la tête tout en observant au loin. Lucy sort à son tour, Nancy sur les talons. Dans le parc, un gigantesque troupeau de cerfs déambule. Ils sont plusieurs centaines, qui se dirigent tous dans la même direction.
— Ce n'est pas croyable… murmure Ben pour lui-même. Je n'ai jamais vu un si large troupeau. Habituellement, les cerfs se déplacent en petits groupes de trois à quinze. Mais qu'est-ce qui se passe ?

À la vue du troupeau, Nancy hurle un « Hé ! Venez voir ! » à l'intention de ses enfants. En quelques secondes, la famille est réunie sur le balcon, de même que Brian et Marc. Une légère vibration du sol provenant du martèlement de milliers de sabots se fait sentir, et le bruit sourd envahit tout le quartier. Les voisins, alertés par les cris de Nancy et la vibration, sortent également de leur maison pour observer le troupeau. Les bêtes ont complètement envahi le parc. Les familles se déplacent alors à l'avant des résidences pour mieux observer leur progression. Le troupeau paraît un peu désorganisé, les animaux en proie à une panique collective et certains, égarés, s'aventurent même sur les parterres des résidences avoisinantes.

Quelques minutes plus tard, les retardataires du troupeau passent devant eux et disparaissent dans la forêt montagneuse. Les trois familles sont maintenant dans la rue. Le parc, jadis d'une beauté appréciable par la verdure de sa pelouse et son entretien impeccable, a été irrévocablement piétiné. La couche de cendre s'est changée en une couche de boue. L'étang est devenu une mare où se débat un petit cerf, apparemment abandonné. Les adolescents, aidés de leurs amis, s'activent à dégager la jeune bête effrayée, qui rejoint finalement une femelle bêlant plusieurs mètres plus loin. Le parc est totalement dévasté. Lucy se tient à l'entrée de celui-ci avec les autres. Brian la tire par le bras.
— Nous devons partir tout de suite ! dit-il sur un ton impératif.

Elle s'apprête à protester, mais lorsqu'elle voit l'expression sur son visage, elle s'abstient. Elle se laisse entraîner par Brian jusqu'aux chevaux, qui semblent anormalement nerveux. « Ils pressentent un nouveau danger », songe alors Lucy, qui s'élance à l'intérieur de la maison récupérer ses effets personnels. Elle remarque le comportement singulier du chien qui ne cesse de tourner en rond, la queue entre les jambes, comme s'il cherchait un moyen d'échapper à un danger… Elle sort précipitamment de la maison et rejoint les deux hommes qui discutent vivement avec Ben et un de ses voisins. Ce dernier, un grand homme mince et chauve, se contente d'acquiescer de la tête aux paroles de Ben. Mais Lucy ne prête pas attention à leur discussion et aide Marc à attacher les paquets et les sacs aux chevaux. Une fois assise sur Oscar, la petite Sophie la salue de la main, assise tranquillement sur une énorme pierre trônant au centre du terrain grisâtre. Elle interrompt la bruyante discussion entre les hommes en criant simplement :
— Ben !

Ils la regardent tous d'un air surpris. Puis elle ajoute rapidement :
— Vous devez partir d'ici rapidement. C'est trop dangereux. Les bêtes fuient un danger imminent. Vous le savez bien !
Elle marque une pause et termine :
— Le temps presse. Sautez dans votre voiture et suivez-nous !

Ben sait que Lucy a raison. Mais sa propre peur l'empêche de voir clair et il refuse. Le voisin chauve semble hésitant un moment, mais devant la détermination de Ben, se ravise.
— Partez. Nous sommes en sécurité ici. Et il est plus facile pour nous d'assurer la sécurité de notre famille en restant.

Brian et Marc sont déjà dans la rue et ont du mal à contenir leurs montures. Même Oscar tourne sur lui-même tant il est nerveux. Marc hurle :
— Lucy !

Elle hésite, le regard troublé. Brian insiste :
— Lucy, nous devons partir tout de suite !

Elle ferme les yeux et lâche un long soupir de déception. Elle salue tristement la fillette puis rejoint rapidement ses compagnons. Les bêtes s'emballent aussitôt. Les montures galopent à une vitesse folle sur la rue pavée, laissant derrière elles des traces espacées dans la cendre. Lucy réalise rapidement que ce n'est pas elle qui dirige, mais Oscar. Il a les yeux exorbités et fonce aveuglément derrière Flamboyant et Alie. Les cavaliers ne contrôlent plus leurs bêtes. Ces dernières galopent tout près l'une de l'autre à toute allure en se dirigeant instinctivement vers l'est. Elles empruntent différents chemins, passant à travers des cours et des stationnements, sautant par-dessus de petits jardins en déstabilisant dangereusement leurs cavaliers.

Brian réussit à maîtriser Flamboyant et le dirige vers la route 36 en sifflant fortement pour que les autres montures le suivent. Alie et Oscar répondent instantanément. Ils galopent ainsi sur plusieurs kilomètres sur la route déserte. Lucy s'accroche désespérément à la crinière blanche, les jambes callées entre les paquets, s'adaptant au rythme infernal de l'animal afin que son derrière cesse de rebondir douloureusement sur son dos. Au tournant d'une courbe, ils croisent le large troupeau de cerfs qui traverse la route en direction du sud-est. Les chevaux paniqués foncent dans le troupeau, bousculant et piétinant plusieurs bêtes. Puis, les montures ralentissent et s'intègrent naturellement au rythme du troupeau, adoptant la même direction et s'enfonçant dans la forêt à leur tour…

Les chevaux hennissent et galopent parmi les cerfs affolés. Ils font maintenant partie du troupeau en se faufilant parmi les arbres et les fougères. Les cavaliers se couchent sur le ventre et s'accrochent fermement pour rester en selle. Lucy a le visage griffé, les cheveux en bataille et une douleur aiguë lui traverse le bas du dos.

Puis, soudainement, la cadence du troupeau ralentit considérablement. Une rivière cascadeuse avec un fort débit se met en travers de leur échappée. La plupart des bêtes s'élancent sans hésiter dans le cours d'eau. Les plus petits nagent en suivant leurs mères et les adultes se contentent de bondir allégrement dans l'eau peu profonde. Mais une dizaine de bêtes hésitantes aux abords de la rivière créent un embouteillage. Ces dernières sont poussées à l'eau par les nouveaux arrivants et certaines se font piétiner. Même les chevaux, trempés de sueur, s'impatientent dangereusement. Oscar se fraie un chemin le premier, écrasant et poussant les pauvres bêtes sur son passage. Il s'élance dans l'eau en levant la tête haute. La traversée est difficile, car le lit peu profond de la rivière est recouvert de grosses pierres glissantes. À deux reprises, Oscar perd pied. Lucy est terrifiée à l'idée de tomber à l'eau parmi le large troupeau. « Je vais être piétinée à mort. »

Tant bien que mal, Oscar achève la traversée et se retrouve le premier de l'autre côté. Lucy réussit à maintenir l'animal en place sous un large pin. Les montures de Marc et Brian s'élancent presque en même temps dans la rivière parmi les cerfs un moment plus tard. La jument de Marc se blesse à la cheville lorsque le panache d'un gros mâle cervidé s'enfonce accidentellement dans son flanc gauche. Elle se débat de douleur en hennissant dans l'eau brouillée. Marc descend de cheval et aide Alie à franchir la rivière en s'éloignant. Une fois hors de l'eau, Alie se tient sur trois pattes et halète fortement. L'entaille profonde de son flanc saigne et la femelle s'agite de douleur. Marc, aidé de Brian qui a traversé sans problème sur le dos de Flamboyant, examine les blessures de la jument.

Lucy observe ses compagnons et une partie de la rivière, en amont. Un autre troupeau de cerfs traverse le cours d'eau à cet endroit, où la rivière s'élargit en un petit bassin. Les bêtes y traversent plus aisément. Deux ours noirs se joignent au troupeau en nageant allègrement. Elle discerne une mère et son petit qui secouent leur épaisse fourrure à la sortie de l'eau et poursuivent leur chemin derrière le troupeau. Lucy rejoint les deux hommes. La jument souffre et peine à avancer, refusant d'utiliser sa patte blessée. Marc et Brian échangent un regard entendu et Marc emmène Flamboyant à plusieurs dizaines de mètres de là et tire la bride de Oscar pour qu'il suive. Lucy ne comprend pas pourquoi ils s'éloignent ainsi de Brian et Alie. Quelques instants plus tard, ils sursautent en entendant un coup de feu résonner tout près. Lucy se tourne vers Marc, ahurie.

— Mais où a-t-il eu ce revolver ? s'étonne-t-elle.
— Ben l'a forcé à le prendre tout à l'heure.

« C'est donc pour ça que les deux hommes argumentaient. Et moi qui croyais que Brian tentait de convaincre Ben de partir avec nous… » Elle est peinée de voir Alie ainsi sacrifiée. Marc a du mal à maîtriser les chevaux nerveux qui cherchent à s'enfuir pour rejoindre le troupeau déjà loin. Heureusement, Brian revient aussitôt et prend fermement la bride de Flamboyant. Lucy change de monture et s'assoit derrière Brian, tandis que Marc monte Oscar. Mais l'étalon blanc est rébarbatif en présence du nouveau cavalier. Il tempête un certain temps, puis finit par suivre le sifflement familier de Brian déjà loin.

Ils suivent la piste du troupeau et le rejoignent un peu plus loin dans la forêt à nouveau dense.

Assoiffées ou blessées, plusieurs bêtes traînent à la fin du troupeau et s'arrêtent pour s'abreuver à un petit ruisseau à l'eau brouillée. Les bêlements plaintifs des petits perdus et des sabots martelant le sol emplissent l'air tandis qu'Oscar et Flamboyant poursuivent leur chemin sans s'arrêter. Ils atteignent le ruisseau lorsque brusquement les bêtes s'immobilisent, lèvent la tête et dressent leurs oreilles pour écouter. Un dangereux silence s'installe dans la forêt. Des corbeaux perchés sur les hautes branches des arbres s'envolent subitement. Les cavaliers tournent la tête dans tous les sens, cherchant la source de la menace imminente…

Suit un incroyablement craquement sourd provenant des entrailles de la terre. Un craquement semblable à celui déjà entendu, tout près d'eux. Le sol tremble violemment sous leurs pieds. Les bêtes alarmées s'élancent vivement vers l'est. Oscar se cabre et Marc, désarçonné, tombe à la renverse. Il se cogne la tête sur une pierre et s'affale de tout son long dans l'eau peu profonde. Brian maîtrise Flamboyant qui ne cherche qu'à s'enfuir. Il ordonne à Lucy de descendre et part à la poursuite d'Oscar dans les bois. Lucy s'empresse de porter secours à Marc alors qu'un second craquement sinistre, aussi profond et puissant que le premier, retentit dans l'air, blessant à nouveau les oreilles des survivants. Le sol est secoué de plus belle et l'eau boueuse du ruisseau ondule fortement.

Péniblement, Lucy tire son compagnon inconscient par les bras pour le sortir du ruisseau. Ses oreilles bourdonnent et son cœur affolé bat à toute vitesse. La blessure à la tête de Marc saigne, salissant ses cheveux blonds. Un cerf apeuré passe tout près d'elle en la faisant sursauter. Elle se retourne vivement pour apercevoir le second troupeau de cerfs foncer sur eux. Les bêtes affolées bondissent par-dessus le ruisseau en la frôlant, l'évitant de justesse. Au prix d'un terrible effort, elle extirpe le lourd corps du jeune homme et se réfugie de justesse derrière le tronc d'un large pin. L'instant d'après, des centaines de cerfs affolés bondissent tout autour à une vitesse folle. Elle s'accroupit contre le tronc et entoure de ses bras la poitrine de Marc.

Les craquements de la croûte terrestre retentissent toujours. Elle hurle de douleur en protégeant ses oreilles, tout en observant anxieusement les grosses branches du pin osciller dangereusement au-dessus de sa tête. De nombreuses petites branches tombent sur le sol tout autour. Les bêtes terrifiées les frôlent de toutes parts et les milliers de sabots martèlent le sol, soulevant au passage la terre meuble qui se dépose en un important nuage de poussière noir sur eux. Deux minutes plus tard, le troupeau est passé et les ours aperçus plus tôt traversent à leur tour le petit ruisseau boueux sans même se soucier de leur présence.

Le sol est encore violemment secoué, et cette puanteur indescriptible devenue familière imprègne l'air à nouveau. Néanmoins, Lucy se sent un peu à l'abri sous le pin. Elle examine la blessure de Marc; c'est une large coupure sur son cuir chevelu qui saigne abondamment. Ses cheveux sont maintenant recouverts d'une fine couche de terre noire. Cette poussière foncée s'est déposée au passage des bêtes sur tout, dans un rayon d'une cinquantaine de mètres. Lucy sort un mouchoir de sa poche et l'applique sur la blessure, en maintenant une pression constante. Graduellement, les craquements cessent et les secousses s'atténuent. Les minutes passent. Elle se détend sous la chaleur réconfortante du corps de Marc. Elle appuie sa tête contre le tronc en fermant les yeux, souhaitant le retour rapide de Brian.

Le bruit de petits sabots la force à ouvrir les yeux. Un petit cerf passe tout près d'eux et hésite devant le ruisseau. Il bêle ensuite un certain temps et fait mine de bondir par-dessus le cours d'eau lorsqu'un couguar surgit brusquement des buissons et l'attrape par-derrière. Il enfonce ses crocs dans la gorge de la petite bête, qui se débat faiblement en émettant quelques bêlements plaintifs. Le prédateur sort du ruisseau devant les yeux ahuris de Lucy et traîne sa proie non loin de là, où deux petits félins sortent à leur tour des buissons.

La femelle dépose la dépouille toute chaude du cervidé et les petits s'empressent de mordiller la chair tendre. Mais ils ne semblent pas avoir faim. Ils jouent avec la bête morte plus qu'ils ne la dévorent et leurs gueules se barbouillent de sang frais. La femelle s'étend à leurs côtés et observe tour à tour ses petits jouer avec la carcasse. Ces redoutables prédateurs ont aussi traversé la rivière, car elle remarque leur fourrure mouillée. Elle croyait à tort que ces félins ne s'aventurent pas dans l'eau, mais elle a la preuve du contraire sous les yeux. La proximité de la femelle la terrifie. Elle s'efforce de rester immobile en contrôlant anxieusement le bruit de sa respiration. Étrangement, cette dernière n'a toujours pas remarqué leur présence. La féline s'avance pour s'abreuver un moment au ruisseau, puis relève la tête et hume l'air à plusieurs reprises, tournant la tête dans leur direction.

Le cœur de Lucy se fige, craignant le pire. Le prédateur est situé à moins de huit mètres d'eux et elle est convaincue que la féline est en mesure de sentir l'odeur de sang dégagée par elle et la blessure de Marc. Elle demeure toutefois immobile, de peur de révéler leur présence. Et même si elle avait voulu s'enfuir, elle en aurait été incapable, car elle est coincée sous le corps de Marc. Impuissante, elle ferme tout simplement les yeux en souhaitant que la femelle déguerpisse rapidement sans les avoir remarqués sous cette couche de poussière sombre. Elle respire toujours superficiellement dans l'espoir de faire moins de bruit. Lorsqu'elle ouvre les yeux, la féline a disparu de sa vue. Mais Lucy se doute qu'elle n'est pas loin, car les petits sont toujours auprès de la carcasse. Alors qu'elle observe les petits sur sa droite, elle ressent une présence qui avance vers elle sur sa gauche. Un frôlement. La femelle vient de les découvrir…

Le sang de Lucy fige littéralement dans ses veines et ses mains deviennent moites. Ne sachant que faire, elle décide de fermer à nouveau les yeux, tout en se faisant violence pour se calmer. La féline s'approche tout près et renifle plusieurs fois à la hauteur de sa main gauche, appuyée sur la blessure à la tête de Marc. Une douce chaleur émane du souffle de l'animal sur sa main. La femelle renifle ensuite les cheveux de Marc une dernière fois et s'éloigne lentement. Lucy ouvre un œil angoissé juste à temps pour voir l'impressionnante chatte passer délicatement par-dessus les jambes de Marc sans même le toucher. Elle retourne ensuite auprès de ses petits.

Lucy est immensément soulagée et abasourdie de constater que la féline s'est contentée de les renifler. Elle demeure dans cette position jusqu'au départ des félins deux minutes plus tard. Lorsqu'ils sont hors de vue, elle s'extirpe difficilement de sous le corps de son compagnon et l'appuie contre le tronc. Elle a terriblement mal partout. Le bas de son dos est particulièrement douloureux et sa gorge est sèche. Mais sans tenir compte de ses souffrances, elle se munit rapidement d'un bout de bois en guise d'arme au cas où la féline reviendrait. Mais elle en doute. Il est clair que la femelle et ses petits étaient déjà rassasiés, car autrement ils auraient dévoré la petite bête étendue dans la boue. Lucy comprend que la femelle suit le troupeau en se nourrissant des proies faciles. Elle s'agenouille sur le bord de l'eau pour se débarrasser le visage et les mains de cette terre noire et du sang. Marc gémit. Elle s'empresse de lui passer de l'eau boueuse sur le visage et il revient à lui. Il se redresse sur ses flancs et met sa main sur sa blessure. Ses yeux sont rouges et vitreux. Il balbutie :
— Je suis étourdi et j'ai un foutu mal de tête !
— Tu t'es cogné la tête en tombant de cheval.

Il respire fortement comme pour faire passer la douleur. Lucy se sent impuissante, car elle ne dispose d'aucun sac de provisions. Elle n'a même pas une bouteille d'eau. Ils n'ont d'autre choix que d'attendre le retour de Brian. Pendant l'attente, Lucy observe la forêt autour d'eux. À part les arbres de grande taille, toute la végétation est piétinée et la terre complètement labourée. Le ruisseau est toujours boueux ; impossible d'y boire. Et le sol est secoué sporadiquement de faibles secousses.

Brian revient finalement une heure plus tard sur Flamboyant, accompagné d'Oscar. Tandis qu'il aide Marc à grimper sur Flamboyant, une autre importante secousse se produit, sans craquement sonore cette fois-ci. Lucy s'accroche fermement à la crinière d'Oscar, mais celui-ci ne bronche pas. Brian monte avec Marc pour le soutenir, car ce dernier demeure chancelant. Ils chevauchent ainsi dans la forêt de longues heures et s'arrêtent finalement à flanc d'une montagne, à l'abri d'un énorme rocher surplombant une petite vallée boisée. Ils se reposent un moment et se ravitaillent. Brian soigne la blessure de Marc et ce dernier avale avec soulagement des cachets d'aspirine.

Brian insiste pour qu'ils poursuivent leur route afin de rejoindre la route 132 à une dizaine de kilomètres de là. Lucy a une pensée pour la petite Sophie et sa famille alors qu'ils repartent à travers la forêt en délaissant les pistes des troupeaux. « J'espère qu'il ne leur est rien arrivé… » L'avancée est ardue dans cette forêt dense où aucun sentier n'est accessible. Peu avant le coucher du soleil, ils s'arrêtent pour la nuit en haut d'une crête rocheuse à proximité de la fameuse route dont parlait Brian. Celle-ci est déserte. Un silence inquiétant règne sur toute la région, où un soleil voilé se couche à l'horizon. Brian fait un énorme feu qui doit se voir à des kilomètres à la ronde. Mais visiblement, il n'y a personne pour le voir… À la lumière du feu, Lucy applique des points de rapprochement à la coupure à la tête de Marc, tandis que Brian prépare les sacs de couchage au bord du feu.

Marc s'endort rapidement après avoir mangé avec appétit la balance de noix mélangées et les muffins au son de Nancy. Lucy souligne à Brian qu'ils devraient le réveiller toutes les deux heures pour s'assurer qu'il ne sombre pas dans un coma, à cause d'une possible commotion cérébrale. Brian est d'accord. Lucy remarque l'étrange coïncidence ; le même scénario portant sur une blessure à la tête se répète, de père en fils… Puis, Lucy raconte à Brian la visite de la féline et de ses petits. Celui-ci ne paraît pas vraiment surpris et Lucy, qui s'en étonne, le questionne :

— Vous n'avez pas l'air surpris.

— Pas vraiment. Voyez-vous, les félins adorent chasser. C'est instinctif chez eux. Et puisque la femelle et les petits avaient le ventre plein et que vous ne représentiez pas une menace pour eux, vous n'aviez pas d'attrait pour elle.

Lucy hoche de la tête en signe d'approbation. « De toute évidence, Brian s'y connaît en comportement animal… » se dit-elle. Mais ce qu'elle ignore, c'est que Brian trouve bien étrange qu'à deux reprises, Lucy se soit retrouvée en présence de ce félin habituellement farouche et très discret. Mais il ne dit rien, de peur d'éveiller une crainte supplémentaire dans l'esprit de sa compagne. À la place, il lui pose une autre question :

— Lucy, pourquoi êtes-vous venue à Loleta ?

— Pour mon travail… je possède un terrain de camping dans le nord du Vermont. J'en ai hérité de mon mari. Et je suis venue visiter des établissements ici afin de m'en inspirer. Je souhaitais apporter certaines améliorations et développer un savoir-faire en matière d'intégration écologique, en m'inspirant de ces derniers.

Elle marque une pause et poursuit :

— J'ai rencontré M. Roe, propriétaire de trois campings situés dans le nord de la Californie, connus sous le nom de BBB Campgrounds, signifiant « Baby Boom Campgrounds ». Il m'a gentiment accompagnée une journée entière afin de me présenter l'un de ses luxueux établissements dans les moindres détails. Il a été charmant, me prodiguant toutes sortes de conseils, et j'en suis ressortie totalement emballée. En plus de filmer, j'ai pris au-delà d'une centaine de photos et griffonné près de douze pages de notes. Mais j'ai tout perdu… finit-elle tristement.

Mais elle se souvient n'avoir pu s'empêcher d'admirer la propreté impeccable du site, les emplacements pavés et intimes accueillants à souhait, les nombreux services et, finalement, les remarquables installations modernes. Mais ce qui l'a le plus impressionnée, c'est que toutes les infrastructures, les bâtiments et les jeux s'intègrent parfaitement avec l'environnement. Rien ne jure à l'œil ; tout semble avoir été planifié, calculé, évalué pour qu'ils se fondent dans l'environnement. « Le défi est de taille ; car il s'agit de conserver l'aspect « nature et forêt « du site tout en intégrant les dernières technologies. Tout a été pensé afin que tout ce qui ne vient pas de la nature y soit intégré comme tel, priorisant les matériaux locaux imitant la couleur et le grain du bois, l'écorce, etc. Les installations sanitaires, les sites, les chemins, les installations récréatives, l'éclairage, la collecte des déchets et de recyclage, la signalisation, l'accueil, etc. », songe-t-elle en soupirant.

— Comment votre mari est-il décédé ?

— D'un accident de voiture…

Lucy sombre à nouveau dans ses pensées, songeant à ce jour fatidique. C'était un jour pluvieux de novembre et le camping avait fermé ses portes pour l'hiver depuis trois bonnes semaines déjà. Ce jour-là, une sortie prévue avec des amis à la dernière minute les pressait. Mais les chemins faits de terre battue dans la région deviennent parfois très boueux à cette période de l'année. Il s'y forme de profondes tranchées laissées par les pneus des véhicules lourds qui y circulent. Et comme d'habitude, Hugo et Lucy étaient « presque » en retard. Alors, Hugo conduisait vite. Beaucoup trop vite au goût de Lucy, qui avait rappelé à son mari qu'elle a peur lorsqu'il roule si vite dans de pareilles conditions. Mais à chaque fois, c'était la même chose. Il l'écoutait à peine et n'en faisait qu'à sa tête. Lucy fulminait en silence et sa peur se changeait parfois en colère. Cette fois-là, elle s'était contentée de détourner la tête en soupirant. Non loin de leur résidence, sur près de trois kilomètres, le chemin de terre est bordé d'énormes érables deux fois centenaires, dont les hautes branches se touchent de part et d'autre de la route en formant un tunnel de feuilles. Ce tunnel d'arbres offre un paysage bucolique apprécié des visiteurs et touristes en saison estivale. Mais derrière leur beauté se cache un danger bien réel. Car non seulement ces arbres sont très vieux, mais plusieurs ont le tronc à moitié creux ou présentent des cavités suffisamment profondes pour les fragiliser en cas de forts vents.

Heureusement, aucun incident ne s'était encore produit depuis qu'ils habitaient là. Mais la crainte que l'un de ces ancêtres ne tombe sur un véhicule ou un cycliste qui passe par là au même moment était toujours présente à leur esprit… Ce jour-là, la fourgonnette avait dérapé à plus de soixante-treize kilomètres à l'heure dans la boue dans le tunnel d'arbres. Hugo avait perdu le contrôle du véhicule qui avait frappé de plein fouet un vieil arbre devant la maison du voisin. Tout s'était passé très vite. Lucy avait serré très fort la poignée de la portière d'une main et placé l'autre devant elle dans un geste de protection. Elle avait fermé les yeux et tourné la tête de côté tout en lâchant un cri de surprise :

— Ahhh !

CRAC !

Les sacs gonflables s'étaient déployés instantanément. Ça avait eu l'effet d'un coup de poing sur le visage de Lucy. Simultanément, un bruit d'éclatement avait résonné dans ses oreilles. Son cœur battait la chamade et elle se rappelle l'étrange sensation de la chaleur se répandant dans ses veines. C'était l'adrénaline. Ou la peur ? Elle avait ouvert les yeux, étourdie par le coup reçu. Le capot de la fourgonnette était complètement relevé et une fumée blanche s'élevait de l'avant de la voiture. En réalisant qu'ils n'étaient pas blessés, la colère l'avait alors aussitôt envahie. Elle s'était tournée vers son mari imprudent, prête à l'invectiver. Mais il semblait sonné. Elle avait secoué la tête et défait rapidement sa ceinture, repoussant le sac gonflable recouvert d'une fine poussière. Toujours en colère, elle s'était empressée de sortir de la voiture en marmonnant entre ses dents :

— Sans desseins ! Imbécile !

La porte avait grincé. Elle avait frotté sa joue rougie tout en s'avançant vers le capot. Au même moment, un craquement sinistre avait retenti et l'énorme tronc avait vacillé vers l'avant. En un instant, elle avait compris que l'arbre s'écroulait sur la voiture. Elle avait à peine eu le temps de s'élancer, pour retomber dans la boue deux mètres plus loin. Elle se souvient avoir hurlé le nom de son mari tandis que le gigantesque tronc écrasait la fourgonnette dans un énorme fracas de ferraille froissée. Elle avait hurlé de terreur et rampé sur le sol pour s'éloigner du tronc qui menaçait de rouler sur le côté. La montagne toute proche avait renvoyé l'écho du craquement sourd suivi du fracas de ferraille écrasée. C'est comme si elle revivait la scène deux fois. Une fine poussière de bois s'échappait de la fissure béante du tronc fracturé. Après les bruits assourdissants, un silence de mort s'était installé. Lucy avait humé une odeur mélangée de bois et de fumée. Son esprit n'arrivait pas à assimiler l'image que ses yeux lui renvoyaient, lui donnant la chair de poule. Le gigantesque tronc avait littéralement écrasé la fourgonnette, comme un vulgaire jouet de plastique, en la recouvrant presque entièrement. Le capot, le pare-brise et le toit étaient totalement aplatis et la hauteur du véhicule avait été réduite de moitié. Elle avait secoué la tête comme pour chasser ces images. Elle s'était traînée ensuite péniblement dans la boue et avait contourné la souche fracturée pour se diriger du côté conducteur.

Aucun son ne provenait de la voiture, mis à part un petit sifflement provenant de l'avant du véhicule, d'où s'échappait toujours une fumée blanchâtre. Le moteur s'était éteint. Son mari ne hurlait pas. Lucy avait fermé les yeux en voyant l'état du véhicule côté conducteur. Elle avait eu un haut-le-cœur et s'était sentie étourdie. Puis écœurée. Elle avait mis sa main sur sa bouche et était tombée à quatre pattes. Elle ne cessait de se répéter :

— Ça ne se peut pas… Non, non… ça ne se peut pas.

Sous le poids du mastodonte, les roues de la fourgonnette étaient écrasées, ressortant vers l'extérieur. Il y avait de la vitre partout, des branches de toutes grosseurs jonchaient le chemin. Ses oreilles bourdonnaient et elle entendait dans sa tête le son infernal du métal se tordant, encore et encore… revivant sans cesse la scène dans son esprit. Terrifiée à l'idée d'apercevoir son mari écrasé sous tout ce poids, Lucy était restée plantée là, ne sachant que faire. Elle était demeurée ainsi immobile sous la pluie qui tombait pendant de longues secondes. À genoux dans la boue, les collants déchirés, l'imperméable boueux. Lucy sentait la pluie tomber sur son visage et dans son cou, mais ne réagissait pas. Elle avait fermé à nouveau les yeux. Au bout d'un moment, il lui avait semblé entendre quelqu'un crier au loin. Lucy était revenue lentement à elle et avait pris conscience qu'un homme gesticulait derrière, sur la pelouse où elle se tenait quelques instants plus tôt. Il agitait furieusement les bras, mais elle était incapable de bouger ou de répondre. Un simple clignement des yeux lui faisait mal. C'est comme si toutes ses forces l'avaient soudain abandonnée.

Mais devant l'insistance du vieil homme, elle avait tourné la tête dans sa direction. Il était paniqué, gesticulant et parlant sans qu'elle ne puisse comprendre le sens de ses paroles. Sans s'en soucier, elle avait reporté son regard sur la scène devant elle. Elle savait que son mari était mort, car il était impossible qu'il ait survécu à ça.
— C'est fou... C'est fou... répétait-elle.

Son cœur lui faisait mal. Elle grimaçait de douleur, mais s'était ressaisie rapidement. Elle ne voulait pas qu'il soit seul dans un moment pareil et avait voulu se rapprocher de lui. Elle avait rebroussé lentement chemin et était retournée du côté passager. Sa portière était restée grande ouverte et le gond supérieur avait lâché. Presque intacte, la porte constituait la partie la plus haute de ce qui restait du véhicule. «On aurait dit une aile de mouche restée dans les airs après que la bestiole ait été écrasée par un tue-mouche..» Cela lui paraissait étrange...

«Pourquoi suis-je sortie si vite de la voiture? Comment se fait-il que je ne sois pas morte aussi?» Ces questions tournoyaient dans sa tête alors qu'elle tentait de s'insérer dans cet amas de ferraille aplati. Mais elle n'y était pas parvenue. Néanmoins, elle avait glissé son bras par une petite ouverture et s'était étirée suffisamment pour toucher son mari. Elle l'avait appelé par son nom. Puis, Lucy avait murmuré des mots d'amour, dans l'espoir que ces mots puissent lui apporter du réconfort à la toute fin... Aujourd'hui encore, elle a besoin de croire qu'il a entendu ses mots réconfortants, qu'il a senti l'amour qu'elle avait pour lui. Elle a besoin de croire qu'il n'est pas mort avec en tête les derniers mots de colère qu'elle avait marmonnés juste avant de sortir de la voiture...

Lucy revient au moment présent en sirotant un thé. Brian demeure silencieux en voyant sa compagne ainsi perdue dans ses tristes pensées... La nuit est douce et Lucy hume délicatement l'air en se détendant. Elle reconnaît l'odeur familière, mais toujours nauséabonde, qui s'échappe des nombreuses failles, bien visibles à des kilomètres derrière eux. Ils s'empressent de remettre les petits masques sur leurs visages. Lasse, elle s'étend sur son sac de couchage et s'endort presque aussitôt. Brian observe les gaz blancs s'élever au loin en frottant sa barbe longue de plusieurs jours. « Nous avons été étonnamment chanceux… Étonnamment. » Mais au fond de lui, il sait que la chance n'a rien à voir avec leur survie miraculeuse. Bien qu'il ne sache pas pourquoi, en lui réside le profond désir de mener ses compagnons en lieu sûr, loin d'ici… Il reporte alors son attention sur Lucy, étendue à ses côtés. À sa respiration lente et régulière, Brian comprend qu'elle s'est déjà endormie. « Décidément, elle a le sommeil facile. » Il déplace délicatement une mèche de cheveux en travers de son front et contemple ce visage dont il connaît maintenant les moindres expressions. Elle dort paisiblement et il l'observe à sa guise. Il ne peut s'empêcher de songer combien il aimerait s'étendre à ses côtés toutes les nuits… Il s'étend à son tour sur le dos et observe les quelques étoiles qui percent le voile de gaz…

Marc est le premier debout le lendemain à l'aube et Lucy s'en veut de ne pas s'être réveillée de toute la nuit pour veiller sur lui. Heureusement, la coupure se cicatrise bien et la bosse a déjà réduit de volume. Ses cheveux blonds sont raides de sang croûté et de terre noire, mais il semble se porter à merveille. Une braise chaude leur permet de chauffer de l'eau et de boire un thé. La matinée est brumeuse et le plafond des nuages est bas, accentuant l'odeur des gaz. Ils ne voient maintenant que partiellement l'autoroute et s'activent rapidement à redescendre. Ils parviennent sur la voie pavée une trentaine de minutes plus tard et chevauchent en direction de Red Bluff, située à onze kilomètres, derrière les montagnes. Le bruit de milliers de sabots qui tapotent la voie pavée retentit au loin devant eux et les chevaux s'agitent brusquement. Mais leurs cavaliers les maîtrisent. Marc monte de nouveau Oscar, tandis que Lucy et Brian chevauchent sur Flamboyant.

Malgré la situation, elle se surprend à aimer cette présence calme et rassurante que dégage Brian derrière elle. Elle ressent une chimie, un bien-être réconfortant à ses côtés. Rien à voir avec la fébrilité habituellement ressentie aux côtés de son défunt mari… Elle se voit volontiers dans les bras de Brian, qu'elle imagine tendre et attentionné. Mais ces pensées sont vite chassées par d'autres, beaucoup plus préoccupantes… Ils arrivent rapidement à Red Bluff, par le nord. Les voies rapides sont encombrées de centaines de voitures abandonnées partout, créant un embouteillage monstre et bloquant l'accès à la ville. Au loin, une sirène d'urgence hurle en permanence. Anxieux mais curieux, ils avancent parmi les véhicules abandonnés sur près d'un kilomètre avant d'entrer dans la ville. De gros panneaux de fortune sont installés, annonçant que Red Bluff est située dans la zone d'évacuation. Lucy s'emballe en pensant évacuer par des moyens de transport moins rustiques et retourner enfin chez elle. Mais la ville semble déserte. À son grand désarroi, Personne ne circule dans les rues avoisinantes, toutes bloquées par des véhicules vides. Une légère puanteur chimique règne aussi dans un secteur de la ville.

Ils suivent l'itinéraire indiqué pour l'évacuation, annoncé par de larges panneaux orange. Une fois de plus, Lucy éprouve une amère déception. Son visage se ferme au fur et à mesure qu'ils parcourent les rues désertées de la ville à moitié en ruines. Le parcours les mène au stationnement d'un large complexe commercial dont l'extrémité sud est effondrée. Le stationnement est plein à craquer de voitures abandonnées, garées un peu partout, même sur les trottoirs. Une couche de quelques centimètres de cendre recouvre tout.

Une grande affiche indique : Point d'embarquement. Des barricades de métal et de bois ont été installées pour accueillir des milliers de personnes. Plusieurs sont renversées sur le côté, et un autobus pour handicapés blanc et bleu est enfoncé dans une vitrine du centre commercial. Mais le bus est vide. Ils remarquent qu'ici, une fine couche de poussière jaune recouvre la cendre, le sol, les voitures et les objets extérieurs. Ils sont perplexes. « Quelque chose s'est passé ici ; une émeute peut-être ? »

Ils réalisent qu'une fois de plus, ils ne devront compter que sur eux-mêmes pour s'en sortir. Les cavaliers demeurent un moment silencieux sur leurs montures à observer les alentours, espérant secrètement apercevoir quelqu'un ou quelque chose. Mais rien ne se passe. Marc suggère d'en profiter pour regarnir leur garde-robe et se ravitailler à même les magasins abandonnés du centre commercial. Brian accepte d'un signe de tête et s'offre à les attendre à l'extérieur pour surveiller les chevaux. Lucy approuve sans enthousiasme.

Ils entrent par les portes enfoncées et explorent lentement, à la lueur d'une lampe de poche. Mis à part la lumière du jour qui pénètre par de larges puits de lumière éclatés et les faibles lumières d'urgence, le mail est sombre. L'odeur chimique remarquée à l'extérieur est omniprésente à l'intérieur, à tel point que ces derniers placent un foulard sur leur visage. Ils poursuivent l'exploration de différentes boutiques et constatent rapidement qu'ils ne sont pas les premiers à avoir eu cette idée. Plusieurs vitrines de boutiques sont fracassées et les tablettes dégarnies. La marchandise est répandue pêle-mêle sur les planchers. De nombreux vols ont été perpétrés.

Malgré tout, ils trouvent des vêtements appropriés à leur taille. Marc insiste pour se rendre dans le magasin à grande surface, où il espère trouver des piles de rechange, des lampes de poche et d'autres articles utiles à leur survie. Peut-être même de la nourriture, des conserves... Lucy cède devant son insistance. Les larges rideaux métalliques bloquant habituellement l'entrée de ce genre de magasin sont légèrement entrouverts. Ils se faufilent à l'intérieur et arpentent silencieusement les allées. Ils poussent chacun un panier en circulant parmi les articles divers, les luminaires et les tuiles de plafond tombés au sol. Au bout d'une rangée, le panier de Lucy heurte un objet lourd sur le sol qu'elle ne parvient pas à identifier dans la pénombre. Elle laisse le panier là et enjambe les objets pour accéder à la tablette de produits sanitaires féminins. Elle trébuche contre l'un de ces lourds objets et se retrouve à plat ventre parmi ces... corps.

Elle lâche un cri de terreur et s'éloigne en sautillant parmi eux, tout en continuant de hurler comme une démente. Elle s'arrête net quelques mètres plus loin, les yeux écarquillés et haletante. Une douzaine de corps sont étendus sur le sol à cet endroit précis et sont tous soigneusement recouverts d'une couverture foncée.

— Ils sont tous morts ce matin, dit une voix d'enfant derrière elle.

Elle sursaute et se retourne vivement. Elle distingue un jeune garçon noir d'une dizaine d'années à la tignasse semblable à une petite vadrouille de plancher. Il porte un masque à gaz et des gants de caoutchouc trop grands pour lui. Il transporte des couvertures foncées. Ahurie, elle le regarde passer devant elle pour recouvrir des corps. Elle a entendu sa voix, mais n'a pas saisi ses paroles. Marc arrive en trombe dans l'allée en hurlant le nom de Lucy, qui lui répond sur le même ton :
— Je suis ici !
— Qu'y a-t-il ? Je t'ai entendue hurler...
Sans s'en rendre compte, ils parlent très fort pour pouvoir s'entendre. Sans dire un mot, elle pointe simplement du doigt la scène qui se déroule devant leurs yeux. Dans la pénombre, il distingue le garçon s'affairer auprès des corps de deux employés du magasin portant le dossard bleu familier. Le garçon fait silence en joignant les mains. Quelques instants plus tard, il revient vers Lucy, qui ne peut s'empêcher d'admirer son courage. Elle lui dit à travers son foulard :
— Tu es très courageux. Comment t'appelles-tu ?
— Éric, dit-il en parlant fort pour qu'ils l'entendent à travers son masque.
— Je suis Lucy.

Elle lui tend solennellement la main et il la serre après s'être débarrassé de ses gants. Marc se présente à son tour et le jeune garçon raconte, sur un ton fébrile, les événements des derniers jours, en s'arrêtant de temps à autre pour reprendre son souffle.

Stupéfaits, ils écoutent l'étonnante et triste histoire d'Éric.

— Ma mère et mes frères et sœurs ont embarqué dans les premiers bus d'évacuation sans m'attendre. J'étais parti aider un couple d'amis âgés près de chez nous. Mme Juliette refusait de quitter sa maison et j'essayais de la convaincre. Ils sont devenus mes amis il y a plus d'un an. J'adore les petits gâteaux que Mme Juliette prépare pour moi à la fin de mon cours de chant. Mme Juliette est professeure de chant et elle dit que j'ai beaucoup de talent. J'aime chanter et fredonner en classe, mais cela me cause parfois des problèmes... Pour la remercier des cours qu'elle me donne, j'aide avec les courses, la pelouse et les poubelles...

— ... M. Rosaire et moi avons finalement réussi à convaincre Mme Juliette de quitter sa maison, mais ma famille était déjà en route pour Reno. Elle ne m'a pas attendu. Ça m'a fait de la peine, mais je n'étais pas surpris que ma mère fasse ça. J'ai quand même décidé de rester auprès de mes amis. On a alors pris place à l'autre bout de la longue file d'attente, dehors. Les gens se bousculaient et s'insultaient. Les gros tremblements de terre et la menace des volcans de Lassen Peak et Mt Shasta faisaient très peur à tout le monde. Pendant la longue attente, les gens ont vandalisé les boutiques et les magasins, et les voleurs repartaient les bras chargés. Les policiers étaient déjà trop occupés par les embouteillages épouvantables et l'évacuation des habitants pour faire quoi que ce soit pour empêcher ça ! Ils n'ont rien fait du tout !

— ... Après toute une journée et une nuit complète à attendre, notre tour approchait. Il ne restait plus que quarante-deux personnes à évacuer, je crois. Le gérant du magasin nous a invités à entrer à l'intérieur pour nous protéger du froid et de la cendre. On était d'accord, mais un petit groupe de gens a décidé de partir à pied. Comme Mme Juliette ne peut pas vraiment marcher longtemps, j'ai décidé de rester avec eux. Très tôt ce matin, alors que le soleil se levait, je suis retourné à leur maison pour chercher quelques affaires pour Mme Juliette. En revenant, je me suis arrêté pour jouer dans le parc Hewitt. C'était mon parc préféré lorsque j'étais petit. J'adore les grandes balançoires, et surtout le tourniquet. Je faisais tourner le plus vite possible le tourniquet vide et je sautais le plus haut possible de la balançoire. J'étais le meilleur de ma classe à ce jeu, car je n'ai pas peur des hauteurs. Quand je me balançais, j'ai entendu une explosion, et ensuite un nuage de fumée jaune s'est répandu très vite dans les rues d'en face. La fumée venait vers moi. Ça m'a fait peur et j'ai vite sauté en bas de la balançoire. Je ne savais pas quoi faire. J'avais peur. La fumée n'avait pas l'air naturelle et elle flottait juste au-dessus du sol, pas en hauteur. Alors, j'ai ramassé mon paquet et je suis parti en courant vers le mail. Mais la fumée allait plus vite que moi et j'ai eu peur. J'ai paniqué et j'ai jeté le paquet par terre et grimpé à un vieil arbre tout près. J'adore grimper aux arbres, alors c'est facile pour moi. Je suis monté jusqu'en haut juste à temps, parce que la fumée a passé sous moi toute de suite après.

— … Ça sentait une puanteur de poison et j'ai dû boucher mon nez, ma bouche et mes yeux avec mon tricot pendant longtemps. Je suis resté plus d'une heure en haut de l'arbre et je suis redescendu quand le nuage jaune a disparu et que l'odeur est devenue moins forte. Mais j'avais mal à la tête et j'avais la gorge sèche. Tout était recouvert de poussière jaune. En retournant vers le magasin, j'ai vu des véhicules d'armée, mais ils étaient vides. Et là, je suis monté à l'intérieur et j'ai découvert dans un coffre deux masques à gaz, des lampes fumigènes d'urgence et d'autres babioles que je ne connais pas. J'ai mis un des masques et je suis retourné au mail.

— … La fumée jaune est aussi entrée ici et sentait beaucoup plus fort. J'ai découvert les corps de tous ces gens étendus ici par terre. Et ceux de Mme Juliette et M. Rosaire. Ils étaient déjà morts. Alors, j'ai pleuré. J'avais peur de mourir aussi, mais j'ai décidé de les recouvrir pour préserver leur honneur… leur dignité, je veux dire. Voilà. Et là, je vous ai vue entrer et je vous ai suivie. Vous avez hurlé très fort. Vous m'avez fait peur.
— Oui, je suis désolée Éric. J'ai eu très peur.
— Selon toi, cette fumée, c'était quoi? demande Marc.
— Je ne suis pas certain, mais ça semblait venir de l'usine Boaflea. C'est une usine de produits chimiques. Ils fabriquent des intsectcitides… insecitides…

Il fait une pause et reprend :
— … du poison pour tuer les insectes et les rats.

Marc et Lucy échangent un regard légèrement amusé.
— Alors, ne tardons pas ici. Nous devons partir rapidement, dit Marc.
— Tu as raison. Je me presse et on se rejoint à la sortie dans cinq minutes, d'accord?
— D'accord.

Marc tourne les talons. Lucy s'approche d'Éric et pose une main sur son épaule.
— J'aimerais beaucoup que tu viennes avec nous. Nous nous dirigeons également vers Reno; nous pourrons t'y conduire et tu pourras sûrement retrouver ta famille là-bas.

Éric répond rapidement et sans hésitation :
— Oui. Je veux partir avec vous.

Il ramasse rapidement ses effets personnels composés d'un jeu électronique, d'une boisson revigorante à saveur d'orange, de deux masques à gaz, de croustilles, d'une casquette, de quelques vêtements et de friandises qu'il fourre dans un sac sport. Comme prévu, ils se rejoignent à la sortie du grand magasin et parcourent rapidement le large couloir menant à l'entrée où Brian les attend avec les chevaux. Mais Brian n'y est pas. Les chevaux sont attachés au présentoir de vélos situé à l'entrée. Puis, un bruit de moteur se fait entendre non loin de là et Brian apparaît quelques instants plus tard, à pied. Il se présente d'abord à Éric en lui tendant la main et tourne son regard vers la camionnette d'armée qui quitte le stationnement plus loin derrière lui.
— Ces soldats m'ont informé que le pont enjambant la route menant à Reno a été endommagé à plusieurs endroits. Apparemment, la crue subite des eaux provoquée par la fonte rapide du glacier du Mt Shasta en est la cause. Alors impossible d'emprunter cette route.
— Mais les soldats vont où? s'enquiert Marc qui s'impatiente en voyant partir la jeep.
— Ils cherchent simplement un moyen de partir d'ici. La route vers le nord est impraticable ainsi que celle allant vers l'est. La voie vers le sud semble la seule issue possible, quoiqu'ils affirment que la situation vers Sacramento est pire que celle qui prévaut ici.
— Alors que faisons-nous? fait Marc sur un ton impatient.
— Le jeune soldat m'a parlé d'un parc provincial situé à quelques kilomètres au sud-est d'ici, par la 99. Un pont suspendu traverse la rivière, là où elle se change en canyon. Il affirme qu'un cheval peut y passer. Apparemment, des sentiers aménagés sillonnent les montagnes sur quelques kilomètres jusqu'à rejoindre la route 36 plus loin. Je suggère que nous empruntions cette voie jusqu'à Reno, termine-t-il en haussant les épaules.
— D'accord! répondent en cœur Marc et Lucy.
— Et lui? fait Brian d'un signe de tête en désignant Éric, qui observe silencieusement les chevaux.
— Il vient avec nous, répond Lucy sans hésitation.

Un court silence s'installe.
— D'accord, mais partons d'ici. L'air est malsain. Apparemment, il y a eu un déversement aérien de produits chimiques ce matin… ajoute Brian.

Lucy et Marc échangent un regard entendu; Éric disait vrai. Brian nettoie délicatement les naseaux blessés des chevaux et ces derniers s'abreuvent, tandis que Marc s'empresse de placer les nouveaux paquets sur leur dos. Éric refuse d'abord de grimper à cheval, prétextant qu'il préfère courir. Puis Brian, qui a vite compris que le petit a peur des chevaux, l'empoigne sans ménagement et l'installe sur le dos d'Oscar devant Marc. Éric semble très impressionné par la bête et demeure muet pendant le trajet, qui dure près d'une heure.

Ils chevauchent silencieusement, au trot. Le Tehama County Park longe la large rivière Sacramento sur plusieurs kilomètres. Le lit de la rivière s'est effectivement gonflé et les abords sont boueux. L'eau a transporté de nombreux débris et sa couleur est d'un brun blanchâtre ; une couleur tout à fait inhabituelle, issue du mélange des glaciers fondants, des déchets pyroclastiques et de la cendre. Peu après, ils rejoignent le sentier menant au pont suspendu, perché en haut d'une petite falaise. À cet endroit la rivière est plus étroite et son débit beaucoup plus rapide, descendant en cascade dans un canyon rocheux. Le pont, long de treize mètres, est suspendu avec des câbles d'acier ancrés solidement au roc. Il semble intact, malgré les nombreuses secousses.

Le revêtement du pont est fait de larges lattes de bois dur d'une largeur d'un mètre et demi. Bien qu'aucun écriteau n'affiche le poids maximum, un pictogramme précise l'interdiction d'accès aux véhicules tout-terrains. Une fois de plus, Marc insiste pour tester lui-même le pont suspendu. Il saute fortement à plusieurs reprises pendant que les autres observent son manège. Le pont ne bouge pas d'un poil et Lucy, accompagnée d'Éric, traverse sans attendre. Éric est toujours muet et semble fort impressionné par le fort courant sous lui.

Marc tente de passer avec Oscar, mais celui-ci résiste. Brian prend alors les devants avec Flamboyant et traverse sans problème. Arrivé de l'autre côté, il siffle. Oscar, les yeux exorbités et nerveux à cause du vacarme provoqué par les remous de l'eau, s'avance avec Marc qui le tire. Brian continue de siffler afin de persuader l'animal de poursuivre. Mais le cheval est terrorisé et s'arrête au beau milieu de la traversée. Marc a beau tirer, le pousser et essayer de l'amadouer, la bête est trop effrayée pour avancer et recule nerveusement. Brian craint que la bête fasse un faux mouvement ou se cabre et bascule par-dessus bord. Les câbles grincent et le pont oscille légèrement sous le poids de l'animal. La traversée s'annonce hasardeuse et Brian avance sur le pont à son tour pour défaire les paquets du dos d'Oscar. Il tente à nouveau de persuader l'animal d'avancer, en vain. Las, Brian et Marc s'assoient tout bonnement par terre à chacune des extrémités du pont, attendant que le cheval se calme et se décide enfin à avancer.

Éric de son côté ne cesse de babiller, mais ils n'entendent pas ce qu'il dit à cause du bruit de l'eau et de leur surdité partielle. Exaspéré par l'inattention des adultes, il fouille dans son sac et sort une barre de céréales aux pommes et aux noix. Il s'allonge ensuite sur le ventre juste devant Brian et ouvre le papier.

Il prend une bouchée et le brandit bien haut au-dessus de sa tête. Ils le regardent faire, sceptiques. Mais au bout d'une minute et à leur grand étonnement, Oscar s'avance lentement de lui-même et rejoint Éric, qui lui donne la friandise convoitée. Brian, tout sourire, en profite pour tirer l'animal réticent hors du pont. Ils sourient franchement. «Décidément, ce gamin est débrouillard et ingénu», découvre Lucy. Marc, légèrement irrité du succès facile d'Éric auprès de sa monture, reprend les guides de la bête et s'enfonce dans l'étroit sentier, l'air renfrogné. Lucy félicite silencieusement Éric en levant le pouce et Brian tapote l'épaule du gamin, qui sourit timidement.

Ils chevauchent à nouveau et s'arrêtent à plusieurs dizaines de kilomètres plus loin, où le sentier rejoint la route. Ils font une pause dans une aire de repos aménagée en montagne, où les chevaux broutent allègrement la verdure saupoudrée de cendre. La vue sur la région est superbe à cet endroit, et ils peuvent observer les dangereux nuages de fumée noire crachée par les volcans Lassen Peak et Mt Shasta, situés à plus de cent kilomètres au nord. Ils s'aperçoivent qu'il est périlleux de rester dans les parages et s'entendent pour chevaucher de jour et de nuit pour les deux prochains jours.

Pendant cette longue pause, Éric les anime d'un babillage continu, parlant des chevaux, de son école et de son équipe de baseball préférée. Le petit est gai et énergique. Sa personnalité change la chimie du petit groupe au grand plaisir de Lucy, qui se plaît à écouter ce gamin sensible et perspicace. Ils reprennent la route deux bonnes heures plus tard, alors qu'ils sont bien reposés. Pendant le trajet, Éric est étonnement silencieux… Monter à cheval l'impressionne vraiment. Il finit par s'endormir à la tombée de la nuit en dodelinant de la tête, bien calé contre Marc.

Julie

Le sixième jour est chaud et humide. Très tôt, Franck se lève de son fauteuil en grimaçant de douleur et se déplace dans la suite pour recueillir toutes sortes d'objets. Il sort dans le couloir les bras chargés et se rend dans la chambre située à l'autre extrémité du couloir. Pour des raisons pratiques, Rick a laissé toutes les portes des chambres du quatrième et du cinquième étage ouvertes, permettant ainsi à tout un chacun de les utiliser pour bénéficier d'une certaine intimité pour se laver, se soulager et se reposer.

Franck s'installe sur le balcon de la chambre inoccupée et dépose les objets recueillis : tissus, carton, papier. Il construit soigneusement un petit monticule en forme de tipi. Franck a l'habitude de ce genre d'exercice. Il a servi dans l'armée canadienne pendant quelques années, où il s'était spécialisé dans l'art de survivre dans des conditions climatiques extrêmes. Il s'y connaît donc pour faire un feu, en ce qui concerne la déshydratation et l'hypothermie. Il possède également un bon sens de l'organisation, un extraordinaire esprit d'analyse et une fine sensibilité. Rien n'échappe à son œil perçant.

Danielle se lève du lit et visite les toilettes dans la chambre voisine pour la troisième fois depuis la veille au soir. Cette diarrhée lui donne des crampes. Elle a déjà perdu du poids et ses vêtements sont devenus légèrement trop grands. Après s'être soulagée, elle traverse la chambre et se campe devant la porte vitrée donnant sur l'océan. Son attention est attirée par un objet long et blanc, flottant à quelques mètres au-devant de l'immeuble. En regardant bien, elle découvre qu'il s'agit d'une planche de surf. Un homme, torse nu et portant un t-shirt blanc enroulé autour de la tête, se tient à côté de la planche et se dirige vers le bâtiment. Elle retourne rapidement dans la suite et lance :
— Il y a un homme dehors ! Un survivant avec une planche de surf !

Ce dernier accoste déjà au premier étage. Privés de leur énergie habituelle, les ados descendent lentement rejoindre l'inconnu tout en bas. Quelques instants plus tard, des cris retentissent dans l'immeuble. Franck se tient dans l'embrasure de la porte de la chambre où il entretient son feu et Julie le rejoint dans le couloir. Les cris s'intensifient et se rapprochent. Julie s'avance lentement vers l'escalier. D'autres cris et des pas de course. Le nouveau venu grimpe les escaliers entre le quatrième et le cinquième étage, suivi de près par les ados. Lorsqu'il passe devant Julie en haut de l'escalier, elle déchiffre une expression démente sur son visage et recule de peur. « C'est de la folie pure », comprend Julie en une fraction de seconde.

Sans un mot, le jeune homme, âgé d'environ vingt-cinq ans, la bouscule et se dirige droit vers la suite où sont réfugiés les enfants, Sam, Peter et Danielle. Il arrive en trombe parmi eux en les faisant paniquer. Les enfants se réfugient malgré leur état autour de Peter qui demeure assis, trop souffrant pour se lever rapidement. L'homme a la peau rouge comme un homard. Visiblement, il a été brûlé par le soleil après toutes ces journées exposé en mer. Il a les lèvres craquelées et le dessus des épaules qui pèle. Ses mains et ses genoux sont écorchés vifs. Il est dans un état lamentable et tremble des pieds à la tête. « Il tient debout par miracle », songe Julie en le suivant dans la suite avec Franck sur les talons. Il s'empare d'une bouteille d'eau laissée sur une table et la boit difficilement, s'étouffant à plusieurs reprises. Puis, il cherche frénétiquement d'autres bouteilles d'eau et de la nourriture. François et Rick entrent à leur tour dans la suite et tentent de raisonner l'inconnu. Il ne paraît même pas les entendre. Peter pointe la salle de bain à son intention et celui-ci s'y dirige.

Il découvre l'eau dans la baignoire et y pénètre en s'accroupissant. Puis il boit et boit pendant plusieurs minutes, utilisant tantôt ses mains, tantôt y plongeant directement la bouche. Julie remarque de profondes égratignures dans son dos tandis qu'il est penché. Rick s'approche et lui remet une nouvelle bouteille d'eau remplie. Il la prend sans un mot et la colle tout contre lui, comme un bien précieux. Il cesse de boire un moment pour reprendre son souffle. Puis, toujours sans lever les yeux, il demande :
— You guys have food ?

C'est un Américain. Ils répondent en chœur :
— No.

Il baisse la tête et boit à nouveau quelques gorgées de la baignoire. Il se lève et repart sans un mot, deux bouteilles d'eau collées à lui. Il ne répond pas aux questions posées par François et le bouscule en s'élançant hors de la suite. Il marche rapidement et descend l'escalier... Les survivants demeurent dans la suite et haussent les épaules en le regardant partir. Mais Rick est désolé de voir la précieuse eau du bain ainsi souillée...
— Dans un tel état mental, il peut être dangereux, dit tout haut Franck.
— Il retourne sûrement à sa planche, dit François.
— Tu crois ? dit Julie.
— Oui. Il a marmonné que c'est trop dangereux de rester à terre et il nous a simplement dit de ne pas toucher à sa planche. Je crois qu'il fait une insolation...

Franck retourne lentement à son feu tandis que les ados se laissent tomber sur un des lits de la suite. Soudainement, un faible cri retentit du quatrième étage. Alarmés, les ados et Julie s'élancent aussi vite qu'ils peuvent et descendent prestement l'étage, juste à temps pour voir l'inconnu dévaler l'escalier de l'étage en dessous avec un drap sur l'épaule. Le vieil homme du quatrième hurle dans le couloir :
— Voleur ! Sale voleur !

François comprend derechef que l'Américain s'est emparé des fruits, et il s'élance à la poursuite du voleur. Julie rejoint le vieil homme, qui se tient debout dans le couloir, pieds nus, portant des sous-vêtements de coton blanc fripés et salis de sueur. Il a l'air furieux et lève le poing tout en proférant des injures. C'est en entrant dans la chambre qu'elle découvre que le panier de fruits a disparu et que la porte du minifrigo est grande ouverte.

— Oh non…. murmure-t-elle.

Elle ferme les yeux. « Merde… Y a plus de nourriture… » Désespérée, elle met ses mains sur sa tête et marche de long en large dans le couloir. Elle entend des cris venant du premier étage où les jeunes tentent de rattraper l'Américain. Elle s'avance sous une arche donnant sur la mer, juste à temps pour le voir s'éclipser rapidement sur l'eau, allongé sur le ventre, son butin devant lui. François rage au premier étage. Il s'embourbe dans le sable et les débris cachés sous la surface de l'eau. Le surfeur glisse librement sur le dessus de l'eau et s'éloigne prestement, au grand désespoir de tous.

Julie retourne lentement à la chambre du vieux couple. Le vieil homme est maintenant debout au pied du lit et regarde sa femme étendue dans la même position que la veille. Julie essuie les larmes qui roulent sans retenue sur ses joues. Elle prend à nouveau le pouls d'Édith et constate qu'il est toujours faible. Son souffle est à peine perceptible. Julie ouvre ses paupières et remarque que ses pupilles se dilatent faiblement. Ses membres sont tièdes, mais le bout des orteils du pied droit légèrement bleuté.

— Est-ce que votre femme prend des médicaments ?

— Oui, les voici. Mais voilà plus de cinq jours qu'elle n'a rien pris.

L'homme expose devant elle les flacons. Julie craint qu'Édith ne soit dans le coma. Elle révèle ses craintes à son mari, et celui-ci approuve en hochant la tête. Visiblement, il s'en doutait. Elle se sent mal à l'aise, car elle ne voit pas ce qu'elle peut faire ou dire de plus. Elle croit que sa femme mourra sûrement bientôt. Et il s'en doute aussi… Elle aide le vieil homme à s'asseoir sur une chaise et prend place à ses côtés, tout en demeurant silencieuse. Il pleure doucement, cachant ses yeux d'une main. Julie, quant à elle, songe à son propre tourment, lorsque François arrive en trombe dans la chambre et questionne Julie du regard. Celle-ci secoue la tête et François explose :

— Il a pris toute la bouffe ? J'aurais dû le tuer ! lance-t-il sur un ton courroucé.

Il est furibond. Il donne un coup de pied dans la porte de la chambre en hurlant de rage. Ses compagnons le rejoignent aussitôt et désespèrent à leur tour. Le vieil homme est témoin de la scène. Il prend plusieurs inspirations profondes et se redresse.

— Je suis Hémond.

— Julie, fait-elle en souriant timidement.

Il demande:

— Combien d'enfants y a-t-il avec vous?

— Une dizaine.

— Et il y a longtemps que vous n'avez pas mangé?

— Six jours, pour les adultes et les ados. Quatre pour les petits… laisse-t-elle échapper dans un long soupir.

Un silence émouvant s'ensuit. Julie verse à nouveau quelques larmes. Elle ne comprend pas pourquoi les émotions font surface à ce moment précis. Elle s'essuie à nouveau du revers de la main. Hémond avoue:

— Vous savez, lorsque votre famille et vous êtes arrivés, je vous ai observé les premières journées… La façon dont vous vous comportez, vous, votre mari et les autres adultes avec les enfants. Je vous ai trouvés formidables, inspirants. Particulièrement votre façon d'éduquer, de démontrer votre amour, d'impliquer les adolescents et de faire respecter votre autorité.

— Merci.

Julie ne comprend pas pourquoi il aborde soudain ce sujet en particulier. Mais ses pensées s'attardent pendant un moment sur ce qu'il vient de dire… Car il est vrai que Julie, entre autres, prend son rôle d'éducatrice très au sérieux. Consciente que les enfants devenus adultes répètent les comportements de leurs parents, elle s'efforce de montrer le bon exemple. Elle désire développer chez eux leurs habilités personnelles, leur débrouillardise, leur raisonnement, leur objectivité et le désir d'apprendre. L'émerveillement de la découverte, la joie de vivre enfantine et l'exercice physique sont également, à son avis, essentiels à l'équilibre mental de tout être humain.

Et depuis toujours, Julie déteste le fait que peu de gens sont capables d'une réelle objectivité. Les sentiments, les préférences et les préjugés entrent souvent en ligne de compte et brouillent constamment les cartes. Elle s'applique donc à apprendre à ses enfants ce concept important, par des exemples concrets et en dédramatisant les situations émotives ou explosives, tout en suggérant une marche à suivre pour ne pas tomber dans ce piège ouvert… Toutefois, toutes ces bonnes intentions sont la plupart du temps contrecarrées par diverses influences, telles que le père des enfants, les amis, l'école, la famille, la société, la course folle de la vie et ses contraintes…

Elle sait très bien qu'il est illusoire de vouloir tout contrôler et elle ne s'en formalise pas. Elle fait confiance à la vie en se disant qu'elle fait ce qu'elle peut et que plus tard, ses garçons n'auront qu'à faire le reste en assumant leurs propres choix.

Hémond hésite un moment puis ajoute :

— Je n'ai pas pris le temps de faire la même chose avec mon fils, dit-il avec un ton de regret dans la voix. Je ne me suis même presque jamais impliqué dans son éducation. J'étais trop préoccupé par mon travail et trop centré sur ma propre personne. Je vois clairement aujourd'hui que j'ai failli dans plusieurs aspects en tant que père… Cela fait un moment que ça me tracasse.

Elle l'écoute plus attentivement maintenant et compatit, sans toutefois savoir où il veut en venir. Elle croit devoir le réconforter :

— Il sait sûrement que vous l'aimez.

Il la regarde droit dans les yeux et lui dit posément :

— J'en doute. Je ne lui ai jamais dit. Comment pourrait-il le savoir ? Et pourtant…

Julie baisse la tête sans rien dire, en se disant que le vieil homme regrette soudainement certains comportements. Il demeure un moment silencieux, pensif. Il la dévisage, hésite un moment, puis se ravise. Elle répond d'un faible sourire et ne peut s'empêcher de lui demander :

— Reste-t-il de la nourriture dans votre chambre ?

Il secoue la tête tout en fixant le sol. Elle sait qu'il dit la vérité. Puis, doucement, il se lève et invite Julie à repartir d'un geste de la main. En l'escortant hors de la chambre, il chuchote à son oreille :

— Je dois réfléchir. Je prendrai une décision importante et je vous en ferai part bientôt. Et j'aurai sûrement besoin de votre aide.

Julie ne saisit pas, mais hoche simplement la tête pour signifier son accord. Il la remercie et referme la porte derrière elle. Désespérée, Julie reste ainsi debout, le nez collé sur la porte fermée en sanglotant faiblement. Elle est tellement déçue de ne pas avoir pu fournir les précieux fruits aux enfants… «J'ai laissé échapper la seule chance qui s'offrait à nous de les nourrir», croit-elle avec désespoir. Elle ne se doute pas que leur salut se joue ici. À ce moment précis, alors qu'Hémond entend les sanglots désespérés de Julie de l'autre côté de la porte. Ce dernier, malgré son air égaré, est très conscient que la situation est désespérée et que c'est sa dernière chance. Il ne veut pas manquer son coup cette fois-ci. Son cerveau fonctionne à toute vitesse, cherchant des solutions réalisables pour répondre aux besoins impératifs qui se présentent à lui.

Des bruits de voix venant de l'étage supérieur sortent Julie de sa torpeur et elle remonte péniblement… Il est à peine sept heures trente du matin et ses muscles affaiblis sont douloureux. Monter cet escalier représente une tâche plus ardue à chaque fois. Arrivée dans la suite, Julie y remarque une certaine agitation. Malgré les douleurs musculaires, les jeunes hommes se mettent à la recherche de nouveaux matériaux. Franck leur propose de construire des filets pour attraper des poissons ou les goélands qui viennent se poser sur les ruines des bâtiments. Franck et Peter usent de leur imagination pour fabriquer un filet à l'aide de cordelettes, de lacets et de bonnets de bain trouvés dans les salles de bain. Après deux longues heures de travail acharné, il en résulte trois petits filets au bout de perches. Peter et Franck les remettent aux jeunes hommes avec un brin d'espoir. Ces derniers tentent d'attraper poissons et oiseaux sans succès toute la journée. Leurs réflexes sont plus lents que d'habitude et ils sont rapidement à bout de souffle. Ils reviennent bredouilles à la tombée de la nuit, découragés et épuisés par tous ces déplacements et ces efforts inutiles. Heureusement, leur esprit a été occupé tout ce temps et ils en ont oublié momentanément leur tourment.

Julie s'inquiète pour la santé mentale des jeunes hommes. Jamais elle n'aurait imaginé les voir dans un état pareil et ressentir ainsi leur vulnérabilité. Ils sont rudement mis à l'épreuve, apprennent à vivre précocement ce douloureux sentiment d'impuissance… Tout comme les autres adultes, Julie désespère de ne pouvoir subvenir aux besoins des enfants sous leur responsabilité. Passer les journées dans la douleur physique et mentale provoquée par la faim et le chagrin pèse lourdement sur chacun. Et les symptômes s'aggravent dramatiquement autant chez les enfants que les adultes.

Certains souffrent de vertiges, d'étourdissements, d'essoufflements et de douleurs musculaires. Sans parler de l'angoisse et de l'irritabilité qui s'installe de façon marquée chez les petits Émanuel, Léo et Joey en début d'après-midi… Une sensation de faiblesse généralisée les rend léthargiques. Rick est celui qui vit le plus difficilement le sentiment d'impuissance. Il s'en veut de ne pas avoir empêché l'Américain de voler la précieuse nourriture.
— Et je ne comprends pas pourquoi ce fichu hélicoptère n'est pas encore revenu ! lance-t-il.

Mais personne ne prête attention à sa crise, sauf Danielle, qui essaie de le calmer sans y parvenir. Puis, au bout d'une demi-heure, il s'endort par terre sur la céramique rafraîchissante, les bras autour d'un oreiller, les joues mouillées de larmes. La soirée se termine une fois de plus dans les plaintes et les pleurs des petits comme des grands, cette fois-ci. La nuit est atrocement difficile, chacun vivant intensément son propre calvaire, les yeux ouverts dans la nuit.

Au petit matin de cette septième journée, la famille Jacobs et leurs amis sont cernés et accablés. Malgré tout, les adolescents tentent à nouveau d'attraper du poisson et des oiseaux avec les filets, mais ne réussissent qu'à s'épuiser et à se décourager une fois de plus. Les enfants sont si mal en point qu'ils demeurent étendus toute la journée, léthargiques et sans énergie. Les heures passent péniblement, tandis que les adultes se disputent ouvertement, cherchant des solutions viables pour se sortir de cette épreuve. En fin de soirée, Franck demande à Julie de venir discuter avec lui sur le balcon. Il est préoccupé et désire l'entretenir à l'abri des oreilles indiscrètes. Julie le suit docilement en laissant la porte vitrée grande ouverte. Elle étudie le visage de son ex-conjoint attentivement, remarquant sa barbe de plusieurs jours, son expression grave et son œil boursouflé.

Habituellement bien calé dans son fauteuil, il prodigue conseils et trucs pertinents à tous dans l'espoir de les aider à mieux faire face aux tourments qu'ils affrontent. Et tous les jours, sa bonne humeur contribue à apporter un peu de joie dans cet océan de misère. Dernièrement, il s'est penché sur toutes les cartes touristiques de la région sans dire un mot, mais Julie le connaît suffisamment bien pour savoir qu'il emmagasine des informations. Elle se place à côté de lui et attend qu'il lui parle.
— Je m'inquiète pour nos garçons.

Il se tourne et dévisage Julie. Sans détours, il lance :
— Écoute bien. Émanuel, Léo et le petit Joey ne survivront pas longtemps sans manger. Je crains que d'ici deux jours, les symptômes s'aggravent et que ce soit le début de la fin.

Ces mots ont l'effet d'un coup de poing dans le ventre de Julie.
— Quoi ? Que veux-tu dire ? murmure Julie d'un ton désespéré. C'est impossible, voyons ! J'ai entendu dire qu'un homme peut survivre trente jours sans manger !
— Un homme en santé, si. Mais pas nos enfants. Bientôt, ils feront face au catabolisme. C'est la fermeture des systèmes auxiliaires du corps, si tu veux. Les carences en vitamines et le manque d'apport en énergie, « le manque de bouffe », autrement dit, vont fermer certains des systèmes secondaires pour alimenter les fonctions vitales, telles le cœur, le système nerveux et le cerveau. Après cela, eh bien, c'est la mort.

Julie bouche ses oreilles de ses mains et secoue la tête.

— Non… Non… Non, non.

Elle marche nerveusement de long en large sur le balcon, les yeux rivés au sol. C'est trop. C'est impossible à assimiler. Elle ne veut rien entendre de plus. Elle a si mal…Une rage profonde et noire monte soudain en elle, irriguant du plus profond de ses tripes, en songeant à la mort lente et souffrante que son fils s'apprête à vivre. N'en pouvant plus, elle explose :

— NOOOOOOON !

Une puissante rage s'insinue dans tout son être avec une force qu'elle n'a jamais ressentie auparavant. Elle serre les poings si forts que ses jointures blanchissent. Elle en veut presque à Franck de dire de telles choses. Elle fonce droit sur lui et agrippe fermement son gilet au ras du cou et lui crie au visage :

— Ce n'est pas vrai. Tu te trompes ! C'est impossible ! Non… Non !

Franck lit la rage sur son visage, mais s'efforce de rester calme. Il la fixe droit dans les yeux pour qu'elle comprenne que ça lui fait mal aussi. Et c'est là qu'elle discerne l'expression dans son regard. C'est là qu'elle comprend. Il a déjà envisagé le pire. Il a déjà envisagé la mort de son enfant. De son petit Léo. Il s'y prépare… Elle lit à son expression toute sa détresse et son impuissance face à la situation. Il est à court d'options. Prêt à capituler.

Julie recule, incrédule. Elle n'arrive pas à y croire. Il est sur le point d'abandonner… Il a presque accepté l'idée de perdre son garçon pourtant si cher à ses yeux parce qu'il a épuisé toutes ses ressources. Ce dernier la dévisage intensément, sans rien dire, comme s'il espérait qu'elle trouve une solution. Ou comme s'il souhaitait qu'elle partage sa peine. Mais bien au contraire, à ce moment précis naît en elle une profonde volonté. La puissante rage ressentie plus tôt se transforme en une détermination pure et dure. Brutale, même. Et une vague de frissons parcourt son corps amaigri tant l'émotion est puissante. Franck est témoin du changement qui s'opère en elle et perçoit une nouvelle énergie émaner de son corps. Julie lui lance au visage :

— Je n'abandonnerai pas. Je n'abandonnerai jamais. Jamais.

Le regard dur, elle le dévisage avec cette incroyable profondeur. Elle lui fait comprendre qu'elle n'est pas prête d'abandonner. Qu'elle fera n'importe quoi pour que cela ne se produise pas.

— Maman !

Jo l'appelle, mais elle est si fortement imprégnée de cette ferme détermination qu'elle l'entend à peine. Jonathan insiste :
— Maman !

Elle se retourne et est surprise de voir Hémond tout juste à côté, soutenu aux aisselles par François et Jo. Les trois hommes se tiennent à moins de deux mètres de la baie vitrée et ont tout entendu... Julie retourne dans la suite en inspirant plusieurs fois pour se calmer. Elle s'approche de Hémond et comprend à son expression résolue qu'il a pris la décision importante dont il lui a parlé hier matin. François et Jo l'installent dans un fauteuil près de la porte d'entrée, un peu à l'écart. La nuit est presque tombée et la faible lueur de la lune éclaire la pièce. Julie s'est calmée, mais sa profonde volonté n'est pas entachée. Et son intuition lui dit de prêter l'oreille au vieil homme. Elle s'assoit près de lui à même le sol et attend qu'il soit prêt à parler.

Hémond est essoufflé. Il a monté les escaliers, seul, et transpire abondamment. Il passe la main dans ses cheveux et Julie remarque que celle-ci tremble. « Il souffre d'hypoglycémie », se dit-elle en détournant les yeux. Au bout d'un moment, il débute :
— D'abord, je vous demande de ne pas m'interrompre.

Elle accepte d'un simple hochement de tête en suivant des yeux Franck, qui retourne dans son fauteuil en affichant un air terriblement déchiré. Elle reporte son attention sur son interlocuteur, qui raconte que lui et sa femme vivent à Austin, au Texas. Il poursuit en évoquant sa jeunesse et les circonstances de sa rencontre avec sa femme, Édith. Puis, la naissance de leur seul enfant, Benjamin. Il fait ensuite le récit de sa vie, de ses réussites, de ses défaites, de l'enfance de son fils. Et de la maladie de sa femme.
— Depuis ces cinq dernières années, je me suis dévoué à ma femme malade. Elle souffre d'ostéoporose avancée, de diabète et d'obésité. Elle n'est pas mobile et ses déplacements sont difficiles. Alors, j'ai appris à lui faire à manger, à la laver, à l'aider à s'habiller, et tous ces jours passés près d'elle m'ont permis de découvrir le vrai sens de l'amour. Et... je suis retombé amoureux d'elle une seconde fois. Différemment.

Julie l'écoute silencieusement, trouvant son récit émouvant et un peu triste. Vers la fin, il devient plus émotif et hésitant. Il essuie quelques larmes furtives, puis confirme à Julie :
— Ma femme va mourir au petit matin... je le sens. Je le sais. Et je veux mourir avec elle. Il n'y a plus d'espoir pour nous. La catastrophe est planétaire, je l'ai entendu sur ma petite radio voilà deux jours. Hélas, les piles ont rendu l'âme depuis, mais je sais que c'est d'une ampleur sans précédent.

Sur ces mots, Julie réagit légèrement, mais s'abstient de tout commentaire.

— Je serais heureux de partir avec elle, doucement, tout contre elle. Ce serait pour moi la plus belle façon de quitter ce monde.

Soudain désemparée, Julie dévisage le vieil homme. Hémond marque une pause en haletant, puis reprend :

— Toutefois, il y a une chose que je souhaite faire avant de mourir, mais je ne peux le faire moi-même.

Il prend la main de Julie, qui craint maintenant le pire. Elle lève un regard anxieux vers lui, et il ajoute :

— Je veux dire à mon fils que je l'aime. Je veux qu'il sache que je l'ai toujours aimé. Que je suis fier de lui. Que je l'ai toujours été.

Julie est soulagée. Elle a cru pendant un moment qu'il lui demandait de mettre fin à ses jours. Dans un élan de compassion, elle se redresse et le serre doucement dans ses bras. Hémond dit :

— Mais toi, tu peux le faire pour moi. Tu diras à mon fils que je l'aime.

Julie est hésitante. Elle ne veut pas lui mentir. Elle sait fort bien que les chances sont minces qu'elle puisse un jour réussir à rencontrer Benjamin pour lui transmettre ce message. Leur situation est si précaire… Mais avant qu'elle n'ait le temps de parler, il reprend :

— Voici son adresse et son téléphone. Il habite Albuquerque, au Nouveau-Mexique. Tu dois me promettre de lui remettre cette lettre en main propre avec cette montre.

Il lui tend un papier plié en quatre et sa montre-bracelet. Outre le nom et les coordonnées de Benjamin, Hémond a écrit une lettre à son fils. Julie prend la lettre et la montre et, sans trop de conviction, dit :

— Je promets que, dans la mesure du possible, je remettrai ces objets à ton fils Benjamin.

Mais il l'interrompt un peu sèchement et poursuit :

— Attends. Je n'ai pas fini. Ma montre est réglée à une heure précise. Cette heure représente le moment le plus important et la plus grande joie que j'ai ressentie de toute ma vie. C'est la date et l'heure de la naissance de Benjamin.

Julie regarde la montre-bracelet. C'est une montre de bonne qualité faite de nickel brossé. Le boîtier est légèrement endommagé d'un côté ; il a été forcé. La montre indique : 10 novembre, 14 h 14. Hémond poursuit en pesant ses mots :

— Vous devez promettre solennellement.

Julie le fixe avec un regard profondément honnête. Puis elle dit, en pesant également ses mots :

— Si je survis, je promets solennellement de remettre en main propre à votre fils Benjamin cette lettre et cette montre. Et lui dire également que vous l'aimez. Que vous l'avez toujours aimé.

Hémond paraît soulagé et émet un long soupir de satisfaction en fermant les yeux. Julie met le papier et la montre dans sa poche de short, les yeux dans le vague.

— Merci infiniment, madame. Je vous en serai éternellement reconnaissant.

— Je comprends, fait Julie en hochant la tête.

— Maintenant. En échange de ce service, ma femme et moi, nous nous engageons à vous nourrir afin de vous permettre de survivre, partir d'ici et ainsi respecter votre promesse.

Julie lève les yeux vers lui, soudain pleine d'espoir. Mais elle s'abstient une fois de plus de parler, Hémond levant la main pour la faire taire. Il se penche légèrement à l'avant et murmure à son oreille :

— Une fois que nous serons morts, vous pourrez utiliser notre chair pour vous nourrir.

À ces mots, Julie arrête de respirer et le regarde d'une expression horrifiée. Elle s'écarte brusquement de lui en le dévisageant, espérant y déceler une trace de folie... Mais il n'en est rien. Il a le regard d'un homme lucide et fermement décidé.

— Vous êtes fou ! murmure-t-elle.

Il ne relève pas sa remarque et se contente de la dévisager avec détermination, droit dans les yeux. Il ajoute :

— Madame, j'ai vu une ferme détermination dans votre regard tout à l'heure sur le balcon et vous voyez la même dans mes yeux. Croyez-moi, j'ai refait le casse-tête dans ma tête plusieurs fois ces deux derniers jours. Je ne suis pas fou, bien au contraire. Il vous sera impossible de survivre si vous ne vous nourrissez pas, et les secours ne viendront pas. Vous le savez autant que moi. En ce qui me concerne, vous représentez la seule option qui s'offre à moi afin de remettre mon précieux message à Benjamin.

Il marque une pause et ajoute :

— Et de toute évidence, nous sommes votre seule et dernière (il pèse ce mot) chance de survie.

Julie le dévisage avec écœurement, une main contre la bouche et le cœur battant la chamade. Ce vieil homme dont elle avait passablement sous-estimé la vivacité d'esprit voit clairement toute la gravité de la situation et a soupesé plusieurs options avant de lui proposer cet… arrangement. Sans un mot de plus, le vieil homme s'extirpe péniblement du fauteuil en grognant et se dirige vers la sortie, laissant Julie sous le choc. Elle blêmit tout en fixant avec effarement le fauteuil où il était assis. Jo et François, qui n'ont rien entendu de leur conversation, raccompagnent Hémond jusque dans sa chambre. C'est la dernière fois qu'ils le verront vivant.

Serena

Elle ne se réveille qu'au petit matin, alors que le canot est ballotté par les flots. Elle est amèrement déçue d'elle-même et rage de s'être endormie si longtemps. Claude est couché sur le côté droit et Serena, soudain inquiète, le réveille en le brassant sans ménagement. Il rouspète :

— Ahhh… Chérie, ça va… Je dormais, c'est tout.

— Laisse-moi voir tes pansements… Mmm. C'est bon, tu ne saignes plus, mais il faut les changer.

Claude tousse de plus en plus. Elle s'empresse de panser les blessures de son mari qui, trop faible, reste étendu sur le côté, la tête appuyée contre un sac. Elle le force à avaler quelques comprimés pour la douleur. Ses cernes sous les yeux se sont approfondis et son teint a encore pâli. Elle est vraiment soucieuse de son état et s'empare des rames avec frénésie, malgré la douleur lancinante de ses muscles endoloris, en s'orientant une fois de plus sur le soleil levant.

Pleine d'espoir de voir la rive à tout moment maintenant, elle se lève et scrute l'horizon d'un œil attentif. Mais elle ne voit rien. Rageant de plus belle, elle rame vigoureusement. La journée passe comme la précédente, à l'exception de la visite d'un banc de marsouins, ces petits dauphins noirs, blancs et gris. Une centaine de mammifères voyageant du nord au sud s'ébattent joyeusement dans l'eau tout autour du canot pneumatique. Malgré leur situation précaire, ils apprécient le spectacle divertissant. En fin d'après-midi la mer s'agite, donnant du fil à retordre à Serena, qui peine à avancer parmi les moutons blancs. Claude dort une bonne partie de la journée, ne se réveillant que pour boire ou grignoter. Elle rame sans relâche, même une partie de la nuit. Elle finit par s'endormir en position assis, les rames dans les mains, la tête ballotant au gré des vagues…

Au petit matin du septième jour, la mer est à nouveau calme. Le ciel est parsemé de longs stratus, ces nuages de haut niveau. Ravie, Serena boit une rasade d'eau et se lève pour s'étirer. À sa grande surprise, elle remarque à l'horizon ce qu'elle croit être une bande de terre. Enthousiasmée, elle réveille Yhéo et Claude pour leur annoncer la bonne nouvelle. Elle s'empresse alors de ramer en direction de la ligne qu'elle distingue au loin tandis que Claude, incapable de se redresser, s'étire le cou pour regarder par-dessus le rebord du pneumatique.

Elle rame avec ardeur, le dos face à la bande de terre. Au bout d'un moment, elle remarque l'expression angoissée de son mari, qui fixe l'horizon derrière elle.
— Qu'y a-t-il?

Il ne répond pas et se contente de la dévisager intensément. Alarmée par son expression, elle se retourne et réalise avec effroi que ce qu'elle croyait être au loin la bande de terre est en fait une série de vagues qui se dessinent à l'horizon et qui foncent droit sur eux.

Les rames glissent de ses mains. Elle fige de peur. Son mari lui dit quelque chose, mais elle ne l'entend pas… Elle a une trouille immense. Puis, une petite main tiède se glisse dans la sienne. Elle penche la tête et regarde, les yeux hagards, le petit Yhéo qui lui dit doucement :
— Il faut écouter Claude.
— Serena! Nom de Dieu… fais ce que je te dis! Place tous les bagages à tes pieds et amène Yhéo au fond du canot à mes côtés. Amène les gilets de sauvetage aussi, dit-il en toussant et grognant de douleur.

Claude se traîne jusqu'à l'extrémité du canot et s'allonge sur toute la largeur, accoté au rebord. Serena installe Yhéo entre les bras de son mari et passe le gilet de sauvetage à ce dernier.
— Bien. Bien…

Claude a de la difficulté à parler et à respirer à la fois. Il est essoufflé et s'étouffe à nouveau.
— Attache les rames avec les sangles et retourne le canot pour que tu sois assise face aux vagues…

Il marque une pause.
— Agrippe-toi solidement et dirige le canot dans les vagues en t'assurant de garder le canot en ligne droite. Le poids sera équilibré et cela donnera plus de stabilité.

Mais Serena ne bouge toujours pas, le visage figé par la peur.
— Serena! Magne-toi le cul! hurle Claude qui s'étouffe de plus belle et réalise avec inquiétude qu'il crache un peu de sang…

Il s'essuie rapidement la bouche pour ne pas que sa femme s'en aperçoive. À la suite des mots hurlés par son mari, elle revient à elle. Son cœur bat la chamade. Elle sent une intense bouffée d'adrénaline monter dans ses veines, alors qu'elle exécute machinalement les directives données par son mari. Elle enfile aussi sa veste de sauvetage, attache les rames et déplace le canot dans la position suggérée par ce dernier.

— Parfait ma chérie… Maintenant, pousse sur les rames et utilise-les pour conserver le canot dans le bon angle…

Serena se démène comme une folle, l'adrénaline faisant rosir ses joues et gonfler ses muscles. Elle pousse sur les rames au lieu de tirer, corrigeant constamment l'orientation du canot, qui avance à la rencontre des énormes roulis et, en moins d'une minute, le canot s'élève sur le premier, haut de six mètres. Elle est terrifiée devant ces montagnes noires mouvantes. Une douzaine d'impressionnants roulis se dressent un à la suite de l'autre devant le canot. Ils ne sont pas pointus ni écumeux, mais forts, ronds et très hauts. Le petit canot vogue sur le dessus pendant de longues minutes, au bout desquelles Serena en ressort totalement vidée d'énergie, la tête pendant entre les bras.

Contrairement aux roulis qui se sont déchaînés sur le navire, ces derniers sont remplis de débris de toutes sortes, principalement des branches, des troncs, des planches. De longues lignées boueuses et de l'écume brune sillonnent l'océan aux alentours. Le canot pneumatique se cogne à plusieurs reprises sur ces gros débris, se coinçant même dans des branches de sapinage un long moment alors que les roulis s'éloignent enfin. Serena dégage le canot au prix d'un ultime effort des branches de l'arbre aux épines pointues.

Lorsque la mer redevient enfin calme, elle s'effondre dans le canot en pleurant doucement. Ses muscles sont atrocement douloureux ; la peur qui l'assaillait se dissipe, laissant place à une pesante lassitude. Lorsqu'elle ouvre les yeux, elle constate que Claude est inconscient. Alarmée, elle le rejoint à quatre pattes et le secoue vigoureusement. Il réagit à peine. Du sang s'écoule de sa bouche et il a du mal à respirer. Les roulis ont passablement secoué le petit canot et les passagers ont été ballottés fortement contre les parois du pneumatique, Yhéo se retenant même de justesse pour ne pas passer par-dessus bord. Il pleure silencieusement en affichant un regard terrorisé, assis tout contre Claude.

Un lourd sentiment de désespoir l'envahit une fois plus. Elle regrette tant d'avoir voulu quitter le navire… Norrington prévoyait deux jours, mais cela fait maintenant quatre jours… Elle s'étend de tout son long contre son mari inconscient et le petit. Elle demeure immobile, les yeux dans le vague pendant plus d'une heure. Yhéo se lève peu après et récupère l'un des sacs à l'autre bout du canot et sort une bouteille d'eau. Il boit goulûment l'eau douce en se tenant debout dans le canot. Son visage s'éclaire soudain. Il secoue Serena et la tire de toutes ses forces :

— Venez voir ! Venez voir !

Elle se met péniblement debout et suit du regard le petit doigt pointé vers l'horizon. Elle scrute l'océan sans rien voir au début, puis elle distingue finalement, au loin, une ombre inégale longue de plusieurs kilomètres. Sans pouvoir y croire, elle frotte ses yeux.

— Oh… Enfin… murmure-t-elle.

Elle tombe à genoux et serre le petit dans ses bras. Elle pleure de joie.

— Claude ! Claude ! Réveille-toi ! Je vois la terre ! Il y a une bande de terre !

Elle secoue frénétiquement son mari, mais il ne réagit toujours pas. L'inquiétude la gagne et elle s'empresse de reprendre sa place derrière les rames. Sans se soucier des ampoules douloureuses et de sa fatigue extrême, elle rame et rame de toutes ses forces en direction de la bande de terre qu'elle aperçoit au loin. Faisant preuve d'une ténacité surprenante pour sa condition physique, elle s'active avec frénésie pendant plusieurs heures. Mais chaque fois qu'elle se retourne pour évaluer leur progression, il lui semble qu'ils avancent à peine. « Pourtant, la mer est redevenue calme. » Elle ne comprend pas… Ce que Serena ignore, c'est que la marée basse s'installe. Les eaux s'éloignent des terres et les emportent, de même que les débris, vers le large. Voyant que c'est peine perdue pour l'instant, elle abandonne les rames et soigne son mari toujours inconscient. Elle change ses pansements et le retourne sur le dos. Elle réalise avec horreur que le côté droit de son abdomen est bleu. Le sang de ses blessures s'est répandu à l'intérieur de son corps. « Il fait une hémorragie interne… » réalise-t-elle, atterrée.

Il a de la difficulté à respirer et la couleur de sa peau fait craindre le pire. Elle se sent affreusement impuissante. Ne sachant que faire, elle décide de le réveiller, espérant ainsi qu'il pourra lui dire quoi faire. Elle lui jette de l'eau au visage sans ménagement et le gifle violemment sur la joue. Il se réveille difficilement et s'exprime faiblement. Néanmoins, il sourit en voyant le visage de sa femme.

— Claude ! Réveille-toi !

— Mmm… Grrrmm…

— Allez ! Debout !

— Grrrrmm… Oh… Salut, toi.

— Claude ! Écoute-moi.

— Oui…

— Dis-moi ce que je dois faire. Tu fais une hémorragie interne.

— Grrrmmm. Oh… Serena, tu as vaincu les vagues ?

— Oui… et on voit une bande de terre au loin. Tiens le coup.

— ….

— Claude !

Claude peine à respirer, émet de longs sifflements et tente de garder les yeux ouverts.

— Claude !

— Oui… ma belle, je suis là.

— Dis-moi ce que je dois faire.

— Grrrmmm… Ramène le canot à terre, c'est tout.

— Je sais ça ! Mais je fais quoi pour toi ?

— Rien… Ahhhh…

Claude grogne de douleur en tentant de se redresser un peu. Il tousse faiblement et grimace.

— Ne bouge pas, reste allongé.

— D'accord…

— Je fais quoi ?

— Y a rien à faire, chérie. Tu le sais bien…

Il la regarde intensément. Elle lit dans son regard une expression résignée, mais détendue. Presque sereine.

— Non Claude ! Pas maintenant ! C'est trop tôt… Je ne suis pas prête pour ça… s'exclame Serena d'une voix anxieuse.

— Je sais… Mais ça va aller. Contente-toi de ramener le petit à terre, termine-t-il en dévisageant le gamin avec tendresse.

Elle caresse le visage de son mari en serrant sa tête contre sa poitrine. Elle embrasse son front, ses yeux, sa bouche… Il lui rend son baiser et sourit légèrement, les yeux dans le vague. Puis, il sombre à nouveau dans l'inconscience. Serena pleure longuement à gros sanglots, la tête de son mari reposant sur ses genoux. Elle hurle sa douleur et finit par s'endormir à ses côtés. Elle passe le reste de la journée entre le sommeil et l'éveil. Elle néglige même Yhéo, qui s'occupe de lui-même en jouant seul aux cartes, tout contre elle.

À la tombée de la nuit, elle ouvre ses bras au petit, qui vient s'y blottir. La nuit tombe sur une mer paisible parsemée de débris, arrachés des terres par les nombreux tsunamis qui ont dévasté les côtes au cours des derniers jours.

Tout au long de cette nuit noire, le canot se frotte à nouveau sur les billots et les branches à la dérive.

Chapitre 11

Le 8ᵉ jour

Lucy

Au petit matin, ils progressent toujours sur la voie déserte, après une nuit épuisante de chevauchée. Ils traversent plusieurs petits villages fantômes. La route est crevassée à plusieurs endroits et ils contournent certains tronçons. Ils ne croisent personne, à part quelques petits troupeaux de cerfs et une famille entassée dans un vieux Chevrolet wagon, qui les dépasse rapidement sans s'arrêter, laissant échapper un nuage de fumée noire par le pot d'échappement. Les heures de chevauchée passent, entrecoupées de quelques courtes pauses où Éric s'en donne à cœur joie et reprend les heures perdues en babillant allègrement.

Un petit ruisseau dévale la montagne où ils se réfugient pour passer la nuit. Aussitôt descendu de cheval, Éric repart de son agréable bavardage et Lucy s'éloigne pour faire une longue toilette à même le ruisseau où l'eau est froide et pure. Elle en profite pour se débarrasser de ses vêtements souillés. Elle est très fatiguée. Mais heureusement, le douloureux sentiment de désespoir s'est envolé et a fait place à une énergie nouvelle, alimentée par la présence stimulante d'Éric. Elle revient tranquillement auprès du feu préparé par Brian. Éric jacasse toujours gaiement et, à la vue de la femme qui approche, émet un commentaire qui les fait sourire :
— Finalement, vous êtes une jolie dame.

Éric fait allusion à toute la saleté et la poussière qui recouvraient sa peau, ses cheveux et ses vêtements. Elle rit. Lucy adore la franchise et la simplicité de cet enfant. Elle lui ébouriffe les cheveux et s'assoit près de lui. Il raconte ensuite comment il a vécu les événements des jours précédents et pourquoi sa petite sœur Alicia est différente des autres.
— Elle a une maladie que le docteur appelle « autisme ». Elle est gentille. Son jeu préféré est de faire rouler les petites voitures. Elle adore les films et la musique. Alors, je chante souvent pour elle. Elle ne parle pas beaucoup, et souvent je dois l'aider pour aller à la toilette. Mais je n'aime pas quand elle crie. Oh, ça non. Elle crie trop souvent; surtout quand elle a faim, ou lorsqu'elle est contrariée. Maman la réprimande souvent et l'enferme tout le temps dans sa chambre. Ça me rend triste.

Ils écoutent en silence le monologue du garçon. Lucy reste auprès du feu, tandis que les deux hommes s'éloignent pour installer des pièges et des collets, récupérés dans une boutique de chasse et pêche par Marc dans le centre commercial. Ils souhaitent ainsi attraper des petites proies, comme des lapins ou d'autres rongeurs. À leur retour, Marc raconte à Éric leur propre aventure depuis le premier jour, dans l'aérogare. Éric écoute le récit du jeune homme avec des yeux écarquillés. Ils partagent un repas composé de pain, croustilles, jambon en conserve et pois verts réchauffés. Ils ont le ventre plein et Éric s'active à éplucher une branche avec le petit canif de Lucy. Il veut fabriquer des flèches et un arc pour pouvoir chasser… Ils conviennent de dormir ici cette nuit et de repartir au petit matin seulement, l'épuisante chevauchée ayant mis rudement à l'épreuve leurs montures, qui broutent les arbustes avoisinants.

Éric s'endort le premier au bord du feu dans son sac de couchage à l'effigie de personnages connus de Disney, le bout de bois inachevé et le canif étalé sur son sac de couchage. Lucy le regarde dormir paisiblement. Ce petit être a survécu à plusieurs drames, et elle le trouve incroyablement fort pour faire face à ces durs événements avec autant de sérénité. Elle s'assure qu'il est bien emmitouflé et s'étend à ses côtés. Elle est heureuse d'avoir décidé de l'amener avec eux, et rien ni personne au monde n'aurait pu l'en dissuader.

Son esprit vagabonde, et elle est momentanément émue en songeant à son fils, Logan. Puis, elle se rappelle le comportement de la mère d'Éric; « quelle sorte de mère abandonnerait son fils ainsi? C'est inconcevable », se dit-elle, en dévisageant le gamin avec tendresse.

Étendue sur le dos, elle observe le ciel étoilé. Dans son esprit défile le visage rayonnant de son fils et ses yeux bleus identiques à ceux de son père, ses cheveux blonds ondulés coupés court, son petit sourire moqueur. Elle soupire. À nouveau, l'espoir de le revoir bientôt l'envahit et elle s'endort rapidement, le cœur léger. La nuit est étrangement calme; seules quelques petites secousses perturbent leur sommeil bien mérité.

Julie

Julie se réveille péniblement le lendemain matin. Sa tête tourne et ses muscles lui font très mal, son corps se nourrissant de cette ultime énergie. Étrangement, elle n'a plus faim. En ouvrant les yeux, elle observe autour d'elle et réalise qu'elle s'est endormie au même endroit où elle s'était assise hier; en face de Hémond. Elle n'a même pas le souvenir de s'être étendue et de ce qui s'est passé par la suite…

Elle se remémore leur conversation et est secouée d'un douloureux haut-le-cœur; mais rien ne ressort de son estomac vide. Néanmoins, elle comprend les raisons qui ont poussé Hémond à lui proposer une telle entente. « Il doit regretter amèrement n'avoir jamais pris le temps d'exprimer son amour à son fils. Leurs sacrifices, à lui et Édith, combleraient deux buts distincts, mais indiscutablement lié, » Elle tâte l'objet métallique dans sa poche et se sent confuse et désemparée. Son esprit divague. Sans qu'elle s'en rende compte, ses yeux roulent involontairement à quelques reprises. Elle finit par s'asseoir et retrouve un moment de lucidité. Elle désespère en voyant la désolation qui règne dans la suite. L'état avancé de sous-nutrition des petits est terriblement déchirant à voir.

Émanuel et Léo sont étendus côte à côte et respirent superficiellement aux côtés de Franck, qui veille sur eux. Ils semblent agités dans leur sommeil, marmonnant et geignant. Julie remarque que leur ventre a commencé à gonfler. Et elle sait pourquoi : « la masse musculaire de leur abdomen n'arrive plus à supporter le poids des petits viscères. Leur ventre gonflé est une alarme de point de non-retour. Et les conséquences de la sous-nutrition à cet âge peuvent causer des dommages irréversibles au cerveau et d'importants retards de croissance. Tout comme chez les enfants du tiers-monde… » songe-t-elle douloureusement.

Angy pleurniche dans les bras de Rick, qui a de larges cernes sous ses yeux hagards. Isabelle et Pedro sont éveillés et étendus dans un fauteuil d'osier. Ils ont aussi un regard vide, sans expression. Danielle respire difficilement, émettant de longs et bruyants sifflements. Peter se tient debout, accoté sur le pas de la porte de la salle de bain, un bras devant les yeux. Il souffre aussi d'étourdissements et de nausées. Et lorsqu'il se place en position assis ou couché, ses côtes fêlées l'empêchent de bien respirer. Alors, il demeure debout la plupart du temps. Jonathan et François sont apparemment endormis, étendus sur le sol frais.

Julie a peur. Elle sait ce qu'elle doit faire, mais son esprit refuse d'accepter une telle idée. Sans savoir comment réagir, elle demeure plantée là pendant des heures, les mains moites. Vers l'heure du midi, elle finit par se lever pour faire boire Émanuel, qui demeure étendu sur le lit. Il somnole la plupart du temps. Lorsqu'il revient à lui, c'est pour pleurer et geindre. Julie tente de le réconforter du mieux qu'elle peut, souffrant de ce terrible sentiment d'impuissance qui lui serre la poitrine et le haïssant. Elle étudie les expressions de Franck, Peter et Danielle, qui angoissent autant qu'elle. Ils savent que la mort guette dorénavant les petits. En milieu d'après-midi, elle décide de descendre à la chambre de Hémond et d'Édith. « Juste pour voir. »

Elle s'esquive discrètement, mais une trouille immense la fait trembler de tous ses membres. Elle transpire et son cœur bat rapidement.

François, installé près de la porte comme à son habitude, s'enquiert de sa destination. Elle ne répond pas, mais lui fait comprendre que tout va bien. Mais en fait, elle est terrifiée. Elle marche en s'appuyant sur les murs jusqu'à l'escalier. Essoufflée, elle descend très lentement et atteint la chambre du quatrième étage. La porte est entrouverte, retenue par une chaussure. Julie se tient devant celle-ci un bon moment en chancelant involontairement. Finalement, elle cogne timidement. Pas de réponse. Elle pousse la porte et s'avance dans la pièce, où la pénombre règne. Les rideaux sont tirés et une douce odeur de parfum masculin flotte dans l'air. Elle distingue Hémond étendu sur son flanc gauche, à côté de sa douce, le bras droit entourant les épaules dénudées de sa femme. Il s'est coiffé et refait une toilette. Julie l'appelle doucement par son prénom, mais il ne répond pas. Elle traverse la chambre, ouvre les épais rideaux, et la lumière innonde la pièce. Toujours angoissée, elle examine le couple en frottant nerveusement ses mains, se sentant coupable d'être seulement entrée. Son estomac se tord douloureusement.

Hémond lui fait un peu penser à son père avec ses cheveux blancs et sa barbe. Ses pensées bifurquent inconsciemment vers ses parents, qui doivent être morts d'inquiétude. Ils sont retraités depuis peu et fuient l'hiver nordique en voyageant dans le sud de la Floride et du Texas, de la fin octobre à la fin avril. Son intuition lui laisse croire qu'ils se portent bien. Elle sort de ses pensées et s'approche du lit. Elle remarque du sang séché qui s'est écoulé le long du poignet droit de Hémond jusque dans les draps. Elle comprend qu'il a mis fin à ses jours en s'ouvrant les veines…

Elle vérifie son pouls à la gorge ; aucune pulsation, mais son corps est encore tiède. Julie passe de l'autre côté du lit et vérifie ensuite le pouls d'Édith. Elle est morte. Son corps est presque froid. Elle s'éloigne prestement, lorsqu'elle trébuche sur un objet par terre qu'elle repousse machinalement du pied. C'est un sac de voyage en cuir bleu marine, dont la fermeture éclair est entrouverte. Elle le prend et farfouille à l'intérieur. À sa grande surprise, elle y découvre de petits flacons de comprimés de vitamine C, de multivitamines pour adultes et de comprimés antiacides Tums.

Elle sautille de joie. Les mains tremblantes, elle soulève le couvercle et croque d'un coup trois comprimés de vitamine C. Elles ont un goût délicieux, et Julie s'en délecte. Elle hésite un instant et remet le tout dans le sac. Elle sort rapidement, le sac en bandoulière. Mais elle doit se résoudre à monter les

marches à quatre pattes, les muscles de ses cuisses refusant de la soutenir sous cet effort continu. Arrivée en haut de l'escalier, François vient à sa rencontre. Elle est tellement essoufflée qu'elle n'arrive qu'à prononcer :
— J'ai de la bouffe… des vitamines.

François porte le sac à son épaule et ramène Julie dans la suite en la soutenant fermement. Puis, les deux s'assoient par terre et François sort les précieux flacons. Le visage du jeune s'éclaire d'un large sourire de soulagement et il invite les autres à venir se délecter. Les enfants n'arrivent presque plus à se mouvoir et Julie, toujours à quatre pattes et tremblante, insère dans leur bouche des comprimés de vitamine C et de Tums. Tous savourent le délicieux goût des comprimés à saveur de fruits. Les enfants en redemandent, et de nouveaux comprimés leur sont distribués. Au bout d'une heure, une énergie nouvelle se manifeste chez les petits.

Julie remarque que Franck s'empare du sac vidé des vitamines, qui contient toujours des médicaments. Une légère euphorie règne dans la suite pendant quelques heures. Mais cette ambiance est de courte durée, car le sucre contenu dans les comprimés sucrés déclenche une crise d'hypoglycémie sévère chez tous. Cette affreuse sensation de grande faiblesse, de fébrilité soutenue, de tremblements et d'étourdissements affecte particulièrement les enfants, Julie et Rick. Un cercle vicieux dangereux s'ensuit toute la soirée et la nuit, car le désir incontrôlable de manger, provoqué par les effets néfastes de l'hypoglycémie, et les douleurs reliées à la faim se font sentir de plus belle, au grand désespoir de tous.

Une fois les enfants endormis, Franck entame une grave discussion concernant l'urgence de la situation. Il s'adresse aux adultes et aux ados, décrivant, avec peine, les symptômes du catabolisme. Ces propos ont l'effet d'un coup de poignard sur les ados et les adultes, qui restent tous muets de stupeur. L'intolérable sentiment de fin du monde leur tombe sur la tête. Rick, totalement désespéré, avoue qu'il aurait préféré qu'ils meurent tous rapidement dans le tsunami au lieu de mourir cruellement à petit feu, l'un après l'autre. François pleure ouvertement pour la première fois, incapable de se retenir plus longtemps. Il demande alors à la volée d'une voix en peine :
— Mais qu'est-ce qu'on peut faire ?

Au prix d'un immense courage, Franck, visiblement très ému, lance d'une petite voix rauque en soulevant le sac de Hémond :
— Il y a assez de médicaments là-dedans pour les faire partir rapidement et sans souffrance…

Julie explose de douleur. Elle hurle et martèle le sol à gros coups de poing.

— Non ! Non… non, non, non.

Elle laisse libre cours à la vive douleur qui lui déchire le ventre. Elle appuie son front contre le sol, pleurant intensément, ses larmes mouillant le carrelage… La scène est déchirante et Jonathan tente de consoler sa mère, inconsolable. Julie sait que l'intention de Franck est tout à fait louable, qu'il ne cherche qu'à stopper cette souffrance et à les préparer à l'insurmontable chagrin de leur mort prochaine. Inévitable. Mais elle n'accepte pas d'abandonner, de tuer ainsi son propre enfant.

— Ça ne se peut pas, murmure Danielle. On ne peut pas en être rendus là. Non, ce n'est pas possible…pas déjà.

L'idée de devoir mettre fin aux souffrances des petits en leur enlevant la vie leur est insoutenable. En être rendu à devoir envisager une telle option leur semble de la pure folie. Tout le monde pleure, sans exception, pendant de longues minutes, même Pedro, qui a saisi la signification des paroles de Franck en observant la réaction des autres. François s'est recroquevillé en boule sur le plancher, s'en voulant d'avoir rebroussé chemin lors de sa tentative de sortie avec Rick, quelques jours plus tôt. Franck dépose le sac au bord du lit et rejoint Léo en grimaçant de douleur. Jonathan s'étend aux côtés d'Émanuel et l'étreint doucement, posant sa tête tout contre sa poitrine. Émanuel transpire abondamment et gémit. Julie se joint finalement à eux et murmure des paroles douces, espérant innocemment faire disparaître les tourments de son petit. Mais il n'a même pas conscience de la présence de sa mère. Elle baise le petit front et hume l'odeur de sa peau une fois de plus, songeant avec effarement qu'il s'agit peut-être de la dernière fois… Sa détresse est atroce et elle gémit en caressant le front de son enfant condamné, et le berce une partie de la nuit.

La nuit est affreusement pénible. En plus des douleurs musculaires et du désespoir, des pertes temporaires de lucidité les affectent. Et plus particulièrement les enfants, qui demeurent les yeux ouverts sans voir et prononcent des paroles incohérentes en tremblant.

Au petit matin, Julie se réveille à nouveau. Elle a dormi à peine deux heures, mais se souvient avoir rêvé. Dans son rêve, son oncle Ted attendait d'un air anxieux dans une aire de stationnement d'un complexe sportif, un genre de… stade. Il portait le populaire manteau vert arborant le logo des «Aigles», représentant une équipe de hockey dont plusieurs hommes de la famille ont fait partie pendant de nombreuses années. Elle se souvient que tous les vendredis soirs, toute la famille se rendait à l'aréna ; soit pour jouer, soit pour encourager. Tous les joueurs portaient fièrement ce manteau, confirmant leur appartenance à l'équipe. Même les épouses des joueurs et leurs enfants portaient aussi fièrement le manteau vert. Dans son rêve, son oncle portait ce manteau et les cherchait du regard parmi une foule en colère...

En se réveillant, Julie a l'étrange sentiment, l'intuition plutôt, que les siens sont en route pour les secourir et qu'ils se rejoindront quelque part dans une ville étrangère. Julie ressent brusquement un urgent besoin de partir d'ici. Le plus rapidement possible. De quitter le réconfort de l'hôtel et de rejoindre les montagnes. « Mais nous sommes beaucoup trop faibles... Nous ne tiendrons pas une heure dehors », réalise-t-elle.

Elle regrette d'avoir trouvé les comprimés. Elle aurait aimé prendre sur ses épaules toute la souffrance endurée par les enfants pour les en soulager. Mais elle ne peut qu'admettre cruellement sa propre impuissance. Son estomac se tord encore, causant une puissante douleur entre ses seins. Elle geint fortement. C'est une douleur viscérale. Intolérable. Son corps tente de lui transmettre un message vital. Elle se remémore alors la signification de cette puissante douleur au plexus solaire : le cœur et l'esprit ne s'entendent pas...

Alors malgré la tourmente et ses pertes de lucidité temporaires, elle tente d'éclaircir son esprit. Elle cherche la réponse. Car elle sait bien que son esprit d'analyse lui fait rarement défaut. Bien qu'elle ne recherche pas à atteindre la perfection, en elle réside le désir naturel de s'améliorer, d'apprendre. De comprendre. Elle s'efforce d'ouvrir son esprit pour comprendre. Elle sait qu'elle doit se préparer à accepter... à lâcher prise pour tendre la main sur l'offre... de Hémond. Progressivement, la rage remplace la douleur. Elle s'en veut tant de ne pas avoir agi autrement. De ne pas avoir fait ce qu'il fallait la veille. D'avoir fait souffrir tout le monde. Pour rien. Quelques secondes de bonheur pour des heures de souffrance... Elle s'en veut d'avoir voulu croire que la réponse à sa demande aux mains de la vie était les fruits, puis les comprimés de vitamines...

« Je dois admettre l'inconcevable. Mais c'est si difficile à faire... Pourtant, il le faut. C'est vital. Essentiel. Peu importe ce que les autres penseront de moi. Peu m'importe de me faire juger... Peu importe le reste du monde. Je ne baserai pas une décision si vitale sur la peur du jugement... Mon enfant survivra, coûte que coûte. Je veux sortir d'ici avec mes deux enfants. Je veux les voir jouer et courir. Grandir. Je veux être grand-mère et pouvoir ressentir la joie de choyer mes petits-enfants. Et... et je remettrai la montre et la lettre à Benjamin, tel que promis. »

Cette dernière pensée met fin à son processus d'acceptation. Les sourcils froncés, les yeux mouillés de larmes, mais le regard déterminé, elle dévisage avec amour son jeune fils Émanuel…

Serena

Au petit matin, elle se réveille avec les yeux bouffis. Le canot semble enfin se rapprocher, petit à petit, de la bande de terre. Le soleil se lève derrière celle-ci et Serena estime qu'en ramant toute la journée, ils seront en mesure d'atteindre le rivage avant la nuit.

Claude est toujours étendu sur le dos, inconscient. Il respire superficiellement et son corps est tiède. Elle le recouvre de chaudes couvertures et tente de le forcer à boire. Mais l'eau s'écoule de sa bouche et il s'étouffe faiblement, sans revenir à lui. Puis, un vent important se lève en provenance de l'ouest. Elle installe Yhéo, qui dort encore tout contre son mari. Elle a un étrange pressentiment en humant le vent doux. Sans pouvoir se l'expliquer, elle devine qu'elle n'est pas au bout de ses peines… Elle enfile son imperméable, répare rapidement ses mitaines de fortune et s'installe de nouveau derrière les rames. Au fur et à mesure que les heures passent, le vent augmente en intensité et des vagues pointues et menaçantes de plus de deux mètres se brisent contre le canot. L'orientation du vent et des vagues ramène le canot constamment vers le sud, et elle se rend compte qu'ils longent la bande de terre sans réussir à s'en approcher. À son grand désespoir.

L'océan bleu profond est parsemé de centaines de moutons blancs. À chaque vague, de l'eau de mer s'engouffre dans le canot endommagé, malgré ses efforts pour maintenir l'embarcation dans la position appropriée. Yhéo, qui s'est réveillé depuis un bon moment à cause de cette agitation, s'est blotti instinctivement entre ses jambes. Le pneumatique se remplit d'eau de par la section dégonflée jusqu'à hauteur de deux pouces, mouillant les chevilles de Serena… Les heures passent et Yhéo peine à sortir l'eau à l'aide de deux gobelets de plastique. Le petit est trempé des pieds à la tête et grelotte de froid, tout comme elle.

Au coucher du soleil, un impressionnant spectacle s'offre à elle et Yhéo. De gros nuages menaçants s'annoncent à l'ouest, zébrant le ciel d'éclairs. Elle comprend alors que ses craintes étaient fondées. « Cette épreuve impitoyable n'est pas terminée… » La nuit tombe sur une mer déchaînée alors qu'un miniouragan, nommé bombe atmosphérique dans cette région du globe, s'abat sur leurs têtes…

Chapitre 12

Le 9ᵉ jour

Lucy

Elle se réveille au petit matin. Le soleil ne s'est pas encore levé, mais une faible lueur pointe à l'horizon. Les chevaux semblent à nouveau nerveux. Ils s'agitent en tapotant le sol. Elle s'assoit et frotte ses yeux. Machinalement, elle ravive le feu et constate avec surprise que les sacs de couchage de Brian et Marc sont vides. Elle regarde autour d'elle, mais ne les voit pas. « Ils sont partis vérifier les collets », se dit-elle. Alors, elle se lève et s'étire. Il est encore tôt, mais ils devront partir bientôt pour espérer atteindre Reno demain en fin de journée. Son attention est à nouveau attirée par l'agitation des chevaux. Elle jette un regard circulaire autour d'elle pour trouver ce qui les rend à ce point nerveux. Elle tend l'oreille. Rien. « Ils doivent ressentir un tremblement de terre imminent… » se dit-elle.

Elle s'accroupit à quatre pattes pour plier son sac de couchage. Dans la pénombre, à quelques mètres d'elle, un regard froid luit à la lueur des flammes ravivées. L'animal a les yeux rivés sur elle. L'instinct de Lucy la pousse subitement à arrêter son mouvement et elle tourne la tête dans cette direction. Elle aperçoit l'animal tapi dans les buissons. Son cœur s'emballe follement et elle brasse vigoureusement la braise à l'aide d'un bâton afin d'effrayer l'animal. Mais la bête demeure là, immobile, la fixant toujours intensément. Lucy vérifie vivement au loin si les hommes sont près ; mais ils sont absents. Lorsqu'elle tourne à nouveau son regard vers la bête, elle s'étonne de la voir s'avancer de quelques pas en rampant au ras du sol. À l'affût de sa proie. Elle est maintenant à huit mètres de la braise rougeoyante. Lucy réalise que la bête s'apprête à bondir.

Sans hésiter et sans même trouver étrange d'être à nouveau confrontée à cette bête, elle s'élance par-dessus le feu en direction du prédateur en faisant virevolter son bâton au-dessus de sa tête. Elle crie et grogne de façon menaçante, tout comme Brian l'a fait quelques jours auparavant. Mais contrairement à ce qu'elle aurait cru, le prédateur, après un bref moment de surprise, bondit férocement en avant en se dévoilant complètement. C'est un lion de montagne adulte. Un mâle. Il arbore une fourrure beige sur tout le corps, noire autour des yeux et de la gueule. Il est massif et son poil est hirsute sur le dos, tel un chat irrité. Son pelage est taché de boue ou de sang ; elle remarque une blessure à une patte arrière. Le félin adopte instinctivement une position d'attaque et ouvre sa large gueule, démontrant ses longues canines, les oreilles retournées vers l'arrière en signe d'agressivité. Il crache et donne des coups de griffe face à son adversaire.

Lucy est décontenancée devant ce comportement. Elle s'attendait vraiment à ce qu'il s'enfuît. Au même moment, Éric, réveillé en sursaut par les cris rauques de Lucy, pleurniche dans son sac de couchage à la vue du dangereux prédateur. L'attention de la bête est aussitôt détournée par les petits sons plaintifs du gamin. Le félin s'approche dangereusement de lui, passant tout près du feu et de Lucy, qui agite toujours le bâton au-dessus de sa tête en grognant férocement. Mais le prédateur voit en Éric une proie plus facile que Lucy. Alors que le couguar s'apprête à bondir sur l'enfant, Lucy s'interpose subitement entre eux en hurlant de plus belle, faisant tournoyer le bâton au-dessus de sa tête encore une fois. Le prédateur recule en donnant de vigoureux coups de patte que Lucy évite de justesse. Visiblement, le couguar n'a pas l'intention d'abandonner, et les cris plaintifs répétés du gamin ne font qu'attiser davantage son instinct de chasseur.

Voyant que son manège ne dissuade pas le prédateur affamé, elle comprend qu'elle doit l'attaquer véritablement pour le faire fuir. Elle inspire profondément et laisse monter en elle un courage nouveau. Elle referme sa grippe sur le bâton et serre les dents de rage retenue. Des frissons parcourent ses avant-bras. Elle se rue alors sur le félin, hurlant et crachant des insultes en tentant désespérément de le frapper à la tête. Tout ce temps, Éric est terrifié et demeure complètement paralysé dans son sac de couchage en gémissant de plus belle.

Lucy assène une rafale de coups sur le couguar pendant que celui-ci cherche par tous les moyens d'atteindre la petite proie derrière. Lucy persévère et redouble d'efforts, souhaitant ardemment que les hommes entendent ses cris et se joignent à elle pour affronter cette misérable bête. Mais le prédateur contourne Lucy malgré les coups qu'il reçoit pour attraper Éric. Il griffe le sac de couchage du petit et celui-ci lâche un cri de terreur qui stimule le prédateur, bondissant subitement malgré les coups de bâton.

Au moment même où il bondit sur sa proie sans défense, Lucy lui assène un impitoyable coup sur le crâne. La bête s'écrase momentanément sur le corps d'Éric, puis s'empresse de saisir son bras et le tire sur deux mètres. Désespérée, elle pourchasse l'animal en le mitraillant de coups, mais la bête s'éloigne néanmoins avec son butin. Le petit hurle de terreur et de douleur. En proie à la panique, elle s'élance vers le feu et se saisit d'un bout de bois à demi brûlé dont l'extrémité est en braise. Elle bondit directement sur le dos de l'animal, enfonçant le bout brûlant dans la chair du cou. Le couguar réagit vivement sous la douleur et se débat furieusement, lâchant sa proie. Lucy recule devant les élans féroces du couguar qui rattrape aussitôt Éric et tente de s'enfuir à nouveau dans les buissons.

C'est alors qu'en un éclair, Lucy prend la décision la plus importante de sa vie. Elle décide de jouer sa vie pour celle d'un gamin qui n'est pas le sien. La pensée de laisser cet enfant être dévoré sous ses yeux lui est insupportable. La rage dissipe instantanément sa peur, diminue son rythme cardiaque et durcit son regard. Elle serre les poings. Une puissante montée d'adrénaline inonde ses veines pour lui permettre d'accomplir ce geste inimaginable. Elle ramasse le bout de bois brûlant et se jette littéralement sur le dos du couguar. Ce dernier est déstabilisé sous ce poids et se retourne pour griffer profondément Lucy avec ses pattes arrière, cherchant à se libérer de son emprise. Elle hurle de douleur, mais ne lâche pas prise. Elle s'entête à s'accrocher à l'épaisse fourrure et enfonce furieusement le bâton brûlant dans la gueule de la bête. Éric s'éloigne en se traînant sur le sol, se rapprochant du feu. En état de choc, il assiste à la lutte horrible sans pouvoir détourner la tête, ni s'enfuir.

La bête et Lucy roulent sur le sol, s'agrippant l'une à l'autre. Les hurlements de Lucy se mêlent aux cris féroces du félin. La femme se débat aussi violemment que le prédateur, mais ne lui cause pas autant de blessures que lui. Les griffes acérées laissent de profondes lacérations dans ses cuisses et son ventre. Les puissantes mâchoires du couguar se referment sur la tête de Lucy, au niveau du visage. Il y enfonce ses canines jusqu'à l'os. Une douleur fulgurante lui transperce le crâne, et elle hurle de rage et de souffrance. Du coup, elle lâche son bâton.

Sentant que la bête prend le dessus, elle tente maintenant de se défaire de cette emprise. Elle lui assène des coups de poing et essaie de l'étrangler, mais sans succès. La bête tente de retourner Lucy sur le dos pour lui ouvrir la gorge, mais celle-ci résiste farouchement. D'instinct, elle protège sa gorge. Le sang coule le long de ses joues et elle sent la chaleur du souffle de l'animal sur sa peau. Sa langue rugueuse frotte son nez, ses joues. Elle se sent soudain désemparée, réalisant qu'elle ne sait pas comment sortir de la puissante gueule de cette bête cruelle à mains nues. Mais malgré l'intense douleur, son cerveau fonctionne à toute vitesse. Du coin de l'œil, elle remarque le feu. « C'est ça ! Le feu ! » Elle se concentre alors pour faire naître en elle une rage meurtrière pour générer une dose d'énergie spectaculaire. « Je n'ai pas survécu jusqu'ici pour mourir ainsi, sale bête ! » rage-t-elle. Son désir de survivre est si fort qu'elle sait à cet instant précis qu'elle doit tuer le couguar pour survivre. Et sauver Éric. Elle laisse échapper un grognement rauque hors du commun, surprenant du même coup son agresseur.

Malgré l'intense douleur des entailles et de la puissante gueule qui enserre son crâne, elle agrippe fermement à deux mains le pelage de l'animal couché sous elle. Elle soulève farouchement la bête par petits coups en s'aidant de ses pieds. Elle hurle sa rage et sa douleur à chaque effort. Le prédateur, qui avoisine les soixante-dix kilos, tente par tous les moyens d'immobiliser sa furieuse proie. Le couguar reste fermement agrippé à Lucy, la griffant de plus belle. Mais celle-ci traîne inlassablement le couguar sur le sol en direction du feu, avec une énergie meurtrière. Les canines pointues meurtrissent sa chair, mais elle s'acharne avec ténacité. Approchant du feu de braises, elle réunit ses dernières énergies. Elle empoigne avec force le pelage de la lourde bête et la fait basculer dans les braises rougeoyantes en maintenant son propre corps par-dessus. En proie à une vive douleur, le couguar relâche aussitôt le crâne de Lucy pour se dégager. Mais elle reste affalée de tout son long sur la bête et la retient délibérément en affichant un rictus cruel, se brûlant même les bras dans la braise. Le prédateur mord alors frénétiquement la tête de Lucy, crachant et se tortillant férocement pour se dégager. Lucy hurle de douleur et place son bras à la hauteur de la puissante mâchoire du couguar pour se protéger la tête. Paradoxalement, elle lutte pour empêcher la bête de s'enfuir.
— Je vais te faire la peau, salope de bête ! hurle-t-elle.

Elle est totalement enragée et hurle furieusement. Elle est à deux doigts de la folie. À la lueur de la braise, la lame brillante du petit canif de Théo scintille. Elle s'en saisit et l'enfonce furieusement à plusieurs reprises dans le cou du prédateur, qui se débat de plus belle en crachant férocement. Elle taillade frénétiquement son épaisse fourrure, faisant jaillir un peu de sang alors que le félin se débat mortellement. Il mord et griffe de plus belle. Lucy le retient obstinément, malgré l'intense douleur… Mais la puanteur de la chair brûlée du félin lui monte à la tête. Le sang du prédateur se mélange maintenant abondamment à celui de Lucy, le petit canif ayant sectionné l'aorte du couguar… En proie à un étourdissement fatal, ses forces diminuent. Elle perd conscience alors qu'il lui semble entendre des voix qui se rapprochent… Le dangereux prédateur se débat faiblement quelques instants encore, griffant et mordant le corps inerte et ensanglanté de Lucy. Puis, il cesse de se débattre, une seule patte arrière bougeant encore, secouée par des spasmes nerveux. L'animal rend son dernier souffle alors que les hommes arrivent en courant…

Marc et Brian assistent à la scène finale. Une scène d'horreur. Pétrifiante. Une forte odeur de chair et de poils brûlés flotte dans l'air et Lucy, complètement ensanglantée, gît, inerte, sur un couguar étendu dans la braise fumante. Le crâne de la femme est prisonnier des serres du prédateur. Les deux hommes sont sidérés d'effroi.

Éric gémit en se balançant d'avant en arrière, les yeux dans le vague. Son petit bras blessé est replié contre lui. Il tremble et des larmes roulent sur ses joues rondes. La lueur du soleil levant éclaire partiellement l'affreuse scène, démontrant les traces laissées sur le sol, qui témoignent de l'intensité du combat et du parcours réalisé par les vigoureux combattants. En proie à la panique, les deux hommes se précipitent pour dégager Lucy des crocs de la bête. Ses vêtements sont en lambeaux et son visage est complètement recouvert de sang et de terre. Ils étendent leur compagne sur son sac de couchage et s'empressent de découper ses vêtements. La peau de son crâne est transpercée d'une vingtaine de trous laissés par les canines pointues. Un bout de peau pend lamentablement au-dessus de son oreille droite, dévoilant son crâne mis à nu. Son corps est couvert de dizaines de lacérations profondes qui saignent abondamment et d'une vingtaine d'autres, plus petites. Brian essuie les larmes qui embrouillent son regard alors qu'il dévêt son corps mutilé et ensanglanté. Un terrible sentiment de culpabilité l'envahit : « je l'ai laissée seule avec le garçon… J'aurais dû m'en douter, j'aurais dû le savoir », songe-t-il avec désespoir.

Il vérifie son pouls ; il bat presque normalement. Mais il découvre que les avant-bras de Lucy sont également brûlés. Il tente de la réveiller à plusieurs reprises, mais sans succès. Il entreprend alors une longue et cruciale démarche : freiner les saignements en appliquant différentes pressions sur ses blessures. Pendant ce temps, Marc extirpe le corps du prédateur qui rôtit dans la braise et ranime le feu pour faire chauffer de l'eau. Il panse ensuite les blessures d'Éric et le rassure rapidement. Une odeur persistante de poils brûlés emplit l'air, tandis que Marc récupère plusieurs récipients, qu'il remplit avec l'eau du ruisseau, et met celle-ci à chauffer sur le feu. Il rejoint ensuite Brian au chevet de leur amie inconsciente.

Ils sont consternés devant le nombre de morsures et d'entailles qu'elle porte sur son corps. Marc en dénombre plus de soixante ! « Quel combat impitoyable elle a dû livrer… » songe douloureusement Brian. Heureusement, Lucy portait des vêtements épais, ce qui a contribué à réduire la profondeur des lacérations et limité l'écoulement sanguin. Alors qu'il la dévêt délicatement de ses sous-vêtements, Lucy s'éveille soudain, hurlant de terreur en se redressant sur son séant. Brian s'empresse de la réconforter et la force à s'étendre. Les yeux de Lucy tournent dans le vague et elle perd à nouveau conscience. Marc apporte tout le matériel de premiers soins dont ils disposent. Il lui injecte aussitôt une dose de sédatifs. Le nombre de bandages de rapprochement est insuffisant, et ils n'ont d'autre choix que d'utiliser un ensemble de couture de poche trouvé dans le sac de Lucy pour suturer de fil bleu et noir les profondes lacérations. Marc désinfecte ses blessures à l'aide des tampons d'alcool, nettoie et panse les plaies. Brian doit même couper une partie de ses longs cheveux noirs afin d'appliquer les nombreux points de suture à son cuir chevelu endommagé. Son corps est affreusement mutilé, de la tête aux pieds. Brian prend plus d'une heure à coudre sa compagne et s'attarde délicatement et bien malgré lui sur la profonde coupure à son pubis… Marc soigne les brûlures de ses avant-bras, appliquant les tubes d'onguents et les bandages disponibles.

Deux bonnes heures plus tard, ils ont effectué un travail colossal, considérant les outils disponibles et leurs habiletés limitées dans ce domaine. Ils se sont appliqués du mieux qu'ils ont pu, suturant toutes les entailles et les morsures, désinfectant et pansant les plaies. Lucy est en sueur et son corps est secoué de tremblements involontaires. Brian lave doucement le corps de celle-ci à l'eau chaude et l'enveloppe dans des couvertures en l'installant près du feu. Il essuie à nouveau ses larmes en regardant le visage irrévocablement défiguré de Lucy. Il met ses mains devant ses yeux et laisse libre cours à son chagrin. Il s'en veut tellement de l'avoir laissée seule ! Il pleure sans retenue devant son fils, qui est tout aussi ému. Il prépare du thé, des comprimés d'antibiotiques et d'analgésiques qu'il tend à son père. Ce dernier la réveille pour lui faire avaler les comprimés d'antibiotiques, car ils redoutent une infection rapide. Elle revient tranquillement à elle une heure plus tard. Elle entend les hommes discuter entre eux, sans réellement comprendre le sens de leurs paroles.

— … elle ne peut pas rester ici. Il lui faut des soins.

— Je sais. Mais elle ne peut pas voyager pour le moment. Nous devrons attendre quelques jours qu'elle prenne du mieux, et ensuite nous l'amènerons à l'hôpital de Reno.

Elle gémit. Un seul œil ouvre complètement, l'autre ayant été pansé, car une morsure a transpercé la paupière au-dessus de son œil droit. Elle tente de remuer, mais tout son corps lui fait très mal et lui arrache un cri de douleur. Les lacérations sont comme des brûlures partout sur son corps. Brian voit à l'air interrogateur de Lucy que cette dernière ne se souvient pas de ce qui s'est passé. Il lui sourit tendrement, heureux de la voir enfin se réveiller. Lorsque Lucy contemple l'expression de Brian penché au-dessus d'elle, les

souvenirs refont soudainement surface… Elle le dévisage intensément et lui pose la seule question qui lui importe vraiment :
— Ai-je tué le salopard ?

Elle a du mal à parler, tant ses lèvres sont boursouflées.
— Oui.

Elle ferme les yeux et sourit légèrement, douloureusement.
— Et Éric ?
— Il va bien… fait-il avec un sourire amusé, faisant référence au babillage incessant du garçon qui a repris, car il entretient de nouveau, et seul, la conversation avec Marc.

Elle ferme alors les yeux et arbore un autre sourire, accompagné d'un long soupir de soulagement. Elle rit doucement, ses épaules sautillant sous la couverture. Puis, elle se met à rire franchement à gorge déployée. Elle est si incroyablement soulagée ! Si fière d'elle… Elle n'a plus peur de ce foutu animal désormais, et une fierté immense la submerge… Elle rit et pleure à la fois pendant une longue minute, habitée par un sentiment euphorique d'accomplissement complet. Des larmes de joie et de douleur roulent le long de ses tempes suturées. Brian observe d'un air perplexe la réaction de son amie. Il lui vient à l'esprit qu'elle a peut-être momentanément perdu la raison… Puis, il comprend qu'elle ne fait qu'exprimer son intense soulagement. Il lui prend alors la main et lui murmure à l'oreille :
— Vous êtes la personne la plus courageuse que j'aie rencontrée. Je vous admire.

Elle devine plus qu'elle n'entend ces quelques mots prononcés avec sincérité. Elle se calme progressivement, mais si elle sait déjà que cette lutte cruelle la hantera à jamais en lui laissant des séquelles physiques importantes. Navrantes. Malgré tout, elle est royalement fière d'avoir survécu et d'avoir tué la maudite bête. Contre toute attente.

Elle fronce les sourcils. « Une fois de plus, j'ai survécu à l'impossible. Pourquoi ? Pourquoi est-ce que je ressens le besoin viscéral de survivre à ce point ? Pourquoi mes sentiments envers ce gamin viennent-ils d'aussi profond que mes tripes, comme s'il s'agissait de mon propre enfant ? » Bien qu'elle ne trouve pas de réponses immédiates à ses questions, Lucy se doute qu'elles viendront bientôt… Brian, toujours penché sur sa compagne, observe avec inquiétude l'expression de son visage… Il voit bien que son esprit est à mille lieux. Lorsqu'elle revient vers lui, ils se dévisagent longuement. Silencieusement.

Elle fait mine de vouloir s'asseoir, mais Brian cloue ses épaules au sol. Il insiste pour qu'elle demeure étendue et lui demande de boire un peu de thé ou de la soupe. Elle réussit à boire quelques gorgées, mais son corps se met à trembler involontairement. Elle entre en état de choc. Brian l'oblige à avaler de nouveaux comprimés d'antibiotiques et d'antidouleur. Elle obtempère en s'étouffant.

— Vous risquez de vous empoisonner par une infection du sang. Avalez ces comprimés et tentez de vous rendormir.

Elle acquiesce d'un léger signe de tête et gémit à cause de la douleur lancinante pendant de longues minutes avant de s'endormir enfin. Éric s'accroupit près d'elle lorsqu'elle est endormie et lui caresse doucement la main. Il raconte à Marc et à Brian le déroulement de l'attaque soudaine et l'incroyable courage de la femme pour lui sauver la vie. Stupéfaits, les deux hommes écoutent le récit du gamin. Brian sait qu'il est très rare qu'un couguar s'attaque à l'homme, et il désire absolument comprendre pourquoi. Il examine les restes de l'animal à moitié brûlé et remarque que sa patte arrière est blessée. « C'est une blessure majeure infectée qui remonte à plusieurs jours. Une blessure qui peut empêcher le prédateur de chasser ses proies habituelles, car il ne peut courir suffisamment vite. Et Lucy dégageait une odeur de sang à cause de ses règles… Une proie facile. La seule proie des environs. »

Il se sent d'autant plus coupable, connaissant ce détail important… Incapable d'en supporter davantage, il s'éloigne un moment. Le temps de se calmer. « C'est clair que sa rencontre avec des félins les jours précédents n'était pas due au hasard… J'aurais dû m'en douter… Il s'agissait d'avertissements, d'indices… » Il relève la tête en regardant le soleil timide percer à travers les nuages de gaz à plusieurs kilomètres d'altitude et se promet solennellement que, dorénavant, il sera beaucoup plus prudent. Plus à l'écoute des signes, même les plus anodins.

Lucy se réveille à nouveau en début d'après-midi à cause de la douleur. Brian s'empresse de lui administrer une nouvelle dose d'antibiotiques et d'analgésiques. Il inspecte à nouveau ses blessures et s'inquiète de constater qu'elles sont enflées. Lucy a une légère fièvre, mais ne tremble plus. Elle se sent légèrement mieux et remarque l'odeur inconnue de viande grillée qui lui chatouille les narines. Elle murmure :
— Vous étiez partis chasser, n'est-ce pas ?

Mais il ne l'entend pas, et elle hausse le ton. Elle croit à tort que la viande grésillant dans la poêle vient de leur butin.
— Oui. Mais nous n'avons pas eu de chance. Les collets étaient vides. J'imagine que tous les animaux ont fui vers l'est…

Il marque une pause, puis ajoute :
— Nous n'avons pas entendu vos cris. Les cascades font beaucoup de bruit par là-bas et nous avions installé tous les collets sur le bord du ruisseau…

Elle l'interrompt :
— Je sais. Et nos tympans ont éclaté, souvenez-vous. Alors, notre ouïe est moins bonne… Cessez de vous en faire, je ne vous en veux pas. Ça devait arriver… Je le sais maintenant. Je devais l'affronter.

Il hoche la tête, visiblement très malheureux. Il fait mine de changer de sujet et ajoute d'un ton faussement gai :
— Nous mangeons du lion de montagne, dit-il avec un petit sourire en coin.

Étonnée, elle tourne lentement la tête et observe Marc qui fait cuire de gros morceaux de viande dans une poêle au-dessus de la braise. Mais son esprit s'égare un bon moment, lui faisant revivre encore et encore le cruel combat.
—Vous ne pourrez vous lever avant demain midi, dit-il sur un ton sans détour. Par contre, si vous avez faim, vous pouvez manger. Pour le reste, nous vous aiderons à vous soulager dans notre bassine improvisée…

Elle ne s'oppose pas à ses directives, sachant pertinemment qu'il veille sur elle avec attention. Elle l'observe alors silencieusement. Brian est ému par l'attitude sereine de Lucy. Elle ne lui en veut pas de s'être absenté et il lui en est très reconnaissant. Son sentiment envers elle est d'autant plus fort, car il découvre en elle une maturité insoupçonnée. Puis, l'attention de Lucy est détournée par l'agitation du gamin. Celui-ci s'acharne à nouveau sur son bout de bois avec le petit canif nettoyé du sang séché du couguar. Elle avale quelques bouchées de cette viande raide et peu savoureuse, accompagnée de petits pois verts. Ils terminent le repas avec du thé vert et des barres chocolatées généreusement offertes par Éric. Ils demeurent silencieux un bon moment, alors qu'Éric les entretient de sa conversation habituelle. À bout de force, Lucy ferme les yeux. Éric, qui semble mal à l'aise de lui parler depuis l'incident, l'approche timidement :
— Je vais vous chanter une berceuse. La même que je chante à ma petite sœur Alicia.

Lucy accepte avec un sourire. Éric s'assoit à ses côtés. Il chante alors, doucement, magnifiquement. Ce chant raconte l'histoire d'une jeune fille qui puise de l'eau au puits…

Mais Lucy n'écoute déjà plus les paroles. Elle fixe avec béatitude Éric, qui chante en joignant les mains. Cet enfant a une voix si mélodieuse, si merveilleusement douce et touchante qu'il aurait pu chanter dans une langue étrangère ou avec des mots vulgaires qu'elle aurait autant apprécié. Même Marc et Brian cessent leurs activités et font une pause pour savourer ce chant d'enfant. Ils paraissent aussi émerveillés qu'elle. Les yeux de Lucy s'emplissent de larmes. Bien qu'elle ne saisisse pas sur le moment le sens de tout ceci, elle sait sans l'ombre d'un doute que leurs destins sont liés. Que leur rencontre n'était pas le fruit du hasard. Et sa survie miraculeuse à tous ces effroyables cataclysmes, et sa lutte fatale avec le félin ont un lien avec ce gamin.

La voix pure et innocente d'Éric fait écho tout autour. On aurait dit que même les oiseaux se sont tus pour l'écouter chanter. Cette voix, elle en est certaine, a la capacité de faire fondre les cœurs les plus endurcis et a le pouvoir de réconcilier les hommes entre eux. Une puissante émotion d'amour et de paix se dégage de lui. Cette voix enivrante et parfaite lui fait perdre toute idée noire, douleur, tout désespoir et chagrin. Sa voix éveille en elle un profond sentiment de paix et d'amour. Et pourtant… ce n'est qu'une simple comptine de nuit. Lorsqu'il termine son chant, Lucy est profondément émue. Elle aurait voulu lui démontrer toute son affection en retour de ce merveilleux cadeau. Mais sa condition ne le lui permet pas, et seul son œil gauche exprime son état d'âme. Elle murmure :
— C'est absolument merveilleux, Éric. Je n'ai jamais rien entendu d'aussi beau. Alicia a beaucoup de chance, termine-t-elle en pesant ses mots.

Éric, tout souriant, semble ravi de ce compliment. Les deux hommes s'approchent lentement à leur tour et serrent sa main valide. Marc avoue :
— C'est le plus beau chant que j'aie jamais entendu. Je dois avouer que tu m'impressionnes, bonhomme. J'en frissonne encore…

Éric bombe fièrement le torse. Il reprend nonchalamment son travail acharné sur le bout de bois, et Marc décide de lui prêter main-forte. N'ayant aucune compétence en la matière, les deux amis font plusieurs essais infructueux pour former un arc à la fois souple et rigide en donnant une tension suffisante à la corde pour tirer des flèches… Lucy s'endort à nouveau et se réveille à la tombée de la nuit. Elle boit quelques gorgées de soupe et reprend une dose de médicaments. Brian examine à nouveau ses blessures. Il ne dit mot. Lucy souffre toujours et la fièvre persiste, faisant perler de la sueur à son front. Éric vient instinctivement se blottir contre elle, près du feu, craignant le retour de la nuit. Cette nuit-là et les nuits suivantes, d'ailleurs, Marc et Brian se relaieront à tour de rôle autour du feu. Jamais plus ils ne les laisseront seuls…

Au lever du jour, sa décision est prise. La décision la plus difficile de sa vie. Son regard et tout son être transpirent une ferme détermination. Cette même détermination pure et dure qu'elle a ressentie voilà deux jours sur le balcon. Elle tourne la tête vers Franck. Il est réveillé et l'observe déjà. Il discerne à son tour la même expression qu'il a vue sur le balcon. Un regard inébranlable. Dur. Il fronce les sourcils d'inquiétude. Elle se lève et vacille vers lui. Sans ménagement, elle le tire du lit et l'entraîne hors de la suite.

— J'ai besoin de toi tout de suite ! Je veux que tu allumes un feu, ajoute-t-elle.

— Quoi ?

— Peux-tu allumer un feu ? répète-t-elle.

Sans répondre, il continue de la dévisager anxieusement.

— Réponds ! ordonne Julie

Il hésite encore, puis finit par hocher la tête.

— Parfait. Suis-moi.

Elle l'empoigne par le bras et le traîne dans le couloir sans lui demander son avis. Il grimace de douleur et lui demande d'une voix rauque et angoissée :

— Qu'as-tu l'intention de faire ? Julie ? Ne va pas faire de niaiseries… Julie !

Ce qu'elle craint se présente déjà. Elle voit bien que Franck se doute de ce qu'elle va faire. Mais elle s'abstient de répondre. Elle l'amène dans la chambre où il avait préparé de quoi faire un feu auparavant. Puis, elle le regarde droit dans les yeux et lui dit fermement :

— Ne pose pas de questions. Fais exactement ce que je te dis. T'entends ?

Il la dévisage toujours sans répondre. Elle répète sa question :

— Tu m'entends ? Tu vas faire ce que je dis, d'accord ? poursuit-elle.

Mais il ne répond toujours pas. Franck croit à tort que Julie s'apprête à commettre un crime pour nourrir les siens. Qu'elle s'apprête à assassiner le vieux couple d'en bas… Il ne peut croire qu'elle osera le faire. Puisqu'elle n'obtient pas de réponse et croit discerner dans le regard de Franck de la désapprobation, une bouffée de rage monte en elle et elle le gifle furieusement. Elle lui souffle au visage :

— C'est ton droit de laisser mourir Léo. Moi, je décide de survivre. Et mes fils survivront. T'entends ? Mes fils survivront !

Elle pèse ses mots, car elle sait quel effet ça aura sur lui. Il tient à Jonathan autant qu'elle.

— Je vais prendre un chemin que tu seras peut-être incapable de suivre. Ce sera ton choix et je le respecterai. Tu dois respecter le mien. Prépare seulement le feu, je m'occupe du reste. Ne dis rien à personne, et empêche-les de descendre. Mais surtout, surtout, n'essaie pas de m'en dissuader, ou je jure que je t'arrache la tête, termine-t-elle avec des yeux menaçants.

Sur ces mots, elle tourne les talons et sort de la chambre en s'appuyant sur les murs. Elle se traîne dans l'escalier et arrive dans la chambre de Hémond, tout essoufflée. La pièce est dans le même état qu'elle l'a laissée la veille. Elle hésite devant le lit, puis met la main dans sa poche et sort la montre de Hémond. Les larmes lui montent aux yeux. Elle se déplace et trouve dans la salle de bain la lame de rasoir utilisée par Hémond pour s'ouvrir les veines. Elle dépose dans un panier d'osier vide un gilet de coton blanc propre trouvé dans un tiroir. Une odeur légèrement différente règne dans la pièce. Le parfum masculin s'est estompé et a fait place à une légère odeur… de mort. Elle s'empresse d'ouvrir toute grande la porte vitrée. Elle manipule les outils nécessaires entre ses doigts, mais paralyse de peur. Elle laisse soudain tomber ce qu'elle tient et s'élance à la salle de bain pour vomir. Penchée au-dessus du lavabo, elle geint de douleur, car rien ne sort à part un peu de bile. Elle hurle de rage à plusieurs reprises, accroupie sur le sol craquelé de la salle de bain.

Elle se ressaisit, et puis plonge la tête dans la baignoire remplie d'eau. Cela la stimule. Elle retourne dans la chambre et s'arrête devant le miroir. Elle se reconnaît à peine. Ses joues se creusent et ses yeux sont rougis. Les os de ses épaules pointent et ses bras affichent une maigreur inhabituelle. Elle prend une grande inspiration et tente de chasser cette effroyable peur qui lui tord l'estomac. Elle s'efforce de ne rien ressentir. Elle ne veut rien ressentir. «Agir comme un robot», se dit-elle. «D'accord, c'est ça, comme un robot.» Elle répète ces mots dans sa tête en s'avançant dans la chambre. Elle ramasse la lame de rasoir ainsi que le panier et se déplace du côté d'Édith. Elle dépose les outils sur la table de chevet et soulève la couverture. «Comme un robot… comme un robot. Ne pas penser… Être ailleurs.» Elle inspire profondément plusieurs fois, hésitant toujours, la sueur perlant à son front. Elle caresse furtivement la montre de Hémond dans sa poche et ça lui donne du courage…

La lame de rasoir dans la main, elle découpe les vêtements de nuit d'Édith. Son corps est froid et ses pieds sont bleus. «C'est étrange, mes mains ne tremblent pas.» Elle se penche sur le postérieur de la femme. «Je dois commencer par découper des morceaux de chair dans cette partie, assez profondément pour récupérer du muscle. J'ai déjà vu ça dans un film où des survivants d'un écrasement d'avion dans la Cordillère des Andes au Chili n'avaient eu d'autre choix que de se nourrir de chair humaine pour survivre. Ils avaient découpé des morceaux de chair des postérieurs des personnes décédées étendues dans la neige… »

Alors, Julie veut faire la même chose. Mais elle hésite une fois de plus, les yeux affolés. Elle dévisage intensément Hémond, dont le visage est tourné vers elle. Elle ferme les yeux et inspire profondément, s'efforçant de se calmer. « Je vais tenir ma promesse, Hémond. » Elle appuie la lame contre la peau refroidie et découpe la chair d'Édith, tout en forçant son esprit à vagabonder très loin de cette chambre… Très loin de ce macabre labeur.

Franck se tient debout sur le balcon, immobile. Il angoisse pour le geste que Julie s'apprête à poser. Il passe une main sur sa joue rougie et s'appuie sur la balustrade en regardant au loin. Mais il sursaute lorsqu'il entend Julie hurler plusieurs fois en dessous de lui. Pris de panique, il se précipite hors de la chambre. Il descend précautionneusement l'escalier et se présente dans l'encadrement de la porte, où il voit Julie ramasser les outils par terre. Il distingue les corps étendus sur le lit, puis s'esquive furtivement. « Ça y est, elle l'a fait. » Il est complètement terrorisé et devient livide en montant l'escalier. Son estomac se noue et ses jambes ramollissent dangereusement. Malgré tout, il monte l'escalier et atteint le couloir du cinquième étage. François, alarmé par les cris, s'avance vers lui. Mais Franck lui signifie d'un ton étrangement ferme et doux :
— Ne laisse personne s'aventurer dans le couloir. Garde-les dans la suite et les chambres communicantes.
— Qu'y a-t-il ?
— Plus tard… On t'expliquera plus tard, termine-t-il tout essoufflé.

Sans s'obstiner, François retourne lentement à sa place habituelle à l'entrée de la suite. Franck retourne dans la chambre et prépare lentement un feu sur le balcon. Il ramène un plateau métallique et une fourchette qu'il a récupérés sur un chariot à vaisselle sale laissé à l'étage. Il aura besoin de ces outils pour faire cuire l'abominable nourriture. Et Franck se met soudainement à pleurer. Il pleure parce qu'il trouve horrible d'en arriver là pour survivre. Il aurait préféré être obligé de manger des racines ou des insectes plutôt que ceci, ou encore de mourir sans douleur, drogué. Il pleure aussi parce qu'il se sent coupable d'avoir laissé à Julie la responsabilité de prendre une si terrible décision. Et de la laisser faire ce boulot dégueulasse. Julie le rejoint vingt minutes plus tard en traînant les pieds. Elle transporte un panier rempli à ras bord de morceaux de chair coupés inégalement. Les épais morceaux mesurent environ trois centimètres par dix centimètres. Julie est finalement parvenue à couper les morceaux de chair avec une agilité surprenante. Mais la tâche a été extrêmement difficile ; à plusieurs reprises, elle a dû s'arrêter pour prendre une bouffée d'air frais au balcon. Et inconsciemment, elle a lâché de nombreux cris de rage et de désespoir, qui l'ont soulagée momentanément.

Elle dépose le panier près du feu et s'assoit aux côtés de Franck. Elle est très essoufflée. Monter l'escalier avec le panier pesant près de dix kilos l'a épuisée. Franck n'ose pas la regarder dans les yeux, et Julie croit à tort que c'est parce qu'il réprouve son geste. Elle se sent très mal à l'aise, mais s'efforce de faire abstraction de ce dernier et demeure concentrée sur la tâche qu'elle doit accomplir. Elle prend la fourchette et pique un morceau de chair qu'elle dépose sur le plateau métallique, peau vers le haut. Écœurés, ils observent le morceau de chair cuire lentement, pétillant un peu comme du bacon. Une odeur de viande graisseuse s'élève peu à peu. Une odeur particulière, différente. « Une odeur ressemblant un peu à celle du porc », songe Julie avec dégoût. Elle demande à Franck de lui apporter un autre plateau ou une assiette supplémentaire pour y déposer les morceaux cuits. Elle retourne le morceau de chair, puis ajoute un morceau, puis un autre. Elle en dépose en tout une douzaine sur le plateau métallique, qui se courbe légèrement sous l'effet de la chaleur intense. Le gras s'écoule sur le feu, créant de petites flammes.

Un à un, Julie retire les morceaux cuits et les déposent dans l'assiette rapportée par Franck, recouverte d'une lingette qui absorbe l'excédent de gras. Au bout d'une vingtaine de minutes, tous les morceaux sont cuits. Il y en a une quarantaine. La couleur et la texture de la chair cuite ressemblent aussi étrangement à celle du porc. Elle tente de convaincre son esprit qu'il s'agit bien de bacon. Lorsque son esprit en est persuadé, elle prend un morceau tout chaud dans ses mains et s'assoit un peu à l'écart sur le balcon. Une petite brise souffle sur son visage et elle inspire profondément. Elle dépose un verre d'eau à côté d'elle et prend la montre de Hémond dans sa main gauche en la serrant fermement. Puis, tout juste avant de porter la chair à sa bouche, elle ferme les yeux et dit à voix basse sur un ton résolu :
— Mes enfants survivront.

Puis, elle déchire le morceau de viande, et du gras dégouline sur son menton, qu'elle s'empresse d'essuyer. Elle mastique lentement. Il y a déjà huit jours qu'elle n'a rien avalé, mis à part les vitamines et les Tums de la veille. Elle respire par la bouche pour ne pas goûter la chair. Elle sent le regard de Franck peser dans son dos, et ce dernier vomit subitement de la bile par-dessus la balustrade. Il est visiblement très écœuré. Julie boit une gorgée d'eau à chaque bouchée. La consistance du morceau de viande lui rappelle un épais jambon non salé. Elle est secouée de nombreux haut-le-cœur, mais persiste à terminer son morceau. Elle demeure assise là un bon moment à écouter le chant matinal des oiseaux, se forçant à rester calme devant l'horrible geste qu'elle vient d'accomplir. «Je connais désormais le goût de la chair humaine.» Puis, elle vide son verre d'eau et prend un second morceau de chair. Elle veut se donner des forces pour continuer sa besogne répugnante. Elle mastique lentement, et la nourriture qui descend dans son estomac lui procure une douce sensation de soulagement. Mais elle a du mal à supporter l'idée de conserver ce goût associé à la chair humaine sur sa langue. Elle se rince et se gargarise la bouche bruyamment avec un pénible haut-le-cœur, mais ravale le tout. Puis, elle se tourne vers Franck, les yeux remplis de larmes, et dit d'une petite voix :

— Je vais apporter d'autres morceaux. Je veux que tu les fasses cuire. Ensuite, on les fera sécher pour les conserver le plus longtemps possible. En reprenant des forces, nous quitterons cet endroit pour trouver des secours ailleurs, plus loin dans les terres.

Franck ne répond pas. Il garde la tête baissée, jouant dans le feu en reniflant. Julie ramasse le panier vide et repart besogner au quatrième étage. Franck ne l'a toujours pas regardée.

De retour dans la chambre funeste, Julie s'acharne à couper des morceaux de chair sur Édith. Elle s'emploie à penser rationnellement, s'empressant d'utiliser les parties viables de son corps où la viande est volumineuse, comme les hanches, le bas du dos, le derrière des bras, les fesses et les cuisses. L'idée de retourner Édith sur le dos pour pouvoir couper des morceaux dans son ventre et sur le devant de ses cuisses lui répugne, et elle ne peut s'y résoudre. Elle a placé des oreillers sur la tête des conjoints pour ne pas voir leur visage et pour rendre la tâche moins… éprouvante. Néanmoins, elle peine terriblement. Elle ne peut s'empêcher d'exprimer son dégoût à plusieurs reprises en criant et en se défoulant sur divers objets. Elle en veut à la terre entière de l'obliger ainsi à mutiler ce corps.

Équipée de la lame de rasoir et d'un couteau à steak trouvé sur le chariot de vaisselle sale, elle s'efforce de découper profondément le plus grand nombre de petits morceaux sur le corps d'Édith sans la retourner. Elle enveloppe ensuite le corps mutilé du drap ensanglanté. Julie hésite à utiliser maintenant le corps de Hémond. Elle a l'étrange sensation qu'il l'observe d'en haut. Ou de quelque part dans la pièce. Alors, en s'approchant doucement de son corps, elle retire le drap qui le recouvre et lui dit doucement :

— Sans toi, mon petit Émanuel va mourir… Et ton fils ne saura jamais à quel point tu l'aimes. Merci Hémond de m'avoir ouvert les yeux. Merci de ton sacrifice.

Elle baise le front du vieil homme et replace l'oreiller sur sa tête. Elle pleure abondamment alors qu'elle coupe ses vêtements à l'aide du couteau. Elle continue de lui parler. Elle réalise que parler à Hémond allège beaucoup son fardeau. Alors, elle lui raconte la naissance de ses deux enfants, de son amour pour eux, de sa famille, de son mari qui lui manque tant, de ses parents… Elle raconte nombre d'anecdotes qui la font rire, et son monologue soulage momentanément son tourment. Elle besogne avec plus de facilité et d'agilité maintenant, ayant développé la dextérité requise pour une telle tâche. Elle remarque que la peau de Hémond est plus ferme que celle d'Édith et se découpe mieux. Hémond est couché sur le côté sur son flanc gauche, et Julie peut utiliser une partie de son abdomen et le devant de ses cuisses musclées.

Julie revient une demi-heure plus tard avec le panier à nouveau rempli. Franck s'est affairé à entretenir le feu. Il ne relève pas la tête non plus lorsqu'elle se présente à nouveau. Elle dépose le panier avec lassitude et s'accroupit. Elle s'apprête à se saisir de la fourchette lorsque Franck l'arrête et dit d'une voix rauque :
— Je vais m'en occuper. C'est bon, je vais les faire cuire. On va m'accuser d'avoir participé aux meurtres de toute façon…

Julie est momentanément muette devant cette remarque. Elle comprend aussitôt sa méprise et lui explique «l'arrangement» proposé par Hémond voilà deux jours. Elle lui montre la lettre et la montre. Il paraît immensément soulagé et ses yeux se voilent de larmes. Il s'empare du panier et fait cuire la chair en hochant la tête. Julie s'installe à nouveau à l'écart pour manger un autre morceau de chair et boire. Puis elle dit :
— Tu sais, je suis bien consciente que nous, les adultes et les ados, n'avons pas besoin de cette chair pour survivre. Du moins, pas pour le moment. Mais Léo, Émanuel et Joey, si. Et si nous voulons partir d'ici et les transporter, nous devons reprendre des forces… Le simple fait de monter cet escalier m'épuise, alors imagine si je dois en plus transporter un enfant et des sacs…

Franck hoche simplement la tête. Il est d'accord. Alors toute la matinée, à l'abri des regards et à l'insu de tous, Franck et Julie produisent l'immonde nourriture. En fin de matinée, elle ramène le dernier panier à Franck. C'est le quatrième. «Nous aurons de quoi tenir convenablement au moins cinq jours, je crois.» Il y a de la chair cuite et non cuite partout dans la chambre et Franck utilise toutes sortes d'objets pour les entreposer. L'odeur dégueulasse règne dans la chambre fermée. Franck calcule dans sa tête : « J'ai fait cuire un total d'environ trente kilos de viande… pardon, de chair. » Il interpelle Julie doucement, visiblement mal à l'aise :

— Julie, il faut enlever la peau de… des derniers morceaux. La peau est épaisse et les poils ne s'enlèvent pas pendant la cuisson… et…

— Oh… fait Julie un peu surprise. Elle n'a pas songé à ce détail répugnant…

Elle s'empare d'ustensiles et entreprend d'enlever la peau sur les morceaux poilus. La tâche est fastidieuse et carrément sordide, mais Julie besogne sans relâche, tout en étant secouée de nombreux haut-le-cœur. Le travail achevé, elle retourne finalement à la chambre du couple et replace Hémond dans sa position initiale, le bras autour des épaules de sa femme. Du moins, ce qu'il en reste… Elle enveloppe ensuite délicatement leurs corps avec une autre couverture et retire les oreillers de leurs têtes. Elle replace certains objets à leur place et jette dans une corbeille le linge souillé de sang. Elle quitte lentement la pièce en prenant soin de bien refermer la porte vitrée et de tirer les rideaux. Elle aurait préféré pouvoir brûler la pièce tout entière, ne laissant ainsi aucune trace de ce geste inavouable. Épouvantable. Mais elle referme simplement la porte en souhaitant ardemment que jamais, ô grand jamais, personne ne les découvre…

Elle appuie son front contre la porte et se met à pleurer. Puis, elle s'effondre sur le sol, anéantie, songeant à l'atrocité de son geste. Regrettant déjà de l'avoir posé.

La chambre du cinquième étage, où Franck fait cuire la nourriture, est située au-dessus de la chambre où Julie besogne. Franck a entendu tout ce qui s'y est passé. Il a été témoin des éclats d'émotion et de rage de Julie alors qu'elle effectuait cet horrible labeur. Il a été témoin de sa souffrance, et cela l'a complètement bouleversé. Et faire cuire la chair humaine lui lève le cœur, surtout sous cette chaleur torride sur le petit balcon par cette journée sans vent. Mais il poursuit sans relâche, persuadé que personne d'autre que lui ne serait en mesure d'accomplir cette corvée écœurante. Il est soulagé de savoir que la porte vitrée de la suite donne sur l'arrière du bâtiment et que les survivants la maintiennent fermée pour empêcher la chaleur d'y entrer. Et, par le fait même, les odeurs aussi… Lorsqu'il entend la porte de la chambre de Hémond se refermer enfin, il s'attend à ce que Julie réapparaisse d'une minute à l'autre. Inquiet de ne pas la voir revenir, il descend la rejoindre et la trouve étendue sur le sol du couloir. Elle semble inconsciente. Incapable de la soulever, il la tire jusqu'sur le lit de la chambre d'en face.

Il l'asperge d'eau et elle revient à elle au bout d'un moment. Franck aurait aimé lui dire quelque chose de gentil. Quelque chose de réconfortant. Mais son esprit est trop tourmenté et il demeure muet. Julie remarque alors ses propres mains. Elles sont rouges de sang. Du sang séché partout; sous les ongles, les avant-bras, les cuisses, sur son chandail... Dégoûtée, elle se lève en chancelant et se dirige vers le miroir tombé du mur. Bouche bée, elle observe l'image que lui renvoie la glace. Elle a du sang séché dans les cheveux, sur le visage, dans le cou, partout... «Je suis méconnaissable. On croirait que je me suis littéralement roulée dans une mare de sang... Une vraie cannibale», songe-t-elle avec effroi.

Tel un fantôme, elle se dirige en titubant vers la salle de bain et se dévêt complètement. La baignoire est à moitié remplie d'eau potable. Elle s'en fout et y pénètre lentement. L'eau est fraîche et cela lui fait le plus grand bien. Elle se frotte vigoureusement, nerveusement. Elle est soulagée de découvrir des produits de beauté présents autour de la baignoire et les utilise allégrement. Franck sort silencieusement de la chambre non sans jeter un coup d'œil à Julie. Il demeure un moment à l'observer alors qu'elle frotte frénétiquement son corps amaigri. Puis, il repart silencieusement, soulagé qu'elle se soit rendu compte par elle-même de son allure. Il ne savait pas comment lui dire qu'elle devait se laver avant de remonter dans la suite...

Quelques minutes plus tard, Julie fait couler l'eau rougie et un large cerne rose se dépose sur les pourtours de la baignoire. Elle sort et s'observe devant le miroir fixé au-dessus du lavabo. Elle est soulagée de voir que les traces témoignant de son acte répugnant ont disparu dans le drain. Elle s'enveloppe dans le peignoir prêté par l'hôtel et lance ses vêtements souillés dans la corbeille. «Heureusement que je me suis vue avant de monter... J'étais effrayante», songe-t-elle avec soulagement. La seule idée de voir dans les yeux des autres l'incompréhension et l'horreur devant le geste qu'elle a accompli lui fait déjà mal. Elle remonte très lentement l'escalier, appréhendant maintenant de faire face aux autres.

Elle parvient en haut de l'escalier et fait un arrêt dans la chambre où est Franck. Il lui fait un compliment sur son allure et cela lui fait du bien. Elle le remercie de sa délicatesse. Elle avale un autre morceau de chair.
— Je vais les regrouper dans une chambre pour les préparer mentalement avant. S'ils veulent survivre, ils n'auront pas le choix de se nourrir aussi. Je vais commencer par les ados et les adultes. Les enfants n'ont pas besoin de savoir... dit-elle sans achever sa phrase. Je te ferai signe quand je serai prête.

Elle referme la porte derrière elle. La protéine contenue dans les bouts de chair lui donne un léger regain d'énergie et, surtout, une augmentation de sa concentration et de son équilibre. Elle marche lentement sans avoir besoin de s'appuyer sur les murs. En approchant de la suite, elle réfléchit à la façon de s'y prendre pour les convaincre de se nourrir de chair humaine. Elle angoisse légèrement à cette idée, mais tout s'éclaire soudain dans son esprit.

Sur le pas de la porte, elle annonce haut et fort :

— Jo, Rick, François, Pedro et Sam, venez avec moi immédiatement !

Les jeunes, léthargiques, bronchent à peine. Seul Jo rouspète légèrement devant l'autorité maternelle. Julie s'avance vers ce dernier et, s'accroupissant à sa hauteur, dit fermement :

— Veux-tu vivre ?

Il marmonne quelque chose. Julie le secoue vigoureusement par les épaules et lui pose à nouveau la question :

— Veux-tu vivre ?

Il lâche sur un ton mi-contrit, mi-sincère :

— Ouiiiii…

— Alors, viens avec moi.

Julie escorte Jonathan jusque dans la chambre voisine, où Peter est déjà étendu sur le lit. Elle répète sensiblement le même stratagème avec les autres ados et réussit à les traîner malgré leurs protestations jusque dans la chambre. Rick, Sam et Jo s'écrasent au sol, le dos appuyé au lit, alors que François et Pedro occupent les deux fauteuils disponibles. Lorsqu'ils sont tous réunis, Julie s'équipe de verres d'eau froide provenant de la faible réserve de la baignoire et arrose la tête des ados pour les réveiller. Ils s'exclament faiblement, mais cela les sort suffisamment de leur léthargie. Julie boit quelques gorgées d'eau et, volontairement, émet un bruyant rot qui s'entend dans toute la chambre et l'écœure tout autant. Jonathan, le premier, remarque le rot.

— Comment peux-tu faire un rot alors que t'as l'estomac vide ?

— Justement, il n'est plus vide.

Ces simples mots attirent l'attention de tous. Chacun la regarde d'un air étonné. Julie poursuit :

— Si on ne fait rien, Léo et Joey mourront d'ici deux ou trois jours. Et vous mourrez aussi peu de temps après. Mais Émanuel… (elle hésite un court instant à dire ces mots, qui lui semblent tellement cruels), mais Émanuel va survivre.

Ils sont à la fois hébétés et décontenancés. Ils échangent un regard d'incompréhension mutuelle. Elle continue :

— Émanuel et moi survivrons, parce que j'ai pris une décision difficile, fait-elle avec un sanglot dans la voix. La plus difficile de toute ma vie, finit-elle d'une petite voix.

Elle marque une pause et ajoute dans un souffle :

— J'ai décidé de me nourrir.

— Te nourrir de quoi ?

François n'en peut plus de ce mystère, qui lui fait réellement peur. Son esprit vagabonde dangereusement... Il se lève d'un bond en hurlant ces mots, exprimant toute sa frustration, sa peur et son incompréhension. Mais Julie l'invite de la main à se rasseoir, puis poursuit :

— Ce que je vais vous dire n'est pas facile à dire. Alors, je vais le dire simplement. Si vous voulez survivre, vous devrez vous nourrir... et vous nourrir suffisamment pour pouvoir partir d'ici. Les secours ne viendront pas à nous, je pense que vous l'avez tous compris maintenant. Nous partons en expédition.

Une fois de plus, François s'apprête à l'interrompre, mais elle lève le doigt en guise de menace et il se ravise.

— Aujourd'hui, vous allez prendre la décision la plus importante de toute votre vie. Vous allez décider si vous désirez vivre ou mourir. Ce sera à vous de choisir.

En disant ces mots, elle prend le temps de les regarder chacun droit dans les yeux. C'est à ce moment-là que la plupart d'entre eux comprennent qu'il ne s'agit pas de rats, d'insectes ou de racines. Avant de quitter la chambre, elle ajoute :

— Moi, j'ai fait mon choix. Je vais vivre. Et je souhaite de tout cœur (elle pèse ses mots avec un trémolo dans la voix) que vous fassiez le même choix. Et qu'on partira tous ensemble d'ici dans deux jours. C'est la seule solution. Hélas, pour être en mesure de parcourir ces kilomètres de route, transporter les enfants et le matériel, nous devons prendre des forces. Et comme vous le savez, il n'y a plus de nourriture...Je reviens tout de suite. Attendez-moi ici.

Ses yeux se remplissent de larmes en sortant dans le couloir. Elle a été dure avec eux, elle le sait. Et elle n'a pas eu le courage de leur avouer de quelle nourriture il s'agit non plus. Elle pense à Jonathan, qui est assez vieux maintenant pour prendre cette décision par lui-même. Elle espère du fond du cœur qu'il gardera l'esprit ouvert... Elle frappe à la porte, et Franck lui ouvre rapidement. Il a déjà fait cuire les morceaux supplémentaires et les a déposés sur des lingettes sur le bureau. Julie se saisit d'un panier de morceaux de chair cuits et quitte la chambre accompagnée de Franck, qui la suit en apportant des verres d'eau. Il doit s'appuyer contre le mur et renverse la moitié de l'eau. Avant d'entrer dans la chambre où attendent les jeunes, Julie lui dit doucement, mais fermement :

— Tu n'auras pas le choix. Bientôt, tu devras décider si tu veux vivre, ou pas. Et je t'interdis de tenter d'influencer Jonathan dans son choix. Si tu n'as pas le courage, lui l'aura peut-être.

Franck ne relève pas sa remarque. Lorsque Julie entre dans la pièce avec le panier, une vive réaction s'ensuit. François se lève soudain d'un bond et se frotte la tête de ses mains. Il titube vers le balcon en marmonnant fortement :
— Non, non !

Jonathan, Rick et Peter arborent la même expression horrifiée sur le visage. Sam pleure. Pedro saisit immédiatement de quoi il s'agit lorsqu'il aperçoit les morceaux de chair et la réaction des autres. Il baisse la tête, honteux d'être témoin de cette scène. Julie et Franck déposent la nourriture immonde et l'eau sur le bureau. Franck s'assoit aux côtés de son fils et passe un bras autour de ses épaules. Jonathan garde le regard rivé au sol d'un air incroyablement embarrassé. « Ils auraient tous voulu être à mille lieux d'ici », songe Julie, qui attend un court moment avant de parler d'une voix ferme :
— Si l'un d'entre vous décide de ne pas se nourrir, alors je vous demande de ne pas retourner dans la suite pour le moment. Pas tant que les enfants et Danielle ne se seront pas nourris. Pour ceux qui choisissent de vivre, je vous conseille de mastiquer lentement et de boire beaucoup d'eau. Mangez un morceau à l'heure, pour les trois prochaines heures. Autrement, vous risquez de régurgiter votre nourriture.

Sur ces mots, elle s'avance vers le panier, prend un morceau et un verre d'eau. Elle se retourne vers eux et dit d'une voix tremblante :
— C'est mon quatrième morceau. Je choisis de vivre… et c'est par amour que je pose ce geste. Par amour pour mes enfants. Par amour pour vous.

Puis, elle s'assoit à même le sol un peu à l'écart des autres et mastique lentement le morceau de viande, rouge de honte. Elle entend dans son dos plusieurs gémissements de dégoût. Elle tente de ne pas s'en offusquer, mais une crainte occupe toujours son esprit… « Si jamais nous sommes secourus d'ici deux jours, j'aurai mangé de la chair humaine inutilement et mutilé ces pauvres corps sans nécessité… J'aurai honte pour le reste de ma vie… » Un court moment passe. À sa grande surprise, le premier à se saisir d'un morceau de chair est François. Il lance un :

— Oh… Et puis merde !

Et il retourne sur le balcon pour mastiquer la viande. Le deuxième à se présenter devant le panier est Peter. Il demeure immobile pendant une bonne minute. Puis, il se tourne devant les autres et demande :
— Savez-vous ce qu'auraient fait Trish, Belynda, ma femme et Benoît dans notre situation ?

Il marque une pause et répond lui-même à la question :
— Ils n'auraient pas hésité à avaler cette bouffe pour survivre. C'est certain ! Alors, je fais comme eux. Ma femme serait fière de moi…

Sur ce, ayant toujours le mot pour rire, il émet un petit commentaire ridicule avec un sourire en coin qui contribue à détendre un peu l'atmosphère :
— Je choisis ce morceau-ci parce qu'il a moins de gras…

Il se saisit d'un verre d'eau et disparaît dans le couloir. Ils l'entendent tousser et s'étouffer à deux reprises. Il vomit presque aussitôt la nourriture avalée. Mais il revient rapidement, les yeux larmoyants, se saisit d'un second morceau et retourne dans le couloir. Au deuxième essai, il réussit à avaler la nourriture sans la régurgiter. Il rejoint Sam et Rick, qui sont toujours immobiles et silencieux, en leur disant simplement :
— Vous êtes assez vieux pour décider par vous-mêmes. Je décide pour moi et Angy. Elle vivra et moi aussi. Ciao ! fait-il avant de quitter la chambre.

Julie est admirative devant cet homme simple et vrai. Il a dit les mots qu'il fallait. Mais Jonathan est très angoissé. Une question le tourmente et nécessite une réponse. Il sait qu'il ne pourra pas aller de l'avant sans savoir. Julie comprend son désarroi rien qu'en le regardant. Alors, elle leur confie à tous « l'arrangement » qu'elle et Hémond ont conclu. Jo lui demande ensuite :
— Alors, on mange… Hémond… ?
— Euhhh et bien… en fait, ces morceaux sont de sa femme, se contente-t-elle de répondre en baissant la tête, réalisant tout le ridicule de sa réponse pourtant vraie.

Jonathan demeure les yeux dans le vague un moment. Ensuite, il inspire profondément et, les joues rouges d'émotion, se lève pour se saisir d'un morceau de l'abominable nourriture et d'un verre d'eau. Il s'appuie contre le mur où était assise Julie quelques minutes plus tôt et mastique les yeux fermés, tout en respirant fortement par la bouche pour éviter de goûter… tout comme sa mère.

En son for intérieur Franck admire le courage de son aîné. Mais en lui réside la même crainte que Julie. « Si les secours arrivent bientôt et si le journal télévisé annonce que des survivants ont mangé de la chair humaine sans nécessité ?» Franck craint de devenir la cible des regards dédaigneux et des attaques mesquines dans le futur… Et le terrible sentiment de honte lui pèserait toute sa vie. Si ? Sa peur l'emporte sur la logique. Quelques minutes plus tard, il exprime tout bas ses craintes à Julie. Cette dernière est surprise de constater qu'ils partagent les mêmes angoisses Elle devine donc que les autres survivants vivent probablement la même angoisse. Alors, elle se lève et s'adresse à sa famille d'une petite voix :

— J'ai hésité à me nourrir parce que je crains le regard que les autres poseront sur moi. Ceux qui ne comprendront pas. Ceux qui me jugeront de m'être nourrie de chair humaine… Puis, je me suis posé la question : «Est-ce une raison valable pour me laisser mourir de faim ? Pour laisser mes enfants mourir de faim ? Non ! Je choisis de vivre !

L'instant d'après, Franck, visiblement rassuré, se lève et prend finalement un morceau. Il mastique la viande, alors appuyé au cadre de porte. Il tousse plusieurs fois et boit de grandes gorgées d'eau. Sam et Rick passent finalement à l'action et tous ont avalé au moins un morceau de chair, sauf Pedro. Une heure plus tard, Pedro n'est toujours pas parvenu à s'y résoudre tandis que François, Jo, Franck, Peter, Sam et Rick gobent leur deuxième morceau.

Puis Julie, Jo et François s'affairent à nourrir délicatement et progressivement les enfants, tandis que Sam et Rick amènent Danielle dans la chambre et lui expliquent le choix qu'elle doit faire. Elle leur avoue qu'elle y avait songé depuis déjà quelque temps et qu'elle avait même pensé se sacrifier pour qu'ils puissent survivre… Ils sont troublés de cette poignante déclaration. Malgré tout, elle a du mal à porter le morceau à sa bouche et demande alors à Rick de se nourrir en même temps qu'elle. Il accepte d'emblée et avale d'un trait un troisième morceau, luttant contre un haut-le-cœur. Une histoire inventée de toutes pièces est utilisée pour expliquer aux enfants d'où provient la nourriture. Il est question d'un cochon sauvage capturé très tôt ce matin au premier étage et qu'ils ont fait cuire. Les petits gobent l'histoire et mangent avec appétit les morceaux de chair. Bien qu'Angy remarque la différence de goût avec le porc, Sam précise à la cadette que les cochons d'ici ne sont pas du même type et qu'ils goûtent différemment…

Isabelle se nourrit également pendant l'absence de Pedro. Ce dernier est toujours dans l'autre chambre, incapable de se décider. Plus tard, il affirmera avoir eu peur de ne pas monter au ciel pour s'être nourri de chair humaine, et que c'est ce qui l'a retenu si longtemps. Les petits sont si faibles qu'ils se nourrissent lentement. Julie patiente auprès d'eux et s'assure qu'ils avalent un morceau complet avant la fin de l'après-midi.

Le soir venu, les ados et les adultes se sont nourris d'au moins trois morceaux. Les petits entament leur deuxième. Peu avant la nuit, Pedro revient dans la suite après s'être finalement nourri. Julie regarde amoureusement le visage de ses deux enfants, qui pour la première fois depuis des jours ne grimacent pas en s'endormant. Ils ont l'air enfin paisible, leur organisme s'employant à redistribuer la précieuse énergie issue de l'immonde nourriture ingurgitée...

Cette nuit-là, les enfants dorment enfin paisiblement. Leur estomac considérablement réduit est déjà plein. Mais il en est autrement pour Julie et Franck, qui angoissent malgré tout à la pensée de la réelle nécessité de ce geste abominable... Un terrible sentiment de honte les envahit, et le doute s'installe sournoisement en eux...

Serena

Serena a depuis longtemps laissé tomber les rames et s'est réfugiée dans le fond du canot avec Yhéo. La tempête fait rage depuis vingt heures la veille et ils n'ont pas fermé l'œil de la nuit. De puissantes vagues de trois mètres de haut à l'écume blanche s'abattent sur le canot, qui ne cesse de monter et de descendre sur ces pics pointus en tournoyant dans tous les sens. L'embarcation prend l'eau et deux autres sections du pneumatique se dégonflent rapidement. Le plastique épais des cloisons a été fortement égratigné par le frottement répété des branches aux épines pointues, la veille. De minces fissures se sont produites, laissant échapper de petites bulles d'air dans l'océan.

Serena ne fournit pas à la tâche ; les deux gobelets sont largement insuffisants pour vider les grandes quantités d'eau qui entrent en trombe dans le pneumatique. À son grand désarroi, les deux cloisons affaiblies sont situées où Claude est étendu, et elle peine à vider l'eau qui ne cesse de recouvrir son corps, le noyant presque à chaque fois. Et le poids de son mari combiné à la faiblesse des cloisons percées contribue à réduire dramatiquement la flottabilité du pneumatique. Il y a des heures qu'elle cherche des solutions dans sa tête.

Serena tire son mari à plusieurs reprises à ses côtés, mais à chaque nouvelle vague, il est emporté par les eaux vers le fond du canot. Elle est exténuée et il lui est physiquement impossible de s'occuper à la fois d'elle, du petit et de Claude. Elle ne sait pas combien de temps elle tiendra encore, mais l'inertie de son mari met en danger leur propre survie. Le canot s'enfonce profondément à chaque vague et le petit est littéralement terrorisé, s'accrochant désespérément à elle. Mais Serena, toujours aussi entêtée, refuse de lâcher prise. Elle tient tête aux éléments en furie, s'acharnant à se battre encore et encore malgré sa peur profonde de l'océan, qui lui empoigne les entrailles depuis des heures. Mais cette peur fait place peu à peu à un autre sentiment encore plus puissant : la rage. Elle grandit subitement en elle, s'infiltrant insidieusement dans ses veines et atteignant son cerveau. Elle devient tout à coup hors d'elle-même. Dans cet instant de folie, elle se redresse et injurie l'océan maudit, hurlant sa rage et sa douleur. Elle affronte le monstre, enhardie par cette nouvelle énergie puissante. Elle se croit momentanément invincible, défiant l'immensité déchaînée. Le fort vent chargé d'eau fouette violemment son visage alors qu'elle se tient debout dans le canot secoué, le poing levé.

— Je te vaincrai, maudite tempête ! hurle-t-elle sur un ton enragé.

Mais cette sensation grisante de puissance est de courte durée. Une vague venant de côté s'abat sur le canot et la pousse littéralement par-dessus bord. De justesse, elle se raccroche à une sangle et remonte péniblement dans le canot, assommée et transie. Couchée à plat ventre, elle réalise alors que ce n'est que pure folie de croire qu'ils parviendront à survivre si le canot s'enfonce ainsi. Elle rampe vers Yhéo et l'étreint fermement. Il lui rend son étreinte et le petit être fragile, vulnérable, se blottit tout contre elle, visiblement à la recherche de réconfort en ce moment de pure démence.

Lentement, son esprit revient à la normale. La haine se dissipe, mais aussi la peur, laissant place à un étrange sentiment qu'elle n'arrive pas à identifier. Ce petit être agrippé à elle, sous son imperméable, lui est étrangement rassurant. Une vieille sensation familière refait alors surface : l'instinct maternel. Elle baisse les yeux et croise le regard poignant du petit, qui la dévisage patiemment. Il dégage un tranquille sentiment de confiance, d'abandon même, ainsi agrippé à elle. Visiblement, il attend qu'elle prenne en charge la suite des événements. Il ne semble plus inquiet. Même si elle ne peut l'entendre, il murmure des paroles qu'elle lit sur ses petites lèvres :
— C'est toi que j'ai choisie.

Serena est stupéfaite. Incrédule. Elle se demande s'il est conscient de lui avoir répété les mêmes mots que la première fois qu'ils se sont vus… Ils se dévisagent ainsi longuement. Intensément, malgré la tempête. Dans ce regard, elle lit l'amour inconditionnel d'un enfant pour sa mère. À son tour, elle est envahie par un sentiment d'amour maternel envers ce bambin qui n'est pas le sien. Leurs yeux se fondent, ne faisant qu'un… Elle embrasse tendrement le front mouillé du petit en fermant les yeux, savourant ce sentiment presque éteint en elle. Elle sait à ce moment précis qu'elle aimera cet enfant comme le sien pour le reste de ses jours. Ainsi enlacés, Serena et Yhéo en oublient la tempête qui fait rage et le canot qui s'enfonce dans l'eau. Sans pouvoir s'expliquer pourquoi, elle devine que la présence du petit avec elle en ces lieux n'est pas le fruit du hasard. Le petit lui a dit la même phrase dix jours plus tôt sur le navire. C'est comme s'il savait d'avance ce qui allait se passer… Elle sourit et murmure à son tour :

— Je prendrai soin de toi, mon petit.

Il la regarde de ses yeux profonds, comprenant son message à travers l'expression de son regard. Réconforté, il appuie sa tête contre la poitrine de cette dernière, qui resserre son étreinte. Pendant un long moment, elle observe les moindres détails autour d'elle. L'orientation des vagues et du vent, les faiblesses du canot, l'eau qui s'engouffre, son mari… Un éclair de lucidité traverse son esprit alors, et elle comprend. Finalement. Elle comprend qu'elle doit lâcher prise. Accepter l'inacceptable. Commettre… l'impardonnable.

Elle observe son mari inerte être assailli par les nombreuses vagues. Son corps roule inlassablement d'un côté comme de l'autre. Il est sur le point de se noyer lentement, sans en avoir conscience… Serena est blessé au plus profond de son être… Elle doit le laisser partir. Pire, elle doit le faire mourir au plus vite. Avec un détachement inhabituel, elle inspire profondément et se défait de l'étreinte de Yhéo en lui remettant une sangle pour qu'il s'y agrippe. Elle retourne l'enfant dans l'autre sens pour qu'il ne voie pas ce qu'elle s'apprête à faire… Elle s'avance précautionneusement dans le canot à moitié submergé et furieusement ballotté par les flots. Elle rejoint son mari, dont le corps est à peine tiède. Elle enlève l'alliance et la montre de ce dernier et les place dans sa poche, puis soulève sa lourde tête et l'appuie sur ses genoux.

Les yeux de Claude sont à demi fermés et elle caresse son visage familier. Maintenant qu'il est dans ses bras, elle est soudain assaillie de doutes. Elle ne peut se résoudre à le faire. «Il est toute ma vie.» Elle l'entoure de ses bras longuement, savourant avec douleur cette dernière étreinte. Paradoxalement, elle se sent affreusement coupable du geste qu'elle s'apprête à faire, se demandant si un jour elle se le pardonnera. Si ses enfants lui pardonnerons. Si Dieu lui pardonnera…Tout ça pour tenter de sauver la vie d'un petit inconnu… Le doute s'intensifie; «Suis-je devenue folle? Est-ce vraiment nécessaire?» Tout à coup, son mari cligne d'un œil. Du moins, c'est ce qu'elle croit avoir vu.

— Claude! Claude!

306

Elle le brasse sans ménagement, espérant une réponse, un signe, une confirmation qu'elle n'a pas rêvé.

— Claude ! Nom de Dieu fais-moi signe ! Il faut que tu me fasses un signe…

Elle baisse la tête en pleurant bruyamment. Son corps est secoué d'un gros sanglot tandis que Claude gît, inerte, dans ses bras. Elle est soudain désemparée. Elle ne sait plus quoi faire. Puis, elle aperçoit la petite silhouette. Yhéo est assis tout seul à l'autre bout de l'embarcation, lui tournant le dos, s'agrippant fermement à la sangle d'une main et retenant sa peluche de l'autre. Le long imperméable vert le recouvre complètement. Le petit ange lutte pour sa survie, seul dans cette mer déchaînée. La vulnérabilité du bambin assis docilement est un réel déchirement. Un coup de poignard direct au cœur.

Cette image dramatique restera à jamais gravée dans sa mémoire. Et tatouée au fer rouge sur son cœur… Elle réalise que son propre chagrin ne sera jamais comparable à celui du petit qui vient de perdre sa mère et se retrouve seul, perdu en pleine tempête océanique avec une étrangère… Et elle lui a fait une promesse. Tous ses doutes s'évanouissent instantanément. Maintenant résignée et convaincue de la nécessité de son geste, elle embrasse une dernière fois son mari mourant. Elle chuchote à son oreille pour lui expliquer pourquoi elle s'apprête à poser ce geste. Le jeter par-dessus bord. Avant qu'il ne soit trop tard… Avant qu'ils meurent tous les trois.

Elle tire son mari lentement près des cloisons dégonflées. La pluie diluvienne tombe sur son imperméable jaune canari et les gouttelettes résonnent sur son capuchon. Elle pleure toutes les larmes de son corps et déchire le ciel de ses cris de détresse, tout en poussant l'homme de sa vie, tête première, dans l'océan glacé.

Le pneumatique remonte instantanément à la surface, faisant sortir l'eau accumulée. Claude flotte sur les vagues. « Je viens de tuer mon mari… » se dit-elle, encore tout abasourdie du geste qu'elle vient de commettre. Claude crache et tousse faiblement son dernier souffle de vie et elle détourne la tête pour ne pas être témoin de sa rapide agonie. Petit à petit, elle se calme, s'empare des gobelets et s'empresse de sortir le reste de l'eau du canot. Elle ne quitte pas des yeux le corps de son mari, qui s'éloigne lentement dans les flots de cette triste matinée… Elle lutte contre le désir viscéral de le récupérer et s'étend tout au fond du canot avec Yhéo, alors que la bombe atmosphérique s'intensifie. Les longues heures passent et la nuit tombe sur les deux survivants, qui luttent pour conserver leur chaleur. Pendant la nuit, le canot traverse une nouvelle zone de débris qui se frottent vigoureusement aux parois du pneumatique. Bien que Serena tente de repousser les énormes branches, le canot se coince entre celles-ci et y reste accroché de longues heures, leur apportant malgré tout un peu de répit, car le canot est ainsi stabilisé. Serena s'endort malgré elle d'un sommeil léger, Yhéo blotti contre elle.

Chapitre 13

La convalescence

Lucy

Le matin venu, Brian vérifie ses plaies. Il remarque son visage légèrement boursouflé. Lucy se plaint de ses brûlures aux avant-bras. Mais les nombreuses lacérations guérissent bien et la fièvre est tombée. Elle boit le thé et avale les comprimés docilement. Pour la première fois depuis l'attaque, elle glisse fébrilement ses mains sur son corps, sa tête et son visage. Elle évalue l'étendue de ses blessures. Pleurant silencieusement, elle ramène ses mains sous son menton, après avoir constaté les dégâts sur son corps auparavant si parfait... Brian s'éloigne discrètement, déchiré de la voir ainsi perturbée...

Marc s'occupe silencieusement des chevaux à une dizaine de mètres d'eux tandis qu'Éric dort toujours à ses côtés. Lorsqu'il se réveille, il se pratique à tirer avec son nouvel arc et aide ensuite les deux hommes à installer un abri de fortune pour protéger Lucy et leur petit camp des intempéries. Les deux hommes se relaient pour dormir pendant le jour pour rattraper les heures de sommeil perdues. Lucy souffre particulièrement de ses blessures à la tête et des brûlures. Elle sait qu'elle sera à jamais défigurée, mais elle s'efforce de se convaincre que cela n'a plus d'importance. Au fond, elle est profondément troublée, ayant toujours compté sur sa beauté pour être bien dans sa peau. Elle réalise avec crainte qu'elle devra trouver en elle autre chose pour se valoriser que sa beauté physique... Malgré tout, elle a le sentiment d'avoir accompli un exploit important; non seulement a-t-elle vaincu sa peur du dangereux prédateur, mais elle mesure la portée de ce qu'elle peut dorénavant accomplir.

Elle se surprend à observer Éric, qui s'affaire maintenant à ramasser du bois mort pour alimenter le feu. Le petit semble fébrile et chante pour cacher un certain malaise. Sa vulnérabilité la touche beaucoup et elle l'appelle à elle. Il la rejoint après avoir déposé ses branches et s'assoit près d'elle, sans toutefois oser la regarder dans les yeux. Voulant se faire rassurante, elle lui affirme qu'il retrouvera sa famille bientôt et que, d'ici là, ils prendront bien soin de lui. À peine a-t-elle terminé sa phrase qu'il l'interrompt :

— Oui je sais. Mais maintenant, nous, on va prendre soin de vous, madame Lucy, dit-il en prenant sa main.

— Merci Éric. Tu sais, je suis heureuse de t'avoir rencontré.

— Moi aussi. Il faut vous reposer maintenant.

Le petit semble beaucoup plus préoccupé par l'état de Lucy que par sa propre situation, pourtant inquiétante. Une fois de plus, elle ne peut s'empêcher d'admirer la maturité précoce du gamin.

L'après-midi apporte son lot de nuages de pluie mélangée à de la cendre. Brian aide Lucy à se relever pour passer un doux lainage et un pantalon de jogging léger. Ces simples mouvements lui arrachent plusieurs gémissements de douleur. Après un instant de répit, elle se joint à Marc et Éric pour jouer aux cartes. Sous la lumière du fanal, ils se divertissent de longues heures jusqu'à la nuit tombée. Avant de s'étendre, Éric chante à nouveau la berceuse à ses amis, qui savourent ce moment féerique autour du feu.

Lucy lui dit :
— Mme Juliette avait raison de croire en toi, Éric. Tu as une voix formidable. Extraordinaire. Est-ce qu'il t'arrive parfois de chanter en public ?
— Oui, parfois.

Il marque une pause.
— Dans la chorale de l'église.

Éric redoute qu'ils se moquent de lui, tout comme ses frères et sœurs ont l'habitude de le faire. Mais ses amis se contentent de hocher la tête en signe d'admiration. Avec des gestes doux et calculés, Brian change les pansements et vérifie à nouveau les blessures de Lucy.
— Elles cicatrisent bien, murmure Brian, visiblement soulagé.
— Ce n'est pas votre faute, insiste-t-elle.

Il fait mine de lui répondre, puis se ravise. Il a l'air malheureux, coupable. Silencieux, il lui remet les comprimés et une tasse de thé. Elle gobe le tout et s'étend sur le dos. Éric vient se blottir une fois de plus contre Lucy, et elle l'accueille chaleureusement. Comme la veille, Brian fait chauffer de l'eau et nettoie les blessures de Lucy qui se laisse faire, étonnée par la douceur des gestes de son compagnon.
— Vous savez, ce n'est pas un hasard si j'ai été en contact avec ces félins et que certains m'ont suivie, ici, dans notre périple.
— Pourquoi dites-vous cela ?
— Parce que, premièrement, je ne crois pas aux hasards et, deuxièmement, parce que je le ressentais. Je savais, sans pouvoir l'expliquer, que je ferais un jour face à cet animal.
— Vous avez peut-être raison…
— Non Brian. Pas peut-être. J'ai raison. Et ce n'est pas deux, mais quatre rencontres, incluant cette attaque. Vous étiez confus et ne l'avez pas remarqué, mais à Fortuna, un couguar s'est avancé dans la rue alors que n'étions

qu'à une trentaine de mètres… Et cessez de vous en faire. C'était à moi de l'affronter. Non à vous. Ça devait se passer ainsi et pas autrement. Aussi pénible que ce soit de l'avouer, je devais le faire pour pouvoir… avancer. Évoluer… murmure-t-elle pour elle-même.

— … Avancer ?

— Mmm… Oui… Bonne nuit Brian.

— Bonne nuit Lucy.

Elle s'endort rapidement au son réconfortant de la pluie d'octobre qui tambourine sur la bâche de plastique… Brian veille sur eux toute la nuit et sombre dans le sommeil au petit matin. Le lendemain, elle insiste pour se rendre à la toilette seule, prétextant ne plus vouloir uriner dans le petit récipient et affirmant être capable de se déplacer. Devant son insistance, Brian cède à sa demande. Souffrante, mais heureuse de pouvoir retrouver enfin son autonomie, elle passe une partie de la matinée à s'occuper de petites tâches en position assis. La journée pluvieuse est une réplique de la précédente. Éric développe un réel talent aux cartes et défie Marc à une partie finale en fin d'après-midi. Défait, Marc n'a d'autre choix que d'honorer son pari et nomme Éric l'ultime vainqueur en faisant une danse au dieu Soleil autour du feu. Ils éclatent de rire devant les simagrées de Marc, qui se fait allègrement tremper. Ils en oublient presque chacun leurs soucis.

— Nous partons demain matin, annonce Brian lors du maigre repas du soir.

En s'adressant à Lucy, il ajoute :

— Nous irons doucement et prendrons autant de pauses que nécessaire, d'accord ?

— D'accord.

— Et toi Éric, comment va ton bras ? poursuit Brian.

— Très bien ! Regarde, je peux le bouger comme je veux ! Ça ne fait presque plus mal.

— Parfait !

Chacun s'installe sur son sac de couchage. Lucy et Éric s'étendent une fois de plus côte à côte et le gamin chante la douce berceuse à l'oreille de son amie. Elle lui est reconnaissante de ses petites attentions et comprend à son attitude qu'il se sent probablement encore coupable de son état. Pour le rassurer, elle lui affirme en murmurant qu'il n'a pas à se sentir coupable et qu'elle ne lui en veut pas le moins du monde. Il soupire de soulagement et donne un baiser rapide sur sa main, dans un petit geste solennel.

— Bonne nuit, monsieur Éric, fait-elle solennellement à son tour.

Il rit et complète :
— Bonne nuit, madame Lucy !

Puis Brian s'avance une fois de plus avec le seau d'eau chaude et nettoie ses blessures. Il a pris l'habitude de prendre soin de Lucy et elle se laisse faire, reconnaissante et silencieuse. Elle est surtout réconfortée de ne plus voir dans le regard de Brian le triste et déchirant sentiment de culpabilité. À la place de cette culpabilité, elle y voit ce soir la réponse à l'une de ses questions… Le lendemain matin, ils se préparent pour le départ. Lucy enfile lentement ses nouveaux vêtements en grimaçant de douleur. Elle passe ses mains sur sa tête aux cheveux hirsutes et à la peau affreusement mutilée. Son visage trahit ses émotions ; elle est accablée et embarrassée. Éric le remarque et a soudain une idée formidable. Il fouille dans son sac et en ressort un bonnet rose en douce laine d'angora. Il s'approche timidement de Lucy et le lui tend.
— Vous êtes toujours une jolie dame, vous savez.

Elle s'en saisit d'un air ravi et le pose avec délicatesse sur sa tête. Elle soupire de soulagement, voyant que le tissu cache entièrement sa tête. Elle le remercie d'un large sourire, et le petit raconte pourquoi il a le bonnet dans son sac.
— Le rose, c'est la couleur préférée d'Alicia. Je voulais le lui offrir lorsque je la reverrais. Je l'ai pris dans le grand magasin… Mais je vais le payer quand je retournerai là-bas, c'est sûr !

Lucy se sent mieux. Le joli bonnet rose lui procure à la fois douceur, chaleur et réconfort. Brian l'aide à monter sur Flamboyant et marche devant en tirant l'étalon. Marc fait de même avec Éric, qui monte seul l'étalon blanc pour la première fois. Au pas, ils arpentent la route déserte en direction de Reno. En toile de fond, au nord, les dangereux volcans crachent toujours de la fumée et des gaz sur des colonnes hautes de plusieurs kilomètres. Le bruit des sabots retentit et les montagnes renvoient l'écho. Lucy s'assoupit à plusieurs reprises, la tête ballottant sur sa poitrine. Ils font une pause pour le lunch et repartent rapidement au bout d'une demi-heure. Ils espèrent rejoindre Reno d'ici deux jours en maintenant cette vitesse.

Ils poursuivent leur chemin à ce rythme lent et s'installent pour la nuit après avoir parcouru une trentaine de kilomètres. Lucy est épuisée et ses entailles sont douloureuses. Quelques-unes saignent. Brian la trouve pâle, et cette dernière s'endort aussitôt le repas achevé par le réconfortant babillage d'Éric, qui reprend dès qu'il pose pied à terre. Les deux hommes veillent au feu en se relayant. Brian nettoie fidèlement les blessures de la femme endormie. Il est attendri de voir Lucy et Éric s'attacher ainsi l'un à l'autre. Au réveil, une légère couche de givre s'est déposée sur tous les objets, les branches d'arbres, la route. Lucy et Éric sont bien au chaud dans leur sac de couchage sous la toile près du feu et rechignent à sortir au froid.

Ils chevauchent à nouveau toute la journée et sont recueillis à la tombée de la nuit par les propriétaires d'un motel situé sur la route, à environ sept kilomètres de Reno. Les proprios offrent le gîte gratuitement à ces derniers. Ils leur expliquent qu'ils hébergent les réfugiés qui vont et viennent depuis des jours. Ils remercient leurs hôtes et partagent une chambre offrant un seul lit. Aussitôt entrée, Lucy s'enferme longuement dans la salle de bain. Pour la première fois depuis sa terrible lutte avec le lion des montagnes, elle se regarde dans une glace. Délicatement, elle enlève ses vêtements et examine, les yeux larmoyants, toutes les parties mutilées de son corps, portant irrémédiablement les marques de ce cruel combat. Les fils de suture colorés et les bandages de rapprochement lui donnent un air « d'épouse de Frankenstein », réalise-t-elle avec désarroi. Les fils bleus et noirs sont à moitié incrustés dans le sang séché. Elle touche de ses doigts les larges entailles sur son abdomen et ses cuisses amaigries. Elle enlève finalement le bonnet rose et passe doucement ses mains dans ses cheveux, tâtant les nombreuses et longues cicatrices boursouflées laissées par les morsures et les griffes de la furieuse bête. Le derrière, le dessus et le côté droit de son crâne ont été les plus touchés. Une vingtaine de coupures recouvrent sa tête endolorie. Ses cheveux, coupés inégalement, n'ont rien d'esthétique. Son œil droit ouvre à moitié maintenant, et la couleur de sa paupière passe graduellement du bleu au jaune.

Son visage n'a pas été épargné. En plus de la large cicatrice qui traverse son front jusqu'au dessus de l'œil droit, elle a subi des petites morsures à la lèvre inférieure, à son oreille droite, salement amochée d'ailleurs, et une mince cicatrice se dessine le long de sa mâchoire, côté gauche. Elle s'approche du miroir, qui renvoie cette image d'une femme qu'elle ne reconnaît pas. Ses seins ont perdu de leur tonus habituel et ses mains rougies par le froid contrastent avec la blancheur de sa peau. Elle a de larges poches foncées sous les yeux, et les joues creuses. Elle s'approche encore plus près de la glace et lève les yeux. Ses yeux… Elle y perçoit une flamme nouvelle, une profondeur qui n'y était pas auparavant. Cela la rassure. La terrible lutte lui revient en mémoire et, de nouveau, le puissant sentiment de fierté l'envahit. Elle est persuadée que, petit à petit, elle en viendra à accepter cette nouvelle image d'elle. Décidée, elle emprunte à Marc les ciseaux et coupe ses cheveux très courts. Elle enlève les pansements superflus et se lave délicatement à la main, à l'eau chaude. Elle accapare la salle de bain pendant plus d'une heure.

Lorsqu'elle en ressort, dispose et fraîche, elle remet à nouveau le bonnet rose.

Brian est légèrement soucieux que Lucy demeure aussi longtemps dans la salle de bain. Il craint sa réaction lorsqu'elle se verra enfin dans la glace. Il est incroyablement soulagé de la voir ressortir, souriante et paisible.

— Nous devons enlever certains points de suture.

À contrecœur, elle s'étend sur le lit d'un air résigné, tandis qu'Éric allume le téléviseur. Pendant près d'une heure, Brian enlève des points suturés des petites coupures et morsures sur le corps de sa compagne. À froid. Cette dernière lâche quelques petits cris de douleur, tout en concentrant son attention sur le bulletin de nouvelles télévisé. Pendant ce temps, Marc commande une pizza aux proprios et fait un appel aux autorités locales pour signaler les coordonnées de la résidence de Joseph et Jacinthe, les parents de Théo. Il reçoit la confirmation qu'un hélico passera les récupérer dès que les conditions atmosphériques le permettront. De retour à la chambre, il découvre Lucy étendue sur le lit. Elle est presque entièrement dévêtue et ses yeux sont rougis. À ses côtés, un petit monticule de fils bleus et noirs et des bandages ornent le coin du lit. Brian est sous la douche et Éric est toujours rivé au téléviseur, fasciné par les images de fin du monde qui défilent à l'écran.

Ils dégustent la pizza en silence. Éric demeure devant l'écran jusque dans la soirée, étrangement silencieux, gobant toute parcelle d'information. Brian et Marc s'endorment aussitôt le repas terminé, étendus par terre sur la moquette, confortablement installés dans leur sac de couchage. Les chevaux sont attelés juste devant la porte et réagissent lorsque Lucy sort silencieusement de la chambre pour rejoindre la réception. Elle fait un appel auprès de son frère, mais elle est réellement déçue que personne ne réponde au bout du fil. Elle laisse un court message et les coordonnées du motel et de la chambre. Vers vingt et une heures trente, alors que tout le monde s'est endormi, le téléphone sonne, les faisant sursauter. Marc répond et remet machinalement le combiné à Lucy. C'est son frère. Au ton de sa voix, elle constate qu'il est très soulagé et heureux de l'entendre :

— Lucy, c'est bien toi ?

— Allo ? Den ? Parle plus fort.

— Lucy ?

— Oui, c'est moi. Je suis heureuse de te parler. Vous me manquez beaucoup, dit-elle, soudain au bord des larmes.

— Et moi donc ! On se faisait du mauvais sang, t'as pas idée.

— Je suis désolée. C'était impossible de vous rejoindre avant. Comment va mon amour ? Comment ça va là-bas ?

— Il va bien. Nous allons bien. D'ailleurs, le voici.

Un bruit de voix étouffées lui parvient dans le combiné, puis une petite voix endormie.

— Maman ?

— Logan, mon chéri. Oh… Je m'ennuie énormément de toi.

Lucy est très émue et doit se ressaisir.

— Moi aussi. Je m'ennuie trop. Il faut que tu reviennes vite, maman.

Il retient également ses sanglots.

— Je sais. Je fais tout mon possible pour revenir à la maison dès que je peux, promis.

— Mais tu as dit ça la dernière fois ! Et moi je t'attends encore…

— Je sais mon lapin. Je suis désolée. Mais c'est très… très difficile ici… Vraiment très difficile. J'ai tellement hâte de te voir et de te serrer contre moi… laisse-t-elle échapper dans un sanglot.

Elle marque une pause et ajoute :

— Je t'aime plus que tout. Alors, tu dois être fort et patient jusqu'à mon retour.

— Tu seras là demain ? demande-t-il avec une lueur d'espoir dans la voix.

— Hélas, non mon chéri. Je suis encore très loin. Mais je viendrai te chercher dans quelques jours, promis.

Il pleurniche de plus belle et murmure d'une petite voix avant de passer le combiné à son oncle :

— Je t'aime maman.

— Moi aussi, tellement ! Et ne t'inquiète pas. Tout ira bien, d'accord ?

— Mmm.

Elle est triste. Elle aurait aimé pouvoir le consoler, le serrer contre son cœur, sentir l'odeur de ses cheveux, baiser son petit front. Sans s'en rendre compte, elle serre très fort le combiné du téléphone entre ses mains. Son frère reprend le combiné :

— Où es-tu exactement ?

— À sept kilomètres au nord-ouest de Reno. Nous passerons la frontière du Nevada demain matin et serons dans la ville vers midi. Nous nous rendons à l'aéroport.

— D'accord, mais sache qu'aucun vol en partance de l'ouest n'est autorisé, car d'énormes nuages de cendre se déplacent depuis la Californie et l'Oregon.

— Mmm… Alors peut-être devrais-je d'abord me déplacer vers l'est et ensuite monter vers le nord en voiture ou en train ?

— Je crois que c'est une bonne solution… Comment vas-tu ?

Lucy hésite à lui dire la vérité. Elle décide finalement de ne rien lui révéler. Mais devant son hésitation, il la questionne de plus belle :

— Lucy, qu'est-ce qui se passe ?

— Ce n'est pas facile, c'est tout… répond-elle simplement.

Il reste silencieux un moment.

— N'oublie pas de recharger ton téléphone cellulaire avant de quitter demain matin.

— D'accord, je vais tenter de trouver un chargeur demain matin.

Elle marque une pause, puis ajoute :

— Den, je t'en prie. Quoi qu'il se passe ici ou chez nous, prends soin de mon amour.

— Ne t'inquiète pas pour lui, je m'en occupe comme un de mes gars, dit-il en frottant le dos du petit Logan encore dans ses bras. Assure-toi simplement de revenir en un morceau et tiens-moi au courant de ta progression.

— D'accord, je te le promets.

Elle inspire profondément et murmure :

— Bonne nuit.

— Bonne nuit petite sœur. Je vais enfin pouvoir dormir… N'oublie pas de recharger ton téléphone, car je t'appelle demain.

— Oui.

Elle raccroche et s'étend à nouveau aux côtés d'Éric, qui s'est réveillé. Il la regarde de ses grands yeux noirs.

— Votre petit garçon vous manque beaucoup, n'est-ce pas ?

— Oui, beaucoup, répond-elle en caressant la joue d'Éric.

— Il a de la chance d'être aimé comme ça, murmure-t-il doucement en fixant les coutures de l'édredon.

Lucy comprend à ces mots qu'il n'a pas souvent l'occasion de recevoir des marques d'affection ou d'amour de sa mère.

— Ta mère doit te manquer beaucoup également, n'est-ce pas ? dit-elle d'un ton compatissant.

Il baisse les yeux et ne répond pas.

— Qu'y a-t-il ?

— Elle me manque un peu, c'est vrai. Mais je suis surtout inquiet pour ma petite sœur Alicia. Ma mère n'est pas très…

Il hésite, cherchant quel mot employer :

— …patiente avec les enfants. Surtout avec Alicia. J'ai peur qu'elle manque de patience avec elle ou qu'Alicia se soit perdue.

— Je comprends ton inquiétude. Tu aimes beaucoup ta petite sœur Alicia et je suis certaine qu'elle t'aime beaucoup aussi. Alors, voici ce que l'on va faire : dès que nous arriverons à Reno, nous ferons le tour de la ville pour retrouver ta famille.

Il se redresse d'un bond :

— C'est vrai ?

— Oui. Je resterai avec toi aussi longtemps qu'il faudra, d'accord ?

Il acquiesce vivement de la tête sans lever les yeux. Il se recouche et Lucy continue de caresser sa joue. Elle s'attache au garçon et est triste de le voir s'inquiéter ainsi. Triste de voir quel genre de vie il a. Elle ajoute doucement, dans le creux de son oreille :

— Tu es un garçon vraiment formidable, Éric. Vraiment. Et ne laisse personne tenter de te faire croire le contraire, d'accord ?

Une fois de plus, il hoche simplement la tête. Elle hésite, puis ajoute :

— Tous les enfants méritent d'être aimés. Malheureusement, certains parents sont si préoccupés par leur propre personne qu'ils ne se rendent pas compte du tort qu'ils causent à leurs propres enfants, même si dans le fond, ils les aiment. C'est peut-être le cas de ta mère. Moi, je serais très fière de t'avoir pour fils, ça, c'est certain. Tu es extraordinaire.

Elle est sincère et sait qu'il est en mesure de comprendre le sens de ses paroles. Il émet un soupir rassuré. Il glisse sa main dans la sienne. Le petit s'endort rapidement, apaisé et rassuré. Lucy le regarde dormir un moment. Elle sombre à son tour dans le sommeil et fait un étrange rêve, au petit matin.

« Elle se tient debout parmi une grande foule, à l'extérieur, alors qu'il fait nuit. En face d'elle se trouve un train de passagers rempli à craquer de gens qui se bousculent. Des bras sortent des fenêtres entrouvertes. Une cohue générale règne autour d'elle et une effrayante sensation de panique l'envahit progressivement. Elle lève la tête afin de trouver des visages familiers, mais une lumière aveuglante provenant d'un lampadaire situé tout près d'elle l'éblouit. La nuit est froide et elle tremble sous sa petite veste de laine rouge. Son nez coule et elle l'essuie machinalement avec sa manche. Les gens autour d'elle sont tous plus grands. Elle est perdue dans cette foule en colère désireuse d'entrer dans les wagons déjà pleins. Elle se sent de plus en plus écrasée par les corps des grandes personnes qui se bousculent. Elle che à nouveau les visages familiers, mais sans succès. Elle se sent étouffée. Elle veut hurler sa détresse, mais aucun son ne sort de sa bouche. Elle sent ses côtes craquer, et une intense douleur traverse son petit corps. Alors, elle penche la tête vers le sol pour ne plus voir les visages colériques de ces inconnus qui l'écrasent méchamment sans même la voir.

Elle pleure silencieusement. Elle remarque sa belle robe rouge aux picots blancs, qu'elle aime tant porter, ses collants rouges et ses souliers de cuirette noire. Elle a un petit sac à main en jeans bleu pâle qu'elle porte en bandoulière, dans lequel se trouvent ses deux petites voitures préférées. Elle adore jouer aux petites voitures et regarder les roues tourner encore et encore. Malgré l'intense douleur qu'elle ressent, elle sort les petites voitures et les fait rouler sur le sol parmi les chaussures des étrangers. Le sentiment de détresse se dissipe peu à peu et fait place à un sentiment rassurant, habituel, alimenté par le fait de regarder les petites roues tourner. Lucy remarque ses petites mains à la peau noire. Elle réalise alors qu'elle est une petite fille noire. Et les méchantes personnes lui marchent sur les mains, les bras, les jambes, mais elle ne ressent plus la douleur. Plus maintenant. Car elle est entrée dans son propre monde. Un monde où elle se sent en sécurité, seule avec ses petites voitures. Seule et bien, loin de tous ces cris, de tous ces gens qui lui font atrocement mal et l'étouffent… Étendue par terre, ses yeux voient sans le voir le pied du lampadaire ancré dans le béton à l'aide de gros boulons. La peinture rouge écaillée sur le métal a la forme d'un visage amusant de clown. Son regard alterne entre les roues des petites voitures et le visage de clown, sans cesse. Peu à peu sa vue se brouille. Elle n'arrive plus à respirer… Elle rapproche ses petites voitures tout près de ses yeux et les garde dans ses mains. Elle étouffe. Elle a si mal. L'air n'entre plus dans ses poumons… »

Lucy se réveille d'un bond en suffoquant. Elle cherche son air et il lui semble que ses côtes sont comprimées. Elle tremble de tous ses membres. Elle est en sueur et découvre qu'elle tient toujours la main d'Éric. Son réveil en sursaut réveille à son tour Brian, qui ne dort que d'un œil. Il lui remet rapidement des cachets avec un verre d'eau, croyant que la douleur a provoqué ce réveil brutal. Désorientée, elle avale tout d'un trait. Elle n'a pas le souvenir d'avoir jamais fait un rêve qui lui semble à ce point réel ; c'est comme si elle y était. Elle se recouche, revoyant dans sa tête les images fraîches de ce terrible rêve et revivant cette angoissante sensation d'étouffement. Il lui faut un certain temps pour se ressaisir et se rendormir enfin. Quelques heures plus tard, ils sont réveillés par des coups frappés à la porte.

Chapitre 14

Le ventre plein

Julie

Dès l'aube, Julie et Franck retournent dans la chambre pour récupérer et entreposer les morceaux de chair séchés. Silencieusement. Discrètement. Personne n'offre son aide et ils en sont grandement soulagés. La chambre est remplie de contenants de chair cuite. «Ça a l'air d'une usine à viande», songe-t-elle avec dégoût.

Pendant ce temps, Jonathan, Rick, François et Sam préparent l'expédition. Il a été fermement décidé la veille que l'expédition aurait lieu, coûte que coûte. Et l'impressionnante ingéniosité de François est mise à profit toute la journée. Il prend la responsabilité de construire des poussettes pour transporter les enfants. À l'aide du chariot de vaisselle appartenant à l'hôtel et d'une grosse valise sur roues, il réalise un travail remarquable. Il modifie ces deux articles pour donner deux chariots suffisamment grands pour accueillir deux enfants chacun et des bagages. Chaque poussette improvisée est surmontée d'une toile pour protéger du soleil et munie de larges poignées solidement fixées à l'avant et à l'arrière pour faciliter les déplacements. Sam recueille des jouets gonflables, deux planches de mousse et deux parasols qu'ils ajoutent sur le toit des poussettes. Toutes sortes d'articles utiles sont également attachés aux poussettes improvisées, à l'aide de cordelettes et de lacets.

François a même pensé aux roues de rechange et s'est fabriqué un tournevis à l'aide d'un couteau. Les sacs à dos sont à nouveau remplis de vêtements, de bouteilles d'eau, de couvertures, de produits hygiéniques et de produits de premiers soins. D'autres sacs à dos contiendront la nourriture qui sèche aujourd'hui…Vers l'heure du midi, Julie apporte un panier rempli de morceaux de chair cuite dans la suite et chacun mange lentement l'abominable nourriture. Les enfants sont rapidement rassasiés. Ils reprennent peu à peu un comportement normal, et une énergie grandissante les anime. La diarrhée s'amenuise chez tous et une légère augmentation de la qualité de vie se fait sentir dans la suite

En fin d'après-midi, les jeunes ont complété leur boulot. De leur côté, Franck et Julie ont fait sécher la chair et l'ont emballée dans des linges secs. Les ados sont excités à l'idée de partir le lendemain. Ils réfléchissent tout haut en évoquant les éventualités qui peuvent se présenter au cours de l'expédition. Julie est fière d'eux et profite d'un moment de répit pour cajoler longuement les enfants, surtout Émanuel, qui reprend rapidement des forces. Le départ prévu le lendemain matin, à l'aube. Ils veulent s'abstenir de marcher sous le soleil brûlant du midi. Si tout se passe bien, ils seront en mesure d'atteindre les montagnes au sud, en passant par le village de Bucerias, en cinq heures. Une fois dans les montagnes, ils seront à l'abri des vagues et pourront se réfugier sous les arbres pour se protéger du soleil ardent. Onze kilomètres les séparent des montagnes par la route, et ils sont convaincus de pouvoir y arriver.

De la chair est à nouveau distribuée dans la soirée, au grand plaisir des tout-petits. Les adultes et ados s'abstiennent de tout commentaire et détournent la tête afin d'éviter que les petits perçoivent dans leur regard la honte de leur mentir ainsi et leur dégoût a ingurgiter cette viande…

Peu après, Franck revient dans la suite en portant un peignoir. Il sent bon, s'est rasé et offre un large sourire de satisfaction. Puisque toute l'eau nécessaire a été embouteillée pour leur expédition, Franck a utilisé l'eau restante d'une des baignoires pour se faire une toilette. Cela donne envie aux autres d'en faire autant. Un drôle de petit carnaval s'ensuit, alors que chacun revient dans la suite après s'être lavé dans une des salles de bain, portant un peignoir blanc de l'hôtel, Rick allant même jusqu'à porter une serviette enroulée autour de la tête pour faire rire les petits, revigorés par ces bains rafraîchissants. La soirée se passe dans une ambiance calme et sereine. Les estomacs pleins ravivent la bonne humeur, mais Julie, quoiqu'elle se sente nettement mieux, ressent un vide intérieur. Comme si quelque chose s'est définitivement brisé en elle… Heureusement, ils dorment tous d'un sommeil relativement paisible. Même elle.

Chapitre 15

Le sauvetage

Serena

Elle se réveille à l'aube, alors qu'elle se fait éclabousser fortement par une vague et évite de justesse de passer par-dessus bord. Elle s'aperçoit avec consternation que le canot est maintenant à moitié dégonflé ! Les épines pointues des branches ont transpercé l'épais caoutchouc et plusieurs cloisons se vident de l'air comprimé. Paniquée, elle attache Yhéo à elle à l'aide d'une sangle et ils s'assoient à cheval sur le rebord des cloisons encore gonflées… La matinée avance et les heures passent, pareilles aux précédentes. Ils sont déshydratés et tremblent de froid. Elle redoute l'hypothermie. Et hélas, toutes les provisions restantes et les bouteilles d'eau ont été emportées par les eaux alors qu'ils dormaient… En début d'après-midi, une légère accalmie se fait sentir dans la tempête. Elle dodeline de la tête pendant un temps, exténuée. Au même instant, il lui semble entendre un bruit de moteur qui se rapproche. Elle relève la tête et croit distinguer un bateau parmi les vagues et la pluie torrentielle qui se dresse tel un mur d'eau grisâtre. Le bateau se dirige droit sur eux.

Elle ferme à nouveau les yeux, persuadée qu'il s'agit d'un rêve… ou d'un mirage. Sa tête retombe et elle somnole à nouveau. Quelques instants plus tard, un klaxon retentit tout près en les faisant sursauter. Un bateau blanc et rouge de la garde côtière canadienne se tient à une centaine de mètres d'eux. Il est sérieusement malmené par les puissantes vagues, et le bateau tangue dangereusement. Elle remarque de longues traces profondes sur la coque du navire, semblables à des égratignures. Une vitre avant est fissurée. Le drapeau canadien claque sous le fort vent à la poupe. Sans y croire encore, elle lève un bras affaibli pour leur faire signe. Un homme en habit d'homme-grenouille lui répond aussitôt en agitant les bras. Quelques instants plus tard, il descend dans un petit canot pneumatique noir à moteur et navigue en leur direction. Il s'approche assez près de leur canot, coincé dans les branches, et fait signe à Serena de venir à lui.

Cette dernière transporte Yhéo, marchant dans le canot dégonflé, puis se jette à la mer pour rattraper les sangles lancées par leur sauveteur. L'homme-grenouille, portant une impressionnante moustache rousse, empoigne aussitôt Yhéo et le tire à l'intérieur. Il se charge ensuite de Serena avec énergie. Malgré sa corpulence, il la soulève comme un poids plume et la laisse retomber lourdement dans le fond du pneumatique. Il reprend aussitôt sa place côtés du moteur et retourne rapidement vers le bateau de la garde côtière. « Il paraît préoccupé et se presse », remarque Serena. Il les aide à monter à bord, et un autre homme, portant une combinaison étanche rouge vif, les amène dans la salle de pilotage et en ressort aussitôt.

Tenant la barre, un jeune homme de dix-huit ou dix-neuf ans, aux yeux verts et aux cheveux roux, les accueille d'un sourire. Il porte une combinaison étanche rouge vif également et Serena devine qu'il est le fils de l'homme-grenouille moustachu, car ce dernier a une crinière rousse identique et les mêmes joues roses. À part ces trois hommes, le bateau de sauvetage est vide… Serena et Yhéo se tiennent debout en se retenant à une barre. Ils mouillent le parquet de bois de la cabine et ne réalisent pas tout à fait encore où ils sont. Serena observe la pièce, momentanément confuse. Ils sont transis de froid et grelottent involontairement. Yhéo a les lèvres bleues. Le jeune homme hurle par-dessus le bruit des vagues qui se fracassent contre le navire :
— Vous devriez vous déshabiller. Il faut vous réchauffer !

Puis, un message parvient au jeune homme par son père, transmis par le haut-parleur :
— OK ! Elliot, à tribord toute ! Il faut à tout prix s'éloigner des débris !

Le jeune homme tourne alors la barre et enfonce la manette des moteurs. Serena et Yhéo sont désarçonnés par le départ subit et tombent à la renverse sur le sol. Incapable de se relever, Serena se traîne à quatre pattes et atteint un siège, Yhéo sur ses talons. Tant bien que mal, elle enlève leurs vêtements et s'installe sur le banc recouvert de toile. Elle doit réchauffer le petit, qui est au bord de l'hypothermie. Elle colle Yhéo directement contre son ventre, ses cuisses et sa poitrine et entoure son petit corps de son bras gauche. Il se laisse faire.
— Glisse tes mains sous mes aisselles et tes pieds entre mes cuisses, mon petit.

Yhéo obéit docilement et Serena sursaute au contact des petits membres gelés. Elle se retient fermement de l'autre main à une barre métallique. Le jeune homme jette un regard furtif en leur direction. Elle devine à son expression embarrassée que sa quasi-nudité le gêne. Et pour cause ! L'image d'une grand-maman blanche à moitié nue, les cheveux hirsutes, les grosses fesses dépassant du petit banc et un petit chinois (croit-elle toujours) à la peau basanée enlacé autour d'elle comme un petit singe a de quoi surprendre !

Les deux hommes entrent à leur tour dans la cabine et s'empressent de leur fournir des couvertures chaudes et de l'eau. Serena est toujours confuse et assimile pas encore tout à fait la situation. Elle est incapable d'exprimer sa gratitude. En fait, elle est incapable de s'exprimer tout court. Elle était si persuadée qu'ils s'échoueraient sur une plage dévastée qu'il lui faut un certain temps pour revenir à la réalité. Son esprit a du mal à suivre le cours des événements pendant la première heure. Mais les hommes ne semblent pas le moins du monde concernés par sa confusion. Ils savent pertinemment que la dame et le petit sont en état de choc. Ils ont l'expérience de ce genre de situation et les rescapés prennent parfois des heures, voire des jours, avant de pouvoir exprimer leur gratitude envers leurs sauveteurs et redevenir eux-mêmes.

Les sauveteurs s'activent agilement à manœuvrer le navire dans la tempête à travers les débris. Serena observe la cabine et remarque les instruments répandus sur le sol, les objets renversés. Même les cartes sont tombées et roulent au rythme des vagues d'un bout à l'autre de la cabine. Les murs sont couverts de photos d'hommes en habit de secouriste, d'un petit drapeau canadien et d'une photo d'un petit port avec un hangar peint à l'effigie de l'emblème du pays : la feuille d'érable rouge. Alors qu'elle lève la tête, elle remarque au plafond des traces de… sang ? Elle ne comprend pas comment il peut y avoir des traces de sang au plafond… Son attention revient se porter sur les trois hommes, qui ont fort à faire pour maintenir le navire dans les vagues qui s'intensifient subitement à vue d'œil, alors qu'ils s'éloignent de la côte en direction du large.

À les écouter discuter entre eux, elle comprend qu'une autre tempête approche, plus puissante que la première. Deux mini-ouragans consécutifs. C'est un phénomène très rare, apprendra-t-elle plus tard par Michael, qui s'avance doucement vers eux. L'homme-grenouille s'accroupit à ses côtés et tend gentiment la main.
— Je m'appelle Michael et voici mon fils Elliot. Lui, c'est Morris, dit-il en désignant l'autre homme au front bandé.
— Serena et voici Yhéo.
— Yhéo ? Alors, tu viens du Japon, petit ?
— Oui monsieur.
— Mmm…

Sans tenir compte du regard étonné de Serena, Michael enchaîne :
— Nous vous avons vu in extremis dans cette tempête. Heureusement que vous portiez cet imperméable jaune canari. Autrement, on vous aurait loupés…

Serena ne dit rien. Elle se souvient de l'insistance de Claude pour qu'elle le porte, lançant à la blague que le jaune lui allait mieux à elle... Devant son silence, Michael termine :

— Une tempête encore plus forte est à nos portes et nous devons nous rendre à l'extrémité sud de l'île, dans le détroit. Nous devons naviguer vers le large et nous éloigner à nouveau des côtes où les vagues sont plus importantes et où de nouveaux tsunamis pourraient nous envoyer valser sur les berges sur des kilomètres... La première tempête a éparpillé les débris partout en mer, rendant la navigation périlleuse dans ces eaux déchaînées. Tenez-vous bien, ça va brasser au cours des prochaines heures.

Michael baisse la tête en disant ces derniers mots. Il semble perdu dans ses pensées un moment, mais revient à lui en affichant un air déchiré.

— Nous avons bien entendu l'appel de détresse du Alaska Sun et avions prévu lui porter secours. Mais le bateau était à quai pour des réparations mineures lorsque les premières vagues du tsunami se sont engouffrées dans la petite rivière où la station est située. Le navire de sauvetage s'est retrouvé dans la forêt à près d'un kilomètre dans les terres, poussé par les eaux... À l'aide d'une camionnette, de billots de bois et de bras d'hommes, nous avons réussi à remettre le navire à l'eau, pour être aussitôt assaillis par de nouvelles vagues. Le bateau, alors dans la rivière, s'est fait emporter sur plus de deux kilomètres sur celle-ci, coincé dans des débris de troncs d'arbres et de branches parmi des petites îles en eau peu profonde. Alors que nous allions abandonner le navire, las et épuisés d'efforts acharnés, de nouvelles vagues sont arrivées et ont déplacé les débris subitement, permettant au bateau de se dégager et de se remettre enfin à l'eau. Seuls nous trois avons miraculeusement survécu aux tsunamis qui ont complètement ravagé le littoral de l'île de Vancouver sur toute sa longueur. Le destin a voulu que nous soyons à bord lorsque les vagues ont déferlé... Nous avons alors décidé de partir en mer pour tenter de rescaper des survivants. Mais le désespoir nous a accablés lorsque nous avons constaté que tous les ports, les quais, les villages côtiers, nos amis, nos familles, tous... ont été engloutis par les eaux meurtrières... Nous avons néanmoins navigué sans relâche pendant vingt-deux heures. Alors que nous repartions en direction du sud, Elliott a aperçu votre imperméable jaune vif... Voilà.

Il termine avec un sourire triste, se relève et reprend sa place en avant de la cabine.

erena reprend petit à petit contrôle de son esprit et de son corps réchauffé. a fait plus d'une heure qu'ils ont été repêchés de la mer en furie, et elle ressent trop bien les bienfaits de la chaleur. Elle enfile un pull de laine offert par Michael et de grosses bottes de pluie. Elle emmitoufle Yhéo dans les couvertures et l'installe confortablement dans un coin de la cabine, à même le sol. Elle passe une serviette autour de ses hanches dénudées et avance précautionneusement vers les hommes à l'avant.

— Avez-vous atteint la position signalée par le Alaska Sun?

— Oui. Mais le navire n'était pas au rendez-vous. Il a dû être emporté par le fond ou a dérivé plus au sud.

— Il était à la dérive lorsque je suis partie. Il a peut-être été emporté par le courant de l'Alaska?

Les trois hommes la regardent du coin de l'œil.

— C'est le capitaine du navire, M. Norrington, qui m'a expliqué les différents courants… s'empresse-t-elle de préciser.

— Ah bon. En effet, c'est possible que le navire ait dérivé plus au sud et au large. Et c'est justement dans cette direction que nous nous dirigeons. Il y a donc des chances pour que nous puissions l'apercevoir. Savez-vous pourquoi nous n'arrivons pas à entrer en communication avec le navire?

— Non.

Serena revient vers Yhéo. Les heures passent, et ils dorment un peu malgré la tourmente. Mais la tempête s'intensifie et une forte averse de gros grêlons s'abat sur le bateau, la réveillant en sursaut et surprenant les marins aguerris.

À la tombée de la nuit, la deuxième tempête se déchaîne impitoyablement et le bateau est hors de contrôle. Il est furieusement secoué de part et d'autre dans des vagues immenses à trois flancs. Serena hurle à plusieurs reprises lorsque le bateau tangue dangereusement, faisant rouler les passagers sur les cloisons. Serena empoigne aussitôt Yhéo et l'entoure de ses bras. Le bateau reprend sa position normale, puis une puissante vague l'engloutit de côté. Il roule sur lui-même et se retrouve à l'envers. Les passagers glissent sur le plancher, sur les murs, puis se retrouvent au plafond, après s'être cognés aux luminaires et aux joints métalliques. Serena hurle de terreur alors qu'elle roule au plafond. Elle se redresse à genoux et regarde l'océan de part et d'autre par les cloisons vitrées. Yhéo est toujours emmitouflé dans les couvertures, dans ses bras. Le navire est ballotté en tous sens et se retourne rapidement à l'endroit, faisant de nouveau rouler les passagers sur les surfaces dures en leur causant de légères blessures.

Yhéo pleure d'angoisse. Il se recroqueville et enfouit son minois dans poitrine sécurisante de Serena. Cette dernière s'assoit sur le sol, le dos ac dans un coin, et s'agrippe fermement d'une seule main, retenant le p l'autre. Elle cale solidement ses pieds et lutte pour conserver sa position. Mais une autre puissante vague retourne une fois de plus le bateau, qui fait un tour complet sur lui-même sans s'arrêter. Les passagers roulent dans l'habitacle de façon continue. Puis, le navire se redresse aussi subitement. Serena réalise que la cabine est entièrement étanche et apprendra plus tard, par Elliott, que le navire a la capacité de revenir à la position normale presque instantanément.

— Il a été spécialement conçu par des spécialistes selon les spécifications de la garde côtière canadienne. Ce bateau est unique en son genre, car les épaisses cloisons peuvent supporter la pression de l'eau, et la configuration de la structure permet un redressement quasi instantané en cas de retournement.

Serena retourne dans le coin de la cabine à quatre pattes et réconforte Yhéo, qui s'agrippe à ses vêtements comme une petite bête effrayée. Les marins reprennent aussitôt leur poste et maîtrisent le bateau qui navigue difficilement dans les éléments déchaînés. Serena se demande sincèrement s'ils s'en sortiront, car même les marins ont une expression angoissée. Néanmoins, ils s'entêtent à naviguer dans le Pacifique meurtrier à la recherche de possibles survivants.

Les pleurs incessants du petit la préoccupent, et elle découvre sur son petit corps des égratignures et des ecchymoses. Elle replace les couvertures autour de celui-ci, qui s'agrippe toujours à elle. Elle chante une berceuse à son oreille un long moment et il finit par se détendre. Son chant est constamment entrecoupé du bruit des vagues qui se fracassent contre les parois du bateau, et Serena est sérieusement secouée à chaque fois. Alors qu'elle s'efforce de chanter, son esprit s'envole loin du moment présent. Loin de ce lieu. Son esprit tourmenté et son cœur malmené lui pèsent, et elle ressent le besoin de revoir le visage de ses enfants. Elle ferme les yeux et laisse venir à son esprit les visages familiers de ses amours devenus grands. Cela la réconforte et l'apaise aussitôt, de même que Yhéo, qui ressent cette énergie sereine émaner d'elle.

Elle revient à elle lorsqu'une douleur à la tête la tourmente. Elle réalise qu'elle a une grosse bosse au front près du cuir chevelu. Elle comprend alors pourquoi il y a du sang au plafond du navire… Le bateau se démène dans la tempête, alors que des troncs d'arbres et des débris heurtent la coque du bateau déjà endommagée. Morris revient de la cale et hurle à Michael qu'il a colmaté une fuite qui laissait entrer un peu d'eau.

Quelques instants plus tard, Morris scrute l'océan au-devant du bateau, ʳdant Michael parmi les débris flottants. Elliot somnole debout, affalé

contre le tableau de bord et la tête reposant sur ses bras. Morris remarque alors que certains débris sont des chaises de bois, puis des valises, des tables.
— Le Alaska Sun a coulé… en déduit-il sur un ton consterné.

D'un air grave, ils étudient en silence les différents débris malmenés dans l'océan en furie. Michael trouve toutefois étrange de ne voir aucun corps ni canot de sauvetage, mais n'en dit mot.
— Hey! Regardez! Un canot de sauvetage à bâbord! s'écrie soudain Elliott.

Tous les yeux se tournent dans cette direction. Serena reconnaît aussitôt un des canots de sauvetage rouge et blanc du yacht.
— C'est un canot de sauvetage du Alaska Sun! hurle-t-elle, soudain excitée.

L'espoir monte en elle de revoir certains passagers vivants, dont Lindsay et Norrington. Mais à son grand désespoir, les trois passagers présents dans le canot ne sont pas ceux qu'elle espérait. Il s'agit de deux officiers et de… Peterson. Le sous-capitaine Peterson en personne. Celui qui a tiré sur son mari et causé sa mort.

Serena le dévisage à travers la vitre lorsque celui-ci monte à bord. Il est visiblement en état de choc et ne l'aperçoit pas tout de suite. Il entre dans la vaste cabine, une couverture chaude autour des épaules et s'assoit à même le sol, en face d'elle. C'est alors qu'il lève les yeux vers Serena. Sur le coup, il ne semble pas la reconnaître. Puis, son regard s'éclaire soudain et il baisse vivement les yeux, fixant obstinément le plancher. Serena demeure silencieuse, le petit sur les genoux. Elle se contente de le dévisager haineusement. Elle hait cet homme et aurait aimé pouvoir lui cracher au visage. Mais le fort tangage du navire et leur situation précaire lui font renoncer à exprimer sa colère pour le moment.

Pire encore, elle ne s'explique pas la présence du sous-capitaine sur un canot de sauvetage. Cet homme les a délibérément empêchés de partir en mer, et le voilà ici. Rescapé. Sauvé. Alors que le Alaska Sun et ses passagers demeurent introuvables…

Michael s'avance vers Peterson et lui pose quelques questions. Ce dernier ne daigne même pas lever la tête pour lui répondre. Ses courtes réponses semblent surprendre Michael et ce dernier s'en retourne, visiblement perplexe. Serena est trop loin pour entendre les propos échangés entre les hommes, mais elle devine aisément que Michael s'est renseigné sur la situation du yacht et d ses passagers et que le sous-capitaine n'a pas donné de réponse concrète satisfaisante.

Après plus d'une heure à naviguer parmi les débris du yacht à la recherche de survivants, Michael décide qu'il est temps de rentrer :

— Nous devons nous ravitailler et réparer la coque.

Serena observe tristement les débris dans l'océan, alors que le navire s'éloigne en direction de l'île de Vancouver.

Chapitre 16

Un nouveau fils

Lucy

Marc répond à un jeune homme excité qui les informe du départ imminent de leur groupe.

— Deux autobus ont été généreusement prêtés par un établissement d'enseignement spécial de la ville. Ils nous amènent à Reno !

Néanmoins, ils déclinent l'invitation, car ils préfèrent chevaucher pour se rendre à la ville ; autrement, ils abandonneraient leurs précieuses montures.

— Mon oncle habite en banlieue de Reno, et de là, nous pourrons peut-être emprunter une voiture pour nous déplacer en ville ? annonce Marc.

— Bonne idée, répond Brian.

Au petit déjeuner, Éric fait le récit d'une nouvelle qui attiré son attention au journal télévisé il y a de cela quelques minutes.

— Deux employés d'une compagnie de train ont travaillé jour et nuit pour déplacer des wagons passagers sur les chemins de fer réservés au transport de marchandises. C'est pour aider à l'évacuation des réfugiés ailleurs qu'à Reno, qui est déjà pleine à craquer, a dit le lecteur de nouvelles. Les premiers wagons sont arrivés aux petites heures ce matin, et une émeute s'est déclenchée à leur arrivée. Il y a eu des morts... des enfants ont été piétinés.

Lucy fronce les sourcils en se remémorant son étrange rêve, où elle a été témoin de l'arrivée de wagons et d'une foule en colère sur un quai d'embarquement. « C'est étrange... elle fixe le garçon un moment, puis baisse la tête. » Mais elle garde pour elle cette information, de peur de rajouter de l'huile sur le feu inutilement.

Ils partent peu de temps après en direction de la ville refuge, après avoir mangé et rechargé la batterie du téléphone de Lucy. Cette dernière chevauche encore avec Brian et, fidèle à son habitude, Éric cesse tout babillage une fois sur le dos d'Oscar. Marc en semble d'ailleurs ravi. Le téléphone de Lucy sonne alors qu'elle chevauche. Elle répond et est très heureuse d'entendre Logan au bout du fil.

— Bonjour maman !

— Bonjour mon grand ! Hey ! Comment vas-tu ?

— Je vais bien. J'entends des bruits... on dirait des sabots de cheval.

— Oui, je suis à cheval.

— Cool...

— Ouais, c'est pas mal. Il s'appelle Flamboyant.

— Oh… C'est un beau nom.

— Ouais. Ça lui va bien. Tu pars bientôt pour l'école ?

— Mais non maman, c'est congé aujourd'hui. Je vais manger des gaufres aux bleuets avec du sirop d'érable.

— Miam. Ça a l'air bon. Passe une belle journée mon amour.

— Bonne journée

Il passe le combiné à Den, à qui elle confirme qu'ils sont en route pour Reno.

— Si tout va bien, je te rappelle en fin de journée.

— D'accord. Sois prudente.

Ils circulent sur la route pavée une fois de plus. Vu l'état de leur compagne, ils se contentent de chevaucher au pas. Ils traversent la frontière d'état et arrivent en bordure de la ville, par l'ouest. Ils délaissent l'autoroute et empruntent une sortie en banlieue de la ville. Les nuages de cendre ne se sont pas étendus jusqu'ici et les pelouses sont encore vertes. En suivant les directives de Marc, ils se retrouvent rapidement devant une résidence élégante de briques roses. Un joli jardin aménagé à l'avant agrémente le vaste terrain de cette résidence d'un quartier huppé. Ils descendent de leurs montures et ces dernières, très affamées, s'empressent de brouter l'herbe longue et fraîche de la pelouse. Immédiatement, Éric fait le tour du jardin et hume le parfum de toutes les fleurs qui s'y trouvent, en s'extasiant devant la beauté de certaines, faisant sourire sa grande amie.

Lucy et Brian tentent de maîtriser les chevaux, qui ne se laissent pas impressionner par les tentatives de dissuasion et broutent allègrement l'herbe et le jardin. Car il y a longtemps que les chevaux ont brouté de l'herbe propre et de si grande qualité… Marc frappe à la porte et un homme de petite taille, légèrement gras et au crâne dégarni, s'avance sur le porche. Il paraît d'abord surpris, puis sincèrement soulagé de voir son neveu. Il l'étreint chaleureusement dans ses bras et Marc paraît très ému. Il se penche vers son oncle et lui envoie un bec sonore sur le dessus du crâne. L'homme éclate de rire, et une jeune fille apparaît à son tour dans l'embrasure de la porte. Ils s'étreignent aussi longuement. Marc fait signe ensuite à ses compagnons de s'approcher. Brian hausse les épaules en signe d'impuissance en pointant les chevaux, mais Tom ne s'en formalise pas. Il penche la tête de côté et observe d'un air amusé les chevaux brouter et piétiner son précieux jardin. Tom lui serre chaleureusement la main. L'oncle de Marc se présente timidement à Lucy, puis à Éric, qui le complimente aussitôt sur la beauté de son jardin. Tom éclate de rire à ces mots et ajoute :

— Mouais. Vos chevaux aussi ont l'air de l'apprécier… Je suis le frère de Bianca, la mère de ce grand gaillard !

Il marque une pause et ajoute doucement :
— On te croyait mort, tu sais. Venez, entrons boire un café.

« N'eût été la présence d'un ciel voilé de couleur gris orangé et du cri de la sirène retentissant au loin, on se serait cru en pleine visite dominicale », songe Lucy. Assis à la table, Marc raconte brièvement les tragiques événements qu'ils les ont conduits jusqu'ici. Son oncle et sa cousine sont sidérés d'entendre leur récit, et la jeune fille ne peut s'empêcher de jeter des regards furtifs à Lucy, dont les cicatrices boursouflées cousues de fils bleus et noirs sont très voyantes. Marc demande ensuite à son oncle s'il leur est possible d'emprunter une voiture pour aller en ville. Tom accepte d'emblée, mais insiste pour qu'ils passent la nuit chez lui, et leur offrent un léger goûter avant le départ. Heureux, ils acceptent et, une demi-heure plus tard, ils s'entassent tous les six dans le minivan familial, après avoir attaché les chevaux dans la cour arrière, où ils se délectent des vivaces et boivent l'eau fraîche de la fontaine…

Un embouteillage monstre s'est formé sur l'autoroute menant à la ville. Alors, Tom emprunte une autre voie, qui passe par le vieux Reno, là où les nombreux parcs publics accueillent des centaines de milliers d'évacués. Ils délaissent malgré eux la voiture coincée dans une ruelle et arpentent les rues et les parcs à pied, divisés en deux groupes de trois. Lucy, Éric et Brian forment le premier trio et Marc, Mélanie et Tom le second. Ils s'échangent leur numéro de téléphone cellulaire afin d'assurer la communication entre les deux groupes. Éric nomme ensuite les noms de sa mère et de sa sœur aînée et fait une légère description physique de ces dernières.

Ils marchent tout l'après-midi, arpentant les refuges, les parcs et les rues bondées. Épuisés et affamés, ils se donnent rendez-vous au parc de la gare centrale à dix-huit heures et reviennent tous bredouilles. La nuit tombe rapidement à ce temps-ci de l'année et ils désirent retourner à la résidence, car la nuit apporte son lot de violence en ces temps difficiles… Éric est anxieux et parle constamment. Même Lucy ne prête plus vraiment attention à son babillage pendant qu'elle discute avec Brian et Tom, assise sous un lampadaire au centre d'un petit parc. Elle est courbaturée et un puissant mal de tête s'est déclenché voilà près d'une heure. Elle gobe des comprimés ferme les yeux un moment. Marc et Mélanie scrutent la liste des personnes énumérés qui se sont enregistrés dans les camps de réfugiés de la

L'immense liste est affichée sur un énorme babillard de fortune faisant une dizaine de mètres de long.

Soudain, Éric tire la manche de Lucy, et cette dernière suit des yeux son doigt pointé.

— C'est ma mère, là, dit-il doucement, presque en chuchotant.

— Où ça?

— Là, sous le chapiteau blanc. Elle porte une blouse blanche et elle a de longs cheveux.

Lucy se redresse péniblement et concentre son regard légèrement flou à cause de la brunante. Mais Éric ne lui en laisse pas le temps et la tire déjà par le bras dans cette direction. Elle a à peine le temps d'avertir Brian qu'elle s'élance derrière Éric pour ne pas le perdre parmi tous ces gens. Un chapiteau a été installé de l'autre côté de la rue, et la partie arrière n'a pas de mur. Un petit écriteau indique : Morgue. Une trentaine de corps sont étendus sur le sol, recouverts de couvertures multicolores. Éric se faufile parmi la foule et s'élance sous le chapiteau sans même porter attention à ces corps, et atterrit dans les bras de sa mère. Celle-ci réagit avec surprise en l'accueillant, puis le repousse ensuite vivement. Elle l'engueule sans retenue :

— Espèce de petit insouciant! Où étais-tu passé?

— Tu le sais maman, je suis parti aider Mme Juliette et...

Elle l'interrompt :

— À cause de toi, Alicia est morte! Tu aurais dû être avec elle pour la surveiller! Mais non, tu as préféré t'occuper de ces petits vieux, comme d'habitude!

Elle poursuit ses injustes accusations et ses insultes, tandis que les frères et sœurs d'Éric sanglotent, assis sur le sol tout près d'elle. Lucy assiste à la scène, stupéfaite et outrée. Mais Éric n'écoute déjà plus sa mère. Il s'est détourné d'un air atterré. «Alicia, morte?» se dit-il. Il regarde alors les corps étendus sur le sol et marche lentement parmi eux. Il arrive à la hauteur de deux petits corps et se penche. Il soulève le premier drap et découvre le corps d'Alicia. Il prend la petite main posée sur la robe rouge picotée de blanc.

Lucy sent une intense colère monter en elle devant la réaction totalement inappropriée de la mère du gamin. Elle trouve son comportement impardonnable et s'apprête à lui dire le fond de sa pensée lorsqu'elle aperçoit ~~a~~ coin de l'œil la petite robe portée par Alicia... Elle s'arrête net et fige sur ~~e~~, le doigt levé. Elle cesse même de respirer un moment et fixe le tissu ~~incrédulité... La mère d'Éric observe nonchalamment la curieuse femme ~~net rose couverte d'affreuses cicatrices. Puis, elle reporte son attention sur sa soi-disant peine et se remet à hurler de plus belle, s'en prenant à tour de rôle à ses enfants déjà passablement éprouvés par les drames successifs qu'ils viennent de vivre. La mère est hystérique et gesticule démesurément, cherchant à attirer l'attention et la sympathie sur elle.

Mais Lucy demeure plantée là pendant plusieurs secondes, sans accorder la moindre attention à la mère immature. Au bout d'un moment, elle s'approche d'Éric et s'assoit silencieusement à ses côtés, passant un bras autour des épaules recourbées du gamin. Il pleure. Elle remarque le petit sac à main de jeans bleu pâle. Éric fouille à l'intérieur. Voyant que le sac est vide, il explose en larmes en serrant très fort la petite main de sa sœur. Il est secoué de gros sanglots, tandis que Lucy est partagée entre des sentiments ambivalents ; elle a le cœur brisé de le voir ainsi dévasté et, d'autre part, n'en croit pas ses yeux de voir cette robe, les collants rouges, le petit sac à main… Elle reste muette un long moment, ne sachant que dire ni que faire. Éric pleure à chaudes larmes. Il articule quelques mots et Lucy devine leur signification :
— … ses voitures que je les lui avais offertes… je voudrais tant les avoir… J'aurais dû être là pour la protéger…

Et il se remet à pleurer de plus belle. Elle se sent impuissante et ferme les yeux. Tout ceci lui échappe. « Comment est-ce possible ? se demande-t-elle. Comment ai-je pu rêver des derniers moments d'Alicia ? » Puis, tout à coup, elle se souvient que dans son rêve, la gamine tenait les petites voitures dans ses mains à la toute fin… Alors, délicatement, elle ouvre l'autre petite main d'Alicia, pour constater avec déception qu'elle est également vide…

Éric s'étend sur le corps de sa petite sœur, le cœur déchiré. Lucy réalise que ces petites voitures représentent pour Éric plus qu'un souvenir. Elles représentent sa sœur et tout l'amour qu'il lui porte. Elle si désolée pour lui que son cœur se serre douloureusement et ses yeux s'emplissent de larmes. Une image de son rêve de la nuit passé s'interpose alors dans son esprit : la petite fait rouler les voitures sur le béton tout à côté du pied d'un lampadaire à la peinture rouge écaillée, en forme de visage de clown… Brusquement, elle se redresse. Elle sait ce qu'elle doit faire. Elle soulève son menton de ses doigts pour le forcer à la regarder et lui dit :
— Je crois savoir où sont les petites voitures. Attends-moi ici sans bouger. Je reviens vite.

Il acquiesce d'un signe de tête, et Lucy s'élance à l'extérieur du chapitea mue par une énergie nouvelle, bousculant même Brian sans le voir. E court aveuglément dans la foule pour se rendre à la gare centrale, sur le extérieur, situé à deux coins de rue. Son cœur bat la chamade et l'adré monte dans ses veines à une vitesse fulgurante sans qu'elle puisse s'expliquer pourquoi. En son for intérieur, elle a le sentiment que c'est une question de vie ou de mort. Elle sait que c'est insensé, mais elle ne peut s'arrêter. Elle poursuit sa course en bousculant les gens qui se trouvent sur son passage. Brian s'élance à sa poursuite dans la foule et a du mal à la suivre. Il a beau l'appeler par son prénom, elle ne répond pas. Il est surpris de voir que malgré son état, elle court diablement vite ! Il s'excuse auprès des gens insultés, bousculés par le passage de la femme défigurée au bonnet rose.

En suivant les panneaux indicateurs, elle parvient rapidement au quai extérieur, alors que la nuit tombe. Elle stoppe net et observe le quai devant elle. Son cœur bat à tout rompre. Elle est stupéfaite.
— Ce n'est pas possible... murmure-t-elle.

Elle se tient sur le même quai qu'elle a vu dans son rêve la nuit précédente... Sauf que ce soir, des barricades de métal sont érigées, un garde de sécurité surveille le quai désert et le train a disparu. Le quai mesure vingt-cinq mètres de profondeur par cinquante mètres de long. Les gens sont entassés à l'arrière des barricades sur environ six mètres. Elle lève les yeux et examine les lampadaires. Il y en a huit. Mais à cette distance, elle ne parvient pas à distinguer la peinture écaillée au pied de chacun. Ils se ressemblent tous. Elle se souvient alors qu'Alicia était étendue sur le sol lorsqu'elle voyait cette image de visage de clown, juste au-dessus des boulons d'ancrage.

Sans hésiter, elle se faufile sans gêne parmi les gens assis sur le sol et enjambe la barricade de métal d'un bond. Quelqu'un la retient par le bras, mais elle se dégage vivement et s'avance sur le quai vide. Elle se dirige rapidement vers le premier lampadaire sur sa droite, lorsque des cris de protestation s'élèvent derrière elle. Elle n'a pas conscience du mécontentement qu'elle soulève en passant devant tout le monde. Elle est obnubilée par la recherche des petites voitures... Le garde de sécurité l'interpelle, mais elle ne l'entend pas. Elle continue d'avancer à tâtons sur le béton peint, les yeux rivés sur le plancher à la recherche des petites voitures. Elle s'accroupit à quatre pattes et colle son visage sur le plancher froid en regardant les boulons d'ancrage.
— Non...

Le garde de sécurité s'approche d'elle et insiste, mais elle n'y prête même pas attention. Brian la rejoint sur le quai et tente de distraire le garde pendant que Lucy arpente anxieusement le quai. Il ne comprend pas pourquoi elle se comporte de la sorte et se gratte la tête d'un air embarrassé. Cette dernière promène de lampadaire en lampadaire, en tournant autour, toujours à re pattes, posant de temps à autre sa joue sur le plancher. Brian tente de la raisonner, mais elle le repousse à plusieurs reprises, totalement concentrée par sa recherche des précieux jouets. Le gardien et Brian finissent par hausser les épaules en attendant que cesse son drôle de manège. Elle arrive au sixième lampadaire et colle sa joue au sol. Fascinée, elle fixe d'un air incrédule la peinture rouge écaillée en forme de visage de clown. « C'est exactement comme dans mon rêve. Comment est-ce possible ? » se demande-t-elle.

Elle ignore pourquoi elle a vécu les derniers moments de la petite Alicia en rêve. Elle ignore pourquoi Éric a été fasciné par l'émeute sur le quai, une nouvelle parmi tant d'autres. Tout ce qu'elle sait, c'est que ces petites voitures sont d'une importance capitale. Vitale. Elle cherche fébrilement à quatre pattes les précieux jouets autour du lampadaire. Elle aperçoit la première voiture derrière et la seconde sur les rails, en bas. Les petites voitures Mickey Mouse sont égratignées, et une petite roue manque sur l'une d'elle. Tout heureuse, elle rit nerveusement et frotte frénétiquement les jouets sur ses vêtements pour les faire reluire. Elle se précipite en sens inverse en empruntant le même itinéraire, le cœur léger comme une enfant. Elle se faufile à travers la foule, Brian sur les talons. Elle arrive aux côtés d'Éric, tout essoufflée, mais heureuse.

La mère d'Éric se tient debout aux côtés de son fils. Elle est toujours agitée et babille à voix haute en s'adressant à on ne sait qui. Lucy ne lui accorde aucune attention et s'assoit derrière Éric. Elle remet les précieux jouets dans les mains du petit. Il les regarde avec incrédulité. Une joie immense illumine son visage angélique. Il les caresse et les retourne entre ses doigts. Il saute au cou de Lucy en lui disant un « merci » sonore dans l'oreille. Ils s'étreignent longuement. La mère d'Éric, témoin de leur étreinte, leur jette un regard dédaigneux en faisant un « pfsst » et s'éloigne en faisant mine de les ignorer. Éric est toujours secoué de sanglots sporadiques, mais s'est calmé. Il raconte à voix basse plusieurs anecdotes impliquant Alicia et quelques bons souvenirs, entrecoupés de pleurs. Lucy passe à nouveau un bras autour de ses épaules et lui murmure à l'oreille :
— Alicia est un ange maintenant. Et je crois que c'est elle qui veillera sur toi désormais.

Il répète ces mots machinalement en caressant les voitures, les yeux dans le vague.
— Elle est mon ange et veillera sur moi maintenant.

Il est visiblement épuisé par ces terribles émotions et Lucy lui propose s'étendre aux côtés de ses frères et sœurs, installés dans un coin du chapit

Il est d'accord. Il se lève pour les rejoindre. Mais au moment où il arrive près d'eux, il demande à Lucy :

— On se voit demain, n'est-ce pas ?

— Oui, c'est sûr. Je passerai te voir demain matin. Promis. Bonne nuit Éric.

— Bonne nuit Mme Lucy, répond-il.

Elle le regarde s'étendre aux côtés d'une adolescente à la grosse tignasse, portant un gilet rayé bleu et blanc, aux manières aussi exagérées que sa mère. Éric ne s'en formalise pas et s'étend sur le dos, les petites voitures bien à l'abri sur sa poitrine. Lucy veille tendrement sur le gamin, patientant jusqu'à ce qu'il s'endorme. Elle rejoint ensuite tristement les autres dans le parc. Elle ne dit mot de tout le trajet du retour, ni pendant le reste de la soirée. Brian et Marc s'inquiètent de son silence, et le babillage familier d'Éric leur manque déjà.

Ils passent la nuit chez Tom et sa famille. Lucy s'esquive rapidement après le repas. Elle est si malheureuse… La sirène s'arrête pour la nuit et le brouhaha du quartier diminue. Brian frappe à la porte de la chambre d'invité où Lucy est étendue et insiste pour vérifier ses blessures. Lasse, elle se laisse faire et gobe les comprimés tendus par son compagnon. Elle a le vague à l'âme et se recroqueville dans le lit. Elle appelle son frère et raccroche rapidement. Elle dort profondément toute la nuit, mais se réveille le lendemain matin avec le cœur gros. Aujourd'hui, elle devra se séparer d'Éric. Et elle est consciente qu'avec la situation d'urgence qui prévaut dans le monde, il est peu probable qu'elle le revoit un jour. Une colère gronde en elle.

« Comment une mère peut-elle se comporter de la sorte envers son enfant ? Certaines personnes ne devraient pas avoir d'enfants. Elles ne les méritent pas… » Elle ressasse ces sombres pensées toute la matinée et mange sans appétit le petit déjeuner gentiment préparé par la famille. Elle sait qu'elle se comporte mal en présence de ses hôtes, mais c'est plus fort qu'elle. Pendant le repas, ils suivent le bulletin de nouvelles télévisé. Le lecteur de nouvelles débute :

— Le Big One, causé par la rupture de la faille de San Andreas ces derniers jours, a scindé la Californie en deux. Une gigantesque crevasse s'est formée du nord au sud sur près de deux cent vingt kilomètres et, à certains endroits, elle atteint une largeur de plusieurs dizaines de mètres, isolant du même coup de nombreuses municipalités, dont San Francisco.

es trois survivants échangent un regard entendu, réalisant qu'ils ont failli laisser leur peau deux fois lors de cette rupture phénoménale de la croûte stre.

— … Également, une douzaine de volcans étalés sur toute la côte ouest américaine et mexicaine sont entrés en éruption, dont le Mt St-Helens, qui continue de cracher des milliers de tonnes de cendre et de gaz dangereux. En Californie seulement, on estime le nombre de morts à plus de onze millions de personnes… Tous les systèmes et plans d'urgence des villes sont en vigueur. Mais les efforts sont considérablement affectés et ralentis par le manque de ressources, les routes endommagées et le fait qu'il est impossible d'offrir de secours aériens.

Les compagnons ont aussitôt une pensée pour la famille Smith, qui devra se débrouiller sans aide pour un long moment encore…
— … L'aide s'organise de façon aléatoire, au hasard, différents groupes de gens éparpillés se forment pour venir en aide à la population un peu partout dans le monde. Mais c'est le chaos sur le continent…

Ils se rendent à l'évidence : ils sont une fois de plus laissés à eux-mêmes. Brian et Marc se penchent alors sur plusieurs cartes de la région, tandis que Lucy demeure pensive. Ailleurs. Tom imprime aussi trois itinéraires possibles en naviguant sur Google Map des États voisins qu'ils devront traverser afin de se rendre au Texas d'abord, puis au Vermont ensuite. Lucy devine aux initiatives explicites de Brian que ce dernier a l'intention de la reconduire jusque chez elle. Bien qu'elle lui soit reconnaissante de son dévouement, elle n'arrive pas à l'exprimer tant sa peine est grande de se séparer du gamin.

Pendant que Tom et sa femme préparent des provisions et s'occupent tant bien que mal des chevaux, les trois compagnons empruntent la voiture de Mélanie. C'est une vieille Chevrolet Parisienne 1972 bleu azur qui accueille les trois compagnons sur le siège avant. Ils s'entendent pour repartir à cheval plus tard dans la journée, en empruntant le trajet tracé plus tôt sur la carte. La chevauchée, quoique longue et fatigante, leur paraît une fois de plus l'option la plus accessible, compte tenu des embouteillages monstres et des routes bloquées des villes avoisinantes. Ils retournent en ville pour faire leurs adieux à Éric et se procurer des cartes des parcs, des sentiers et des pistes cyclables des États voisins. Pendant le trajet, Lucy ne cesse de penser à Éric et son cœur se serre dans sa poitrine. L'idée de savoir qu'elle ne le reverra jamais lui brise le cœur. Et le fait de le laisser avec cette femme indigne lui répugne. Des larmes lui montent aux yeux plusieurs fois pendant le trajet, mais elle s'efforce de ne rien laisser paraître, de peur d'inquiéter ses compagnons.

Éric est assis, seul, au bord du trottoir devant le chapiteau où Lucy l'a la la veille. À la vue de ses amis, il se lève d'un bond et arbore un large so Il traverse nonchalamment la rue achalandée. Il porte en bandoulière sac à main de jeans d'Alicia, et Lucy remarque qu'il a les yeux humides. Il pleurait… Son cœur se serre à nouveau dans sa poitrine. Elle lui fait un gros câlin sincère, mais Éric la tire par le bras et l'entraîne sous le chapiteau. En y entrant, elle remarque une légère odeur désagréable qui se dégage des corps toujours étendus sur le sol. Éric arrive aux côtés de sa mère et tire sa manche pour attirer son attention. Elle se retourne, les mains sur les hanches. Elle s'avance sur Lucy et lui lance d'un ton sec :

— Le petit me dit qu'il préfère aller vivre avec vous. Pffsst ! Allez savoir pourquoi ce gamin préfère une blanche défigurée !

Elle regarde Lucy d'un air dédaigneux et ajoute :

— Êtes-vous en mesure de prendre soin d'un enfant au moins ?

Lucy est sans voix. Elle dévisage Éric, qui fixe obstinément ses chaussures. Elle imagine sans peine ce que le petit ressent en ce moment précis. Sa mère interrompt abruptement sa réflexion et insiste d'un ton arrogant :

— Et puis, c'est oui ou c'est non ?

Lucy ouvre la bouche toute grande un moment, puis se reprend :

— Euh… oui. Oui ! Absolument !

Ses yeux s'emplissent de larmes tandis qu'Éric se jette dans ses bras. Elle le serre contre sa poitrine, malgré la douleur de ses blessures.

— Oh mon coquin… fait-elle en murmurant, émue et si heureuse.

La mère d'Éric fait mine de les ignorer et dit en leur tournant le dos :

— Pfsst… Allez, bon débarras. Cet enfant ne me causera plus de soucis !

Et elle s'éloigne en faisant un signe d'impatience de la main. Lucy l'entend aussitôt s'emporter contre ses autres enfants, mais elle n'y prête plus attention. Elle se penche et dit à l'oreille d'Éric :

— Tu es vraiment malin, toi.

Il rit timidement en ramassant son bagage. Il donne un câlin à chacun de ses frères et sœurs, puis fait une courte prière devant la dépouille de sa petite sœur. Lucy lui prend la main et il sourit timidement. Elle s'accroupit à sa hauteur et le regarde intensément. Elle dit d'une voix douce:

— Tu sais Éric, je suis vraiment très heureuse que tu choisisses de partir avec moi. Vraiment, vraiment très heureuse. Je me considère privilégiée. Mais je dois être franche : je ne sais pas si nous aurons la chance de revenir voir ta famille avant longtemps. Très longtemps. Les temps sont difficiles.

— Je sais. J'ai bien réfléchi et mon cœur me dit de partir avec vous, Mme ♦. Je veux que ma vie soit différente.

— en es bien certain ? Elle sera bien différente, ça, c'est sûr.

— Je sais, dit-il en l'interrompant.

— Bien.

Elle marque une pause et l'étreint chaleureusement ; elle est si heureuse !

— Alors, on y va ? ajoute-t-il gaiement.

Ils s'éloignent du chapiteau, bras dessus, bras dessous. Ils rejoignent Marc et Brian, qui sont adossés à la voiture. Ils paraissent surpris de les voir ainsi sourire, et Lucy annonce gaiement la nouvelle :

— Éric vient avec moi.

Brian sourit vivement et tend le bras pour un « Tape là-dedans ! », tandis que Marc s'envoie une grosse claque sonore sur la cuisse et s'esclaffe d'un rire bref :

— On aura tout vu ! J'en suis bien heureux, mon petit bonhomme, ajoute-t-il.

Il lui tapote le dos en guise d'appréciation. Brian s'installe aussitôt derrière le volant et Marc l'accompagne à l'avant. Lucy ouvre la portière arrière d'un geste solennel, se penchant en avant comme un portier :

— Monsieur Éric, s'il vous plaît…

Ils éclatent de rire et s'installent sur la banquette arrière, riant comme deux larrons en foire… Les deux hommes échangent un regard entendu et sourient, affichant le même large sourire père-fils. La voiture quitte le bord de la rue et s'engage sur le large boulevard bondé de piétons. La vieille radio diffuse un air d'une chanteuse populaire intitulé *A new day*, qui éveillera dorénavant un doux souvenir dans le cœur gonflé de joie de Lucy.

« Je sais maintenant pourquoi j'ai survécu à toutes ces terribles épreuves. C'était pour vivre ce moment ultime. Accueillir un nouveau fils. Un fils qui, je le ressens, jouera un rôle vital dans le déroulement de cette tragédie planétaire… » réalise-t-elle enfin.

Chapitre 17

L'expédition

Julie

Au lever du jour, ils se nourrissent rapidement. Une ambiance fébrile règne dans la suite. Seule Danielle continue de protester contre cette idée d'expédition. De toute évidence, elle ne désire pas marcher à l'extérieur. Mais ils refusent de la laisser seule ici et parviennent à la convaincre. Ils la rassurent en affirmant qu'ils feront de nombreuses pauses et s'abriteront dans des endroits surélevés. Avant de partir, Rick a même pris soin d'enrouler serré un foulard autour de l'abdomen de cette dernière, afin de réduire les souffrances liées à son hernie abdominale.

Descendre les cinq étages représente pour Danielle, Franck et Peter une tâche ardue. François et Rick descendent les poussettes chargées jusqu'à l'extérieur tandis que Jo, Sam, Pedro et Julie aident les petits. Angy et Isabelle suivent derrière en s'entraidant. Quitter le confort et la sécurité de l'hôtel représente une étape difficile, et plusieurs hésitent une fois dehors. Ils obtempèrent néanmoins et Danielle, anxieuse, verse quelques larmes en traversant péniblement le stationnement. Ils se dirigent aussitôt vers le nord en direction de Bucerias, longeant la route à l'avant de l'hôtel, progressant parallèlement à la plage.

L'eau s'est retirée de la vallée depuis trois jours et le sol a séché un peu. C'est un matin doux et nuageux. Une fine bruine tombe, recouvrant les cheveux et les vêtements d'une légère humidité. L'avancée se fait péniblement, car ils souffrent de douleurs musculaires et de faiblesses. Le parcours les oblige à contourner et à enjamber de nombreux obstacles, et cela les épuise rapidement. Ces obstacles sont constitués d'innombrables branches d'arbres, de chaises, de voitures et de voiturettes de golf, d'animaux morts, surtout des vaches et des porcs, de planches de bois de toutes sortes, de briques et de morceaux de béton. Et parfois, un corps humain bleuté et boursouflé. Ils évitent de passer trop près de ces corps, de peur de sentir l'odeur pestilentielle qui s'en dégage. Ou de reconnaître un proche et d'être à nouveau dévasté par la douleur de son trépas... Ils veulent aussi éviter que les enfants deviennent traumatisés à la vue des cadavres...

François ouvre la marche, portant deux sacs à dos et poussant une première poussette, qui accueille Léo et Joey. Il est le plus énergique de tous ce matin, visiblement ravi de cette expédition. Il est suivi par Pedro et Jo, qui portent chacun un sac à dos et poussent la seconde poussette avec Émanuel et Isabelle.

Julie se tient près de Franck et le soutient au besoin, juste derrière Angy, qui marche côte à côte avec Sam. Rick ferme la marche, aidant Danielle et Peter à déambuler parmi les débris.

Le premier point d'arrêt se fait sur le toit d'un minibus blanc renversé sur le côté avec l'inscription «Nuevo Vallarta». Ils sont parvenus à deux kilomètres de l'hôtel, en marchant sur la route principale. François, Pedro et Jo donnent un coup de main à chacun pour les hisser sur le toit du minibus. Les fenêtres sont teintées et quelques-unes, fracassées. Une odeur nauséabonde se dégage du minibus. Ils en déduisent rapidement que plusieurs corps pourrissent à l'intérieur… Néanmoins, ainsi en hauteur, ils se sentent en sécurité. Et de là ils observent l'hôtel voisin aux couleurs vives dans les tons d'orange, rose et bleu. Là aussi, certains immeubles se sont effondrés. Ils ne perçoivent aucun signe de vie. Après une pause de vingt minutes où ils avalent un morceau et boivent une gorgée d'eau, ils reprennent la route.

Les ados sont enthousiastes et démontrent beaucoup d'énergie. Ils encouragent les autres à avancer et chantent à tue-tête. Et Danielle a grand besoin de ce soutien physique et moral, car il y a des années qu'elle n'a pas autant marché. «J'avoue qu'il y a longtemps que je me suis sentie aussi légère.» En ce onzième jour, Danielle a perdu douze kilos. Son short est retenu par des lacets de souliers afin de l'empêcher de glisser sur ses genoux. La peau de son ventre n'est plus tendue.

Trois heures après leur départ, ils atteignent l'artère principale de Bucerias. C'était autrefois un charmant village côtier d'une dizaine de milliers d'habitants, aux artères fleuries et aux boutiques accueillantes. Une petite ville aux avenues propres, offrant plusieurs restaurants mexicains délicieux et sans prétention. Mais aujourd'hui, tout n'est que ruines. La plupart des édifices comptaient un seul étage et ont été rasés par les tsunamis destructeurs. Seules quelques structures de béton mises à nu ont résisté et quelques palmiers tiennent encore debout. De nombreuses toitures arrachées gisent sur la chaussée. Une multitude de vêtements multicolores provenant des boutiques avoisinantes sont éparpillés sur les branches d'arbres déracinés.

Le clan déambule silencieusement sur l'artère principale parmi les débris. Ils aperçoivent au loin un chien errant qui se nourrit d'une vache en décomposition. Ils sont consternés par l'état de dévastation des lieux et espèrent malgré tout entendre ou apercevoir un signe de vie. Mais les rues sont désertes. Les imposants tsunamis ont irrévocablement détruit ce chaleureux village. Ils font une nouvelle pause sur le toit métallique d'un hangar à la peinture bleu délavé, transporté jusque-là par les puissants ressacs. Le large toit incliné accueille toute la famille. La pluie s'est arrêtée momentanément et ils en profitent pour se reposer et se nourrir à nouveau. Il a été décidé que les enfants pourront manger autant qu'ils le voudront, afin de leur permettre de reprendre leurs forces et de redevenir autonomes le plus rapidement possible.

L'écœurement et les nausées s'amenuisent lorsqu'ils mangent la chair séchée. Le goût devenu familier devient synonyme de survie. Et la répugnance de ce geste s'amoindrit aussi avec l'habitude de se nourrir en groupe. Les enfants s'amusent même pendant quelques minutes à glisser sur le toit détrempé jusqu'au sol. Malgré leur état, ils ont le cœur à jouer. Julie les admire en savourant ce moment de joie éphémère. La gaieté des enfants est contagieuse et les ados glissent en souriant à leur tour sur le toit en pente lors du départ. Les petits embarquent dans les poussettes et le clan se remet en marche. Ils longent un moment la petite rivière Rio El Indio, qui se déverse dans la baie. La rivière a été malmenée et de nombreux débris y sont restés coincés. L'eau de mer s'est mélangée à l'eau de rivière, qui puise sa source des montagnes, et le cours d'eau habituellement limpide est boueux en cette saison des pluies. Une odeur saline et d'animaux en putréfaction se dégage des vaches qui flottent à l'envers par dizaines.

Deux heures plus tard, ils atteignent enfin le pied des montagnes. Une démarcation à une hauteur moyenne de sept mètres indique le niveau où tous les arbres ont été arrachés des flancs montagneux. Et non loin, un petit sentier serpente à la verticale à travers la forêt dense. Ils l'empruntent et montent la pente très, très lentement. L'eau de pluie ruisselle de la montagne et inonde le chemin rocailleux à plusieurs endroits, rendant l'ascension encore plus difficile. Ils s'arrêtent constamment pour se reposer. Ils atteignent finalement le sommet et s'installent pour un repos bien mérité à l'abri de vieux arbres. Il est à peine quatorze heures, mais ils sont littéralement épuisés. Malgré leur aversion des insectes et autres bestioles qui sillonnent la forêt, ils font la sieste pendant près d'une heure, étendus directement sur le sol. La pluie cesse peu après et un petit vent sec se lève, faisant rapidement sécher le sentier, les vêtements et l'équipement.

Les ados explorent les alentours. Ils reviennent au bout d'un moment avec les bras chargés de fruits inconnus, qu'ils disposent sur une couverture. Il y en a deux sortes : de gros fruits colorés vert et rouge et un autre fruit plus petit, rouge brun avec des piques arrondis, provenant d'un cactus. Ces fruits paraissent très murs et la chair jaune orangé est molle et sucrée. Un vrai délice ! Ils s'en délectent en se léchant les doigts. Plus tard, ils apprendront que ces fruits sauvages sont en réalité des papayes et des figues de Barbarie, dont ces derniers, une fois distillés, produisent la fameuse boisson typique du Mexique, la tequila. Vers la fin de l'après-midi, après s'être reposés et rassasiés, ils reprennent le chemin en marchant sur le sommet des montagnes, et s'arrêtent un peu avant la tombée de la nuit. Collés les uns sur les autres, ils s'endorment sous le couvert d'un arbre immense aux hautes branches. Bien qu'ils soient constamment harcelés par les moustiques et les bestioles, ils dorment d'un sommeil bienfaiteur autour d'un gros feu préparé par Franck.

Le lendemain matin, plusieurs d'entre eux se réveillent couverts de piqûres au visage, aux bras et aux jambes. De grosses boursouflures apparaissent sur le corps d'Angy, de Joey et Peter, qui présentent une réaction allergique. Hélas, ils ne possèdent ni onguents ni analgésiques pouvant les soulager, et ils se grattent frénétiquement toute la journée. Ils déjeunent de fruits frais et reprennent à nouveau leur route, avec peine. Leurs muscles ont été fortement sollicités la veille et, dès les premiers pas, les douleurs musculaires réapparaissent, ne leur laissant aucun moment de répit.

L'étroit sentier monte abruptement pour redescendre dans de larges mares d'eau boueuse. Il est tantôt large et tantôt étroit, leurs vêtements s'accrochant aux branches piquantes des arbustes leur griffant la peau. Ils découvrent dans la matinée que ce sentier a été arpenté par des chevaux voilà deux jours, peut-être moins. De nombreux excréments des bêtes et des traces de sabot dans la terre en font foi. Franck examine une fois de plus les cartes en leur possession et est d'avis qu'il faut continuer à cheminer sur le sentier. Ils se trouvent dans la région montagneuse Sierra Vallejo, l'extension de la chaîne de montagnes de la Sierra Madre occidentale. Sans le savoir, ils entrent dans la zone protégée de conservation nationale, qui constitue une des aires naturelles protégées de l'État de Nayarit. Ils sont à la limite de cet État et de celui de Jalisco, où la rivière Rio Ameca, située au nord de la vallée, marque la frontière. Ces montagnes sont d'une hauteur moyenne de quatre à six cents mètres, et plus ils progressent vers l'est, plus les sommets sont élevés. Certains pics montent même à plus de mille mètres. En arpentant ces montagnes, ils découvrent toutes sortes d'arbres et d'arbustes qui leur sont inconnus et admirent la beauté de certaines fleurs exotiques, cactus et papillons. Mais ces montagnes exotiques contribuent à accentuer leur sentiment de dépaysement, et ils se sentent très loin de chez eux.

Ils circulent sur le sommet des montagnes, étant convaincus que la région montagneuse est plus sûre. Alors, ils longent la vallée pour se rendre à la hauteur de Valle de Banderas, une autre ville d'importance située plus loin dans la grande vallée de Puerto Vallarta. La ville où Maria désirait se rendre lorsqu'elle a été happée par les tsunamis. Mais ils espèrent y trouver d'autres survivants. Peut-être même des secours… Environ dix-huit kilomètres séparent le village de Bucerias de la municipalité Valle de Banderas, par la route. Ils ont déjà parcouru environ quatre kilomètres depuis la veille, et Franck estime qu'à leur vitesse de déplacement, ils atteindront la localité de Banderas au matin du troisième jour.

Les deux jours qui suivent sont caractérisés par de fortes pluies matinales et des après-midi chauds et ensoleillés. Ils s'écartent parfois du sentier afin de garder un œil sur la vallée. Durant tout le trajet, ils ne rencontrent âme qui vive, sauf une chèvre et son chevreau. Les ados tentent de capturer le petit, mais la mère est si agressive qu'ils laissent tomber et continuent de se nourrir de chair humaine et de fruits mûrs. Lorsque la chaleur torride du midi se présente, ils se reposent à l'ombre d'un arbre. Ils avancent très lentement et rationnent l'eau et la nourriture. Ils continuent de perdre du poids et leurs jambes sont hideuses, recouvertes de bleus et d'écorchures. La plupart ont de grosses ampoules aux pieds ou sur les orteils. Franck, Peter et Danielle peinent énormément ; les blessures aux côtes des deux hommes et les maladies de Danielle contribuent à rendre l'expédition particulièrement douloureuse pour eux.

Mais d'un commun accord, la priorité est une fois de plus accordée aux enfants en ce qui concerne la nourriture et le confort. Pour la famille Jacobs, c'est tout naturel de prioriser la survie des enfants. Les petits souffrent de la chaleur, mais se trouvent maintenant dans un bien meilleur état que les jours précédents. Ils ont meilleure mine et les petits ventres ronds reprennent leur forme au fil des jours, au grand soulagement de Julie.

Le matin du troisième jour depuis leur départ, ils arrivent enfin à la hauteur des municipalités de Valle de Banderas. Ils traversent une rivière cascadeuse à fort débit, d'où ils ne peuvent voir le fond tellement l'eau est boueuse. Le lit de la rivière est gonflé par les pluies matinales et est parsemé d'énormes rochers créant des remous aspirateurs. Le clan forme une chaîne serrée comme un troupeau d'animaux et ils traversent ensemble, les petits grimpés sur les épaules de François, Rick, Jonathan et Pedro. L'eau arrive à hauteur du genou et ils transportent sur leurs épaules la nourriture, les sacs à dos et les poussettes.

À la sortie de l'eau, ils découvrent d'énormes sangsues collées à leurs jambes et s'énervent royalement. Sam est carrément dégoûtée et hurle comme une démente en tentant de les enlever. Elles sont répugnantes, d'un brun foncé et rayées d'un rouge sombre, longues de huit à dix centimètres ! Franck et

Jonathan s'activent à les retirer une à une à l'aide d'allumettes brûlantes sur la peau des jeunes filles et des femmes, tandis que François, Rick et Pedro se les arrachent en poussant des cris aigus de dégoût et de douleur.

Lorsqu'ils sont enfin calmés et remis de leurs émotions, ils s'installent sur un surplomb rocheux pour étudier la vallée et évaluer la distance à parcourir pour se rendre aux bâtiments qu'ils voient plus loin. Une douce brise souffle à cette hauteur, et la chaleur du soleil contribue à faire sécher rapidement leurs vêtements. De leur point d'observation, la désolation absolue de la vallée est bien visible. Les tsunamis ont bel et bien déferlé jusqu'ici, l'avancée étant facilitée par les basses terres, le manque d'obstacles naturels et les deux principales rivières de la vallée qui ont servi de voies naturelles.

Un spectacle inhabituel s'offre à eux, toutefois. À cette distance de la mer, une dizaine de bateaux, principalement des yachts et des bateaux de pêche, sont agglutinés à un même endroit. La blancheur de leur coque resplendit sous le soleil matinal. La rivière Rio Ameca, qui se déverse à la marina, a servi de transport sur toute cette distance, et les petits bateaux poussés par les vagues se sont enfoncés dans les terres.

Ils distinguent aussi deux petites agglomérations situées côte à côte. De la fumée s'élève d'un immeuble qui semble en feu là-bas. Ils sont trop loin pour apercevoir des mouvements dans la vallée, mais il est clair qu'aucune voiture n'y circule. La distance à parcourir est d'au moins cinq kilomètres pour se rendre aux agglomérations. Mais la route paraît hasardeuse, car la vallée est constituée de terres labourées submergées et il leur est impossible d'évaluer la profondeur de la boue.
— La boue peut cacher de dangereux débris coupants. Sans compter le fait qu'en marchant dans la vallée, nous serons exposés aux tsunamis, précise Peter.

Malgré tout et pour en avoir le cœur net, les jeunes hommes descendent de la montagne et rejoignent les terres basses. Ils reviennent aussitôt en secouant la tête.
— La boue est très profonde et il y a des carcasses en décomposition ; des bovins et des porcs. Aussi, une barrière composée de centaines de gros débris au pied des montagnes rend difficile l'accès à la vallée, confirme François sur un ton essoufflé.

Ils renoncent finalement à cette idée, tandis que Franck examine à nouveau les cartes. Il suggère alors de poursuivre leur expédition dans les montagnes pour atteindre la route qui se prolonge à l'extrémité nord-est de la vallée, vers le village de El Coatante, établi sur les rives de la rivière Rio Ameca. Le lendemain en fin d'après-midi, ils arrivent à la hauteur du petit village. Ce dernier compte une dizaine de rues tout au plus et la plupart des bâtiments sont absents, ayant été emportés par les eaux plus loin entre les montagnes.

Cette journée est l'une des plus difficiles physiquement, car redescendre les montagnes pour se rendre au petit village sans emprunter de sentier représente tout un défi. Les arbustes piquants, les hautes herbes, les rochers et les cailloux rendent la descente difficile. Et les muscles des jambes et des genoux affaiblis encaissent difficilement ces efforts répétés. À tour de rôle ils trébuchent, tombent et se relèvent. La chair est presque totalement épuisée et ils se nourrissent exclusivement des fruits sauvages qu'ils trouvent. La réserve d'eau est épuisée depuis la veille et ils n'osent s'abreuver des cours d'eau provenant des montagnes, de peur de s'empoisonner.

La boue a séché sur la vallée, laissant de larges craques dans le sol. Il n'a pas plu depuis deux jours et seules quelques mares boueuses n'ont pas encore complètement séché. Marcher enfin en terrain plat leur fait toutefois beaucoup de bien. Le village est désert, mais ils discernent des traces de pneus et de pas qui se dirigent vers l'est. Un petit pont obstrué de nombreux débris enjambe la rivière et les ados l'empruntent avec mille précautions pour jeter un coup d'œil de l'autre côté. Ils ne trouvent qu'un bâtiment délabré.

Ils aperçoivent des chiens errants un peu plus loin qui se nourrissent des carcasses de bovins. Ils redoutent ces bêtes et décident de se réfugier au sommet d'une petite colline non loin de là pour passer la nuit. Les enfants ont été rationnés et disposent de chair pour une journée additionnelle. Mais une nouvelle menace pèse sur eux : le manque d'eau. Ils sont assoiffés. Ils n'ont rien bu depuis la veille au soir et se contentent de l'eau provenant des fruits.

Comme tous les soirs depuis leur départ de l'hôtel, ils allument un feu qu'ils alimentent toute la nuit. Les hommes et les ados se relaient à tour de rôle pour y veiller. Sam, Danielle et Julie ont instinctivement instauré une routine ; elles examinent les lieux, déterminent l'endroit où coucher, installent les couvertures et mettent les petits au lit. Mais cette nuit-là est l'une des plus effrayantes. Des hurlements se font entendre toute la nuit aux alentours. Et de temps à autre, les buissons frissonnent à moins d'une trentaine de mètres d'où les enfants dorment. Peter est le premier à comprendre que les chiens qu'ils ont aperçus plus tôt dans la vallée sont en fait des loups. Cela les inquiète davantage et ils allument un deuxième feu afin d'éloigner les prédateurs. Au petit matin, aucun incident ne s'est produit et les hurlements ont cessé dès les premières lueurs. Mais les hommes n'ont pas fermé l'œil de la nuit…

L'eau déposée par l'importante rosée matinale sur les feuilles des arbustes est bienvenue. Tous, même les enfants, s'empressent de lécher l'eau laissée sur ces dernières et sur les plantes sauvages. La quantité recueillie est insuffisante et, au bout d'une heure, la soif les assaille à nouveau. Ils ont la bouche sèche et pâteuse. Ils lèvent le camp dès que les enfants ont mangé et redescendent la petite colline pour emprunter la route en direction de l'est. Cette dernière serpente à côté de la rivière et bifurque à gauche derrière les montagnes de la Sierra Vallejo. D'instinct, ils suivent les traces de pneus laissées dans la boue. Rick ferme la marche et jette de fréquents regards derrière eux afin de s'assurer que les loups entendus pendant la nuit ne les suivent pas. Marcher sur cette route de terre plate est une bénédiction, et les poussettes roulent allègrement, poussées par François et Jo. Les autres suivent tant bien que mal derrière, essoufflés par ce rythme effréné.

À son grand désarroi, Rick aperçoit vers midi la meute de loups qui les suit à bonne distance. Les bêtes ont le museau et les pattes noires et un pelage gris. Elles se ressemblent toutes... Le clan fait une pause et les jeunes fabriquent deux lances de fortune, formées avec des couteaux et des bâtons solidement rattachés à l'aide de lacets de souliers et de bretelles de soutiens-gorge.

À la tombée de la nuit, ils s'installent à nouveau au sommet d'une colline et allument cinq feux en forme de cercle, et la famille s'installe au centre. Ils se relaient deux par deux toutes les heures. Les enfants mangent leur dernier morceau de chair et tous doivent se passer d'eau. Le hurlement des loups reprend dès le coucher du soleil et perdure toute la nuit. Les enfants terrifiés se blottissent contre Danielle, Julie et Sam, tandis que les hommes veillent aux feux. Le lever du jour offre un mince répit à ces derniers, qui en profitent pour récupérer quelques heures de sommeil. La rosée matinale apporte une fois de plus la seule contribution en eau pour la journée. Peu de temps après s'être mis en route ce matin-là, ils prennent une décision importante devant l'intersection qui se présente à eux. Les panneaux routiers indiquent Los Sauces en direction de l'est d'un côté, et Fortuna de Vallejo vers le nord de l'autre. La route pour Los Sauces longe toujours la rivière Rio Ameca. L'autre route bifurque vers les montagnes. D'emblée, ils optent pour cette dernière, qui leur semble plus sécuritaire, puisqu'elle s'éloigne de la rivière, qui risque de sortir de son lit à tout moment, à cause des pluies diluviennes ou sous l'assaut de nouveaux tsunamis. De plus, les traces de pneus suivent la route de Fortuna de Vallejo...

Les cartes routières dont ils disposent se limitent à illustrer la grande vallée de Puerto Vallarta. Ils ne savent donc pas ce qui les attend d'un côté comme de l'autre. Ils espèrent néanmoins trouver un village intact pouvant les accueillir et qui disposerait d'un téléphone fonctionnel. En marchant, ils remarquent que le paysage s'améliore considérablement, car les vagues dévastatrices n'ont pas déferlé dans cette partie surélevée de la route et des collines verdoyantes. Ils marchent avec bonne humeur malgré leur piètre état. Vers midi, un moment de joie inespéré se présente à eux alors qu'ils aperçoivent un petit canyon où l'eau d'un important ruisseau se déverse dans un lagon plusieurs mètres plus bas. La couleur de l'eau y est d'un bleu turquoise et le lagon est entouré de grandes plantes vertes et d'énormes rochers blancs.

La chute d'eau cascade avant de se déverser dans un jet droit haut de trois mètres dans le lagon. François plonge le premier sans même prendre la peine d'en vérifier la profondeur. Puis, un à un, ils se jettent à l'eau, tout habillés, prenant un réel plaisir à se débattre dans l'eau fraîche et pure du lagon. Ils n'ont pas ressenti un tel état de bien-être depuis plus de quinze jours.

Sans se soucier de savoir si l'eau est potable, ils en boivent de grandes quantités et remplissent les bouteilles vides. L'eau a bon goût et se présente comme un cadeau tombé du ciel. Désaltérés et rafraîchis, ils se reposent ensuite un long moment sur les gros rochers blancs où se prélassent également des dizaines de petits lézards, qu'ils chassent nonchalamment de la main. Ils cueillent à nouveau quelques fruits mûrs des arbres avoisinants. Cette délicieuse échappée leur a fait oublier la présence de la meute, qui les suit toujours. Ragaillardis, ils marchent le reste de la journée sans s'arrêter sur la route de terre. Une fine poussière s'élève de leurs pas et colle à leur peau, à leurs cheveux et à leurs vêtements détrempés. À marcher aussi allègrement, Franck prévoit qu'ils atteindront la petite localité de Fortuna de Vallejo avant la tombée de la nuit.

En fin d'après-midi, ils forcent même l'allure. Mais une pluie soudaine et torrentielle déferle sur eux et ralentit considérablement leur rythme. La terre de la route se change rapidement en boue et l'eau en provenance des montagnes ruisselle dessus, créant de petits ruisseaux et des crevasses qu'ils doivent constamment enjamber. Ils avancent difficilement, les roues des poussettes s'enfonçant continuellement.

À leur grand désarroi, ils doivent renoncer à l'idée d'atteindre le village avant la nuit. À contrecœur, ils se réfugient sous un énorme arbre très haut qui se dresse sur la route. Ils n'ont ni le cœur ni l'énergie pour se réfugier en hauteur sur les collines. Ils sont à découvert sur le bord d'une route déserte, entourés de sommets. Malgré ses compétences, Franck a beaucoup de difficulté à allumer un feu avec toute cette pluie. Tout est rapidement mouillé. Mais il y parvient néanmoins à l'aide de vêtements secs et de branchages. Le feu dégage un épais nuage de fumée tandis que les ados ramassent du bois mort le long de la route. Ils sont tous concernés par la présence des loups et redoutent de passer la nuit sans un feu pour les garder à bonne distance.

Un petit abri est rapidement aménagé afin de protéger les flammes de la pluie torrentielle. Le feu devient leur priorité ce soir-là. Ils se regroupent tous autour et les jeunes hommes préparent leurs armes, au cas où. Dès la tombée de la nuit, les hurlements reprennent… et se rapprochent. Assis autour du petit feu, grelottants sous la pluie, ils distinguent dans la nuit noire des paires d'yeux briller de l'autre côté du chemin. Les loups les épient. Les enfants sont presque hystériques en entendant ces hurlements menaçants, si près. Les autres ont les nerfs à vif. Rick explose tout à coup, n'en pouvant plus. Il s'élance sur le chemin boueux avec une lance à la main et s'écrie à l'intention des bêtes :

— Venez, bande de bâtards ! Je vais vous tuer, et ensuite je vais vous manger ! Allez venez ! Venez !

Jo le raisonne rapidement et le ramène près du feu. Il fait nuit noire et la seule lueur vient des petites flammes. Franck suggère de faire du bruit pour éloigner les prédateurs.

— C'est le seul autre moyen à notre disposition que je connaisse pour les éloigner.

Alors à tour de rôle, chacun se met à faire du bruit en tournoyant près du feu. Ils tapent sur le tronc d'arbre à l'aide d'un bâton, chantent haut et fort, cognent sur les objets métalliques, etc. Les sons cacophoniques créent une cohue générale. Tout ce brouhaha accentue la confusion des enfants, qui s'expriment tantôt par des cris, tantôt par des pleurs. Et à nouveau, des lamentations de douleur, provoquées par la terrible et persistante douleur musculaire due au manque de nourriture et aux efforts physiques soutenus depuis des jours.

Assise par terre, les genoux remontés sous le menton, Julie tient sa tête entre ses mains. Elle n'a pas la force de les imiter et désespère, comme jamais elle ne l'a fait. De toute sa vie. C'est la première fois qu'elle se sent aussi mal. Mal dans sa peau. Mal dans son être… À cause du geste commis le neuvième jour. Depuis leur départ, Julie s'est refermée dans un mutisme inhabituel. Elle marche comme un fantôme et se laisse diriger par Franck et les autres. C'est comme si elle avait perdu toute forme de volonté personnelle. Une partie de sa personnalité semble s'être envolée. Elle a remis ses portions de chair aux enfants à l'insu de tous et grignote du bout des lèvres les fruits présentés. Jamais elle ne s'est offerte pour cueillir les fruits, soutenir quelqu'un, transporter un sac. Son instinct maternel a pris le dessus et la porte uniquement à veiller sur son fils Émanuel et à jeter un regard régulier sur Jonathan, puis sur les autres enfants, afin de s'assurer de leur bien-être. Rien de plus. Tout ce qui lui importe, ce sont les enfants. Elle-même n'a plus d'importance à ses propres yeux…Et même si ses compagnons ont remarqué son étrange attitude, ils évitent de lui en parler.

Quelques jours auparavant, pendant l'expédition, alors que plusieurs veillent au feu sur les montagnes, Peter pose la question qui lui brûle les lèvres. Cette question que personne n'a osé poser, même si plusieurs ont le désir de savoir.
— Qui a pris la décision de faire ça? demande Peter à brûle-pourpoint. Qui l'a fait? C'est toi? poursuit-il sans attendre de réponse et en dirigeant sa question vers Franck.

Voyant que personne ne répond, Jo présume :
— Je pense que c'est papa.

Puis, il tourne la tête en direction de son père pour que ce dernier confirme. Mais Franck ne bouge pas. À son silence éloquent, Jo et les autres comprennent que ce n'est pas lui qui a eu le courage de faire ça. Un silence inconfortable s'installe pendant un moment, puis Franck parle d'une voix rauque :
— C'est Julie qui a pris la décision. Et c'est elle qui a fait tout le travail. Un sale boulot…

Puis, il se retourne et observe un moment Julie qui dort aux côtés d'Émanuel.
— Moi, j'ai seulement fait cuire la nourriture, comme elle me l'a demandé.

Puis il ajoute, plus bas :
— C'était la moindre des choses… Sans Julie, on ne serait pas ici ce soir et les petits seraient morts.

Un nouveau moment de silence s'installe où chacun réfléchit aux paroles de Franck. Et Peter ajoute sur un ton sincère :
— Et moi qui croyais qu'elle se comportait ainsi parce qu'elle se sentait mal d'avoir mangé de cette nourriture… Là, je comprends. Si j'avais eu à le faire, j'aurais probablement déjà perdu la raison.
— On lui doit la vie. Moi, en tout cas, je vais lui dire merci demain, ajoute François avec émotion.

Le lendemain, Julie a eu droit à une série de chaleureux câlins et de remerciements. Cette démonstration lui a fait du bien et la soulagea temporairement de ce lourd sentiment de honte omniprésent.

Mais aujourd'hui, elle a toujours de la difficulté à accepter le geste posé. Son cœur et sa tête ne s'entendent plus sur la nécessité d'avoir fait une telle chose. Une profonde divergence persiste dans son esprit, et son corps s'en ressent douloureusement. De même que sa santé mentale... Et ce soir, sous la pluie qui tombe allègrement sur son visage et avec la cacophonie qui règne, elle doute encore plus. Elle doute d'elle-même. Elle se demande pourquoi elle est une femme si obstinée. Si obstinée au point de vouloir que les autres la suivent dans sa folie... Seulement pour les voir souffrir encore ? Elle est d'accord avec les propos de Franck : ne serait-il pas plus simple de se laisser aller ? De mourir doucement, avec ses enfants dans ses bras ? Comme Hémond. Sans souffrance... sans douleur. Doucement...

Julie désespère. Pour la première fois de sa vie, son esprit divague et la douleur est si vive au plexus solaire qu'elle ferait n'importe quoi pour qu'elle disparaisse... Et ce bruit qui lui casse les oreilles depuis dix bonnes minutes... Elle n'en peut plus. Elle est sur le point d'exploser de douleur.

Pendant ce temps, Danielle croit percevoir un léger bruit de moteur malgré le bruit assourdissant perpétré par les adolescents. Le bruit vient de loin, mais semble se rapprocher d'eux. Elle tend l'oreille. Puis, à travers la pluie et les feuilles des arbres, elle distingue au loin des phares. Elle n'en croit pas ses yeux ! Elle tente de se relever pour prévenir les autres, mais n'y parvient pas. Elle jubile, mais personne ne voit les phares au loin, car leur attention est dirigée vers le feu et les loups de l'autre côté de la route. Et personne ne l'entend avec tout ce bruit. Puis, elle voit Julie assise tout près et se traîne jusqu'à elle. Elle la secoue sans ménagement par les épaules pour la sortir de sa torpeur et lui montre les phares qui se rapprochent lentement.
— Julie, regarde !

Mais la réaction de Julie n'est pas celle que Danielle s'attend, car l'esprit troublé de Julie perçoit ce geste comme une agression, et elle réagit vivement. Les yeux fous de colère et de douleur, elle la pousse violemment sur le dos. Elle lui saute dessus et l'étrangle furieusement en criant. Elle ne supporte plus cette immense douleur contenue depuis des jours... Et tout ce bruit... Sans se rendre compte du geste qu'elle pose, Julie se défoule sur le premier venu. Sur Danielle.

Franck, assis près du feu, observe Julie depuis un moment. Il a remarqué qu'elle parle toute seule depuis déjà quelques heures et semble très négative, ailleurs. Elle traîne la patte depuis deux jours et semble indifférente à ce qui se passe autour d'elle. Elle n'a même pas daigné mettre un pied à l'eau tout à l'heure. Il s'inquiète pour elle et se doute qu'elle souffre profondément.

«Pourtant, elle s'est nourri et devrait se sentir mieux, comme nous tous», songe-t-il, ignorant qu'elle a remis la plupart de ses portions aux petits.

Il est placé dos à la route et est témoin de la démence de Julie. La lueur des flammes illumine son visage furieux. Elle affiche une expression haineuse qu'il ne lui connaît pas. Il s'élance alors subitement par-dessus le feu pour secourir Danielle et, ce faisant, renverse la poussette vide dont le dessus est rempli d'eau. L'eau de pluie accumulée se déverse sur le feu, qui s'éteint instantanément...

Il maîtrise Julie en la retenant tout contre lui, serrant ses bras fermement autour d'elle pour l'empêcher de faire tout mouvement. Elle se débat violemment un court instant en lui faisant cruellement mal aux côtes. Puis, elle se calme subitement et devient toute molle. Une noirceur totale s'installe. C'est la panique générale, et les cris effrayés des adultes se mêlent à ceux des enfants. Danielle se relève, toussant et soufflant, recouverte de boue de la tête aux pieds. Elle s'essuie, mais lorsqu'elle ouvre les yeux elle ne voit que du noir. Elle entend tous ces cris parmi les hurlements des loups. Elle se retourne vers les phares qu'elle a aperçus un moment plus tôt, mais ils ont disparu. Elle doute alors. «Ai-je imaginé ces phares?» Elle cherche anxieusement autour, mais ne distingue rien du tout. Elle ne peut qu'entendre les cris hystériques et affolés de tous... et les hurlements des bêtes qui se changent en braillements et en grognements tout près d'elle...

Chapitre 18

Retour sur la terre ferme

Serena

Serena a les yeux grands ouverts, mais son esprit est ailleurs. Le petit dort, la tête toujours enfouie contre sa poitrine, et elle sent sur sa peau son souffle chaud, devenu également source de réconfort pour elle. Hélas, le boom atmosphérique descend la côte vers le sud et les empêche d'atteindre en toute sécurité le détroit de l'île de Vancouver comme prévu. Ils se dirigent donc dans le bassin de Barkley pour se rendre à Port Alberni, en empruntant la longue rivière salée du même nom, qui serpente sur quarante kilomètres à l'intérieur des terres.

Les centaines d'îles du bassin ont été complètement ensevelies, et une mer de débris s'infiltre dans la rivière avec la marée montante. Ils parviennent au port Alberni après six longues heures de navigation continue sur le cours d'eau encombré. La pluie tombe toujours intensément, et les forts vents font claquer l'imperméable de Morris qui se tient à l'extérieur, se préparant à amarrer le bateau au quai de béton. Dans les terres, la tempête est moins vigoureuse, et cette accalmie est bienvenue pour les sauveteurs épuisés.

Michael s'adresse aux survivants :
— Nous avons communiqué avec Diego, chef pompier de la ville. Une fois arrivés dans la municipalité, des jeeps vous attendront au port pour vous mener à Cameron Lake. Vous y rejoindrez d'autres survivants de l'île regroupés là-bas. Demain matin, vous roulerez ensuite jusqu'à Qualicum Beach, de l'autre côté de l'île ; c'est un trajet d'environ cinquante-cinq kilomètres. De là, vous prendrez le dernier traversier, qui vous mènera à Vancouver.

Serena écoute les directives de Michael d'une oreille. Son attention est fixée sur Peterson. Il y a des heures qu'elle rumine une haine profonde à son égard, attendant le moment propice pour lui tomber dessus. Elle souhaite ardemment le faire devant tout le monde. Alors qu'elle s'apprête à se lever pour l'assommer d'injures haineuses, Yhéo se lève soudain et court se jeter dans les bras de Peterson. Serena est prise de court et reste bouche bée devant le comportement du gamin. Autant que Peterson, qui ouvre instinctivement les bras en recevant le bambin. Il lève des yeux surpris vers Serena.

Cette dernière renonce alors momentanément à invectiver Peterson, se promettant toutefois de se reprendre à un autre moment. Yhéo demeure dans les bras de l'homme une bonne minute, puis lève les yeux vers lui. Serena est témoin du regard échangé entre eux et elle réalise que Yhéo s'est délibérément jeté dans les bras de l'homme pour l'empêcher, elle, de lui tomber dessus. Mais peu après, le doute s'installe : «c'est impossible... il est beaucoup trop jeune pour comprendre...» Le petit revient calmement vers Serena, alors que le bateau de la garde côtière canadienne accoste au quai. Il s'assoit tout bonnement à ses côtés et lui prend la main. Elle se calme instantanément. Néanmoins, en elle réside le besoin d'exprimer sa haine et elle lève un regard déterminé vers Peterson qui, pour la première fois depuis sa montée à bord, soutient ce regard sans détourner les yeux. Serena voit soudain en lui. Dans son regard expressif qui la défie ouvertement, elle décèle une obstination farouche. «Un entêté de première. Un salaud notoire, habitué à se battre pour faire sa place», songe-t-elle en le définissant rapidement. Elle réalise alors qu'il ne sert à rien d'affronter cet homme pour lui reprocher son geste. Il reconnaît son méfait et le lui démontre ouvertement, sans aucune honte, toujours persuadé d'avoir bien agi.

Le hurlement de la sirène du bateau interrompt l'échange de regards entre les deux rescapés. Ils constatent avec désarroi que les mégatsunamis ont déferlé dans la ville après avoir voyagé sur cette interminable rivière salée. Apparemment, des dizaines de vagues de trois à cinq mètres ont inondé les terres et la municipalité avec la force de centaines de bulldozers. Des bâtiments entiers ont été emportés sur des kilomètres. La ville est déserte, mis à part deux jeeps sur le quai, conduites par de jeunes surfeurs aux cheveux longs.

Les cinq rescapés remercient leurs sauveteurs et montent à bord des jeeps ; Serena et Yhéo dans l'une et les trois officiers dans l'autre. Les jeunes hommes les conduisent comme prévu au Cameron Lake Resort en zigzaguant sur la route parsemée de débris de toutes sortes sous une pluie diluvienne. Serena demeure silencieuse alors que le jeune conducteur lui raconte, sans y être invité, les tragiques événements survenus dans l'île. Elle ne prête pas attention à ses propos, tant sa nausée est insupportable. Elle ne peut s'empêcher de vomir à deux reprises en le pressant de s'arrêter sur le bord de la route. Le petit est blême, souffrant apparemment aussi du mal de terre. Il y a si longtemps qu'ils sont en mer, ballottés par les eaux, qu'il leur semble encore être en mouvement marin dans le véhicule. Le trajet est très éprouvant et ils arrivent dans le stationnement du refuge en sueur et complètement désorientés.

Alors qu'elle sort de la voiture, elle ne peut s'empêcher d'admirer prestement les derniers lambeaux de brume qui se déchirent sur les pics des conifères en face du domaine intact. Elle a l'impression qu'ici, tout est frappé de gigantesque : les arbres, les montagnes et la flore exubérante. À l'entrée du hall du refuge, des jeunes s'empressent de prendre soin d'eux et leur refilent des comprimés antinauséeux. Une vingtaine d'autres survivants, principalement des jeunes surfeurs et des randonneurs, se sont donné rendez-vous ici pour passer la nuit, bien à l'abri de possibles tsunamis et du boom qui sévit encore.

Quelques heures plus tard, Serena, qui se sent mieux, décide d'écouter la conversation continue des jeunes qui font le récit de leurs poignants témoignages. Elle apprend que les survivants présents dans le refuge sont en majorité de jeunes touristes. La plupart des habitants survivants ont évacué avant l'arrivée des tempêtes, par bateau. Les jeunes hommes présents sont des sportifs habitués de surfer sur les gigantesques vagues du Pacifique Rim lors des booms atmosphériques. Elle est surprise d'apprendre que ces jeunes extrémistes fréquentent les plages de Long Beach, du début octobre à la fin novembre, vêtus d'un habit de néoprène. Ils arrivent par centaines au début d'octobre dans l'attente des booms atmosphériques, qui apportent leur lot de gigantesques vagues tant prisées de ces surfeurs extrêmes.

Ces jeunes survivants font partie de groupes venus de Californie, arrivés la veille du premier tsunami. Ils escaladaient alors l'une des majestueuses montagnes du renommé parc provincial de l'île, lorsque les imposants tsunamis ont déferlé sur les côtes, détruisant les villes côtières et tuant nombre de leurs amis déjà sur les plages du Pacifique Rim. Lorsqu'ils sont enfin redescendus, ils n'ont pu qu'être témoins de la dévastation sur plusieurs kilomètres à l'intérieur même des terres. Ils se sont donc empressés de porter secours aux nécessiteux pendant des jours, utilisant leurs planches comme civières et leurs systèmes radio émetteurs pour communiquer avec les différents intervenants survivants. Un autre survivant, un homme âgé dans la quarantaine, raconte que lui et sa femme faisaient partie d'un groupe de touristes venus observer les tempêtes sur la côte. Ils sont arrivés le six octobre au matin et étaient censés repartir la veille…

— L'observation des tempêtes d'automne est une activité fort prisée, qui est devenue l'une des activités touristiques les plus lucratives de l'île, raconte-t-il à Serena. Nous raffolons de ces tempêtes impressionnantes et des gigantesques vagues qui déferlent dans les petites baies. Et depuis huit ans maintenant, de magnifiques auberges ont été érigées sur les pointes d'îles et les escarpements rocheux un peu partout le long du littoral, où toutes les chambres et les pièces entièrement vitrées donnent sur l'océan. Je suis venu en vacances expressément pour cela. Je me dirigeais à l'urgence de l'hôpital de la région afin de recevoir des points de suture après avoir trébuché sur les rochers de la plage. J'ai échappé à la mort de justesse en grimpant prestement les quatre étages de l'hôpital, qui est situé en haut d'une colline. Mais ma femme et les autres sont restés à l'auberge. Ils sont tous morts. Je suis retourné voir et seules quelques énormes poutres ancrées au roc témoignent de la présence de l'auberge sur la falaise, termine-t-il en s'essuyant les yeux. Les auberges et résidences ont été rasées...

Un kayakiste raconte à son tour qu'il a échappé miraculeusement aux tsunamis, car sa voiture est tombée subitement en panne en haut d'une colline, alors qu'il se rendait à Port Alberni... Serena constate que ces survivants, tout comme elle, ont miraculeusement survécu à l'effroyable cataclysme. Elle retourne auprès de Yhéo, qui dort paisiblement dans un coin de la salle de séjour commune. Elle le réveille et ils mangent du bout des lèvres le bouillon chaud servi par l'aubergiste. Après une rapide mais combien soulageante toilette à l'eau douce et chaude, Serena et Yhéo s'endorment enfin dans un lit confortable, assommés par les médicaments antinausée. Ils sont réveillés à l'aube par des bruits venant du couloir. Au-dehors, la tempête s'est calmée et les vents sont moins importants, quoique la pluie tombe toujours intensément.

Les survivants s'entassent dans les deux jeeps, une fourgonnette, une voiture et une vieille camionnette ; vingt et une personnes, l'équipement des surfeurs et trois chiens s'y engouffrent. Ils roulent ainsi pendant plus d'une heure jusqu'au quai de Qualicum Beach, de l'autre côté de l'île, où des centaines de survivants se bousculent. Ils sont exténués, affamés et visiblement désemparés. Tout comme eux. Le petit convoi arrive à temps et tous s'embarquent sur l'imposant paquebot où ils s'entassent ; des surfeurs, des kayakistes, des touristes, des résidents, des vélos, des animaux, etc. Le traversier effectue sa dernière traversée avant longtemps... Sa destination : le port de Vancouver.

Serena tient fermement la main de Yhéo alors qu'ils progressent parmi la foule. Des volontaires les accueillent et distribuent gratuitement des barres de céréales et des bouteilles d'eau. Le petit mange avec appétit sa barre et la moitié de celle de Serena, qui prétend ne plus avoir faim. Ils se réfugient à l'intérieur du paquebot et s'abritent dans la cafétéria surchargée. Ils s'assoient à même le sol. Elle peut voir dans le regard des autres survivants le désespoir, l'extrême fatigue, la douleur, le deuil. Elle est bien consciente d'avoir le même regard qu'eux, car elle ressent tous ces sentiments à la fois. La traversée de la baie à l'eau tumultueuse est pénible, et plusieurs passagers sont malades à même le plancher où ils sont entassés. Une forte odeur de vomi, de peau sale et d'humidité règne dans la cafétéria, mais personne n'ose sortir à l'extérieur, sous le vent glacial.

Pendant cette pénible traversée, Serena a eu le temps de réfléchir aux événements des derniers jours. Le paquebot parvient enfin à destination et une brume cache la vue de la ville de Vancouver. Ils sortent à l'extérieur et s'installent à la poupe pour regarder au-devant, espérant apercevoir les immeubles et les montagnes au loin. Sans succès. Elle demande au petit :
— As-tu de la famille à Vancouver ?

Il secoue la tête. Il la regarde longuement, sans rien dire.
— Et au Japon ?

Il se contente de hausser les épaules.
— Veux-tu habiter avec moi ? demande-t-elle doucement.

Il hoche la tête de haut en bas en souriant timidement. Elle sourit :
— Je suis heureuse que tu acceptes, mon petit.

Elle marque une pause et poursuit :
— Dis-moi, Yhéo, deux fois tu m'as dit m'avoir choisie. Pourquoi ?
— Parce que je sais que tu peux faire des choses importantes.
— Des choses importantes… Ah oui ? Comme quoi ?
— Aider des personnes.

Elle le regarde, incrédule.
— Que veux-tu dire, trésor ?
— Des gens vont avoir besoin de toi. Et tu pourras les aider.
— Ah bon… Et comment sais-tu cela ?

Il hausse les épaules. Visiblement, il l'ignore. Ou ne veut pas en parler. Elle réfléchit un moment et émet un long soupir de soulagement. Elle caresse la petite tête ronde et dit en souriant :
— Et je promets de prendre soin de toi, petit singe, dit-elle tendrement en plissant le nez.

Il sourit sincèrement pour la toute première fois. Il a beaucoup aimé l'expression «petit singe» et se dandine gaiement. Elle est très heureuse d'avoir réussi à le faire sourire. Bien que les mystérieux propos du petit l'intriguent, son intuition lui dicte d'être patiente. D'attendre, car la réponse viendra. Elle se demande comment diable un petit garçon de cinq ans, presque six, peut prétendre savoir ce genre de choses ? Malgré cela, Serena savoure un intense sentiment de soulagement. «Enfin, nous sommes sauvés.» Elle ne songe qu'à rentrer chez elle, accompagnée du petit. Un doux sentiment d'accomplissement l'envahit alors que le paquebot entreprend ses manœuvres d'accostage. Pour la première fois depuis des jours, elle se sent enfin en sécurité.

Ils marchent main dans la main, prenant place lentement dans la file de survivants, impatients d'emprunter la passerelle qui les mènera enfin sur la terre ferme...

Chapitre 19

Si c'était à refaire...

Julie

Omer est le jardinier d'Ernesto Vasquez. À la tombée de la nuit, il se tient sur le balcon de sa petite maison située sur le sommet de la montagne, tout juste à côté de la grande demeure ancestrale de son patron. Il aperçoit soudain de la fumée s'élever de la route et comprend qu'un feu a été allumé par des hommes, à deux kilomètres de là. Des échos de cris et de bruits divers se répercutent sur la montagne tout près. Clopinant, il s'empresse de prévenir M. Vasquez et ce dernier, accompagné de deux hommes, saute dans le camion d'armée et se dirige aussitôt dans la direction indiquée par lui.

Omer les regarde s'éloigner dans la nuit noire. Il aurait aimé pouvoir les accompagner, mais sa jambe le fait atrocement souffrir. Le coup de sabot d'un cheval dans l'écurie la veille l'a sérieusement blessé. Les chevaux sont nerveux depuis les tout premiers tremblements de terre. Néanmoins, il a eu l'opportunité de participer à trois expéditions de sauvetage dans la région depuis les tsunamis et contribué à sauver la vie d'une douzaine de personnes à ce jour...

Danielle avance à tâtons dans le noir et trouve la poussette où sont assis Joey et Léo. Elle s'agrippe à cette dernière et sa main touche un objet qu'elle reconnaît aussitôt : c'est un large parasol jaune et blanc appartenant à l'hôtel. Elle s'en empare sans hésiter et l'ouvre tout grand. La couleur blanche est visible dans le noir et elle le fait tournoyer rapidement, créant un effet visuel. Lorsqu'elle se retourne, elle aperçoit des paires d'yeux luisants qui s'approchent d'elle et des petits Émanuel et Isabelle, qui geignent à ses côtés. Soudain, sa peur disparaît. Elle est estomaquée de voir que les bêtes ont l'intention de s'attaquer aux petits. Elle se campe fermement devant les loups et lâche un cri rauque en agitant le large parasol dans leur direction.

Les bêtes, surprises, reculent et s'enfuient dans le boisé tout près. Satisfaite que sa manœuvre ait réussi, elle invite Rick à faire la même chose avec le second parasol. À eux deux, ils parviennent à tenir les loups à bonne distance et à regrouper les membres du clan autour du feu éteint qui boucane abondamment.

Quelques instants plus tard, des phares apparaissent sur la route au tournant d'un énorme bosquet. Un camion d'armée arrive tous feux allumés sur la route boueuse, éblouissant les membres du clan entassés près de l'arbre. Devant l'hystérie collective, les hommes sortent du camion et allument de puissantes lampes torches fixées au-dessus du camion, ce qui a pour effet de faire fuir définitivement la horde de loups. Les cris de terreur qui déchiraient la nuit se changent rapidement en pleurs et Danielle, immensément soulagée, s'effondre sur le sol en laissant tomber le parasol. Un des hommes s'avance vers elle et l'aide à monter à bord. Il enjoint tous les autres à embarquer dans le camion d'un geste de la main. Les deux autres hommes s'activent à installer les jeunes et à embarquer leur matériel. François transporte Julie jusqu'au camion et l'installe à l'arrière dans la boîte. Elle est inconsciente.

Lorsqu'elle reprend partiellement conscience, elle réalise qu'on la transporte sur une civière dans un large escalier d'une demeure illuminée. Les lumières vives lui brûlent les yeux et les voix lui sont étrangères. Des visages inconnus se penchent sur elle et elle sombre à nouveau dans l'inconscience. À quelques reprises, une femme mexicaine d'une cinquantaine d'années la force à boire un liquide chaud qui lui fait le plus grand bien. Au bout d'une heure, elle se réveille. Julie est étendue dans un grand lit bordé de draps blancs et ornés de fils rouge et orange. La décoration de la pièce est typiquement mexicaine. Elle se croit dans un rêve. Des bruits de voix étouffées lui parviennent par la porte entrouverte. Elle se laisse aller un moment à cette béatitude irréaliste. Elle se dit qu'elle est peut-être morte... Ou folle. Elle est persuadée de souffrir d'hallucinations. Pour en avoir le cœur net, elle se pince la peau du bras si fort qu'elle lâche un cri de douleur.

Presque aussitôt, Jonathan apparaît dans la chambre, l'air inquiet. Elle le regarde d'un air totalement hébété. Elle ne comprend pas. Il est dans le même état qu'elle l'a vu la dernière fois...
— Ça va maman?

Julie hésite et demande :
— Où sommes-nous?
— Je ne sais pas. Des Mexicains nous ont secourus en camion et nous ont amenés ici il y a plus d'une heure. Ils ont de la nourriture, de l'eau potable, l'électricité! finit-il d'un ton joyeux en levant les bras au ciel.

Julie est confuse. Elle n'est pas tout à fait convaincue qu'il ne s'agit pas d'une hallucination. Elle cherche dans sa mémoire.
— Je ne m'en souviens pas...

Il l'interrompt :
— Papa dit que tu t'es évanouie un peu avant qu'ils n'arrivent. Nous t'avons transportée dans le camion, puis jusqu'ici. Tu nous as inquiétés, tu sais.

Julie ne répond pas. Elle vient de remarquer qu'elle porte pour tout vêtement une robe de chambre fleurie rose, orange et violet lui arrivant aux genoux. Voyant venir sa prochaine question, il lui dit :
— C'est à Monica. La femme qui t'a fait boire le café.

Il marque une pause, puis ajoute, l'invitant de la main :
— Viens maintenant. Allons manger, tu veux ?
— OK. Je veux bien, murmure-t-elle avec un soupçon de joie dans la voix. Où sont les enfants ? fait-elle soudain angoissée. Où est Émanuel ?
— Ils mangent ! Tout le monde mange ! lance-t-il sur un ton excité.

Julie se lève, mais Jonathan doit la soutenir pour marcher. Lorsqu'elle sort de la chambre, la lumière vive l'assaille un moment. Ses yeux s'accoutument peu à peu et elle finit par apercevoir tout le monde assis autour d'une vaste table de bois au bas de l'escalier. Plusieurs Mexicains, femmes, hommes et enfants se tiennent debout autour d'eux. Ces derniers ont les traits tirés, mais semblent contents. Julie se sent légèrement intimidée de descendre le large escalier dans cet état. Angy l'aperçoit et s'écrie :
— Julie !

Toutes les têtes se tournent alors dans leur direction et Julie reconnaît le visage de la femme mexicaine. C'est elle qui lui a fait boire le café… Julie penche la tête en guise de remerciement, accompagné d'un sourire timide. Puis elle murmure :
— Gracias, Monica.

Monica répond d'un hochement de tête. Un jeune homme mexicain tire une chaise et Jonathan aide sa mère à s'y asseoir confortablement. Elle se sent si faible qu'elle croit s'évanouir à nouveau. Mais en quelques secondes, un bol de soupe chaude à base de tomates lui est servi avec un morceau de pain. Elle déguste ce savoureux repas lentement, en buvant de grandes gorgées d'eau. Ses mains tremblent et elle renverse du précieux liquide chaud autour du large bol.

À sa grande surprise, elle ne parvient pas à terminer le repas pourtant léger. Son estomac est déjà plein… Elle se sent un peu mieux et prend plaisir à observer discrètement les autres échanger gaiement autour de la table. Ils sont sales et s'amusent à grignoter et à roter. Ils ont oublié momentanément leurs bonnes manières, leurs malheurs, leurs souffrances, leurs tourments. Elle réalise qu'un petit rien représente aujourd'hui une grande joie. Julie se lève et marche lentement jusqu'à Émanuel. Elle se penche vers lui et lui baise le front, comme à son habitude. Son cœur s'emplit d'amour et le petit Manu, le ressentant, lui baise furtivement le dessus de la main. Il est embarrassé.

Cela lui arrive parfois lorsque sa mère ou son père l'embrasse devant ses amis. Comme c'est le cas en ce moment. Elle sourit de sa réaction et lui ébouriffe les cheveux, ce qui le fait rire. Joey l'imite. Julie ébouriffe à son tour les cheveux de Joey et de Léo, ce qui suscite un fou rire général chez les petits, excités. Une ambiance légère et irréaliste règne dans la grande salle à manger. Franck retentit tout à coup dans la salle à manger et annonce sur un ton euphorique :

— Whooouu houuu ! Ça y est ! On est sauvés ! On a rejoint la famille par téléphone et ils sont déjà en route pour venir nous chercher ! Yeaaaaah !

Peter, qui l'accompagne, a les yeux larmoyants de joie. Franck jubile. Un vent de soulagement intense balaie les survivants et un tollé de cris de joie s'élève. Ils s'étreignent en pleurant de bonheur, les joues mouillées de larmes.

Julie demeure assise, savourant cette intense émotion. Elle ferme les yeux et les larmes roulent sur ses joues amaigries. Elle sourit sans pouvoir s'arrêter. Elle est si soulagée… Lorsqu'elle rouvre les yeux, Franck est assis en face d'elle et la dévisage intensément, le petit Léo bien installé sur ses genoux. Franck tend la main en disant sur un ton plein d'émotion :

— Ça va mieux ?

— Oh oui.

— Tant mieux. Tu ne dois plus douter, Julie.

Il avait deviné sa souffrance intérieure.

— Oui, tu as raison… Seulement maintenant je réalise que je ne me suis pas trompée. Que j'ai bien fait.

— Oui, tu as bien fait. Et tu m'as ouvert les yeux. Et sauvé mes enfants. Merci.

C'est un merci plein de signification.

Incapable de prononcer une parole tant elle est heureuse et touchée par son geste, elle sert dans ses bras le petit Émanuel venu la rejoindre. Elle se contente de hocher la tête. Puis, elle tourne le regard vers les autres, qui dansent de joie à l'autre bout de la table, malgré leur état lamentable. Un profond sentiment d'amour l'envahit, venu tout droit de son incroyable instinct maternel. Cet instinct même qui leur a permis d'en arriver ici. Elle dit simplement :

— Tu sais, j'aurais fait n'importe quoi pour eux. Et je peux affirmer sans l'ombre d'un doute que si c'était à refaire, je recommencerais…

Elle marque une pause.

— On s'en est sortis, alors ?

— On dirait bien.

— Incroyable, fait-elle en se remémorant leur pénible expérience.

— Ouais. Incroyable, répète-t-il avec la même expression qu'elle.

Puis, elle sourit à nouveau, le cœur débordant de la joie contagieuse propagée par les enfants. Un profond sentiment d'accomplissement l'envahit et son regard se voile de larmes à nouveau. « J'ai sauvé mes enfants. J'ai sauvé mes descendants… », réalise-t-elle en fermant les yeux.